CUISINE D'HIER

À LA MODE D'AUJOURD'HUI

Sélection du Reader's Digest

CUISINE D'HIER
À LA MODE D'AUJOURD'HUI

*Les meilleures recettes d'antan
remises au goût du jour*

 Sélection
Reader's Digest

MONTRÉAL

CUISINE D'HIER À LA MODE D'AUJOURD'HUI

ÉQUIPE DE SÉLECTION
DU READER'S DIGEST

RÉDACTION
Agnès Saint-Laurent

LECTURE-CORRECTION
Gilles Humbert

DIRECTION ARTISTIQUE
John McGuffie

GRAPHISME
Manon Gauthier

FABRICATION
Holger Lorenzen

COORDINATION
Susan Wong

COLLABORATEURS EXTERNES

TRADUCTION
Suzette Thiboutot-Belleau

RÉDACTION
Geneviève Beullac

LECTURE-CORRECTION
Joseph Marchetti

INDEX
France Laverdure

CUISINE D'HIER
À LA MODE D'AUJOURD'HUI
est l'adaptation française de
LIKE GRANDMA USED TO MAKE

Copyright © 1996 The Reader's Digest Association, Inc.

RÉDACTION ORIGINALE
Spectrum Communication Services, Inc.

DIRECTION ARTISTIQUE
Linda Vermie Design

PHOTOGRAPHIE
Michael Jensen

ILLUSTRATIONS
Susan Fitzpatrick Cornelison,
Gary Palmer, Thomas Rosborough

STYLISME
Lisa Golden Schroeder, Pegi Lee, Juli Hanssen

DÉVELOPPEMENT DES RECETTES
Sandra Granseth
Elizabeth Woolever

ANALYSE NUTRITIONNELLE
Marge Steenson

SÉPARATION DE COULEURS
Event Graphics, Inc.

Données de catalogage avant publication (Canada)

Vedette principale au titre : Cuisine d'hier à la mode d'aujourd'hui
Traduction de : Like Grandma Used to Make
   Comprend un index.
   ISBN 0-88850-574-4
   1. Cuisine. I. Sélection du Reader's Digest (Canada)
(Firme). II. Titre.
   TX715.L673814   1997 641.5   C97-941180-7

Pour obtenir notre catalogue ou des renseignements sur d'autres produits de
Sélection du Reader's Digest (24 heures sur 24), composez le 1 800 465-0780

Vous pouvez aussi nous rendre visite sur notre site Internet : www.selectionrd.ca

PHOTO DE COUVERTURE Bouillabaisse nord-américaine (page 202)
PAGE DE TITRE Shortcake aux fraises (page 326)

Table des matières

Avant-propos

Ce livre de recettes unique en son genre a pour principal objet de préserver en le modernisant l'héritage culinaire que nous a légué notre passé. Ce passé est fait de mille et une traditions, les unes venues de nos ancêtres français qui les ont apportées de leurs provinces d'origine, les autres nées ici, au fil des siècles et des contacts avec d'autres ethnies.

Le passé

Feuilletez ce livre : vous y trouverez plus de 500 recettes empruntées à la cuisine traditionnelle d'ici et d'ailleurs. Dans chaque chapitre, une page spéciale intitulée « Petites gâteries » met au menu des recettes destinées tout spécialement aux enfants. Une autre rubrique présente des activités culinaires pouvant occuper en commun petits et grands : servir le thé au jardin, décorer des œufs de Pâques avec des colorants naturels, construire une maison en pain d'épice...

Conjugué au présent

Des experts en conception culinaire se sont penchés sur les recettes d'autrefois et les ont adaptées à nos façons modernes de vivre et de manger. Les recettes ont été reformulées avec des ingrédients allégés dans la mesure du possible ; la marche à suivre a été simplifiée pour économiser temps et travail. Vous remarquerez combien les techniques de préparation sont claires, simplifiées, précises. Enfin, les délais de préparation et de cuisson vous aident à planifier les repas.

Chaque recette a été plusieurs fois mise à l'essai en cuisine : vous avez ainsi la certitude de servir des plats aussi savoureux qu'ils l'étaient dans le bon vieux temps. Les teneurs en lipides, en sodium, en cholestérol et en calories ont été réduites partout où cela pouvait se faire sans risquer de sacrifier au goût. Une analyse nutritionnelle fait suite à chaque recette. Là où vous avez le choix entre deux ingrédients, ce sont les valeurs du premier qui ont été prises en compte : les ingrédients facultatifs ne sont pas analysés.

Laissez courir vos doigts dans ce livre haut en couleur et retrouvez le souvenir de certains plats d'hier. Vous aurez bien vite envie de les recréer dans votre cuisine pour les remettre à la mode d'aujourd'hui.

Notre héritage culinaire

La cuisine nouvelle nous laisse souvent au cœur et à l'estomac le regret de la bonne vieille cuisine familiale, robuste, nourrissante et savoureuse. Pourquoi se souvient-on avec nostalgie des bons plats de notre enfance ? Comment préparait-on les plats autrefois et quels avantages présentaient les ingrédients d'alors ? C'est ce que nous allons essayer de découvrir ensemble.

Cent fois sur le métier

Nos mères ont appris à cuisiner avec leurs mères qui elles-mêmes l'avaient appris de leurs mères. Il y a à peine 50 ans, il existait encore très peu de livres de recettes : la cuisine était affaire de traditions orales transmises de génération en génération. Ainsi apprenait-on à évaluer au doigt, à l'œil et au nez la souplesse d'une pâte, la cuisson d'un légume, la tendreté d'une viande. On tirait parti de ses erreurs, on utilisait son imagination, on s'échangeait des trucs entre parents et amis. Aujourd'hui, combien de gens n'aimeraient-ils pas connaître les signes grâce auxquels on sait que le poulet est frit à point ou que la croûte de tarte sera tendre ! Le livre que voici vous offre la chance d'acquérir ce savoir-faire inimitable en réalisant des recettes qui portent la patine du temps.

La cuisine anecdotique

Nous l'avons dit : la cuisine a longtemps été une tradition orale. Elle pouvait donc différer d'une famille à l'autre. Cela alimentait les conversations. « Ma graisse de rôti ne prend pas comme la tienne », disait l'une. « Comment fais-tu pour avoir une pâte à tarte si légère ? » demandait l'autre. Les cretons des Rochon étaient comme ceci ; ceux des Théberge, comme cela ; mais c'était bel et bien des cretons : personne n'en doutait. Et, quand un mari disait à sa femme : « Ton ragoût de boulettes est aussi bon que celui de ma mère », le ciel conjugal était au beau fixe. La saison déterminait les occupations à la cuisine : il y avait le temps des confitures, celui du maïs, celui des tourtières et des beignes. Des mythes s'introduisaient dans le baromètre. S'il faisait soleil et pleuvait en même temps, on disait que le diable battait sa femme pour avoir des crêpes.

Œuvre de patience

Avant 1950, on ne connaissait pratiquement pas les surgelés. La crise économique avait laissé ses traces : l'argent était rare, mais le temps, c'était de l'argent. On se procurait les éléments de base – épices, sucre, café, thé – à l'épicerie ou au magasin général ; les viandes à la boucherie ; on faisait plus souvent les gâteaux qu'on n'en achetait. Le réfrigérateur n'était pas encore très répandu ; la glacière,

moins efficace, obligeait à aller plus souvent aux provisions et à cuisiner presque au jour le jour.

Des ingrédients frais

Chaque famille avait ses fournisseurs préférés. À cette époque, plusieurs fermes étaient situées aux abords des villes, dans ce qui est maintenant la banlieue ; on y avait facilement accès. Les agrumes, néanmoins, étaient un luxe : leur présence se résumait souvent à l'orange dans le bas de Noël des enfants. Dans les marchés, très fréquentés, les viandes, les œufs et les produits laitiers arrivaient tout droit de la campagne. Mais au rayon des poissons et des fruits de mer, les approvisionnements étaient aléatoires et le choix beaucoup moins grand qu'aujourd'hui.

Bref, la cuisine changeait au fil des saisons. Au printemps, laitues, petits pois, asperges faisaient leur apparition. Le début de l'été ramenait tous les

petits fruits : fraises, framboises, bleuets. Plus tard, venait le temps des pêches et du raisin. Septembre voyait le retour du maïs ; le temps du blé d'Inde, comme on disait alors, ne durait pas longtemps. Puis venaient les pommes mcintosh. Et c'était de nouveau l'hiver, époque par excellence du ragoût de pattes de cochon, des fèves au lard et de la soupe aux pois.

L'art de s'adapter

Il fallait se débrouiller avec qu'on avait. Mais il en avait été ainsi durant des siècles. On salait et fumait les viandes. On transformait le lait en fromage, les fruits en

confitures, les légumes en ketchup et en achards ; on marinait les concombres et les betteraves ; le chou devenait de la choucroute.

De la glacière au réfrigérateur

La glacière, à l'origine une simple armoire contenant un cube de glace, se dota avec le temps de parois isolées, d'un tuyau de vidange pour éliminer l'eau de fonte dans un baquet, de claies réglables et d'un compartiment spécial dans lequel on pouvait placer les articles périssables : lait, crème, beurre.

L'avènement du réfrigérateur allait transformer la vie de la femme de maison. Désormais elle pouvait trouver sur le marché une plus grande variété de produits, les stocker

pour quelques jours et préparer des plats d'avance.

Du réfrigérateur au congélateur, il n'y avait

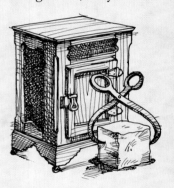

qu'un pas, vite franchi. Les surgelés firent leur apparition. La cuisine en fut facilitée. Mais devint-elle meilleure ?

Du bois à l'électricité

Dans ce domaine aussi, les choses ont bien changé. Le poêle à bois « à deux ponts », orgueil des jeunes ménages et signe incontestable d'aisance financière, avait bien ses qualités, mais aussi quelques défauts. Il fallait l'allumer dès potron-minet si l'on voulait avoir du café et des toasts au petit déjeuner. En hiver, il servait à réchauffer la cuisine ; en été, à l'époque de la canicule, c'était une autre histoire. Aussi les grandes maisons avaient-elles deux cuisines : une d'hiver, à l'intérieur, et une d'été,

à côté de la maison, pour éviter de la réchauffer. La température du four variait selon que le feu était ardent ou commençait à s'amortir, ce qui ne facilitait pas la cuisson de la pâtisserie et des viandes. Pourtant, bien des gens qui ont utilisé le poêle à bois, fût-ce dans un chalet d'été, soutiennent que cette chaleur incertaine, mais douce et chargée d'humidité, donnait des rôtis plus tendres, plus savoureux que les cuisinières modernes.

On était « recevant »

À cause du poêle à bois, c'est dans la cuisine qu'on se tenait le plus souvent. On y recevait la parenté et les amis pour placoter ou pour manger. Le repas fini, on débarrassait la table pour jouer aux cartes. Les temps ont changé et le chauffage central distribue la chaleur dans toutes les pièces de la maison ; pourtant, on a gardé l'habitude de s'attarder à table après le repas et il n'est pas rare que la soirée se termine sans qu'on retourne au salon. Signe que l'histoire reste vivante et qu'un passé, somme toute peu lointain, se prolonge à notre insu dans le présent.

La table a changé

Faute de commodités, la vie exigeait beaucoup d'efforts. Il fallait puiser l'énergie nécessaire dans une alimentation essentiellement carnée et riche en hydrates de carbone. Aujourd'hui, la cuisine s'est allégée ; elle est devenue plus saine. Avec les conseils des

nutritionnistes et des programmes d'information faciles d'accès, on essaie de consommer moins de viande, mais plus de poisson, de fruits de mer, de fruits et de légumes frais. La cuisine, moins grasse, moins sucrée, moins salée, se compose davantage d'ingrédients naturels dont la fine saveur reste intacte, grâce à des techniques de transport et de conservation toujours plus sophistiquées.

Mais le passé survit

Ce livre de recettes est un hommage à la bonne cuisine d'autrefois. Il puise à même un patrimoine culinaire que les siècles ont contribué à former et à raffiner. Mais il y introduit des modifications conformes aux recherches de la diététique moderne. Les recettes ont été simplifiées pour convenir aux horaires chargés de ceux qui doivent souvent concilier une carrière professionnelle avec des responsabilités familiales. Simples, légers, faciles à conserver, les plats présentés ici n'en sont pas moins enrichis de tout ce que le passé a permis d'acquérir et de conserver en matière de traditions de table. Et c'est bien d'une tradition gastronomique qu'il s'agit, puisque la fine cuisine n'est rien d'autre que la cuisine régionale accommodée à la moderne.

BOUCHÉES DÉLICIEUSES

L'hôtesse avait autrefois l'occasion, à l'heure du thé, du cocktail ou du bridge, de charmer ses invités avec une infinie variété de mignardises salées ou sucrées. De ces recettes du passé nous viennent tartinades, canapés, coquilles et autres apprêts qui peuvent se servir à l'heure de l'apéritif, en entrée à l'occasion d'un grand repas ou même comme repas légers. Vous trouverez, dans les pages qui suivent, un bel assortiment de sandwiches de fantaisie, tartinades au fromage, boulettes de viande surprise, punchs, trempettes et amuse-gueule – dont la légèreté vous étonnera.

Tourte au fromage bleu (page 22)
Canapés à l'anchoïade (page 36)
Boules de fromage aux noix (page 14)

11

Trempette lime et miel (en haut), Trempette à l'indienne (à gauche) et Trempette aux crevettes (à droite)

Trempette à l'indienne

*Le duo croustilles et trempette, qui devint populaire
dans les années 1950, se prépare maintenant
avec de la crème sure et de la mayonnaise allégées :
autant de saveur, moins de calories.*

- 1   tasse de crème sure allégée
- ½   tasse de mayonnaise allégée
- 2   gros oignons verts, hachés fin
- ¼   tasse de poivron haché fin
- 2   c. à soupe de lait écrémé à 1 p. 100
- ½   c. à thé de poudre de cari
- ⅛   c. à thé de poudre d'ail

1 Mélangez tous les ingrédients dans un petit bol.
Couvrez et réfrigérez au moins 1 heure (2 jours au
maximum). Servez avec un plateau de légumes frais,
auxquels vous pouvez ajouter des croustilles allégées.
Donne 1½ tasse.

Préparation : 10 minutes   Réfrigération : 1 heure

Par cuillerée à soupe : Calories 27. Gras total 2 g. Gras saturé 1 g.
Protéines 0 g. Hydrates de carbone 2 g. Fibres 0 g.
Sodium 31 mg. Cholestérol 5 mg.

Trempette aux crevettes

*Vous pouvez remplacer les crevettes grises par
le même poids de crevettes de Matane décongelées.*

- 2   tasses de fromage Cottage allégé
- 2   c. à soupe de lait écrémé à 1 p. 100
-     Le quart d'un petit oignon
- 4   brins de persil
- 1   c. à thé d'aneth séché
- 1   gousse d'ail, tranchée en deux
- ¼   c. à thé de poivre noir
- 180 g (6 oz) de crevettes grises, cuites, décortiquées
      et hachées menu

1 Travaillez tous les ingrédients au robot ou au mélangeur pour en faire une purée crémeuse. Versez-la
dans un bol, ajoutez les crevettes et réfrigérez au moins
1 heure (2 jours au maximum). Servez avec un plateau
de légumes frais, auxquels vous pouvez ajouter des
croustilles allégées. Donne 2⅓ tasse.

Préparation : 15 minutes   Réfrigération : 1 heure

Par cuillerée à soupe : Calories 14. Gras total 0 g. Gras saturé 0 g.
Protéines 3 g. Hydrates de carbone 0 g. Fibres 0 g.
Sodium 60 mg. Cholestérol 9 mg.

Trempette lime et miel

*Les fruits frais sont tout indiqués pour
ouvrir l'appétit. Servez cette fraîche trempette
avec un assortiment de fruits en bouchées :
fraises, ananas, papaye, kiwi, melon.*

- 250 g (8 oz) de fromage Neufchâtel, ramolli
- ½   tasse de yogourt nature allégé
- 2   c. à soupe de miel
- 2   c. à soupe de lait écrémé à 1 p. 100
- 1   c. à soupe de jus de lime
- 1   c. à thé de vanille
- ⅛   c. à thé de macis ou de muscade
- ¼   c. à thé de zeste de lime râpé

1 Dans un petit bol, fouettez tous les ingrédients, sauf
le zeste de lime, à grande vitesse au batteur électrique, pour en faire une purée crémeuse. Ajoutez-y le
zeste de lime, couvrez et réfrigérez au moins 1 heure
(2 jours au maximum). Accompagnez la trempette d'un
plateau de fruits frais. Donne 1⅓ tasse.

Préparation : 10 minutes   Réfrigération : 1 heure

Par cuillerée à soupe : Calories 38. Gras total 3 g. Gras saturé 2 g.
Protéines 1 g. Hydrates de carbone 3 g. Fibres 0 g.
Sodium 47 mg. Cholestérol 9 mg.

MOUILLETTES VITE FAITES

Attention aux craquelins et aux croustilles :
ils sont souvent gras et salés. Optez plutôt pour
les ingrédients suivants qui sont bons au goût et
meilleurs pour la santé.

CRUDITÉS
- ◆ bâtonnets de céleri
- ◆ petites carottes
- ◆ champignons
- ◆ tomates-cerises
- ◆ quartiers de pomme
- ◆ bouchées d'ananas

TOASTS
- ◆ triangles de pita
- ◆ pointes de tortilla
- ◆ pain croûté en
  tranches minces

CRAQUELINS
- ◆ craquelins, croustilles
  et bretzels sans
  matière grasse
- ◆ gressins
- ◆ melbas ronds
- ◆ galettes de riz

LÉGUMES BLANCHIS
- ◆ haricots verts entiers
- ◆ fleurons de brocoli
- ◆ fleurons de chou-fleur
- ◆ pointes d'asperge

Tartinade aux fines herbes

*Le fromage à la crème, autrefois fait
à la maison, était bien crémeux mais bien riche aussi.
Vous pouvez obtenir la même texture
avec du yogourt égoutté.*

- **1 tasse de yogourt nature allégé**
- **1 c. à soupe de basilic ou de thym frais, ou 1 c. à thé des mêmes herbes séchées**
- **¼ c. à thé de poudre d'ail**
- **¼ c. à thé de zeste de citron râpé**
- **¼ c. à thé de poivre noir**

1 Déposez sur un petit bol une passoire doublée d'étamine de coton ou d'un filtre à café. Mettez-y le yogourt à égoutter. Couvrez et réfrigérez pendant au moins 6 heures : le yogourt prendra la consistance du fromage à la crème. Jetez le liquide recueilli dans le bol.

2 Mettez le yogourt dans un autre bol et incorporez-y le basilic, la poudre d'ail, le zeste de citron et le poivre. Servez avec des craquelins, du pain de seigle ou du pumpernickel tranchés. Donne ⅔ tasse.

Préparation : 10 minutes   Réfrigération : 6 heures
---
1 cuillerée à soupe : Calories 11. Gras total 0 g. Gras saturé 0 g.
Protéines 1 g. Hydrates de carbone 2 g. Fibres 0 g.
Sodium 11 mg. Cholestérol 0 mg.

✳

Tartinade aux framboises   Dans la recette précédente, omettez le basilic ou le thym, la poudre d'ail et le zeste de citron ; ajoutez **2 c. à soupe de confiture de framboises**. Avec un emporte-pièce, découpez de jolies formes dans du pain de mie ; garnissez-les de tartinade.

---
1 cuillerée à soupe : Calories 20. Gras total 0 g. Gras saturé 0 g.
Protéines 1 g. Hydrates de carbone 4 g. Fibres 0 g.
Sodium 12 mg. Cholestérol 0 mg.

Boules de fromage aux noix

*Au début du siècle, on présentait du fromage et des craquelins
avec le café, après le dessert. C'était une tradition anglaise.
Vers 1950, la mode était lancée de le servir
en amuse-gueule pour atténuer les effets de l'alcool.*

- **250 g (8 oz) de fromage à la crème fouetté, allégé**
- **1 tasse de cheddar fumé (125 g/4 oz) râpé, à la température de la pièce**
- **1 tasse de monterey jack (125 g/4 oz) râpé, à la température de la pièce**
- **½ tasse de mayonnaise allégée**
- **2 c. à soupe de vin blanc sec, ou de lait écrémé à 1 p. 100**
- **¼ tasse d'amandes rôties, hachées fin**
- **¼ tasse de pacanes rôties, hachées fin**
- **¼ tasse de noix rôties, hachées fin**

1 Fouettez ensemble à grande vitesse au batteur électrique les trois fromages, la mayonnaise et le vin blanc. Mettez le mélange en boule dans de la pellicule de plastique et réfrigérez au moins 2 heures (2 jours au maximum).

2 Sur trois feuilles de papier ciré, étalez les amandes, les pacanes et les noix. Divisez la pâte de fromage en trois et façonnez chaque portion en boule. Roulez la première dans les amandes, la deuxième dans les pacanes et la troisième dans les noix. Disposez-les sur une assiette de service, couvrez de pellicule de plastique et réfrigérez. Présentez les boules de fromage aux noix avec un plateau de craquelins. Donne 16 portions.

Préparation : 15 minutes   Réfrigération : 2 heures

Par portion : Calories 122. Gras total 10 g. Gras saturé 4 g.
Protéines 5 g. Hydrates de carbone 3 g. Fibres 0 g.
Sodium 161 mg. Cholestérol 18 mg.

NOIX RÔTIES

Faites dorer les noix dans le four réglé à 180 °C (350 °F) pendant 5 à 10 minutes en les remuant de temps à autre. Elles seront plus savoureuses.

Bûchette de fromage à la crème à la viande des Grisons

Bûchette de fromage à la crème à la viande des Grisons

La viande des Grisons, de tradition suisse, est une viande de bœuf séchée de façon naturelle.
La voici, dans une alliance nouvelle de saveurs, associée à du fromage à la crème, du raifort et de la ciboulette.

250 g (8 oz) de fromage à la crème fouetté, allégé

¼ tasse de mayonnaise allégée

1 c. à thé de sauce raifort égouttée

½ tasse de fromage suisse râpé (60 g/2 oz)

60 g (2 oz) de viande des Grisons, hachée fin

1 c. à soupe de piment rôti, égoutté et haché

½ tasse de ciboulette hachée fin, ou de tiges d'oignon vert

1 Fouettez ensemble à grande vitesse au batteur électrique le fromage, la mayonnaise et la sauce raifort. Incorporez le fromage râpé, la viande des Grisons et le piment rôti. Façonnez le mélange en une bûchette de 20 cm (8 po). Enveloppez-la dans de la pellicule de plastique et réfrigérez au moins 2 heures (2 jours au maximum).

2 Étalez la ciboulette hachée sur du papier ciré. Faites-y rouler la bûchette. Enveloppez celle-ci de nouveau et réfrigérez-la jusqu'au service. Présentez-la avec des toasts melba. Donne 14 portions.

Préparation : 20 minutes Réfrigération : 2 heures

Par portion : Calories 72. Gras total 6 g. Gras saturé 3 g.
Protéines 4 g. Hydrates de carbone 2 g. Fibres 0 g.
Sodium 239 mg. Cholestérol 18 mg.

Mousse au saumon

Mousse au saumon

*Élégantes et savoureuses, les mousses peuvent faire partie d'un buffet, constituer le plat principal
d'un repas léger ou se servir en entrée. Notre mousse au saumon, relevée de sauce chili,
est un peu piquante : accompagnez-la de craquelins.*

Enduit antiadhésif

¼   tasse d'eau froide

1   sachet de gélatine sans saveur (2 c. à thé)

¼   tasse de sauce chili en bouteille

1   tasse de yogourt nature allégé

250   g (8 oz) de fromage Neufchâtel, à la température
de la pièce

1   c. à thé de fines herbes séchées, ou de thym

¼   c. à thé de poivre noir

250   g (8 oz) de saumon, cuit et effeuillé, ou ¾ tasse
de saumon en boîte, sans arête ni peau, égoutté
et effeuillé

1   gros œuf cuit dur, haché

¼   tasse de céleri haché fin

¼   tasse d'olives vertes farcies de piment, hachées fin

1 Vaporisez d'enduit un moule décoratif de 3 tasses.
Mettez l'eau froide dans une petite casserole et saupoudrez la gélatine ; laissez gonfler 1 minute. Ajoutez la
sauce chili et faites cuire 5 minutes à feu modéré pour
dissoudre la gélatine. Versez la sauce dans un bol et laissez reposer 15 minutes à la température ambiante.

2 Ajoutez le yogourt, le fromage, les fines herbes et le
poivre ; fouettez à grande vitesse au batteur électrique. Incorporez le saumon, l'œuf, le céleri et les olives et
dressez l'apprêt dans le moule. Couvrez et réfrigérez au
moins 3 heures. Démoulez la mousse et servez-la avec
des toasts melba. Donne 24 portions.

Préparation : 10 minutes Cuisson : 5 minutes
Repos : 15 minutes Réfrigération : 3 heures

Par portion : Calories 58. Gras total 4 g. Gras saturé 2 g.
Protéines 5 g. Hydrates de carbone 2 g. Fibres 0 g.
Sodium 141 mg. Cholestérol 22 mg.

Pâté de campagne

*Plat typique des bistrots parisiens,
le pâté de campagne, dont voici une version allégée,
se sert aussi bien au début d'un grand repas
qu'en pique-nique.*

250 g (8 oz) de porc ou de bœuf maigre, haché
250 g (8 oz) de veau haché
1 oignon moyen, haché
1 gousse d'ail, hachée
½ tasse de lait écrémé à 1 p. 100
2 gros blancs d'œufs
½ tasse de mie de pain émiettée (1 tranche)
3 brins de persil
½ c. à thé d'origan séché
¼ c. à thé de sel
¼ c. à thé de thym séché
⅛ c. à thé de sauge séchée
⅛ c. à thé de poivre noir

1 Chauffez le four à 160 °C (325 °F). Tapissez un moule à pain de papier d'aluminium en le laissant dépasser de 2,5 cm (1 po) de tous les côtés. Graissez le papier. Dans une sauteuse moyenne, faites cuire le porc, le veau, l'oignon et l'ail 10 minutes à feu assez vif. Égouttez le gras au besoin.

2 Mettez cet apprêt dans le robot ou le mélangeur et réduisez-le presque en purée avec le lait. Ajoutez les blancs d'œufs, la mie de pain, le persil, l'origan, le sel, le thym, la sauge et le poivre ; travaillez en purée lisse. Versez l'apprêt dans le moule. Rabattez les pans du papier d'aluminium et déposez le moule dans un plat plus grand avec 2,5 cm (1 po) d'eau très chaude. Enfournez et faites cuire 1 heure ou jusqu'à ce que le thermomètre à viande marque 75 °C (170 °F).

3 Laissez tiédir le pâté 30 minutes sur une grille. Réfrigérez au moins 6 heures (2 jours au maximum). Démoulez en soulevant le papier. Retirez celui-ci. Détaillez le pâté en tranches minces et coupez chacune en deux. Disposez les tranches dans une assiette garnie de feuilles de laitue et servez avec du pain de seigle ou un assortiment de craquelins. Donne 24 portions.

Préparation : 15 minutes Cuisson : 1 h 10
Repos : 30 minutes Réfrigération : 6 heures

Par portion : Calories 37. Gras total 2 g. Gras saturé 1 g.
Protéines 4 g. Hydrates de carbone 1 g. Fibres 0 g.
Sodium 44 mg. Cholestérol 12 mg.

Assiette tex-mex

*Ce plat, qui s'inspire de la cuisine du sud des États-Unis,
associe une purée de haricots noirs, du fromage
à la crème, du monterey jack et des tomates.*

250 g (8 oz) de fromage à la crème fouetté, allégé
½ tasse de crème sure allégée
¼ tasse de mayonnaise allégée
½ c. à thé de poudre d'ail
1 boîte de haricots noirs, ou de haricots pinto, égouttés
¼ tasse de salsa
1 petite pomme de laitue, détaillée en feuilles
½ tasse de monterey jack au piment jalapeño, ou de cheddar râpé (30 g/2 oz)
½ tasse de laitue hachée
¼ tasse de tomate hachée
    Croustilles de tortillas grillées
    (recette ci-dessous)

1 Fouettez ensemble à grande vitesse au batteur électrique le fromage à la crème, la crème sure, la mayonnaise et la poudre d'ail.

2 Au robot ou au mélangeur, défaites les haricots en purée avec la salsa. Étalez les feuilles de laitue dans une assiette, dressez-y l'apprêt au fromage et, par-dessus, la purée de haricots. Terminez avec le monterey jack. Couvrez et réfrigérez au moins 1 heure (4 heures au maximum). Au moment de servir, décorez le plat de laitue hachée et de tomate. Accompagnez de croustilles de tortillas grillées. Donne 18 portions.

Préparation : 25 minutes Cuisson : 5 minutes
Réfrigération : 1 heure

Par portion : Calories 156. Gras total 6 g. Gras saturé 3 g.
Protéines 6 g. Hydrates de carbone 19 g. Fibres 2 g.
Sodium 276 mg. Cholestérol 11 mg.

Croustilles de tortillas grillées

Chauffez le four à 180 °C (350 °F). Découpez **12 tortillas de blé** en huit pointes. Déposez-les sur des plaques. Laissez griller de 5 à 10 minutes au four. Conservez dans un sac de plastique bien fermé (3 jours au maximum). Donne 96 pointes.

Par portion : Calories 14. Gras total 0 g. Gras saturé 0 g.
Protéines 0 g. Hydrates de carbone 2 g. Fibres 0 g.
Sodium 21 mg. Cholestérol 0 mg.

Boulettes de viande surprise

Boulettes de viande surprise

La surprise, c'est que ces boulettes à l'aigre-douce renferment un petit cube de fromage ; mais, pour ménager les matières grasses, on peut y cacher une châtaigne, du poivron vert ou un dé d'ananas.

Boulettes de viande :

375 **g (12 oz) de bœuf haché maigre**

1/2 **tasse de mie de pain émietté (1 tranche)**

1/4 **tasse d'oignon haché fin**

1/4 **tasse de carotte hachée**

2 **c. à soupe de persil haché**

2 **c. à soupe de lait écrémé à 1 p. 100**

1/2 **c. à thé de marjolaine séchée**

1/4 **c. à thé de sel**

1/8 **c. à thé de sauge**

1/8 **c. à thé de poivre noir**

1 **gros blanc d'œuf, légèrement battu**

18 **demi-châtaignes, demi-pacanes, bouchées d'ananas ou petits carrés de poivron vert**

Sauce :

1/2 **tasse de jus de pomme**

1/3 **tasse de cassonade brune bien tassée**

1/4 **tasse de vinaigre de vin rouge, ou de vinaigre de cidre**

4 **c. à thé de fécule de maïs**

1 **c. à soupe de sauce soja hyposodique**

1/4 **c. à thé de poudre d'ail**

1 Chauffez le four à 180 °C (350 °F). Mélangez le bœuf, la mie de pain, l'oignon, la carotte, le persil, le lait, la marjolaine, le sel, la sauge, le poivre et le blanc d'œuf. Façonnez des boulettes (voir ci-dessous) et insérez-y la surprise de votre choix. Mettez les boulettes dans un plat à four; enfournez et faites cuire de 15 à 20 minutes. Épongez-les sur une feuille d'essuie-tout.

2 Dans une casserole moyenne, mélangez le jus de pomme, la cassonade, le vinaigre, la fécule de maïs, la sauce soja et la poudre d'ail. Quand l'ébullition est prise, laissez cuire 2 minutes ou jusqu'à épaississement, en remuant souvent. Déposez les boulettes dans cette sauce et laissez-les mijoter 3 minutes pour les réchauffer. Dressez dans un plat peu profond, si possible posé sur un réchaud, et servez en présentant des fourchettes à coquetel ou des cure-dents. Donne 18 boulettes.

Préparation : 20 minutes Cuisson : 23 minutes

Par boulette : Calories 51. Gras total 1 g. Gras saturé 0 g.
Protéines 5 g. Hydrates de carbone 6 g. Fibres 0 g.
Sodium 80 mg. Cholestérol 10 mg.

POUR GARNIR LES BOULETTES

1. Aplatissez la viande en un rectangle de 15 × 7,5 cm (6 × 3 po). Découpez-le en 18 carrés de 2,5 cm (1 po) de côté.

2. Mettez une demi-châtaigne sur chaque carré et refermez la viande par-dessus. Assurez-vous que la garniture est bien enfermée.

Bouchées de poulet à l'abricot

Préparé avec des languettes ou des bouchées de blanc de poulet, voici un amuse-gueule haut en saveur et toujours apprécié.

4 demi-poitrines de poulet, désossées et sans la peau (150 g/5 oz chacune)
½ tasse de confiture d'abricots
1 c. à soupe de sauce soja hyposodique
1 gousse d'ail, hachée
¼ c. à thé de gingembre
⅛ c. à thé de sauce Tabasco

1 Chauffez le four à 180 °C (350 °F). Découpez les blancs de poulet en bouchées et disposez-les en une seule couche dans un plat à four légèrement graissé. Enfournez et faites cuire 10 minutes. Jetez le jus qui s'est formé.

2 Hachez les morceaux d'abricot de la confiture s'ils sont gros. Dans un petit bol, mélangez la confiture, la sauce soja, l'ail, le gingembre et la sauce Tabasco. Nappez-en le poulet et prolongez la cuisson de 5 minutes. Disposez les bouchées dans un plat peu profond, si possible posé sur un réchaud, et servez avec des cure-dents. Donne de 10 à 12 portions.

Préparation : 10 minutes Cuisson : 15 minutes

Par portion : Calories 102. Gras total 1 g. Gras saturé 0 g.
Protéines 12 g. Hydrates de carbone 11 g. Fibres 0 g.
Sodium 85 mg. Cholestérol 31 mg.

✳

Bouchées de dinde à l'orange Suivez la recette précédente, mais remplacez le poulet par **625 g (1¼ lb) de blanc de dinde** et la confiture d'abricots par **½ tasse de marmelade à l'orange.** Enfournez et faites cuire 15 minutes. Jetez le jus qui s'est formé. Nappez les bouchées de marmelade à l'orange et prolongez la cuisson de 5 minutes. Servez comme ci-dessus.

Par portion : Calories 104. Gras total 1 g. Gras saturé 0 g.
Protéines 14 g. Hydrates de carbone 11 g. Fibres 0 g.
Sodium 85 mg. Cholestérol 38 mg.

Rosettes au jambon

Voici de petites bouchées pour accompagner les apéritifs ; tout le monde en raffolera.

  1 **tasse de farine**
1½ **c. à thé de levure chimique**
  ½ **c. à thé de moutarde sèche**
  ¼ **c. à thé de bicarbonate de soude**
  ¼ **c. à thé de poudre d'oignon**
  ½ **tasse de crème sure allégée**
  ¼ **tasse de jambon cuit hyposodique, haché**
  3 **c. à soupe de lait écrémé à 1 p. 100**

1 Chauffez le four à 230 °C (450 °F). Dans un bol moyen, tamisez la farine avec la levure chimique, la moutarde sèche, le bicarbonate de soude et la poudre d'oignon. Incorporez la crème sure, le jambon et le lait. Mélangez pour obtenir une pâte souple.

2 Pétrissez la pâte 30 secondes sur une surface farinée puis abaissez-la en un cercle de 18 cm (7 po). Avec un emporte-pièce de 2,5 cm (1 po) bien fariné, découpez des cercles. Abaissez et taillez les chutes. Disposez les cercles à 2,5 cm (1 po) d'intervalle sur une plaque graissée ; badigeonnez-les de lait. Enfournez et faites cuire 10 minutes. Donne 30 rosettes.

Préparation : 15 minutes Cuisson : 10 minutes

Par rosette : Calories 22. Gras total 1 g. Gras saturé 0 g.
Protéines 1 g. Hydrates de carbone 4 g. Fibres 0 g.
Sodium 38 mg. Cholestérol 2 mg.

Pirogis

Cette recette s'inspire de la cuisine russe.
Si vous avez le temps, préparez-la entièrement ;
sinon, faites comme ici et utilisez de la
pâte à pain vendue en épicerie.

125 **g (4 oz) de bœuf haché maigre**
  ¼ **tasse de pomme de terre crue, hachée fin**
  2 **c. à soupe d'oignon jaune, haché fin**
  ½ **c. à thé de basilic séché**
  ⅛ **c. à thé de sel, et autant de poivre noir**
500 **g (1 lb) de pâte à pain blanc surgelée, décongelée**

1 Dans une sauteuse moyenne, faites cuire ensemble 5 minutes le bœuf, la pomme de terre et l'oignon à feu modéré. Recueillez les éléments avec une cuiller à trous et mettez-les dans un bol ; ajoutez le basilic, le sel et le poivre.

2 Chauffez le four à 190 °C (375 °F). Sur une surface farinée, abaissez la pâte en un cercle de 4 mm (⅛ po) d'épaisseur. Découpez, garnissez et façonnez les pirogis (voir ci-dessous), sans oublier d'utiliser les chutes. Déposez-les sur une plaque à four graissée ; enfournez et faites cuire 15 minutes. Servez-les chauds avec de la moutarde brune. Donne 30 pirogis.

Préparation : 30 minutes Cuisson : 20 minutes

Par pirogi : Calories 47. Gras total 1 g. Gras saturé 0 g.
Protéines 2 g. Hydrates de carbone 8 g. Fibres 0 g.
Sodium 82 mg. Cholestérol 2 mg.

Pirogis à l'ancienne Suivez la même recette, mais préparez vous-même la pâte. Versez ⅔ **tasse de lait écrémé à 1 p. 100, tiède** (45-46 °C/105-115 °F), dans un grand bol. Ajoutez **1 sachet de levure sèche** et **2 c. à thé de sucre** et agitez à la fourchette ; attendez 10 minutes avant d'ajouter **2 blancs d'œufs, légèrement battus, 2 c. à soupe de beurre fondu ou de margarine** et **¼ c. à thé de sel**. Incorporez, en vous servant d'une cuiller en bois, **2¼ tasses de farine,** en deux fois. Pétrissez la pâte 4 minutes sur une surface farinée. Déposez-la dans un grand bol beurré et faites-la rouler pour bien la graisser. Couvrez et laissez lever au chaud 45 minutes ou jusqu'au double de son volume. Dégonflez le pâton et, sur une surface farinée, abaissez-le en un cercle de 6 mm (¼ po). Poursuivez comme ci-dessus.

Par pirogi : Calories 53. Gras total 1 g. Gras saturé 1 g.
Protéines 2 g. Hydrates de carbone 8 g. Fibres 0 g.
Sodium 43 mg. Cholestérol 4 mg.

DÉCOUPAGE DES PIROGIS

1. Découpez des cercles avec un emporte-pièce de 6 cm (2½ po). Déposez 1 cuiller à thé comble de viande par-dessus.

2. Repliez la pâte en aumônière pour bien enfermer la garniture. Soudez les bords avec une fourchette farinée.

Pirogis à l'ancienne et Rosettes au jambon

Pailles au cheddar

*Il y a bien trois générations qu'on raffole de
ces petits apprêts salés. En voici une version modernisée :
même saveur, mais moins de matières grasses parce
qu'une pâte levée remplace la pâte feuilletée.*

1½ tasse de farine
1 sachet de levure sèche
1 c. à thé de thym séché
¼ c. à thé de bicarbonate de soude
¼ c. à thé de sel
¼ c. à thé de poudre d'ail
⅛ c. à thé de cayenne
1 tasse de cheddar allégé râpé (125 g/4 oz)
⅔ tasse d'eau
2 c. à soupe de beurre ou de margarine
¾ tasse de farine

1 Dans un bol moyen, mélangez 1½ tasse de farine, la levure, le thym, le bicarbonate de soude, le sel, la poudre d'ail et le cayenne. Ajoutez le cheddar. Dans une petite casserole, mettez l'eau et le beurre à feu modéré pour qu'ils soient très chauds (48-54 °C/120-130 °F).

2 Mélangez-les aux ingrédients secs avec une cuiller en bois. Déposez la pâte sur une surface farinée et saupoudrez-la de ¾ tasse de farine. Pétrissez 5 minutes. Mettez le pâton dans un bol beurré et faites-le rouler pour bien le graisser. Couvrez et laissez lever pendant 30 à 40 minutes ou jusqu'au double du volume.

3 Chauffez le four à 200 °C (400 °F). Dégonflez le pâton et abaissez-le en un rectangle de 30 × 40 cm (12 × 16 po). Avec un coupe-pâte ou un couteau à lame dentée, découpez des bâtonnets de 10 × 2 cm (4 × ¾ po). Déposez-les sur des plaques graissées et piquez-les ici et là avec une fourchette.

4 Enfournez et faites cuire 10 minutes. Servez les pailles chaudes ou tièdes. Donne 48 pailles.

Préparation : 25 minutes Levée : 30 minutes
Cuisson : 15 minutes

Par paille : Calories 30. Gras total 1 g. Gras saturé 0 g.
Protéines 1 g. Hydrates de carbone 5 g. Fibres 0 g.
Sodium 23 mg. Cholestérol 2 mg.

Tourte au fromage bleu

*Le fromage persillé associé au gruyère
donne une saveur irremplaçable à cette tourte.
Servez-la en entrée ou comme repas léger.*

1 abaisse de tarte achetée ou maison (p. 337)
1 c. à soupe de farine
½ tasse de gruyère râpé (60 g/2 oz)
½ tasse de fromage bleu émietté (60 g/2 oz)
2 gros blancs d'œufs
1 gros œuf
1 tasse de lait écrémé évaporé
¼ tasse de ciboulette hachée fin ou de
   tiges d'oignon vert
⅛ c. à thé de sel et autant de poivre noir

1 Chauffez le four à 200 °C (400 °F). Déposez l'abaisse dans un moule à tarte ; appuyez bien sur le pourtour. Tapissez-la de papier d'aluminium et remplissez de haricots secs. Enfournez et faites cuire 15 minutes. Laissez-la refroidir 5 minutes sur une grille. Enlevez le papier et les haricots (gardez ceux-ci pour pouvoir les réutiliser de la même façon).

2 Dans l'intervalle, mélangez la farine avec les deux fromages. Mettez-les dans la tourte.

3 Dans un bol moyen, fouettez les blancs d'œufs et l'œuf complet avec le lait évaporé, la ciboulette, le sel et le poivre. Versez la préparation dans la croûte, enfournez sans couvrir et faites cuire 20 minutes ou jusqu'à ce que la garniture soit prise. Découpez en pointes et servez chaud. Donne 12 portions.

Préparation : 15 minutes Cuisson : 35 minutes

Par portion : Calories 145. Gras total 8 g. Gras saturé 7 g.
Protéines 6 g. Hydrates de carbone 11 g. Fibres 0 g.
Sodium 221 mg. Cholestérol 27 mg.

Tourte au cheddar Suivez la même recette, mais remplacez le fromage bleu par ½ **tasse de cheddar râpé (60 g/2 oz)** et, au lieu de ciboulette, utilisez ¼ **tasse d'oignon haché fin.**

Par portion : Calories 145. Gras total 8 g. Gras saturé 7 g.
Protéines 6 g. Hydrates de carbone 12 g. Fibres 0 g.
Sodium 172 mg. Cholestérol 28 mg.

Coquilles de palourdes

Coquilles de palourdes

Si possible, on emploie, bien sûr, des palourdes fraîches. Mais vous pouvez leur substituer
½ tasse de palourdes en boîte et employer le jus de conservation. À défaut de coquilles, vous ferez cuire les palourdes
dans de gros champignons et vous obtiendrez une saveur très parfumée.

12 grosses palourdes
¾ tasse de mie de pain émiettée (1½ tranche)
¼ tasse de parmesan râpé
**2 c. à soupe de ciboulette hachée fin, ou de tiges
     d'oignon vert**
1 c. à thé de basilic séché
½ c. à thé d'origan séché
1 gousse d'ail, hachée
1 tranche de bacon maigre, haché fin et bien cuit

1 Achetez les palourdes le jour même de leur utilisation ; demandez au poissonnier de les écailler en réservant les coquilles et le jus. Conservez les mollusques et le jus au réfrigérateur dans un plat couvert. Grattez et lavez 12 demi-coquilles.

2 Chauffez le four à 190 °C (375 °F). Hachez grossièrement la chair des palourdes (vous en aurez ½ tasse environ). Mélangez-les avec la mie de pain émiettée, le parmesan, la ciboulette, le basilic, l'origan et l'ail. Ajoutez environ 1 c. à soupe de jus de palourde pour humecter la préparation. Incorporez le bacon croustillant.

3 Dressez cet appareil dans les demi-coquilles. Disposez celles-ci sur une grande plaque, enfournez et faites cuire de 10 à 15 minutes. Donne 12 coquilles.

Préparation : 25 minutes Cuisson : 10 minutes

Par portion : Calories 48. Gras total 1 g. Gras saturé 1 g.
Protéines 6 g. Hydrates de carbone 3 g. Fibres 0 g.
Sodium 82 mg. Cholestérol 15 mg.

✳

Champignons aux palourdes Suivez la même recette, mais dressez l'appareil dans **18 gros chapeaux de champignons**. Enfournez et faites cuire comme ci-dessus. Donne 18 portions.

Par portion : Calories 37. Gras total 1 g. Gras saturé 0 g.
Protéines 4 g. Hydrates de carbone 3 g. Fibres 0 g.
Sodium 56 mg. Cholestérol 10 mg.

Crevettes en pommes d'amour

Crevettes en pommes d'amour

Dans le sud de la France, on donne aux tomates bien rondes et bien rouges le joli nom de pommes d'amour.
Elles font un heureux mariage avec le classique coquetel de crevettes.

Support :

  5 tomates moyennes

Sauce d'accompagnement :

  1 c. à soupe de vinaigre d'estragon

  1 c. à thé de sauce raifort égouttée

  1 c. à thé de sauce Worcestershire

  ½ c. à thé de sucre

  ½ c. à thé d'assaisonnement au chile

  ¼ c. à thé de poudre d'oignon

  ⅛ c. à thé de poudre d'ail

  ⅛ c. à thé de sauce Tabasco

Crevettes :

  1 petit oignon, découpé en quatre

  2 feuilles de laurier

  ¼ c. à thé de sel

  16 crevettes décongelées, décortiquées (sauf le bout de la queue) et parées

1 Ôtez le tiers supérieur de 4 tomates en les découpant en zigzag ; réservez les chapeaux. À l'aide d'une cuiller, retirez des tomates la pulpe et les pépins. Réfrigérez-les 1 heure (1 jour au maximum) en les faisant égoutter à l'envers dans un plat sur des feuilles d'essuie-tout.

2 Épépinez et hachez la tomate qui reste ainsi que les chapeaux de façon à obtenir 1 tasse de tomate. Au robot ou au mélangeur, défaites-les en purée avec le vinaigre, le raifort, la sauce Worcestershire, l'assaisonnement au chile, la poudre d'oignon, la poudre d'ail et le tabasco. Mettez cette purée dans un petit bol, couvrez et réfrigérez au moins 1 heure (1 jour au maximum).

3 Remplissez à demi une grande casserole d'eau froide; ajoutez l'oignon, le laurier et le sel et faites prendre l'ébullition à feu vif. Jetez-y les crevettes et laissez-les cuire 3 minutes à petit feu. Égouttez-les dans une passoire et refroidissez-les sous le robinet d'eau froide. Mettez-les dans un plat, couvrez et réfrigérez au moins 1 heure (8 heures au maximum).

4 Garnissez les tomates de laitue en feuilles. Remuez la sauce; mettez-en un peu dans chaque tomate avant d'y disposer 4 crevettes. Servez immédiatement. Donne 4 portions.

Préparation : 25 minutes Cuisson : 8 minutes
Réfrigération : 1 heure

Par portion : Calories 68. Gras total 1 g. Gras saturé 0 g.
Protéines 7 g. Hydrates de carbone 10 g. Fibres 2 g.
Sodium 220 mg. Cholestérol 47 mg.

❋

Crabe en pommes d'amour Suivez la recette ci-dessus, mais remplacez les crevettes par **8 petites pinces de crabe cuites (ou 250 g [8 oz] de goberge à saveur de crabe décongelée)**. Supprimez l'oignon, le laurier et le sel ainsi que la cuisson.

Par portion : Calories 96. Gras total 2 g. Gras saturé 0 g.
Protéines 13 g. Hydrates de carbone 8 g. Fibres 2 g.
Sodium 190 mg. Cholestérol 57 mg.

Canapés coquets au crabe

Le crabe frais est toujours préférable au crable surgelé ou en conserve, mais il faut une patience d'ange pour le décortiquer parfaitement. À vous de décider!

10 tranches de pain de mie blanc, grillées
¾ tasse de lait écrémé évaporé
2 c. à soupe de farine
¼ c. à thé de poivre noir
3 c. à soupe de parmesan râpé
250 g (8 oz) de crabe en conserve ou décongelé, débarrassé des fragments de cartilage et de carapace, et défait en morceaux
20 fines lanières de piments rôtis

1 Chauffez le four à 200 °C (400 °F). Avec un emporte-pièce de 5 cm (2 po), découpez des cercles dans le pain grillé.

2 Dans une petite casserole, mélangez au fouet le lait évaporé, la farine et le poivre. Faites cuire à feu modéré 2 minutes, ou jusqu'à épaississement, en fouettant sans arrêt. Hors du feu, ajoutez le parmesan, puis la chair de crabe.

3 Disposez l'apprêt en petits monticules sur les toasts et déposez-les sur une plaque. Enfournez et faites cuire de 5 à 6 minutes. Garnissez chaque canapé d'une lanière de piment rôti. Donne 20 canapés.

Préparation : 10 minutes Cuisson : 10 minutes

Par portion : Calories 91. Gras total 1 g. Gras saturé 0 g.
Protéines 7 g. Hydrates de carbone 13 g. Fibres 0 g.
Sodium 173 mg. Cholestérol 9 mg.

Coupe arc-en-ciel

Cette entrée estivale est encore plus fraîche si vous l'additionnez de menthe naturelle. À défaut, faites macérer ½ c. à thé de menthe séchée 5 minutes dans 1 c. à thé d'eau.

1 tasse d'ananas frais ou en conserve, détaillé en cubes et égoutté
1 orange, pelée et sectionnée
1 tasse de fraises fraîches, tranchées
1 c. à soupe de menthe fraîche, hachée
½ tasse de soda au gingembre glacé

1 Dans un bol moyen, mélangez délicatement tous les fruits et la menthe. Dressez la salade dans des coupes à sorbet; arrosez-la de soda au gingembre. Servez immédiatement. Donne 4 portions.

Préparation : 15 minutes

Par portion : Calories 56. Gras total 0 g. Gras saturé 0 g.
Protéines 1 g. Hydrates de carbone 14 g. Fibres 2 g.
Sodium 3 mg. Cholestérol 0 mg.

Caviar d'aubergine (en fonds d'artichauts), légumes du potager marinés (en haut), antipastos variés (à droite), fruits et légumes frais, viandes froides, cubes de fromage et croustilles de tortillas.

Plateau d'antipastos

Les Italiens aiment bien commencer leur repas par un joli plateau de petites bouchées délicieuses qu'ils appellent des antipastos.

1	**gros poivron rouge**
1	**gros poivron jaune ou vert**
½	**tasse d'olives vertes**
½	**tasse d'olives noires**
3	**c. à soupe de vinaigre de vin rouge**
1	**c. à soupe d'huile d'olive**
1	**c. à thé d'origan séché**
½	**c. à thé de basilic séché**
1	**gousse d'ail, hachée**

1 Allumez le gril. Déposez les poivrons entiers sur une plaque et faites-les griller 15 minutes, à 15 cm (6 po) de l'élément, en les retournant plusieurs fois. Quand la peau est carbonisée, enveloppez-les dans un sac de papier bien fermé ; au bout de 10 minutes, ils se pèleront facilement. Coupez-les en bouchées après avoir ôté le cœur et les nervures blanches.

2 Dans un bol moyen, mélangez les poivrons, les olives vertes et noires, le vinaigre, l'huile, l'origan, le basilic et l'ail. Couvrez et réfrigérez au moins 6 heures (1 semaine au maximum) en remuant de temps à autre. Avec une cuiller à trous, retirez les légumes de la marinade et servez avec des cure-dents. Donne 2 tasses.

Préparation : 15 minutes Cuisson : 15 minutes
Repos : 10 minutes Réfrigération : 6 heures

Pour ¼ tasse : Calories 43. Gras total 4 g. Gras saturé 0 g. Protéines 1 g. Hydrates de carbone 3 g. Fibres 1 g. Sodium 248 mg. Cholestérol 0 mg.

Caviar d'aubergine

*Cette excellente entrée, proche parente de
la ratatouille, emprunte son nom – mais rien
d'autre – au caviar classique fait d'œufs de poisson.*

1 petite aubergine (500 g/1 lb)
¼ tasse d'oignon haché fin
2 c. à soupe de persil haché
2 c. à soupe de jus de citron
1 c. à soupe de câpres égouttées
1 c. à soupe d'huile d'olive
1 gousse d'ail, hachée
½ c. à thé de sel
⅛ c. à thé de poivre noir frais moulu
1 artichaut (facultatif)

1 Chauffez le four à 200 °C (400 °F). Percez l'aubergine trois ou quatre fois avec une fourchette. Mettez-la sur une plaque, enfournez et faites cuire à découvert de 35 à 40 minutes jusqu'à ce qu'elle soit presque tendre. Laissez-la refroidir suffisamment pour pouvoir la manipuler.

2 Pelez l'aubergine, écrasez la chair et mettez-la dans un bol moyen. Ajoutez l'oignon, le persil, le jus de citron, les câpres, l'huile, l'ail, le sel et le poivre ; mélangez bien. Couvrez et réfrigérez au moins 6 heures (2 jours au maximum).

3 Si vous ajoutez l'artichaut, faites-le cuire 25 minutes dans beaucoup d'eau bouillante. Quand vous pouvez arracher facilement une feuille, égouttez-le et faites-le refroidir à l'envers 30 minutes. Retirez les feuilles du centre et le foin ; dressez l'apprêt d'aubergine dans l'artichaut ainsi paré ou dans un bol. Servez avec des croustilles de tortilla. Donne 2½ tasses.

Préparation : 15 minutes Cuisson : 35 minutes
Réfrigération : 6 heures

Pour ¼ tasse : Calories 24. Gras total 1 g. Gras saturé 0 g.
Protéines 0 g. Hydrates de carbone 3 g. Fibres 1 g.
Sodium 123 mg. Cholestérol 0 mg.

Légumes du potager marinés

*La marinade, toute légère, ajoute peu de
calories à ce plat délicieux.*

2 carottes moyennes, en bouchées
1½ tasse de petits champignons
1 petite courge d'été et/ou 1 courgette, en bouchées
1 petit concombre, en bouchées
1 oignon rouge moyen, en petits quartiers
⅓ tasse de vinaigre de vin blanc, ou de vinaigre blanc
¼ tasse d'eau
¼ tasse d'huile d'olive
½ c. à thé de marjolaine séchée
½ c. à thé de poivre noir en grains
¼ c. à thé de coriandre
¼ c. à thé de graines de moutarde
⅛ c. à thé de sel

1 À feu vif, amenez à ébullition une grande casserole à moitié remplie d'eau. Ajoutez les carottes. Baissez le feu et laissez mijoter 3 minutes à découvert. Dans le même bain, mettez les champignons, la courge et la courgette et prolongez la cuisson de 3 minutes.

2 Égouttez, rincez à l'eau froide et égouttez de nouveau. Mettez les légumes dans un grand bol ; ajoutez le concombre et le reste des ingrédients. Couvrez et réfrigérez au moins 6 heures (1 jour au maximum). Remuez de temps à autre. Recueillez les légumes avec une cuiller à trous et servez-les piqués de cure-dents. Donne 5 tasses.

Préparation : 15 minutes Cuisson : 11 minutes
Réfrigération : 6 heures

Pour ½ tasse : Calories 44. Gras total 3 g. Gras saturé 0 g.
Protéines 1 g. Hydrates de carbone 4 g. Fibres 1 g.
Sodium 21 mg. Cholestérol 0 mg.

DES ANTIPASTOS VITE FAITS

Rien de tel pour mettre en appétit qu'un grand plateau d'antipastos. Si vous manquez de temps, composez-le d'ingrédients achetés tout faits, auxquels vous ajouterez des viandes froides, des bouchées de fromage et des crudités.

ALIMENTS PRÉPARÉS	VIANDES FROIDES ET FROMAGES	CRUDITÉS
◆ artichauts marinés	◆ salami	◆ melon
◆ olives	◆ dinde fumée	◆ figues fraîches
◆ piments rôtis	◆ prosciutto ou jambon de Parme	◆ kiwis
◆ champignons marinés	◆ jambon Forêt-Noire	◆ tomates-cerises
◆ anchois ou sardines en boîte	◆ mozzarella	◆ carottes
	◆ cheddar	◆ chou-fleur
	◆ emmenthal	◆ pointes d'asperges
	◆ oka	◆ jicama en bâtonnets

Céleri farci aux crevettes

Il y a cinquante ans, le céleri farci au fromage était de toutes les fêtes. Le revoici dans de nouveaux atours.

125 g (4 oz) de fromage Neufchâtel ramolli

2 c. à soupe de vinaigrette à la française allégée

**1 gros oignon vert avec sa tige, tranché fin
    Quelques gouttes de sauce Tabasco**

½ tasse de crevettes cuites, décortiquées et hachées

8 côtes de céleri en bâtonnets de 7 cm (3 po)

1 Mélangez ensemble dans un petit bol le fromage, la vinaigrette, l'oignon vert et la sauce Tabasco. Incorporez les crevettes.

2 Étalez cet apprêt dans les bâtonnets de céleri. Donne 24 morceaux.

Préparation : 15 minutes

Par morceau : Calories 20. Gras total 1 g. Gras saturé 1 g.
Protéines 1 g. Hydrates de carbone 1 g. Fibres 0 g.
Sodium 46 mg. Cholestérol 8 mg.

Céleri farci au chutney Suivez la recette ci-dessus, mais remplacez la vinaigrette française par **2 c. à soupe de chutney haché fin** ; supprimez les crevettes.

Par morceau : Calories 17. Gras total 1 g. Gras saturé 1 g.
Protéines 1 g. Hydrates de carbone 1 g. Fibres 0 g.
Sodium 34 mg. Cholestérol 4 mg.

Petites fritures potagères

Faites au four, ces fritures renferment moins de lipides et de calories que les classiques. Vous pouvez aussi utiliser des carottes et des courgettes.

1 tasse de chapelure fine

3 c. à soupe de beurre fondu, ou de margarine

4 c. à thé de mélange à sauce vinaigrette à l'italienne

⅛ c. à thé de cayenne

2 gros blancs d'œufs

2 c. à soupe d'eau

1 gros oignon, coupé en deux puis en huit

1 grosse pomme de terre à cuire au four, en tranches de 6 mm (¼ po)

16 okras frais ou décongelés

1 Chauffez le four à 230 °C (450 °F). Dans un grand sac de plastique, mélangez la chapelure, le beurre, le mélange à sauce vinaigrette et le cayenne. Dans un bol moyen, fouettez ensemble les blancs d'œufs et l'eau.

2 Plongez la moitié des légumes dans le blanc d'œuf battu ; mettez-les ensuite dans le sac contenant les ingrédients secs et agitez pour bien les enrober. Disposez-les en une seule couche sur des plaques graissées. Répétez avec le reste des légumes. Enfournez et faites cuire 12 minutes. Servez les légumes piqués de cure-dents. Donne 16 portions.

Préparation : 20 minutes Cuisson : 12 minutes

Par portion : Calories 67. Gras total 3 g. Gras saturé 1 g.
Protéines 2 g. Hydrates de carbone 9 g. Fibres 1 g.
Sodium 90 mg. Cholestérol 6 mg.

Mélange apéritif

Ces mélanges sont en vogue depuis le milieu du siècle ; à l'origine, on les faisait circuler pendant les parties de bridge.

3 tasses de petits carrés de blé (céréales)

3 tasses de petits carrés de maïs (céréales)

3 tasses de galettes de riz, défaites en bouchées

2 tasses de bretzels non salés

3 c. à soupe d'huile à salade

1 c. à soupe de sauce Worcestershire

2 c. à thé d'assaisonnement au chile

2 c. à thé de moutarde sèche

½ c. à thé de poudre d'ail

1 Chauffez le four à 180 °C (350 °F). Déposez les deux céréales, les galettes de riz et les bretzels dans un plat à four de 33 × 22 cm (13 × 9 po) : mélangez-les. Dans un petit bol, incorporez à l'huile la sauce Worcestershire, l'assaisonnement au chile, la moutarde sèche et la poudre d'ail.

2 Versez l'huile assaisonnée sur les ingrédients secs et remuez. Enfournez et faites cuire 20 minutes en remuant à quelques reprises. Donne 10 tasses.

Préparation : 10 minutes Cuisson : 20 minutes

Pour ½ tasse : Calories 102. Gras total 3 g. Gras saturé 0 g.
Protéines 2 g. Hydrates de carbone 17 g. Fibres 1 g.
Sodium 102 mg. Cholestérol 0 mg.

Mélange de noix et de maïs soufflé

Mélange de noix et de maïs soufflé

On retrouve dans ces amuse-gueule le goût miellé des anciennes boules de maïs soufflé.

10 tasses de maïs soufflé

 1 tasse de noix mélangées, rôties à sec et peu salées

¼ tasse de miel

 2 c. à soupe de jus d'orange

 2 c. à soupe de beurre, ou de margarine

 1 c. à thé de zeste d'orange râpé

¼ c. à thé de cannelle ou de muscade

1 Chauffez le four à 180 °C (350 °F). Déposez le maïs soufflé et les noix dans un plat à four.

2 Dans une petite casserole, mélangez le miel, le jus d'orange, le beurre, le zeste d'orange et la cannelle.

Faites prendre l'ébullition à feu moyen. Aspergez aussitôt maïs et noix avec ce sirop. Remuez bien. Enfournez et faites cuire 15 minutes en remuant deux fois.

3 Étalez la préparation sur une grande feuille de papier d'aluminium et laissez refroidir complètement. Se garde dans un bocal bien fermé. Donne 7 tasses.

Préparation : 10 minutes Cuisson : 18 minutes

Pour 1 tasse : Calories 228. Gras total 14 g. Gras saturé 4 g.
Protéines 5 g. Hydrates de carbone 24 g. Fibres 4 g.
Sodium 166 mg. Cholestérol 9 mg.

Cidre chaud à la cannelle

Ceux qui vont admirer les fleurs de pommier au pays des grands vergers connaissent bien cette boisson chaude, si revigorante. Un secret : ne jamais faire bouillir le cidre.

- 4 tasses de cidre
- 1 tasse de jus d'orange
- 2 c. à soupe de miel
- 12 baies de piment de la Jamaïque
- 4 bâtons de cannelle de 7 cm (3 po)
- 1 noix muscade entière
- ½ c. à thé de zeste d'orange râpé
- 1 petite pomme rouge, parée et coupée en quartiers

1 Dans une casserole moyenne, amenez au point d'ébullition le cidre, le jus d'orange, le miel, les baies de piment de la Jamaïque, les bâtons de cannelle, la noix muscade et le zeste d'orange. Réduisez immédiatement la chaleur et laissez mijoter doucement 10 minutes sans couvrir. Ajoutez les quartiers de pomme et prolongez la cuisson de 3 minutes.

2 Passez le cidre dans un pot calorifuge en réservant la pomme. Placez un ou deux quartiers dans chaque tasse avant de la remplir de cidre chaud. Donne 4 portions de 200 ml (7 oz).

Préparation : 5 minutes Cuisson : 18 minutes

Par portion : Calories 194. Gras total 1 g. Gras saturé 0 g.
Protéines 1 g. Hydrates de carbone 49 g. Fibres 1 g.
Sodium 9 mg. Cholestérol 0 mg.

✳

Cidre chaud aux canneberges Suivez la recette ci-dessus, mais remplacez 2 tasses de cidre par **2 tasses de jus de canneberge.**

Par portion : Calories 208. Gras total 1 g. Gras saturé 0 g.
Protéines 1 g. Hydrates de carbone 52 g. Fibres 1 g.
Sodium 7 mg. Cholestérol 0 mg.

Grog à l'anglaise

Le mot vient d'un sobriquet – old grog – donné à l'amiral Vernon, souvent vêtu de grogram (gros-grain en français), quand il décida de couper d'eau la ration de rhum des marins.

- 1¼ tasse d'eau
- ¼ tasse de miel
- 3 c. à soupe de jus de citron
- ½ tasse de rhum brun
  Beurre, ou crème glacée à la vanille
  Muscade râpée

1 Réchauffez l'eau, le miel et le jus de citron à feu moyen. Hors du feu, ajoutez le rhum.

2 Versez le grog dans deux gobelets. Faites flotter dessus un peu de beurre, ou de crème glacée, et saupoudrez de muscade râpée. Donne 2 portions de 250 ml (8 oz).

Préparation : 5 minutes Cuisson : 5 minutes

Par portion : Calories 309. Gras total 4 g. Gras saturé 2 g.
Protéines 0 g. Hydrates de carbone 37 g. Fibres 0 g.
Sodium 42 mg. Cholestérol 10 mg.

Punch à l'ananas

Curieuse histoire que celle-ci. Créée dans les Antilles anglaises ou en Inde, l'expression anglaise bowl of punch *donna phonétiquement en français « bolleponche » ; de cet emprunt sont restés deux mots : bol et punch.*

- 2 tasses de thé chaud
- ½ tasse de sucre
- 2 tasses de jus d'ananas non sucré
- 1 tasse de jus d'orange
- ½ tasse de jus de citron
- 3 tasses de soda au gingembre glacé

1 Versez le thé chaud dans un pot ; faites-y fondre le sucre. Ajoutez les jus de fruits. Couvrez et réfrigérez au moins 4 heures (1 jour au maximum). Au moment de servir, versez le punch dans un bol et ajoutez le soda au gingembre. Donne 12 coupes de 165 ml (6 oz).

Préparation : 10 minutes Réfrigération : 4 heures

Par portion : Calories 89. Gras total 0 g. Gras saturé 0 g.
Protéines 0 g. Hydrates de carbone 23 g. Fibres 0 g.
Sodium 6 mg. Cholestérol 0 mg.

Lait de poule à l'orange (en haut, à droite), Punch à l'ananas (en bas, à droite) et Grog à l'anglaise (à gauche)

Lait de poule à l'orange

Le lait de poule est une boisson chaude faite de lait et de jaunes d'œufs.
Le voici en version fraîcheur.

4 **tasses de lait de poule allégé**
1 **boîte de jus d'orange concentré, décongelé**
1 **canette de soda au gingembre, glacé**

1 Mélangez le lait de poule et le jus d'orange dans un pot. Ajoutez le soda au gingembre. Donne 8 portions de 200 ml (7 oz).

Préparation : 5 minutes

Par portion : Calories 177. Gras total 4 g. Gras saturé 2 g.
Protéines 7 g. Hydrates de carbone 28 g. Fibres 0 g.
Sodium 82 mg. Cholestérol 97 mg.

LE THÉ AU JARDIN

L'anglophilie qui sévissait dans la haute bourgeoisie française, au début du siècle, mit à la mode le five–o'clock tea, réception élégante où l'on servait des thés raffinés, accompagnés de gâteaux. L'été, on invitait ses amis à prendre le thé à la campagne, dans un jardin fleuri.

Pour faire revivre ces plaisirs d'un autre âge, dressez la table sur la terrasse, servez le thé dans de petites tasses de porcelaine anglaise et offrez nos canapés Jennifer.

CANAPÉS JENNIFER

250 g (8 oz) de fromage Neufchâtel ramolli

2 c. à soupe de marmelade à l'orange

¼ tasse de cresson haché fin, de ciboulette ou de persil

1 c. à soupe de lait écrémé à 1 p. 100

1 c. à thé de basilic frais, haché, ou ¼ c. à thé de basilic séché

1 pain blanc ou pain de blé entier non tranché ou ½ de chacun

Petites fleurs comestibles (voir ci-contre)

Petits bouquets de cresson ou fleurs de ciboulette

Divisez le fromage Neufchâtel en deux ; mettez chaque moitié dans un petit bol. Incorporez la marmelade d'orange dans la première moitié. Dans l'autre, mettez le cresson, le lait et le basilic.

CONFECTION DES CANAPÉS

1 Avec un grand couteau denté, débarrassez le pain de ses croûtes et donnez-lui une forme régulière. Détaillez-le sur la longueur en tranches de 6 mm (¼ po) d'épaisseur.

2 Sur la moitié des tranches, étalez le fromage à la marmelade d'orange ; masquez les autres de fromage au cresson. Enroulez soigneusement chaque tranche sur elle-même. (Si le pain tend à se rompre, placez les tranches sur une serviette de papier humide ; quand elles sont ramollies, enroulez-les.) Déposez le rouleau sur du papier d'aluminium, côté coupé dessous, et enveloppez-le. Emballez séparément tous les rouleaux. Réfrigérez au moins 1 heure (1 jour au maximum).

3 Développez les rouleaux un à un et détaillez-les en tranches de 1,5 cm (½ po). Placez une fleur sur les canapés à l'orange, un bouquet de cresson sur ceux aux fines herbes. Donne 42 canapés.

FLEURS COMESTIBLES

Les fleurs comestibles sont des éléments décoratifs raffinés par leur beauté, leurs coloris et leurs délicates saveurs. Elles sont comme les herbes fines : plus leur parfum est intense, plus elles ont de goût. Apprenez à connaître leur saveur.

- fleur de ciboulette (goût d'oignon)
- hémérocalle (goût de noisette)
- œillet (saveur épicée)
- géranium (saveur selon la variété : pomme, citron, menthe, muscade et rose)
- lavande (légèrement citronnée)
- capucine (goût de radis, saveur poivrée)
- pensée (goût de laitue, un peu poivré)
- rose (un peu sucrée)
- fleur de courge (sucrée)
- violette (saveur douce, un peu piquante ou poivrée)

Cultivez vous-même ces fleurs comestibles. À défaut, achetez-les au marché ou chez un fournisseur de restaurants, mais non pas chez un fleuriste car ses fleurs sont traitées avec des produits chimiques.

Canapés au pâté (en haut) et Sandwiches fantaisie au fromage à la crème et aux dattes (en bas)

Canapés au pâté

La garniture est à base de leberwurst et de fromage Neufchâtel : agréable mélange de traditions !

180 g (6 oz) de leberwurst (pâté de foies de poulet à la manière juive)

¼ tasse de fromage Cottage allégé

2 c. à thé de basilic séché

2 c. à thé de poudre d'oignon

2 c. à thé de sauce Worcestershire hyposodique

½ c. à thé de poudre d'ail

¼ c. à thé de poivre noir

125 g (4 oz) de fromage Neufchâtel ramolli

⅓ tasse de persil haché

6 minces tranches de pain de mie blanc ou brun

1 Dans un petit bol, fouettez à grande vitesse au batteur électrique le leberwurst et le fromage Cottage, avec le basilic, la poudre d'oignon, la sauce Worcestershire, la poudre d'ail et le poivre. Incorporez le fromage Neufchâtel.

2 Mettez cet apprêt dans de la pellicule plastique et façonnez-le en boule. Réfrigérez au moins 2 heures (1 jour au maximum).

3 Éparpillez le persil sur du papier ciré. Déballez le pâté et roulez-le dans le persil. Emballez-le de nouveau dans la pellicule plastique et réfrigérez jusqu'au moment de servir.

4 Débarrassez le pain de ses croûtes. Avec un petit emporte-pièce, taillez-y des formes.

5 Au couteau ou à la poche à douille, masquez le pain de pâté et décorez à volonté de radis, cornichons, tomate, olives, etc. (Vous pouvez aussi dresser le pâté entier dans un plat et l'entourer de craquelins.) Donne 24 bouchées.

Préparation : 25 minutes Réfrigération : 2 heures

Par sandwich : Calories 56. Gras total 4 g. Gras saturé 2 g.
Protéines 2 g. Hydrates de carbone 4 g. Fibres 1 g.
Sodium 142 mg. Cholestérol 15 mg.

Sandwiches fantaisie au fromage à la crème et aux dattes

*« Souvenir, souvenir, que me veux-tu ? »
Ce si joli vers de Verlaine nous revient en
mémoire devant cette recette qui fait revivre
quelques belles joies gourmandes du passé.*

125 g (4 oz) de fromage Neufchâtel ramolli

½ tasse de dattes dénoyautées et hachées

¼ tasse de mayonnaise allégée

¼ tasse de pacanes rôties, hachées

8 tranches minces de pain aux raisins, avec ou sans cannelle

1 Dans un petit bol, mélangez le fromage Neufchâtel, les dattes et la mayonnaise. Incorporez les pacanes.

2 Débarrassez le pain de ses croûtes. Avec un emporte-pièce, découpez-y des formes en multiple de deux.

3 Masquez la moitié d'entre elles avec l'apprêt aux dattes et recouvrez-les de leur jumelle. Décorez de fromage à la crème, de framboises, de menthe fraîche ou à votre fantaisie. Donne 16 sandwiches.

Préparation : 20 minutes

Par sandwich : Calories 89. Gras total 4 g. Gras saturé 1 g.
Protéines 2 g. Hydrates de carbone 12 g. Fibres 1 g.
Sodium 97 mg. Cholestérol 6 mg.

Sandwiches fantaisie au beurre d'arachide Suivez la recette ci-dessus, mais remplacez le neufchâtel par ½ tasse de beurre d'arachide allégé.

Par sandwich : Calories 119. Gras total 6 g. Gras saturé 1 g.
Protéines 3 g. Hydrates de carbone 15 g. Fibres 1 g.
Sodium 103 mg. Cholestérol 1 mg.

Canapés fantaisie au poulet

*On offrait autrefois ces canapés à l'heure du thé.
Aujourd'hui, ils sont les bienvenus à l'heure du goûter
ou pour des réceptions.*

    1 tasse de poulet cuit haché fin
   1/3 tasse de crème sure allégée
    2 c. à soupe d'amandes rôties, hachées fin
    1 c. à soupe de céleri haché fin
   1/4 c. à thé de paprika
   1/8 c. à thé de sel, et autant de poivre noir
    4 tranches minces de pain de mie, blanc ou brun
    1 c. à soupe de piment rôti, ou de persil haché

1 Dans un petit bol, mélangez le poulet, la crème sure, les amandes, le céleri, le paprika, le sel et le poivre. Débarrassez le pain de ses croûtes. Avec un emporte-pièce, découpez-y des formes.

2 Étalez le poulet sur le pain. Décorez le pourtour ou le centre de piment rôti et/ou de persil. Donne 16 canapés.

Préparation : 20 minutes

Par canapé : Calories 49. Gras total 2 g. Gras saturé 1 g.
Protéines 4 g. Hydrates de carbone 4 g. Fibres 0 g.
Sodium 61 mg. Cholestérol 10 mg.

Toasts chauds au jambon

*L'alliance du jambon, de la mayonnaise et
des cornichons remonte aux années 1940 et n'a rien
perdu de sa popularité.*

    4 toasts de pain de mie blanc
    1 c. à soupe de mayonnaise allégée
    8 tranches minces de jambon cuit hyposodique
   1/4 tasse de mayonnaise allégée
   1/4 tasse de cheddar allégé râpé
    1 c. à soupe de cornichon à l'aneth haché fin,
      ou de relish

1 Allumez le gril. Tartinez les toasts de mayonnaise ; garnissez-les de 2 tranches de jambon chacun et coupez-les en diagonale.

2 Dans un petit bol, mélangez 1/4 tasse de mayonnaise, le cheddar et les cornichons. Masquez le jambon de cet apprêt. Mettez les toasts sur le gril, à 10 cm (4 po) de l'élément, et laissez gratiner 2 minutes. Servez les toasts chauds. Donne 8 toasts.

Préparation : 10 minutes Cuisson : 2 minutes

Par toast : Calories 83. Gras total 4 g. Gras saturé 1 g.
Protéines 4 g. Hydrates de carbone 9 g. Fibres 0 g.
Sodium 228 mg. Cholestérol 9 mg.

Canapés à l'anchoïade

*L'anchoïade est une purée savoureuse, particulière
dans le sud de la France, où la recette varie selon les localités.
À Draguignan, dans le Var, on lui ajoute de l'oignon
et des œufs durs.*

    2 œufs cuits dur, hachés fin
    1 c. à soupe de mayonnaise allégée
    1 c. à thé de pâte d'anchois, ou 1 filet d'anchois haché
   1/8 c. à thé de poudre d'oignon
      Un peu de poivre noir
    3 toasts de pain de mie blanc ou brun, ou de pain
      de seigle

1 Dans un petit bol, écrasez à la fourchette les œufs, la mayonnaise, la pâte d'anchois, la poudre d'oignon et le poivre.

2 Débarrassez les toasts de leurs croûtes ; détaillez chacun en 4 triangles et masquez-les d'anchoïade aux œufs. Donne 12 triangles.

Préparation : 10 minutes

Par triangle : Calories 39. Gras total 1 g. Gras saturé 0 g.
Protéines 2 g. Hydrates de carbone 4 g. Fibres 0 g.
Sodium 61 mg. Cholestérol 36 mg.

Petites gâteries

Bec-à-bec

Petits et grands les croquent à belles dents.

¼ tasse de beurre d'arachide croquant

2 c. à soupe de fromage à la crème fouetté allégé

⅛ c. à thé de cannelle

1 pomme rouge moyenne, parée et détaillée en 16 quartiers

Guimauves miniatures

1. Mélangez le beurre d'arachide, le fromage et la cannelle. Étalez cet apprêt sur un côté des quartiers de pomme.

2. Réunissez les quartiers en sandwiches : on dirait des lèvres. Glissez des guimauves sur le bord pour simuler des dents. Donne 8 portions.

Choco-chaud

Voici de quoi ensoleiller les journées grises et froides. Servez ce chocolat chaud et crémeux à l'heure de la chair de poule.

2 c. à soupe de sucre

1 c. à soupe de cacao non sucré

¼ tasse d'eau

¾ tasse de lait écrémé à 1 p. 100

Guimauves miniatures (facultatif)

1 bâton de cannelle de 10 cm (4 po) (facultatif)

1. Mettez le sucre et le cacao dans une petite casserole. Ajoutez l'eau et faites prendre l'ébullition. À petit feu, laissez mijoter 2 minutes en fouettant.

2. Incorporez le lait et réchauffez à feu moyen sans laisser bouillir. Versez dans la tasse et décorez de guimauves ou du bâton de cannelle. Donne 1 tasse.

Pique-légumes

Un goûter amusant pour les plus de 10 ans.

1 carotte moyenne en 8 morceaux

4 tomates-cerises

1 côte de céleri, en bouchées

8 morceaux de poivron vert

4 brochettes de bois de 25 cm (10 po)

¼ tasse de crème sure allégée

2 c. à soupe de vinaigrette Mille-Îles

1. Enfilez quelques bouchées de chaque légume sur les brochettes ; après quoi, épointez-les aux deux bouts avec des ciseaux.

2. Dans un petit bol, mélangez la crème sure et la vinaigrette Mille-Îles.

3. Les enfants font glisser les pièces au bout de la brochette et les trempent dans la sauce. Donne 4 portions.

NOTE : Surveillez les enfants quand vous leur servez des brochettes ; n'en offrez pas s'il y a de jeunes enfants dans le groupe.

Tontons folichons

Prenez des tranches de pain, de jambon et de fromage de mêmes dimensions.

4 tranches de pain de mie brun ou blanc

4 tranches de gruyère

2 tranches de jambon cuit

Mayonnaise allégée ou moutarde de Dijon

Olives et piment rôti pour décorer

1. Avec un emporte-pièce approprié, découpez des silhouettes dans le pain, le jambon et le fromage.

2. Tartinez-les de mayonnaise d'un seul côté. Montez les sandwiches. Avec de la mayonnaise, des olives et du piment, dessinez les yeux, le nez et la bouche. Donne 2 sandwiches.

NOTE : Vous pouvez remplacer jambon et gruyère par la viande et le fromage de votre choix.

SALADES ET ENTRÉES

Indépendamment du légume du même nom, le terme salade est attesté en français depuis le début du XVe siècle. Dès 1414, le mot désignait un plat composé de légumes et de fines herbes, relevé d'huile, de vinaigre ou de citron. On ne dira jamais assez les bienfaits de la salade qui fait entrer dans notre alimentation souvent trop carnée les bonnes choses que nous offre Dame Nature. On tend de plus en plus à servir en entrée des salades de fruits et de légumes, comme les Américains le font depuis longtemps, car elles fournissent une abondante ration de vitamines au moment où l'appétit est à son mieux.

Aspic tomaté
au concombre

Le mot aspic vient du grec aspis, « *bouclier* », *parce que les moules étaient autrefois en forme de bouclier. Mais d'autres avaient la forme d'un serpent enroulé, le mot aspic désignant aussi une sorte de vipère.*

1 sachet de gélatine sans saveur (2 c. à thé)

3 boîtes (156 ml chacune) de cocktail de légumes épicé

1 c. à thé de sauce Worcestershire hyposodique

⅛ c. à thé de sauce Tabasco (facultatif)

1 c. à thé d'aneth séché

½ c. à thé de zeste de citron râpé
  Enduit antiadhésif

½ tasse de concombre épépiné et haché fin

¼ tasse de poivron haché fin

2 gros oignons verts, tranchés mince

1 Égrenez la gélatine sur 1 boîte de cocktail de légumes et laissez-la gonfler 1 minute. Dans une casserole moyenne, menez au point d'ébullition le reste du cocktail de légumes, la sauce Worcestershire et la sauce Tabasco, s'il y a lieu. Ajoutez la gélatine et remuez pour qu'elle fonde. Incorporez l'aneth séché et le zeste de citron. Hors du feu, couvrez et réfrigérez 2 h 30, ou jusqu'à épaississement : la cuiller laissera un sillon dans la préparation.

2 Vaporisez un moule moyen d'enduit antiadhésif. Incorporez le concombre, le poivron et les oignons verts à la gelée ; dressez-la dans le moule. Couvrez et réfrigérez de 2 à 3 heures pour que l'aspic soit ferme.

3 Pour servir, démoulez l'aspic dans le moule et entourez-le d'une chiffonnade de laitue. Donne 6 portions en entrée.

Préparation : 15 minutes Cuisson : 5 minutes
Réfrigération : 5 heures

Par portion : Calories 24. Gras total 0 g. Gras saturé 0 g.
Protéines 2 g. Hydrates de carbone 5 g. Fibres 1 g.
Sodium 291 mg. Cholestérol 0 mg.

Aspic de canneberges
aux pacanes

L'aspic se prête à des préparations très variées – viandes, poissons, légumes, fruits –, mais toujours montées dans une gelée moulée. Celui-ci accompagne bien la volaille ou le porc.

1 boîte (284 ml/10 oz) de mandarines
  Jus d'orange

1 paquet de gélatine parfumée à la cerise

½ tasse de compote de canneberges à l'orange
  ou à la framboise
  Enduit antiadhésif

½ tasse de pomme granny smith hachée fin

¼ tasse de pacanes ou de noix, grillées et hachées

1 Égouttez les mandarines ; réservez le sirop. Ajoutez-lui assez de jus d'orange pour obtenir 1¼ tasse de liquide. Amenez ce sirop à ébullition. Hors du feu, ajoutez la gélatine et remuez pour qu'elle fonde. Incorporez cette préparation à la compote de canneberges.

2 Couvrez et réfrigérez 2 h 30, ou jusqu'à épaississement.

3 Vaporisez un moule moyen d'enduit antiadhésif. Incorporez à la gelée les mandarines, la pomme et les pacanes et dressez-la dans le moule. Couvrez et réfrigérez de 2 à 3 heures pour que l'aspic soit ferme.

4 Au moment de servir, démoulez l'aspic et entourez-le d'une chiffonnade de laitue rose. Donne 6 portions en entrée.

Préparation : 10 minutes Cuisson : 5 minutes
Réfrigération : 5 heures

Par portion : Calories 172. Gras total 4 g. Gras saturé 0 g.
Protéines 2 g. Hydrates de carbone 35 g. Fibres 1 g.
Sodium 47 mg. Cholestérol 0 mg.

POUR DÉMOULER UN ASPIC

Voici quelques trucs pour vous y aider.

1. Plongez le moule dans de l'eau chaude quelques secondes.

2. Dégagez le bord de l'aspic avec un couteau.

3. Mettez une assiette de service à l'envers sur le moule et renversez-les tous les deux d'un même mouvement. Remuez délicatement le moule pour faire sortir l'aspic.

Aspic de canneberges aux pacanes

Salade de légumes marinés

Salade de légumes marinés

Voulez-vous faire vite ? Mettez les légumes et la marinade
dans un sac de plastique, fermez hermétiquement et agitez.
Réfrigérez la salade dans ce sac jusqu'au service.

  1 tasse de fleurons de brocoli, ou de chou-fleur, tranchés

  1 tasse de tomates-cerises coupées en deux

  1 grosse carotte, en bâtonnets de 4 × 1 cm (1½ × ½ po)

  1 courgette, en tranches de 1 cm (½ po)

¼ tasse de céleri tranché

Marinade :

⅔ tasse de vinaigre

½ tasse d'huile d'olive

¼ tasse de persil haché, ou de coriandre

  3 c. à soupe de sucre (facultatif)

  2 c. à soupe d'aneth frais haché fin, ou 2 c. à thé d'aneth séché

½ c. à thé de sel

¼ c. à thé de poivre noir

1 Réunissez tous les légumes dans un sac de plastique robuste.

2 Dans un bocal qui ferme bien, mettez le vinaigre, l'huile, le persil, le sucre, s'il y a lieu, l'aneth, le sel et le poivre. Couvrez et agitez vigoureusement. Versez la marinade sur les légumes. Fermez le sac et réfrigérez-le en l'agitant à quelques reprises.

3 Dressez la salade dans un saladier avec une cuiller à trous. Donne 4 portions en entrée.

Préparation : 25 minutes Réfrigération : 8 heures

Par portion : Calories 121. Gras total 9 g. Gras saturé 1 g. Protéines 1 g. Hydrates de carbone 10 g. Fibres 2 g. Sodium 289 mg. Cholestérol 0 mg.

Salade paysanne aux quatre haricots

1 petit oignon, coupé en deux et tranché mince

½ c. à thé de sel

1 paquet (350 g/12 oz) de haricots de Lima surgelés

1 tasse de haricots verts coupés, surgelés

2 tasses (1 boîte) de haricots rouges, rincés et égouttés

2 tasses (1 boîte) de pois chiches, rincés et égouttés

1 carotte moyenne, râpée

1 petit poivron, taillé en bouchées

Vinaigrette :

⅔ tasse de vinaigre de vin blanc

3 c. à soupe de sucre (facultatif)

3 c. à soupe d'eau

3 c. à soupe d'huile d'olive

2 c. à thé de basilic séché

2 gousses d'ail, hachées

½ c. à thé de poivre noir

1 Mettez l'oignon dans un bol moyen, saupoudrez-le de sel, couvrez-le d'eau froide et laissez-le tremper 20 minutes. Rincez-le à l'eau froide et égouttez-le bien.

2 Dans l'intervalle, faites cuire les haricots de Lima et les haricots verts selon les instructions. Dans un grand sac de plastique robuste, réunissez l'oignon et tous les légumes.

3 Dans un bocal qui ferme bien, mettez le vinaigre, le sucre, s'il y a lieu, l'eau, l'huile, le basilic, l'ail et le poivre noir. Couvrez et agitez vigoureusement. Versez la vinaigrette sur les légumes. Fermez le sac et réfrigérez 8 heures, ou jusqu'au lendemain, en agitant le sac de temps à autre. Au moment de servir, recueillez la salade avec une cuiller à trous et dressez-la dans un saladier foncé de laitue. Donne 8 portions en entrée.

Préparation : 25 minutes Réfrigération : 8 heures

Par portion : Calories 185. Gras total 4 g. Gras saturé 0 g.
Protéines 9 g. Hydrates de carbone 31 g. Fibres 9 g.
Sodium 87 mg. Cholestérol 0 mg.

❋

Salade aux trois haricots Suivez la même recette, mais remplacez les pois chiches par **2 tasses de haricots verts**. Donne 6 portions en entrée.

Par portion : Calories 179. Gras total 4 g. Gras saturé 0 g.
Protéines 8 g. Hydrates de carbone 30 g. Fibres 9 g.
Sodium 113 mg. Cholestérol 0 mg.

Salade de macaronis à l'italienne

Originaire de Naples où il est généreusement consommé, le macaroni se prête à une incroyable variété d'apprêts.

1 tasse de macaronis en coudes, de coquillages ou de pennes

½ tasse (60 g/2 oz) de cheddar coupé en dés

2 gros oignons verts, tranchés mince

¼ tasse de poivron haché fin

¼ tasse de cornichons marinés sucrés, hachés

¼ tasse d'olives noires dénoyautées, tranchées

Vinaigrette :

¼ tasse de mayonnaise allégée

¼ tasse de crème sure allégée

2 c. à soupe de lait écrémé à 1 p. 100

2 c. à soupe de la marinade des cornichons

2 c. à soupe de persil haché

1 c. à thé d'aneth séché

¼ c. à thé de sel

¼ c. à thé de poivre noir

1 Faites cuire les macaronis selon les directives du paquet. Rincez-les à l'eau froide et égouttez-les.

2 Dans un grand bol, mélangez le cheddar, les oignons verts, le poivron, les cornichons et les olives. Fouettez ensemble la mayonnaise, la crème sure, le lait, la marinade des cornichons, le persil, l'aneth, le sel et le poivre. Versez cette vinaigrette sur la préparation précédente et remuez. Incorporez les macaronis. Couvrez et réfrigérez de 4 à 24 heures. Donne 4 portions en entrée.

Préparation : 15 minutes Cuisson : 10 minutes
Réfrigération : 4 heures

Par portion : Calories 220. Gras total 12 g. Gras saturé 5 g.
Protéines 7 g. Hydrates de carbone 23 g. Fibres 1 g.
Sodium 546 mg. Cholestérol 27 mg.

❋

Salade de macaronis aux petits pois Suivez la même recette, mais remplacez le cheddar par **¾ tasse de petits pois décongelés** et la marinade des cornichons par **2 c. à soupe de lait écrémé à 1 p. 100**.

Par portion : Calories 168. Gras total 6 g. Gras saturé 2 g.
Protéines 5 g. Hydrates de carbone 24 g. Fibres 3 g.
Sodium 394 mg. Cholestérol 10 mg.

Salade de pommes de terre

Pour adoucir la salade, supprimez la moutarde.
Utilisez des pommes de terre Idaho ou rouges,
qui cuisent bien à l'eau bouillante.

- 4 pommes de terre moyennes (650 g/1⅓ lb)
- 1 côte de céleri, tranchée mince
- ½ tasse d'oignon, rouge ou jaune, haché fin
- ¼ tasse de cornichons, sucrés ou à l'aneth, hachés
- ½ tasse de mayonnaise allégée
- ½ tasse de crème sure allégée
- 1 c. à soupe de moutarde de Dijon
- 2 c. à thé de sucre (facultatif)
- 2 c. à thé de vinaigre
- ½ c. à thé de sel
- ¼ c. à thé de poivre noir
- 2 gros œufs durs, les blancs seulement
- 2 à 3 c. à soupe de lait écrémé à 1 p. 100

1 Mettez les pommes de terre dans une grande casserole, couvrez-les d'eau et amenez-les à ébullition à feu vif. Couvrez et laissez mijoter à feu lent de 20 à 25 minutes ; égouttez. Épluchez-les une fois tièdes, si vous le désirez, et coupez-les en dés.

2 Dans un grand bol, mélangez le céleri, l'oignon et les cornichons. Par ailleurs, fouettez ensemble la mayonnaise, la crème sure, la moutarde, le sucre, s'il y a lieu, le vinaigre, le sel et le poivre. Versez sur les légumes et remuez. Hachez les blancs d'œufs et ajoutez-les, ainsi que les pommes de terre. Remuez, couvrez et réfrigérez de 4 à 24 heures.

3 Avant de servir, ajoutez du lait jusqu'à obtention de la consistance désirée. Dressez la salade dans un saladier foncé de laitue. Donne 6 portions en entrée.

Préparation : 25 minutes Cuisson : 20 minutes
Réfrigération : 4 heures

Par portion : Calories 205. Gras total 8 g. Gras saturé 3 g.
Protéines 5 g. Hydrates de carbone 28 g. Fibres 2 g.
Sodium 424 mg. Cholestérol 87 mg.

Salade de pommes de terre au bacon

D'origine allemande, cette salade se sert tiède.
Vous pouvez préparer les pommes de terre d'avance
et les garder au réfrigérateur. Mais n'assemblez pas
la salade avant l'heure de la servir.

- 625 g (1¼ lb) de petites pommes de terre nouvelles, ou 4 pommes de terre moyennes
- 2 tranches de bacon maigre, hachées
- 4 gros oignons verts, tranchés fin
- 1 c. à soupe de farine
- 1 c. à soupe de sucre (facultatif)
- ½ c. à thé de graines de céleri
- ¼ c. à thé de sel
- ¼ c. à thé de poivre noir
- ½ tasse d'eau
- ¼ tasse de vinaigre à l'estragon
- 2 c. à soupe de persil haché

1 Mettez les pommes de terre dans une grande casserole, couvrez-les d'eau et amenez-les à ébullition à feu vif. Couvrez et laissez mijoter à petit feu de 20 à 25 minutes ; égouttez. Épluchez et tranchez les pommes de terre moyennes une fois tièdes, mais laissez les petites pommes de terre entières. Réservez.

2 Faites cuire le bacon à feu vif pour le rendre croustillant. Épongez-le sur de l'essuie-tout ; gardez 1 c. à soupe de gras.

3 Faites cuire les oignons verts à feu moyen dans le gras de bacon pour qu'ils soient tendres. Incorporez la farine, le sucre, s'il y a lieu, les graines de céleri, le sel et le poivre, et laissez cuire 1 minute avant d'ajouter l'eau et le vinaigre. Prolongez la cuisson de 3 minutes ou jusqu'à épaississement, en remuant sans arrêt.

4 Incorporez délicatement les pommes de terre et le bacon émietté, et réchauffez-les 2 à 3 minutes en remuant. Saupoudrez de persil et servez immédiatement. Donne 4 portions en entrée.

Préparation : 15 minutes Cuisson : 30 minutes

Par portion : Calories 195. Gras total 5 g. Gras saturé 2 g.
Protéines 4 g. Hydrates de carbone 34 g. Fibres 3 g.
Sodium 212 mg. Cholestérol 6 mg.

Salade estivale de maïs et de chou

Salade estivale de maïs et de chou

*Quand vient la saison du maïs, on est à l'affût de
nouvelles façons de le servir. En voici une qui fera bien des heureux.
Choisissez des épis à feuilles vert tendre, frais et bien dodus.*

3 **épis de maïs moyens, ou 1 paquet (350 g/12 oz) de maïs à grains entiers surgelé**

1½ **tasse de chou vert haché**

1 **poivron moyen, en bouchées**

1 **côte de céleri, tranchée mince**

Marinade :

¼ **tasse d'huile d'olive**

¼ **tasse de jus de citron**

1 **à 2 c. à soupe de miel (facultatif)**

1 **c. à thé de moutarde sèche**

½ **c. à thé de sel**

¼ **c. à thé de poivre noir**

1 Dans un grand faitout, amenez à ébullition à feu vif 2 litres d'eau légèrement salée. Mettez-y les épis de maïs. Quand l'ébullition a repris, laissez mijoter à petit feu de 6 à 8 minutes. (Ou faites cuire le maïs surgelé selon les directives du paquet.) Égouttez. Dès que les épis sont tièdes, retirez les grains de la façon suivante : tenez l'épi à l'oblique sur une planche et détachez les grains avec un couteau bien tranchant.

2 Mélangez le maïs, le chou, le poivron et le céleri dans un grand bol. Dans un bocal qui ferme bien, mettez l'huile, le jus de citron, le miel, s'il y a lieu, la moutarde, le sel et le poivre noir. Fermez le bocal et agitez-le vigoureusement. Versez la vinaigrette sur les légumes et remuez. Couvrez et réfrigérez de 2 à 24 heures. Au moment de servir, dressez la salade sur des feuilles de laitue. Donne 4 portions en entrée.

Préparation : 20 minutes Cuisson : 11 minutes
Réfrigération : 2 heures

Par portion : Calories 226. Gras total 15 g. Gras saturé 1 g.
Protéines 3 g. Hydrates de carbone 25 g. Fibres 3 g.
Sodium 298 mg. Cholestérol 0 mg.

Salade rose d'amour

La pomme d'amour, comme les Provençaux appellent la tomate, devient ici une rose d'amour, grâce à un stratagème tout simple.

- **2 tomates moyennes**
- **2 c. à soupe de vinaigrette crémeuse à la française (ci-dessous) ou allégée**
- **120 g (4 oz) de fromage à la crème fouetté, allégé**
- **2 c. à thé de mayonnaise allégée**
- **½ c. à thé de zeste de citron râpé**

1 Pelez les tomates si vous le désirez. Couvrez-les et mettez-les au réfrigérateur. Préparez la vinaigrette (ci-dessous) ; couvrez-la et réfrigérez-la.

2 Foncez deux assiettes à salade de laitue de boston ou de laitue non pommée. Façonnez les tomates en roses (ci-contre).

3 Déposez 1 c. à thé de mayonnaise au centre de chaque tomate. Ajoutez le zeste de citron. Servez avec la vinaigrette. Donne 2 portions en entrée.

Préparation : 25 minutes

Par portion : Calories 215. Gras total 16 g. Gras saturé 7 g. Protéines 7 g. Hydrates de carbone 16 g. Fibres 1 g. Sodium 400 mg. Cholestérol 21 mg.

Vinaigrette crémeuse

Travaillez ensemble au robot ou au mélangeur **⅓ tasse de vinaigre, ¼ tasse de sucre (facultatif), 2 c. à soupe d'oignon haché, ½ c. à thé de paprika, ½ c. à thé de moutarde sèche, ¼ c. à thé de poudre d'ail, ¼ c. à thé de sel** et **⅛ c. à thé de cayenne.** L'appareil en marche, ajoutez en filet **¼ tasse d'huile d'olive** et travaillez la préparation de 2 à 3 minutes ou jusqu'à épaississement. Couvrez et réfrigérez (1 semaine au maximum). Donne ¾ tasse, ou 6 portions de 2 c. à soupe.

Pour 2 cuillerées à soupe : Calories 117. Gras total 9 g. Gras saturé 1 g. Protéines 0 g. Hydrates de carbone 10 g. Fibres 0 g. Sodium 89 mg. Cholestérol 0 mg.

POUR PRÉSENTER LA SALADE D'AMOUR

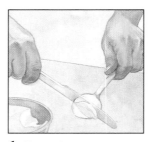

1. Remplissez une cuiller à potage de fromage à la crème. Égalisez au couteau.

2. Prenez la tomate dans la main ; appuyez la cuiller dessus, côté fromage, et faites-la glisser doucement : le fromage reste sur la tomate et forme un pétale.

3. Continuez ainsi de façon à garnir toute la tomate de pétales. Déposez-la sur un lit de laitue, dans une assiette à salade. Répétez l'opération avec l'autre tomate.

4. Éparpillez le zeste de citron sur la mayonnaise, au centre de chaque tomate.

Salade de concombre à l'aneth

*Le concombre est originaire du sud-ouest de l'Inde.
Les Hébreux en raffolaient ; ils en plantaient de grands
champs et y postaient des guetteurs contre les maraudeurs
et les chacals, tous deux fort friands de concombres.*

1 **concombre moyen, coupé en deux sur la longueur**
¼ **c. à thé de sel**
2 **gros oignons verts, tranchés mince**
¼ **tasse de radis en tranches minces**

Vinaigrette :
½ **tasse de crème sure allégée**
2 **c. à soupe de vinaigre à l'estragon**
1 **c. à soupe d'aneth frais haché fin, ou 1 c. à thé
d'aneth séché**
1 **c. à thé de sucre (facultatif)**
½ **c. à thé de moutarde de Dijon**
¼ **c. à thé de poivre noir**

1 Pelez et épépinez le concombre ; détaillez-le en tranches minces : vous devriez en avoir 2 tasses. Saupoudrez les tranches de sel et laissez-les dégorger pendant 30 minutes. Égouttez.

2 Réunissez dans un petit bol le concombre, les oignons verts et les radis. Par ailleurs, fouettez ensemble la crème sure, le vinaigre, l'aneth, le sucre, s'il y a lieu, la moutarde et le poivre. Versez cette vinaigrette sur les légumes, remuez, couvrez et réfrigérez 1 heure. Dressez la salade sur des feuilles de laitue. Donne 4 portions en entrée.

Préparation : 10 minutes Repos : 15 minutes
Réfrigération : 1 heure

Par portion : Calories 60. Gras total 4 g. Gras saturé 2 g.
Protéines 2 g. Hydrates de carbone 6 g. Fibres 1 g.
Sodium 158 mg. Cholestérol 12 mg.

Salade de doliques à œil noir

*Les doliques composent une salade à la fois légère et
nourrissante. Si vous faites cuire vous-même les doliques,
ils doivent rester légèrement fermes.*

2 **tasses de doliques cuits, ou 1 boîte de doliques en
conserve, rincés et égouttés**
2 **grosses tomates, pelées, épépinées et hachées**
1 **tasse de maïs à grains entiers**
½ **tasse de poivron haché fin**
2 **gros oignons verts, tranchés mince**
¼ **c. à thé de sauce Tabasco**

Salade de doliques à œil noir

Vinaigrette :
⅓ **tasse d'huile d'olive**
2 **c. à soupe de vinaigre**
2 **c. à soupe de jus de citron**
1 **c. à thé de basilic séché**
1 **c. à soupe de moutarde de Dijon**
¼ **c. à thé de poivre noir**

1 Dans un grand bol, réunissez les doliques, les tomates, le maïs, le poivron, les oignons verts et la sauce Tabasco. Dans un bocal qui ferme bien, mettez l'huile, le vinaigre, le jus de citron, le basilic, la moutarde et le poivre. Fermez et agitez vigoureusement. Versez la vinaigrette sur les légumes ; remuez, couvrez et réfrigérez de 2 à 4 heures. Recueillez la salade avec une cuiller à trous et dressez-la dans un saladier foncé de laitue. Donne 6 portions en entrée.

Préparation : 20 minutes Réfrigération : 2 heures

Par portion : Calories 141. Gras total 5 g. Gras saturé 0 g.
Protéines 6 g. Hydrates de carbone 21 g. Fibres 5 g.
Sodium 102 mg. Cholestérol 0 mg.

Salade d'avocat aux agrumes

*Pour cette recette, donnez la préférence à l'avocat
à peau lisse et vert clair, car il est moins fibreux et se conserve
plus longtemps que l'avocat Hass à peau rugueuse.*

²/₃ **tasse de vinaigrette à la framboise (ci-dessous)**

5 **tasses d'un mélange de salades hachées**

2 **oranges moyennes, pelées et détaillées en quartiers**

1 **gros avocat, pelé, dénoyauté et tranché**

1 **pamplemousse moyen, pelé et détaillé en quartiers**

½ **tasse de céleri en tranches minces**

1 Préparez la vinaigrette. Couvrez-la et réfrigérez-la pendant que vous préparez la salade.

2 Dans un grand saladier, réunissez les salades mélangées, les oranges, l'avocat, le pamplemousse et le céleri. Agitez vigoureusement la vinaigrette et nappez-en la salade. Remuez délicatement. Donne 6 portions en entrée.

Préparation : 20 minutes

Par portion : Calories 195. Gras total 15 g. Gras saturé 2 g.
Protéines 2 g. Hydrates de carbone 17 g. Fibres 4 g.
Sodium 16 mg. Cholestérol 0 mg.

✳

Salade de crabe aux agrumes Suivez la même recette, mais remplacez l'avocat par **500 g (1 lb) de chair de crabe,** sans débris de carapace ou de cartilage et émiettée, ou **1½ paquet (250 g/8 oz chacun) de poisson à saveur de crabe** décongelé et haché. Donne 5 portions.

Par portion : Calories 309. Gras total 18 g. Gras saturé 2 g.
Protéines 18 g. Hydrates de carbone 22 g. Fibres 4 g.
Sodium 277 mg. Cholestérol 52 mg.

Vinaigrette à la framboise

Dans un bocal qui ferme bien, mettez ½ **tasse d'huile d'olive, ½ tasse de vinaigre de framboise, 3 c. à soupe de miel (facultatif), 1 c. à thé de menthe séchée, 1 c. à thé de moutarde sèche** et ½ **c. à thé de paprika.** Fermez et agitez vigoureusement avant de réfrigérer (1 semaine au maximum). Donne 1¼ tasse, ou 10 portions de 2 c. à soupe.

Pour 2 cuillerées à soupe : Calories 120. Gras total 11 g.
Gras saturé 1 g. Protéines 0 g. Hydrates de carbone 6 g.
Fibres 0 g. Sodium 0 mg. Cholestérol 0 mg.

Salade panachée

*La salade a un inconvénient pour l'amateur de vins ;
elle détruit leur bouquet. Songez donc à offrir avec
les salades vinaigrette un bon verre d'eau de source,
excellent pour le palais et pour l'estomac.*

Vinaigrette au citron (ci-dessous)

4 **tasses d'un mélange de salades hachées**

1 **tasse de germes de luzerne**

1 **poivron moyen, en bouchées**

½ **oignon rouge moyen, en tranches minces
ou en anneaux**

½ **tasse de concombre en tranches minces**

½ **tasse de radis tranchés**

½ **tasse (60 g/2 oz) de fromage bleu émietté ou de feta**

1 Préparez la vinaigrette. Couvrez-la et réfrigérez-la pendant que vous préparez la salade.

2 Dans un grand saladier, réunissez les salades mélangées, la luzerne, le poivron, l'oignon, le concombre, les radis et le fromage. Agitez vigoureusement la vinaigrette et versez-la sur la salade. Remuez délicatement. Donne 6 portions en entrée.

Préparation : 20 minutes

Par portion : Calories 123. Gras total 10 g. Gras saturé 3 g.
Protéines 4 g. Hydrates de carbone 5 g. Fibres 1 g.
Sodium 165 mg. Cholestérol 9 mg.

Vinaigrette au citron

Dans un bocal qui ferme bien, mettez **3 c. à soupe d'huile d'olive, 3 c. à soupe de jus de citron ou de lime, 2 c. à soupe de persil haché, 1 c. à thé d'origan séché, 2 gousses d'ail hachées,** ½ **c. à thé de sucre (facultatif)** et ⅛ **c. à thé de poivre noir.** Fermez et agitez vigoureusement avant de réfrigérer (1 semaine au maximum). Donne environ ½ tasse, ou 4 portions de 2 c. à soupe.

Pour 2 cuillerées à soupe : Calories 99. Gras total 10 g.
Gras saturé 1 g. Protéines 0 g. Hydrates de carbone 2 g.
Fibres 0 g. Sodium 1 mg. Cholestérol 0 mg.

Salade panachée

Salade verte à la courge

Salade verte à la courge

Notre alimentation est très axée sur la viande ; la tradition de la petite salade a pour but de l'équilibrer en lui ajoutant une bonne portion de légumes crus bien frais.

Vinaigrette épicée à la tomate (ci-dessous)

4 **tasses d'un mélange de salades hachées**

1 **courge jaune, ou 1 courgette moyenne, détaillée en deux sur la longueur et en tranches de 6 mm (¼ po)**

2 **carottes moyennes, ou 1 petit jicama, en bâtonnets de 4 × 2 cm (1½ × ½ po)**

1 **tasse de tomates-cerises, coupées en deux**

1 **tasse de petits champignons entiers**

1 **tasse de fleurons de chou-fleur ou de brocoli**

1 Préparez la vinaigrette épicée à la tomate ; couvrez-la et réfrigérez-la.

2 Dans un grand saladier, réunissez les salades mélangées, la courge, les carottes, les tomates, les champignons et le chou-fleur. Agitez vigoureusement le bocal de vinaigrette avant de la verser sur la salade. Remuez et servez. Donne 6 portions en entrée.

Préparation : 25 minutes

Par portion : Calories 85. Gras total 5 g. Gras saturé 0 g. Protéines 2 g. Hydrates de carbone 10 g. Fibres 2 g. Sodium 24 mg. Cholestérol 0 mg.

Vinaigrette épicée à la tomate

Dans un bocal qui ferme bien, mettez ¼ **tasse de ketchup hyposodique**, 2 c. à soupe d'oignon rouge râpé, 2 c. à soupe d'huile d'olive, 2 c. à soupe de jus de citron ou de vinaigre, 2 c. à soupe d'eau, 1 c. à thé de raifort préparé, égoutté, ½ c. à thé de sucre (facultatif), ½ c. à thé de sauce Worcestershire hyposodique et ⅛ c. à thé de poivre noir. Fermez et agitez vigoureusement. Réfrigérez (1 semaine au maximum). Donne environ ¾ tasse, ou 6 portions de 2 c. à soupe.

Pour 2 cuillerées à soupe : Calories 55. Gras total 5 g. Gras saturé 0 g. Protéines 0 g. Hydrates de carbone 4 g. Fibres 0 g. Sodium 5 mg. Cholestérol 0 mg.

POUR NETTOYER LA SALADE

La vieille façon est toujours la meilleure parce qu'elle n'endommage pas les feuilles.

1. Jetez les feuilles défraîchies.

2. Déposez les feuilles de salade dans un grand bol d'eau froide. Attendez 5 minutes pour que la saleté tombe au fond. Retirez-les à la main et jetez l'eau.

3. Répétez la même opération à plusieurs reprises, jusqu'à ce qu'il n'y ait plus de sable dans le fond du bol.

4. Égouttez la salade dans une passoire. Enlevez les tiges dures.

5. À défaut d'essoreuse à salade, déposez la salade entre deux linges à vaisselle propres. Tapotez-les pour assécher les feuilles. Réfrigérez.

Salade de carottes aux raisins secs

Cette salade accompagne à merveille le jambon froid.

4 **carottes moyennes, râpées**

2 **côtes de céleri, hachées fin**

½ **tasse de raisins secs ou de dattes dénoyautées et hachées**

¼ **tasse de pacanes ou de noix, grillées et hachées**

Vinaigrette :

½ **tasse de mayonnaise allégée**

3 **c. à soupe de lait écrémé à 1 p. 100**

¼ **c. à thé de sel**

⅛ **c. à thé de poivre noir**

1 Dans un bol moyen, réunissez les carottes, le céleri, les raisins secs et les pacanes. Par ailleurs, fouettez ensemble tous les autres ingrédients. Versez cette vinaigrette sur la salade, remuez, couvrez et réfrigérez de 2 à 24 heures. Donne 4 portions en entrée.

Préparation : 25 minutes Réfrigération : 2 heures

Par portion : Calories 220. Gras total 11 g. Gras saturé 2 g. Protéines 3 g. Hydrates de carbone 30 g. Fibres 3 g. Sodium 344 mg. Cholestérol 8 mg.

Salade de pissenlit

Vous pouvez substituer des épinards ou de l'oseille au pissenlit. Mais rien ne saurait remplacer la fine saveur des jeunes pousses de pissenlit, cueillies avant la floraison. Récoltez-les dans des terrains non traités aux produits chimiques.

6 tasses de pousses de pissenlit, d'oseille ou d'épinards frais

1 tasse de champignons frais tranchés

2 tranches de bacon maigre, hachées

¼ tasse de poireau tranché mince ou 2 gros oignons verts, tranchés mince

1 gousse d'ail, hachée

2 c. à soupe de vinaigre ou de xérès sec

2 c. à soupe de miel (facultatif)

¼ c. à thé de poivre noir

1 Dans un grand saladier, mettez le pissenlit et les champignons. Par ailleurs, faites frire le bacon jusqu'à ce qu'il soit croustillant. Retirez-le en réservant 1 c. à soupe de gras. Épongez le bacon sur de l'essuie-tout.

2 À feu moyen, faites revenir le poireau et l'ail dans le gras de bacon jusqu'à ce que le poireau soit tendre. Ajoutez le vinaigre, le miel, s'il y a lieu, et le poivre.

3 Quand l'ébullition est prise, passez les légumes mélangés à la poêle pendant 30 à 60 secondes pour les attendrir. Dressez la salade dans un saladier, décorez de miettes de bacon. Donne 3 portions en entrée.

Préparation : 10 minutes Cuisson : 8 minutes

Par portion : Calories 173. Gras total 8 g. Gras saturé 3 g. Protéines 5 g. Hydrates de carbone 25 g. Fibres 4 g. Sodium 180 mg. Cholestérol 8 mg.

Salade de chou à l'ancienne

Plongez le chou haché dans de l'eau glacée pour le rendre croustillant. Essorez-le parfaitement avant de l'assaisonner.

½ petit chou vert, coupé en quatre

1 grosse carotte, râpée

½ tasse de poivron haché fin

2 gros oignons verts, hachés fin

Vinaigrette :

⅔ tasse de mayonnaise allégée

2 c. à soupe de vinaigre

2 c. à soupe de lait écrémé à 1 p. 100

1 c. à soupe de sucre (facultatif)

1 c. à thé de graines de carvi ou ½ c. à thé de graines de céleri

¼ c. à thé de sel

⅛ c. à thé de poivre noir

1 Râpez le chou (ci-dessous) pour en avoir 2½ tasses. Dans un grand bol, mettez le chou, la carotte, le poivron et les oignons verts. Par ailleurs, fouettez ensemble la mayonnaise, le vinaigre, le lait, le sucre, s'il y a lieu, les graines de carvi, le sel et le poivre. Versez la vinaigrette sur le chou et remuez. Couvrez et réfrigérez de 2 à 24 heures. Donne 4 portions.

Préparation : 25 minutes Réfrigération : 2 heures

Par portion : Calories 153. Gras total 9 g. Gras saturé 1 g. Protéines 2 g. Hydrates de carbone 19 g. Fibres 3 g. Sodium 370 mg. Cholestérol 10 mg.

Salade de chou Verchères Suivez la même recette, mais remplacez le chou vert par **2½ tasses de chou rouge râpé** et le poivron par **1 petite pomme rouge délicieuse, râpée**.

Par portion : Calories 147. Gras total 8 g. Gras saturé 1 g. Protéines 1 g. Hydrates de carbone 18 g. Fibres 3 g. Sodium 358 mg. Cholestérol 10 mg.

POUR RÂPER LE CHOU

 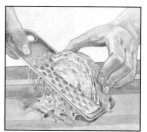

Pour le râper gros, appuyez le quart d'un chou sur la planche et tranchez-le avec un grand couteau.

Pour le râper moyen, employez la plus grosse des râpes.

Salade estivale au melon

Salade estivale au melon

Le melon se digère mieux quand il est servi en entrée.
On peut alors l'assaisonner de sel et de poivre. Le melon ouvert se garde au réfrigérateur
sans avoir été vidé de sa semence : elle le garde frais.

¾ **tasse de vinaigrette aux fraises (recette ci-contre)**
½ **petit melon brodé, épépiné**
½ **petit melon honeydew, épépiné**
2 **tasses de fraises, coupées en deux**

1 Préparez puis réfrigérez la vinaigrette aux fraises. Enlevez l'écorce des melons ; coupez-les en fins quartiers.

2 Dans chaque assiette, disposez des quartiers de chacun des melons ainsi que des fraises sur un lit de laitue de Boston. Aspergez de vinaigrette. Donne 6 portions en entrée.

Préparation : 25 minutes

Par portion : Calories 85. Gras total 1 g. Gras saturé 0 g.
Protéines 1 g. Hydrates de carbone 19 g. Fibres 2 g.
Sodium 13 mg. Cholestérol 0 mg.

Vinaigrette aux fraises

Travaillez au robot ou au mélangeur 1¾ **tasse de fraises, coupées en quatre, 3 c. à soupe de miel (facultatif), 2 c. à soupe de jus de citron, 1 c. à soupe d'huile d'olive** et **1 c. à thé de zeste de citron râpé.** Couvrez et réfrigérez (1 semaine au maximum). Donne 1¾ tasse, ou 14 portions de 2 c. à soupe.

Pour 2 cuillerées à soupe : Calories 28. Gras total 1 g.
Gras saturé 0 g. Protéines 0 g. Hydrates de carbone 5 g.
Fibres 0 g. Sodium 0 mg. Cholestérol 0 mg.

Entrée glacée aux fraises

Entrée glacée aux fraises

Dans les années 1940 et 1950, avec l'avènement du compartiment à congélation, les entrées glacées faisaient fureur. Les boîtes cartonnées de poudre magique faisaient office de moule. Il suffisait, pour démouler, de pousser sur le contenu.

1	**petite boîte d'ananas écrasé**
250	**g (8 oz) de fromage à la crème fouetté allégé**
1	**tasse de crème sure allégée**
¼	**tasse de sucre**
½	**c. à thé de vanille**
2	**tasses de fraises hachées**
½	**tasse de pacanes ou de noix, rôties et hachées**

1 Égouttez les ananas ; réservez 2 c. à soupe de sirop. Au batteur électrique, fouettez vivement ce sirop avec le fromage à la crème, la crème sure, le sucre et la vanille. Incorporez l'ananas, les fraises et les pacanes. Mettez cette préparation dans trois petites boîtes vides de concentré de jus de fruits ou dans un moule à pain. Couvrez et laissez 6 heures au congélateur.

2 Sortez les boîtes du congélateur, débarrassez-les de leur étiquette et laissez-les tiédir de 35 à 45 minutes. Démoulez et découpez l'entrée glacée en neuf tranches. Si vous vous êtes servi d'un moule à pain, ne la laissez tiédir que de 15 à 20 minutes ; démoulez l'entrée, coupez-la en deux sur la longueur puis en quatre tranches.

3 Dressez chaque tranche dans une assiette foncée de laitue de Boston. Donne 8 ou 9 portions en entrée.

Préparation : 20 minutes Congélation : 6 heures
Repos : 35 minutes

Par portion : Calories 227. Gras total 14 g. Gras saturé 6 g. Protéines 5 g. Hydrates de carbone 24 g. Fibres 1 g. Sodium 173 mg. Cholestérol 22 mg.

Salade tutti-frutti

Les salades de fruits devinrent populaires en entrée avec la mode de la fameuse salade Waldorf. Elles peuvent aussi constituer un repas léger.

- **1 pomme verte moyenne, hachée**
- **1 pomme rouge moyenne, hachée**
- **1 petite poire, hachée**
- **1 c. à soupe de jus de citron**
- **¼ tasse de grains de raisin vert sans pépins, coupés en deux**
- **¼ tasse de raisins secs, ou de cerises rouges séchées**
- **⅔ tasse de yogourt nature allégé**
- **¼ tasse de mayonnaise allégée**
- **2 c. à soupe de lait écrémé à 1 p. 100**
- **1 c. à soupe de sucre (facultatif)**
- **⅛ c. à thé de muscade**
- **2 c. à soupe de pacanes ou de noix, rôties et hachées**

1 Mettez les pommes, la poire et le jus de citron dans un bol ; remuez. Ajoutez le raisin frais et les raisins secs. Par ailleurs, fouettez ensemble le yogourt, la mayonnaise, le lait, le sucre, s'il y a lieu, et la muscade. Étalez cette sauce sur les fruits pour les protéger de l'oxydation et garder leur fraîcheur. Couvrez et réfrigérez de 2 à 24 heures.

2 Avant de servir, remuez la salade pour bien répartir la sauce et dressez-la sur un lit de laitue. Saupoudrez de pacanes. Donne 5 portions en entrée.

Préparation : 20 minutes Réfrigération : 2 heures

Par portion : Calories 153. Gras total 5 g. Gras saturé 1 g.
Protéines 3 g. Hydrates de carbone 26 g. Fibres 2 g.
Sodium 92 mg. Cholestérol 5 mg.

À CHAQUE POMME SON USAGE

La pomme de table doit être croquante ;
la pomme à tarte ou à compote doit s'attendrir
à la cuisson. Voici des suggestions.

- **Pour la table et la salade** Cortland, empire, gala, mcintosh, newtown pippin, northern spy, red delicious et stayman.

- **Pour la cuisson** Idared, newtown pippin, rome beauty, stayman et york imperial.

- **Polyvalentes** Crispin, melba, criterion, fuji, golden delicious, granny smith, jonagold, jonathan et winesap.

Salade de fruits crémeuse

Une salade au goût américain où il entre de la farine, un jaune d'œuf et des guimauves miniatures.

Garniture :

- **2 c. à soupe de sucre**
- **1 c. à soupe de farine**
- **⅓ tasse de jus d'orange**
- **1 gros jaune d'œuf, légèrement battu**
- **2 c. à soupe de jus de citron**
- **250 g (8 oz) de yogourt allégé à la vanille**

Salade :

- **2 pêches ou nectarines moyennes, pelées, dénoyautées et tranchées mince**
- **2 tasses de grains de raisin vert ou rouge, sans pépins, coupés en deux**
- **2 tasses de fraises coupées en quatre**
- **½ tasse de guimauves miniatures**

1 Dans une petite casserole, mélangez le sucre et la farine ; au fouet, incorporez le jus d'orange et le jaune d'œuf. Faites cuire à feu doux 2 minutes ou jusqu'à épaississement en fouettant sans arrêt. Incorporez le jus de citron. Retirez du feu et réfrigérez 20 minutes. Incorporez le yogourt.

2 Réunissez les pêches, le raisin, les fraises et les guimauves dans un grand bol. Ajoutez la garniture et remuez délicatement. Dressez la salade dans un plat creux, couvrez et réfrigérez de 8 à 24 heures. Donne 8 portions en entrée.

Préparation : 25 minutes Cuisson : 2 minutes
Réfrigération : 8 h 20

Par portion : Calories 111. Gras total 1 g. Gras saturé 1 g.
Protéines 3 g. Hydrates de carbone 24 g. Fibres 1 g.
Sodium 22 mg. Cholestérol 28 mg.

Salade de fruits congelée

Quand apparurent les réfrigérateurs équipés de compartiments à congélation, les maîtresses de maison se mirent à congeler toutes sortes de mets. C'est de cette époque que datent les salades de fruits congelées, devenues rares aujourd'hui. Elles n'en constituent pas moins une entrée originale pour une chaude journée d'été.

- **1 litre de yogourt glacé aux cerises, ramolli**
- **1 boîte (540 ml/19 oz) de garniture à tarte aux cerises**
- **1 c. à thé de vanille**
- **3 bananes moyennes, écrasées**
- **1 boîte (284 ml/10 oz) de mandarines, égouttées**
- **½ tasse d'amandes grillées, hachées**

1 Dans un grand bol, mélangez ensemble le yogourt, la garniture de tarte et la vanille. Incorporez les bananes, les mandarines et les amandes. Versez cet appareil dans un plat à four rectangulaire, couvrez et congelez environ 10 heures pour le raffermir. Sortez cette entrée 30 minutes avant de la servir pour qu'elle se ramollisse un peu. Découpez-la en carrés et dressez-la sur un plat de service. Donne 15 portions en entrée.

Préparation : 15 minutes Congélation : 10 heures
Repos : 30 minutes

Par portion : Calories 153. Gras total 3 g. Gras saturé 1 g.
Protéines 4 g. Hydrates de carbone 29 g. Fibres 1 g.
Sodium 37 mg. Cholestérol 3 mg.

Salade d'agrumes au cassis

Vous pouvez, à votre gré, remplacer le chou par de la laitue verte et rose.

- **Feuilles de chou**
- **4 tasses de laitue romaine ou iceberg hachée**
- **3 oranges moyennes, en quartiers**
- **2 pamplemousses roses, en quartiers**
- **½ tasse de yogourt allégé à la vanille**
- **4 c. à thé de grains de cassis ou de raisins secs**

1 Foncez quatre assiettes à salade de feuilles de chou. Disposez une tasse de romaine au centre et faites alterner par-dessus les quartiers d'orange et de pamplemousse pour former une fleur. Dans le cœur de cette fleur, déposez 2 c. à soupe de yogourt et décorez de cassis. Donne 4 portions en entrée.

Préparation : 35 minutes

Par portion : Calories 127. Gras total 1 g. Gras saturé 0 g.
Protéines 4 g. Hydrates de carbone 29 g. Fibres 4 g.
Sodium 25 mg. Cholestérol 2 mg.

Salade de hareng aux pommes

Les Allemands et les Scandinaves raffolent du hareng mariné. On en trouve dans les marchés d'alimentation au comptoir réfrigéré.

- **3 betteraves moyennes, ou 1 boîte de betteraves en cubes, bien égouttées**
- **2 pommes de terre moyennes**
- **1½ tasse de hareng mariné, détaillé en bouchées**
- **1 pomme verte acide moyenne, hachée**
- **2 gros oignons verts, tranchés fin**
- **¼ tasse de poivron vert haché fin ou de céleri**

Vinaigrette :
- **½ tasse de mayonnaise allégée**
- **½ tasse de crème sure allégée**
- **2 c. à soupe de vinaigre**
- **1 c. à soupe de sucre (facultatif)**
- **1 c. à soupe de moutarde à l'ancienne**

1 Parez les betteraves fraîches en leur laissant 1,5 cm (½ po) de queue. Mettez-les dans un faitout avec de l'eau à peine salée. Quand l'ébullition est prise, couvrez et laissez mijoter de 40 à 45 minutes à petit feu ; égouttez et laissez tiédir. Pelez-les et coupez-les en dés. (Ou utilisez des betteraves en conserve.)

2 Faites cuire les pommes de terre dans de l'eau légèrement salée. Quand l'ébullition est prise, couvrez et laissez cuire à petit feu de 20 à 25 minutes. Égouttez-les. Pelez-les et détaillez-les en dés.

3 Dans un grand bol, mélangez le hareng, la pomme, les oignons verts et le poivron. Par ailleurs, fouettez ensemble la mayonnaise, la crème sure, le vinaigre, le sucre, s'il y a lieu, et la moutarde. Versez cette préparation sur le hareng et remuez. Incorporez les betteraves et les pommes de terre. Couvrez et réfrigérez pendant 6 à 24 heures.

4 Avant de servir, ajoutez au besoin un peu de lait pour détendre la sauce. Dressez la salade dans quatre assiettes foncées de romaine hachée. Donne 4 portions.

Préparation : 15 minutes Cuisson : 40 minutes
Réfrigération : 6 heures

Par portion : Calories 371. Gras total 20 g. Gras saturé 5 g.
Protéines 12 g. Hydrates de carbone 39 g. Fibres 4 g.
Sodium 710 mg. Cholestérol 26 mg.

Salade de thon à l'italienne

Salade de thon à l'italienne

Bien que meilleure avec du riz italien, plus onctueux et plus poreux,
cette recette est très bonne aussi avec du riz blanc à longs grains.

1½ tasse d'eau froide

½ c. à thé de poivre noir

½ tasse de riz Arborio cru, ou de riz blanc
à longs grains

1 grosse tomate, pelée, épépinée et hachée

1 bocal de cœurs d'artichauts en vinaigrette

½ tasse de poivron haché

½ tasse d'oignon rouge haché

¼ tasse d'olives noires dénoyautées, tranchées

1 c. à soupe de câpres, rincés et égouttés

⅓ tasse de jus de citron

¼ tasse d'eau

3 c. à soupe d'huile d'olive

1 boîte (environ 180 g/6 oz) de thon pâle conservé dans
l'eau, égoutté et déchiqueté

3 filets d'anchois, rincés, épongés et hachés

1 Dans une casserole moyenne, amenez à ébullition à feu vif l'eau et le poivre. Ajoutez le riz ; remuez, couvrez et laissez cuire pendant 20 minutes à feu doux. Égouttez et laissez tiédir 10 minutes. Détachez les grains à la fourchette.

2 Dans un grand bol, mélangez le riz tiède, la tomate, les cœurs d'artichauts, le poivron, l'oignon, les olives et les câpres. Ajoutez le jus de citron, l'eau et l'huile. Remuez avant d'incorporer le thon et les anchois. Couvrez et réfrigérez pendant 4 à 6 heures.

3 Dressez cette salade sur un lit de chicorée. Donne 4 portions.

Préparation : 25 minutes Cuisson : 20 minutes
Réfrigération : 4 heures

Par portion : Calories 413. Gras total 21 g. Gras saturé 4 g.
Protéines 22 g. Hydrates de carbone 38 g. Fibres 5 g.
Sodium 761 mg. Cholestérol 18 mg.

Salade de poulet mandarin

Salade de poulet mandarin

*Si le cœur vous en dit, remplacez le poulet
par 350 g (12 oz) de crevettes cuites et décortiquées.*

Vinaigrette à la lime et au pavot (recette ci-dessous)

2 grosses bananes

1 c. à soupe d'eau

1 c. à soupe de jus de citron

4 tasses de salades mélangées, hachées

2 tasses de blanc de poulet cuit, en bouchées

1 boîte de mandarines, égouttées et réfrigérées

1 tasse d'ananas concassé, égoutté et réfrigéré

1 tasse de raisin rouge sans pépin ou de cerises noires dénoyautées

½ tasse de pacanes grillées, hachées

1 Préparez la vinaigrette à la lime et aux graines de pavot. Couvrez et réfrigérez. Tranchez les bananes. Dans un petit bol, mélangez l'eau et le jus de citron. Ajoutez les bananes et mélangez.

2 Dans un grand saladier, réunissez les salades mélangées, le poulet, les mandarines, l'ananas et le raisin. Ajoutez les bananes. Agitez vigoureusement le bocal de vinaigrette et versez-la dans le saladier. Remuez délicatement. Décorez de pacanes. Donne 4 portions.

Préparation : 15 minutes

Par portion : Calories 465. Gras total 21 g. Gras saturé 2 g.
Protéines 28 g. Hydrates de carbone 47 g. Fibres 3 g.
Sodium 68 mg. Cholestérol 66 mg.

Vinaigrette à la lime et aux graines de pavot

Dans un bocal bien étanche, mélangez **3 c. à soupe de jus de lime, 2 c. à soupe d'huile de noix, 2 c. à soupe de miel (facultatif), 1 c. à soupe de ciboulette hachée fin** et **½ c. à thé de graines de pavot**. Fermez le bocal et agitez-le vigoureusement avant de le réfrigérer (1 semaine au maximum). Donne environ ½ tasse, ou 4 portions de 2 c. à soupe.

Pour 2 cuillerées à soupe : Calories 98. Gras total 7 g.
Gras saturé 1 g. Protéines 0 g. Hydrates de carbone 10 g.
Fibres 0 g. Sodium 0 mg. Cholestérol 0 mg.

Tomates à la niçoise

*Ainsi préparées, ces tomates constituent une très jolie entrée
ou le plat principal d'un repas léger.*

1 tasse (120 g/4 oz) de cheddar allégé, en dés

½ tasse de poivron haché

½ tasse de céleri tranché mince

¼ tasse d'olives vertes farcies au piment, tranchées, ou de cornichons sucrés hachés fin

¼ tasse de persil haché

2 c. à soupe d'oignon rouge haché

½ tasse de mayonnaise allégée

1 c. à thé de moutarde

¼ c. à thé de poivre noir

1 boîte (environ 180 g/6 oz) de thon dans l'eau, rincé, égoutté et déchiqueté

3 grosses tomates

1 Dans un grand bol, mélangez le cheddar, le poivron, le céleri, les olives, le persil et l'oignon. Par ailleurs, fouettez ensemble la mayonnaise, la moutarde et le poivre noir. Versez la mayonnaise sur la salade et remuez. Incorporez le thon. Couvrez et réfrigérez pendant 4 à 24 heures.

2 Creusez les tomates sur 1,5 cm (½ po) du côté du pédoncule. Tournez-les à l'envers et découpez six pointes sans les détacher complètement. Déposez chaque tomate sur un lit de laitue ; écartez légèrement les quartiers et remplissez le centre de salade de thon. Donne 3 portions.

Préparation : 25 minutes Réfrigération : 4 heures

Par portion : Calories 343. Gras total 17 g. Gras saturé 6 g.
Protéines 29 g. Hydrates de carbone 20 g. Fibres 3 g.
Sodium 742 mg. Cholestérol 55 mg.

Tomates à la gaspésienne Suivez la même recette, mais remplacez le thon par **1 boîte de saumon (environ 180 g/6 oz), sans peau ni arête, égoutté et déchiqueté.**

Par portion : Calories 381. Gras total 22 g. Gras saturé 7 g.
Protéines 28 g. Hydrates de carbone 20 g. Fibres 3 g.
Sodium 915 mg. Cholestérol 68 mg.

Salade El Paso

⅔ tasse de jus de lime ou de citron

3 gousses d'ail, hachées

1 c. à soupe de zeste de lime ou de citron râpé

2 c. à thé d'origan séché

½ c. à thé de cumin

½ c. à thé de piment rouge broyé

1 tranche (500 g/1 lb) de surlonge de bœuf désossée

3 c. à soupe d'huile d'olive

1 c. à soupe de sucre (facultatif)

6 tasses de laitue romaine déchiquetée

1 tasse de petits champignons frais, coupés en deux

1 tasse de tomates-cerises, coupées en deux

½ oignon rouge moyen, tranché mince

1 Dans un bocal qui ferme bien, mettez le jus de lime, l'ail, le zeste de lime, l'origan, le cumin et le piment rouge. Fermez et agitez vigoureusement. Versez la moitié de cette marinade dans un sac de plastique robuste et ajoutez le bœuf. Fermez et réfrigérez 6 heures ou jusqu'au lendemain. Ajoutez l'huile et le sucre, s'il y a lieu, au reste de la marinade. Fermez le bocal et agitez-le. Réfrigérez jusqu'au moment de servir.

2 Préchauffez le gril. Retirez la viande du sac et jetez la marinade. Ciselez le gras et faites griller la viande dans une lèchefrite, à 10 cm (4 po) de l'élément ; comptez de 5 à 6 minutes de chaque côté si vous l'aimez à point. Détaillez-la en tranches minces. Réunissez la romaine, les champignons, les tomates et l'oignon ; ajoutez la viande et aspergez de vinaigrette. Donne 4 portions.

Préparation : 20 minutes Réfrigération : 6 heures
Cuisson au gril : 10 minutes

Par portion : Calories 323. Gras total 18 g. Gras saturé 3 g.
Protéines 29 g. Hydrates de carbone 14 g. Fibres 2 g.
Sodium 69 mg. Cholestérol 77 mg.

Assiette à l'anglaise

Pour un repas en famille où chacun se sert lui-même.

Vinaigrette au fromage bleu (à droite)

Vinaigrette des Mille-Îles (à droite)

6 tasses d'un mélange de salades hachées

2 tasses de légumes frais (champignons, concombre tranché, fleurons de brocoli, tomates-cerises)

1 tasse (120 g/4 oz) de fromage en cubes – cheddar, oka, emmenthal, gruyère

120 g (4 oz) de viande cuite (poulet, dinde, bœuf, porc, jambon, agneau), détaillée en lanières

1 Préparez les deux vinaigrettes. Couvrez-les et rangez-les au réfrigérateur. Déposez les salades mélangées dans un saladier ; disposez les légumes, les fromages et les viandes dans un plat foncé de laitue ; présentez les vinaigrettes à part. Laissez à chaque convive le soin de composer son assiette. Donne 4 portions.

Préparation : 40 minutes

Par portion : Calories 334. Gras total 22 g. Gras saturé 10 g.
Protéines 21 g. Hydrates de carbone 16 g. Fibres 3 g.
Sodium 552 mg. Cholestérol 72 mg.

Vinaigrette au fromage bleu

Dans un robot ou un mélangeur, travaillez ensemble ½ **tasse de crème sure allégée**, ½ **tasse de mayonnaise allégée**, ¼ **tasse (60 g/2 oz) de fromage bleu émietté**, **3 c. à soupe de lait écrémé à 1 p. 100**, **1 oignon vert, tranché mince**, **2 c. à soupe de vinaigre à l'estragon** et ¼ **c. à thé de poivre noir**. Versez la vinaigrette dans un bol. Incorporez encore ¼ **tasse (60 g/2 oz) de fromage bleu émietté**. Couvrez et réfrigérez (1 semaine au maximum). Avant de servir, détendez la sauce au besoin avec un peu de lait. Donne 1 tasse, ou 8 portions de 2 c. à soupe.

Pour 2 cuillerées à soupe : Calories 90. Gras total 7 g.
Gras saturé 3 g. Protéines 3 g. Hydrates de carbone 4 g.
Fibres 0 g. Sodium 205 mg. Cholestérol 16 mg.

Vinaigrette des Milles-Îles

Hachez fin le blanc de **1 gros œuf cuit dur** (le jaune d'œuf n'entre pas dans cette sauce). Dans un petit bol, mélangez ensemble le blanc d'œuf, ½ **tasse de mayonnaise allégée**, ⅓ **tasse de ketchup hyposodique**, **1 c. à soupe de jus de citron**, ½ **c. à thé de paprika**, ½ **c. à thé de sauce Worcestershire hyposodique** et ⅛ **c. à thé de cayenne**. Incorporez **2 c. à soupe de poivron vert haché fin** et **1 c. à soupe de cornichons à l'aneth hachés fin**. Couvrez et réfrigérez (1 semaine au maximum). Donne 1¼ tasse, ou 10 portions de 2 c. à soupe.

Pour 2 cuillerées à soupe : Calories 40. Gras total 2 g.
Gras saturé 0 g. Protéines 1 g. Hydrates de carbone 5 g.
Fibres 0 g. Sodium 88 mg. Cholestérol 3 mg.

Petites gâteries

Tremblants aux fruits

Les enfants s'amuseront à découper des formes dans cette gelée.

1½ tasse de cocktail de canneberges

3 sachets de gélatine sans saveur (2 c. à soupe)

¾ tasse de limonade concentrée surgelée

1. Mettez le cocktail de canneberges dans une casserole. Ajoutez la gélatine et attendez 1 minute. Amenez le jus à ébullition en

remuant pour fondre la gélatine. Hors du feu, ajoutez la limonade concentrée.

2. Versez cet appareil dans un moule rectangulaire doublé de papier aluminium. Couvrez et réfrigérez. Quand la gelée est devenue ferme, démoulez-la sur une planche à découper et enlevez le papier.

3. Découpez-y des formes avec des emporte-pièces ou détaillez-la en carrés. Donne environ 25 pièces.

Bâti-bateaux

Pour les voiles, pensez aussi à des tranches d'emmenthal ou de mozzarella.

2 petits concombres, ou courgettes, ou courges d'été

½ tasse de petits pois surgelés

¼ tasse (30 g/1 oz) de cheddar en dés

2 c. à soupe de mayonnaise allégée

1 c. à soupe de piment rôti, égoutté et haché

½ c. à thé de jus de citron

Poivre noir

1 tranche de gruyère

1. Enlevez une mince tranche en longueur sur les concombres et creusez-les ; hachez la chair et gardez-en ¼ tasse. Mélangez le concombre haché avec les petits pois, le cheddar, la mayonnaise, le piment, le jus de citron et le poivre. Dressez cet appareil dans les concombres.

2. Coupez en diagonale la tranche de gruyère. Montez chaque triangle sur une brochette en bois de 10 cm (4 po) et piquez-la dans le concombre. Donne 2 bateaux.

Céleri-ri-ri

Une friandise nourrissante, idéale pour les enfants en pique-nique.

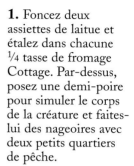

Beurre d'arachide

Bâtonnets de céleri

Raisins secs

1. Étalez le beurre d'arachide dans les bâtonnets de céleri.

2. Décorez-les de raisins secs.

La méduse souriante

Cette salade est aussi amusante à monter qu'à déguster.

½ tasse de fromage Cottage allégé

1 petite poire

1 petite pêche ou nectarine

1 petite carotte

Beurre d'arachide

Raisins secs, guimauves miniatures ou noix

Cerises au marasquin

1. Foncez deux assiettes de laitue et étalez dans chacune ¼ tasse de fromage Cottage. Par-dessus, posez une demi-poire pour simuler le corps de la créature et faites-lui des nageoires avec deux petits quartiers de pêche.

2. Sa longue queue filamentée sera composée de fines lanières de

carotte obtenues avec un couteau éplucheur. Au petit bout de la poire, deux raisins secs tenus en place avec un peu de beurre d'arachide lui feront des yeux doux, pendant qu'une demi-cerise au marasquin, également fixée avec du beurre d'arachide, lui donnera le plus joli des sourires. Donne 2 petites portions.

POTAGES DU BON VIEUX TEMPS

L'habitude de commencer son repas par une soupe est une tradition paysanne qui est restée bien vivante dans notre culture urbaine.
Tout comme la salade, la soupe équilibre nos régimes alimentaires.
Et c'est l'un des meilleurs moyens d'utiliser des restes d'un repas qui autrement se perdraient. Potages purée, crèmes, veloutés, soupes, bisques, chaudrées, autant de termes qui témoignent de la vitalité toujours actuelle d'un mets dont l'existence remonte sans doute à plusieurs millénaires.

63

Bouillon de bœuf

Bouillon de bœuf

Les soupes d'autrefois étaient meilleures, dit-on, que celles d'aujourd'hui
parce qu'on les faisait avec un bon bouillon maison, comme celui-ci. Si vous avez besoin d'un fond
plus clair, pour des crèmes ou des veloutés par exemple, ne faites pas rôtir la viande.

2	kg (4 lb) d'os charnus de bœuf, d'agneau ou de veau (collier, jarret, bouts de côte, poitrine, pointe de poitrine)
½	tasse de sauce tomate hyposodique (facultatif)

Bouillon :

14 tasses (3,5 litres) d'eau froide

4 côtes de céleri, coupées en morceaux, avec les feuilles

4 grosses carottes, détaillées en tronçons

2 gros oignons, en tranches épaisses

2 tomates, concassées (facultatif)

1 grosse pomme de terre, épluchée et détaillée en tranches épaisses (ou 1 navet, ou 1 panais)

1 tasse de tiges d'oignons verts, ou de vert de poireau, en tranches épaisses

4 gousses d'ail, coupées en deux

4 feuilles de laurier

1 c. à soupe de basilic

1 c. à soupe de thym

2 c. à thé de sel

1 c. à thé de grains de poivre noir

½ c. à thé de clous de girofle

1 Préchauffez le four à 210 °C (425 °F). Étalez les os dans une lèchefrite et faites-les rôtir 25 minutes. Retournez-les et comptez 15 minutes de plus. Badigeonnez-les de sauce tomate, s'il y a lieu, et laissez-les rôtir encore 10 minutes. Mettez-les dans une grande marmite.

2 Versez 2 tasses d'eau dans la lèchefrite et grattez les particules de viande carbonisées. Versez ce fond dans la marmite. Ajoutez 12 tasses d'eau, le céleri, les carottes, les oignons, les tomates, s'il y a lieu, la pomme de terre, les tiges d'oignons verts, l'ail, le laurier, le basilic, le thym, le sel, les grains de poivre et les clous de girofle. Quand l'ébullition est prise, couvrez et laissez mijoter à feu doux 3 h 30.

3 Avec une cuiller à trous, retirez les os et laissez-les tiédir ; ôtez la viande qui y adhère et gardez-la pour un autre usage. Jetez les os.

4 Filtrez le bouillon à travers une passoire doublée de deux épaisseurs d'étamine de coton. Jetez les légumes et les aromates. Clarifiez le bouillon si vous le désirez (ci-dessous).

POUR CLARIFIER UN BOUILLON

Il est préférable de clarifier le bouillon qu'on veut servir en consommé ou en velouté.

1. Versez le bouillon dans une casserole à travers un tamis. Ajoutez 1 blanc d'œuf battu dans ¼ tasse d'eau froide.

2. Au premier bouillon, retirez la casserole du feu. Laissez reposer 5 minutes. Filtrez à travers un tamis doublé d'étamine de coton.

---

5 Gardez séparément le bouillon et la viande, au maximum trois jours au réfrigérateur, et trois mois au congélateur. Sur une étiquette, notez la nature du bouillon, sa quantité et la date. Au moment de l'utiliser, ôtez le gras figé. Donne 12 tasses.

Préparation : 20 minutes Cuisson : 4 h 30

Par tasse : Calories 21. Gras total 1 g. Gras saturé 0 g.
Protéines 1 g. Hydrates de carbone 2 g. Fibres 0 g.
Sodium 371 mg. Cholestérol 3 mg.

Bouillon de poulet Suivez la même recette, mais remplacez la viande par **2 kg (4 lb) de bas morceaux de poulet (dos, cous et ailes)** et supprimez les tomates.

Par tasse : Calories 21. Gras total 1 g. Gras saturé 0 g.
Protéines 2 g. Hydrates de carbone 2 g. Fibres 0 g.
Sodium 373 mg. Cholestérol 4 mg.

Potage au cresson

Pour conserver le cresson une semaine, immergez les queues dans un contenant d'eau froide et réfrigérez la botte dans un sac de plastique bien fermé.

3½ tasses de bouillon de bœuf hyposodique (p. 67)
2 tasses de champignons frais, en tranches minces
½ tasse de carottes râpées
2 gros oignons verts, en tronçons
1 c. à soupe de basilic frais haché, ou 1 c. à thé de basilic séché
1 c. à soupe de jus de citron
1 gousse d'ail, hachée
¼ c. à thé de sel
⅛ c. à thé de poivre noir
2 tasses de cresson déchiqueté, ou d'épinards

1 Dans une grande casserole, mettez le bouillon de bœuf, les champignons, les carottes, les oignons verts, le basilic, le jus de citron, l'ail, le sel et le poivre. Quand l'ébullition est prise, couvrez et laissez mijoter à petit feu 3 minutes.

2 Incorporez le cresson. Couvrez et prolongez la cuisson de 30 secondes pour le faire tomber. Donne 6 portions en entrée.

Préparation : 20 minutes Cuisson : 10 minutes

Par portion : Calories 22. Gras total 1 g. Gras saturé 0 g.
Protéines 1 g. Hydrates de carbone 4 g. Fibres 1 g.
Sodium 109 mg. Cholestérol 0 mg.

Potage crème aux épinards

*Vous pouvez remplacer les épinards frais
par des épinards surgelés, décongelés et hachés.*

6	tasses d'épinards frais hachés
2	c. à soupe de beurre, ou de margarine
1	tasse de poireau tranché, ou d'oignon
2	côtes de céleri, tranchées
1³/₄	tasse de bouillon de poulet hyposodique (p. 67)
1	c. à thé de menthe séchée
1	c. à thé de marjolaine séchée
¹/₂	c. à thé de sel
¹/₄	c. à thé de poivre noir
1	tasse de lait écrémé à 1 p. 100
3	c. à soupe de farine

1 Lavez les épinards. Dans une grande casserole, faites fondre le beurre à feu assez vif. Ajoutez le poireau et le céleri, et laissez cuire 5 minutes en remuant souvent. Ajoutez les épinards, le bouillon de poulet, la menthe, la marjolaine, le sel et le poivre. Quand l'ébullition est prise, couvrez et faites mijoter 5 minutes. Laissez tiédir.

2 Au robot ou au mélangeur, défaites la préparation en purée une moitié à la fois. Versez-la dans la casserole. Mélangez au fouet le lait et la farine et ajoutez-les à la purée, toujours au fouet. Laissez cuire à feu modéré 2 minutes, ou jusqu'à épaississement, sans cesser de fouetter. Donne 4 portions en entrée.

Préparation : 15 minutes Cuisson : 20 minutes

Par portion : Calories 131. Gras total 7 g. Gras saturé 4 g.
Protéines 5 g. Hydrates de carbone 14 g. Fibres 3 g.
Sodium 429 mg. Cholestérol 18 mg.

✳

Potage crème aux asperges Suivez la même recette, mais remplacez les épinards par **500 g (1 lb) de pointes d'asperges, en tronçons de 2,5 cm (1 po) ou 1 paquet (300 g/10 oz) d'asperges surgelées, décongelées.**

Par portion : Calories 139. Gras total 7 g. Gras saturé 4 g.
Protéines 6 g. Hydrates de carbone 16 g. Fibres 4 g.
Sodium 394 mg. Cholestérol 18 mg.

Crème de tomates

*L'addition de crème fraîche donne à ce potage
un velouté exquis.*

4	tomates moyennes, concassées (2¹/₂ tasses)
1³/₄	tasse de bouillon de poulet hyposodique (p. 67)
1	tasse de poireau tranché, ou d'oignon
1	boîte de concentré de tomate hyposodique
2	gousses d'ail, émincées
1	c. à thé de sucre
¹/₃	tasse de crème épaisse
1	c. à soupe de marjolaine fraîche hachée, ou de thym frais, ou 1 c. à thé de marjolaine séchée, ou de thym séché
¹/₄	c. à thé de sel
¹/₄	c. à thé de poivre noir
2	c. à thé de beurre, ou de margarine
1	tasse de champignons frais, en tranches minces

1 Dans une grande casserole, mettez les tomates, le bouillon de poulet, le poireau, le concentré de tomate, l'ail et le sucre. Quand l'ébullition a pris, couvrez et faites mijoter 20 minutes à feu doux. Laissez tiédir. Au robot ou au mélangeur, réduisez la préparation en purée une moitié à la fois, et passez-la au tamis.

2 Dans la même casserole, mélangez la crème, la marjolaine, le sel et le poivre. Incorporez la purée peu à peu au fouet. Laissez cuire à petit feu 5 minutes sans couvrir, en remuant de temps à autre.

3 Par ailleurs, faites fondre le beurre à feu assez vif dans une sauteuse antiadhésive. Ajoutez les champignons et laissez-les cuire 3 minutes en remuant de temps à autre. Dressez le potage dans des bols et décorez de champignons. Donne 4 portions en entrée.

Préparation : 15 minutes Cuisson : 35 minutes

Par portion : Calories 167. Gras total 10 g. Gras saturé 6 g.
Protéines 4 g. Hydrates de carbone 19 g. Fibres 4 g.
Sodium 201 mg. Cholestérol 32 mg.

✳

Potage crème aux tomates et au fenouil Suivez la même recette, mais remplacez le poireau par **1 tasse de bulbe de fenouil haché.**

Par portion : Calories 165. Gras total 10 g. Gras saturé 6 g.
Protéines 4 g. Hydrates de carbone 19 g. Fibres 4 g.
Sodium 210 mg. Cholestérol 32 mg.

Velouté aux patates douces

1 Dans une grande casserole, faites fondre le beurre à feu assez vif. Mettez l'oignon, la carotte et le persil, et faites-les cuire 5 minutes en remuant souvent. Ajoutez les patates, le bouillon, la cannelle, le sel, le poivre et la muscade. Quand l'ébullition a pris, couvrez et faites mijoter 20 minutes à petit feu. Laissez tiédir.

2 Au robot ou au mélangeur, réduisez le potage en purée une moitié à la fois. Remettez la purée dans la casserole ; incorporez le lait et la crème et prolongez la cuisson de 5 minutes sans couvrir. (Ce velouté se conserve une semaine au réfrigérateur et peut se servir froid. Dans ce cas, il faudra y ajouter, avant de servir, ¼ tasse de lait écrémé à 1 p. 100.) Donne 4 portions.

Préparation : 15 minutes Cuisson : 36 minutes

Par portion : Calories 227. Gras total 7 g. Gras saturé 4 g. Protéines 5 g. Hydrates de carbone 38 g. Fibres 4 g. Sodium 233 mg. Cholestérol 18 mg.

Velouté aux patates douces

Les veloutés à l'ancienne devaient leur nom à une grande abondance de crème épaisse et de beurre. Aujourd'hui, on réduit leur teneur en lipides en utilisant moins de crème, plus de légumes et un soupçon de beurre pour la saveur.

- 1 **c. à soupe de beurre, ou de margarine**
- 1 **gros oignon, haché**
- 1 **grosse carotte, hachée**
- ¼ **tasse de persil haché**
- 2 **patates douces moyennes (500 g/1 lb au total), épluchées et en morceaux**
- 1¾ **tasse de bouillon de poulet hyposodique**
- 1 **c. à thé de cannelle**
- ¼ **c. à thé de sel**
- ¼ **c. à thé de poivre noir**
- ¼ **c. à thé de muscade**
- 1 **tasse de lait écrémé à 1 p. 100**
- ⅓ **tasse de crème légère**

BOUILLON HYPOSODIQUE

Lorsqu'une recette exige du bouillon de bœuf ou de poulet hyposodique, vous avez un triple choix :

◆ **Le bouillon maison** Le bouillon de bœuf (p. 64) et le bouillon de poulet (p. 65) sont riches en saveur et pauvres en sel : 371 mg et 373 mg de sodium par tasse respectivement.

◆ **Le bouillon en boîte** Additionnez le bouillon de bœuf ou de poulet en boîte d'un égal volume d'eau ; vous obtiendrez 400 mg et 450 mg de sodium par tasse respectivement. Il se vend aussi du bouillon de poulet hyposodique en boîte : 550 mg de sodium par tasse.

◆ **Le bouillon en cubes** On trouve des cubes de bouillon hyposodique de bœuf et de poulet ; les premiers renferment 5 mg de sodium par tasse ; les seconds n'en ont pas du tout.

Chaudrée de l'Idaho

Ajoutez quelques crevettes ou des restes de poisson :
vous vous régalerez.

2 **tranches de bacon maigre, hachées**

1 **tasse de poireau tranché mince,**
ou 8 gros oignons verts

2 **gousses d'ail, émincées**

3 **pommes de terre moyennes, épluchées**
et découpées en cubes

1¾ **tasse de bouillon de poulet hyposodique (p. 67)**

½ **c. à thé de sel**

¼ **c. à thé de poivre**

2 **tasses de lait écrémé à 1 p. 100**

3 **c. à soupe de farine**

1 **c. à thé de basilic séché**

1 Dans une grande casserole, faites cuire le bacon à feu modéré. Quand il est croustillant, retirez-le et épongez-le ; réservez le gras pour y faire cuire le poireau. Celui-ci une fois tendre, ajoutez les pommes de terre, le bouillon, le sel et le poivre. Menez à ébullition, couvrez et laissez cuire 20 minutes à petit feu. Écrasez une partie des pommes de terre à la fourchette.

2 Fouettez le lait avec la farine et le basilic, et incorporez-le à la soupe. Faites cuire à feu modéré en remuant sans arrêt. Quand la chaudrée a épaissi, dressez-la dans des bols. Garnissez de bacon et servez avec du pain au maïs. Donne 6 portions en entrée.

Préparation : 15 minutes Cuisson : 35 minutes

Par portion : Calories 170. Gras total 7 g. Gras saturé 3 g.
Protéines 5 g. Hydrates de carbone 23 g. Fibres 2 g.
Sodium 283 mg. Cholestérol 10 mg.

✳

Chaudrée de l'Idaho aux légumes Suivez la même recette, mais remplacez les 3 pommes de terre par 1½ tasse de pommes de terre épluchées et détaillées en cubes, et 1½ tasse de cubes de navet, ou de panais ou de rutabaga.

Par portion : Calories 147. Gras total 7 g. Gras saturé 3 g.
Protéines 5 g. Hydrates de carbone 18 g. Fibres 2 g.
Sodium 297 mg. Cholestérol 10 mg.

Petite marmite aux tomates

La petite marmite fournissait autrefois
deux plats : une potée de légumes baignant
dans un savoureux bouillon ; une platée de viandes
accompagnée de cornichons marinés et de pain beurré.
La recette qui suit se limite à la potée.

1 **petite aubergine (500 g/1 lb), pelée**
et détaillée en cubes

1¾ **tasse de bouillon de poulet hyposodique (p. 67)**

1 **boîte (540 ml/19 oz) de tomates hyposodiques,**
concassées

2 **boîtes (156 ml/5½ oz chacune) de cocktail**
de légumes épicé

1 **tasse de sauce tomate hyposodique en boîte**

1 **gros oignon, haché**

1 **poivron moyen, haché**

2 **gousses d'ail, hachées**

1 **c. à thé d'origan haché**

¼ **c. à thé de sel**

¼ **c. à thé de poivre noir**

⅓ **tasse de persil haché**

1 Dans une grande casserole, réunissez l'aubergine, le bouillon, les tomates, le cocktail de légumes, la sauce tomate, l'oignon, le poivron, l'ail, l'origan, le sel et le poivre noir. Quand l'ébullition est prise, couvrez et laissez mijoter 25 minutes à feu doux.

2 Ajoutez le persil et servez avec du parmesan râpé. Donne 8 portions en entrée.

Préparation : 15 minutes Cuisson : 30 minutes

Par portion : Calories 53. Gras total 0 g. Gras saturé 0 g.
Protéines 2 g. Hydrates de carbone 12 g. Fibres 3 g.
Sodium 201 mg. Cholestérol 0 mg.

✳

Petite marmite à la dinde Suivez la même recette, mais remplacez l'aubergine par **3 pommes de terre moyennes, épluchées et détaillées en dés**, et incorporez **2 tasses de dinde cuite, découpée en bouchées, ou de poulet**. Donne 4 portions.

Par portion : Calories 282. Gras total 4 g. Gras saturé 1 g.
Protéines 25 g. Hydrates de carbone 37 g. Fibres 6 g.
Sodium 452 mg. Cholestérol 53 mg.

Potage de haricots à la paysanne

Potage de haricots à la paysanne

Servez cette soupe comme autrefois, avec une tranche épaisse de pain de campagne.

1 tasse de petits haricots blancs, de haricots Great Northern ou de haricots de Lima secs, triés et rincés

5 tasses de bouillon de poulet hyposodique (p. 67)

2 tasses de chou râpé

2 carottes moyennes, râpées

1 oignon moyen, haché

3 gousses d'ail, hachées

3 feuilles de laurier

2 c. à thé d'origan séché

1 c. à thé de sauge séchée

½ c. à thé de sel

½ c. à thé de poivre noir

¼ tasse de persil haché

1 Mettez les haricots dans une grande casserole avec 4 tasses d'eau. Quand l'ébullition est prise, baissez le feu et laissez mijoter 2 minutes sans couvrir. Retirez du feu, couvrez et laissez reposer 1 heure. (Vous pouvez aussi mettre les haricots dans 4 tasses d'eau et les laisser tremper au frais pendant 8 heures.)

2 Égouttez les haricots et remettez-les dans la casserole. Ajoutez-y le bouillon, le chou, les carottes, l'oignon, l'ail, le laurier, l'origan, la sauge, le sel et le poivre. Quand l'ébullition est prise, couvrez et laissez mijoter de 2 heures à 2 h 30 à petit feu. Retirez le laurier. Écrasez une partie du potage à la fourchette. Incorporez le persil. Donne 4 portions en entrée.

Préparation : 15 minutes, plus période de trempage
Cuisson : 2 h 10

Par portion : Calories 180. Gras total 1 g. Gras saturé 0 g. Protéines 11 g. Hydrates de carbone 34 g. Fibres 8 g. Sodium 288 mg. Cholestérol 0 mg.

Soupe de haricots au jambon Suivez la même recette, mais ajoutez **1 tasse de jambon hyposodique cuit, détaillé en bouchées,** et supprimez ½ c. à thé de sel. Donne 4 portions.

Par portion : Calories 242. Gras total 3 g. Gras saturé 1 g. Protéines 20 g. Hydrates de carbone 35 g. Fibres 8 g. Sodium 433 mg. Cholestérol 23 mg.

Potage jardinière à la mode d'antan

N'oubliez pas de réchauffer les assiettes dans le four, comme autrefois, ou sous le robinet d'eau chaude : ce potage se mange très chaud.

3½ tasses de bouillon de bœuf hyposodique (p. 67)

6 grosses carottes, en grosses tranches

3 navets moyens, épluchés et détaillés en cubes (3 tasses), ou 3 pommes de terre

350 g (12 oz) de haricots verts ou jaunes frais, parés et taillés en tronçons, ou de haricots coupés surgelés

1 c. à soupe de sauce Worcestershire hyposodique

1 c. à thé de moutarde sèche

¼ c. à thé de sel

¼ c. à thé de poivre noir

2 tasses de sauce tomate hyposodique en boîte

1 tasse de petits pois surgelés

2 tasses de champignons frais tranchés

2 c. à soupe de persil haché

1 Dans un faitout, mettez le bouillon, les carottes, les navets, les haricots verts, la sauce Worcestershire, la moutarde, le sel et le poivre. Quand l'ébullition est prise, couvrez et laissez mijoter 25 minutes.

2 Incorporez la sauce tomate et les petits pois. Prolongez la cuisson de 5 minutes en remuant de temps à autre. Ajoutez les champignons et le persil. Donne 12 portions en entrée.

Préparation : 15 minutes Cuisson : 35 minutes

Par portion : Calories 62. Gras total 1 g. Gras saturé 0 g.
Protéines 3 g. Hydrates de carbone 14 g. Fibres 4 g.
Sodium 117 mg. Cholestérol 0 mg.

Potage jardinière au bœuf Suivez la même recette, en y ajoutant **3 tasses de bœuf cuit, en bouchées.** Donne 8 portions.

Par portion : Calories 231. Gras total 7 g. Gras saturé 2 g.
Protéines 25 g. Hydrates de carbone 21 g. Fibres 6 g.
Sodium 217 mg. Cholestérol 65 mg.

Pot-au-feu de bœuf aux haricots

Au marché, on trouve parfois, à la belle saison, des légumineuses fraîches auxquelles la dessiccation n'a pas encore fait perdre leur petit goût de noisette, si savoureux.

1½ tasse de haricots de Lima secs, triés et rincés

1 c. à soupe d'huile

375 g (12 oz) de palette de bœuf désossée, parée et détaillée en cubes

1 gros oignon, haché

2 gousses d'ail, hachées

3½ tasses de bouillon de bœuf hyposodique (p. 67)

1¾ tasse de vin rouge sec, ou de bouillon de bœuf hyposodique (p. 67)

2 feuilles de laurier

½ c. à thé de sel

½ c. à thé de poivre noir

3 tasses de petites carottes

2 c. à thé de marjolaine séchée

2 c. à thé d'origan séché

1 poivron vert moyen, haché

1 Pour accélérer le trempage, mettez les haricots de Lima et 6 tasses d'eau dans un grand faitout. Quand l'ébullition est prise, faites mijoter 2 minutes sans couvrir. Retirez du feu et laissez reposer 1 heure. (Vous pouvez aussi mettre les haricots dans 6 tasses d'eau et les laisser tremper au frais au moins 8 heures.) Rincez-les et égouttez-les.

2 Dans une grande sauteuse, réchauffez l'huile à feu modéré et faites-y revenir la moitié du bœuf. Retirez-le. Répétez l'opération avec le reste de la viande, l'oignon et l'ail.

3 Reprenez le faitout et mettez-y les haricots avec 2 tasses d'eau fraîche. Ajoutez la viande, le bouillon, le vin, le laurier, le sel et le poivre. Amenez à ébullition, couvrez et laissez mijoter 40 minutes à feu doux. Ajoutez les carottes, la marjolaine et l'origan. Prolongez la cuisson de 15 minutes au moins. Les haricots une fois tendres, ajoutez le poivron et laissez cuire 5 minutes de plus. Retirez les feuilles de laurier. Donne 8 portions.

Préparation : 20 minutes, plus période de trempage
Cuisson : 1 h 30

Par portion : Calories 249. Gras total 5 g. Gras saturé 1 g.
Protéines 17 g. Hydrates de carbone 27 g. Fibres 8 g.
Sodium 182 mg. Cholestérol 29 mg.

Potage à l'orge

Potage à l'orge

Voici une soupe réconfortante qu'on mange avec bonheur en hiver,
surtout quand le temps est maussade. Servez-la avec de belles
tranches de pain brun ou noir.

3½ tasses de bouillon de bœuf hyposodique (p. 67)

375 g (12 oz) de haricots frais, parés et tronçonnés, ou
de haricots coupés surgelés

1 grosse pommes de terre, épluchée et détaillée
en cubes

1 gros oignon, haché

2 grosses carottes, tranchées

3 feuilles de laurier

¼ c. à thé de sel

¼ c. à thé de poivre noir

2 tasses de bœuf cuit, ou de porc, détaillé en bouchées

1 boîte (540 ml/19 oz) de tomates concassées

½ tasse d'orge à cuisson rapide

1 c. à thé de romarin séché

1 Dans une grande casserole, réunissez le bouillon, les
haricots, la pomme de terre, l'oignon, les carottes, le

laurier, le sel et le poivre. Quand l'ébullition est prise,
couvrez et laissez mijoter 20 minutes à petit feu.

2 Ajoutez le bœuf, les tomates, l'orge et le romarin.
Quand l'ébullition est prise de nouveau, couvrez et
laissez mijoter à petit feu 15 minutes. Retirez le laurier.
Donne 6 portions.

Préparation : 20 minutes Cuisson : 45 minutes

Par portion : Calories 238. Gras total 6 g. Gras saturé 2 g.
Protéines 23 g. Hydrates de carbone 27 g. Fibres 6 g.
Sodium 161 mg. Cholestérol 57 mg.

Potage à l'orge et à l'agneau Suivez la même recette,
mais remplacez le bœuf par **2 tasses d'agneau cuit,**
détaillé en bouchées.

Par portion : Calories 232. Gras total 7 g. Gras saturé 2 g.
Protéines 18 g. Hydrates de carbone 27 g. Fibres 6 g.
Sodium 163 mg. Cholestérol 49 mg.

Potage castillan à l'ail

Potage castillan à l'ail

Du temps de nos grands-parents, l'ail avait la réputation de tout guérir.
Aujourd'hui, on lui redécouvre des propriétés curatives nombreuses.
Avec ses 10 gousses, ce potage devrait avoir des effets magiques.

1 **c. à soupe d'huile d'olive**	½ **c. à thé de sucre**
1 **c. à soupe de beurre, ou de margarine**	¼ **c. à thé de sel**
2 **gros oignons, coupés en quatre et tranchés mince**	¼ **c. à thé de poivre noir**
10 **gousses d'ail, émincées**	¼ **tasse de persil haché**
4 **tomates moyennes, pelées et concassées (2½ tasses)**	
1¾ **tasse de bouillon de bœuf hyposodique (p. 67)**	
1 **tasse de sauce tomate hyposodique en boîte**	
1 **c. à thé de thym séché**	
1 **feuille de laurier**	

1 Dans une grande casserole antiadhésive, réchauffez l'huile d'olive et le beurre à feu assez vif. Mettez-y les oignons et l'ail et faites-les cuire 25 minutes à petit feu en remuant souvent.

2 Ajoutez les tomates, le bouillon, la sauce tomate, le thym, le laurier, le sucre, le sel et le poivre et lancez l'ébullition. Couvrez et laissez mijoter doucement 15 minutes. Retirez le laurier et incorporez le persil. Donne 6 portions en entrée.

Préparation : 15 minutes Cuisson : 45 minutes

Par portion : Calories 92. Gras total 5 g. Gras saturé 2 g. Protéines 2 g. Hydrates de carbone 12 g. Fibres 2 g. Sodium 130 mg. Cholestérol 5 mg.

Potage à l'ail et au poisson À la recette précédente, ajoutez **500 g (1 lb) de filets de poisson frais ou décongelés, détaillés en bouchées.** Après avoir incorporé le persil, laissez reprendre l'ébullition avant d'ajouter le poisson. Faites cuire 3 à 5 minutes à petit feu, sans couvrir. Donne 5 portions.

Par portion : Calories 192. Gras total 6 g. Gras saturé 2 g. Protéines 20 g. Hydrates de carbone 15 g. Fibres 3 g. Sodium 205 mg. Cholestérol 49 mg.

Soupe gratinée à l'oignon

Voici les deux clefs du succès. Faites mijoter longtemps la soupe pour que les oignons et l'ail libèrent toute leur saveur. Au moment de la faire gratiner, prenez du pain bien croûté : il conserve sa forme et ses propriétés.

1 **c. à soupe de beurre, ou de margarine**
1 **c. à soupe d'huile d'olive**
3 **gros oignons, tranchés minces et séparés en anneaux**
2 **gousses d'ail, hachées**
4 **tasses de bouillon de bœuf hyposodique (p. 67)**
½ **tasse de vin blanc sec, ou de bouillon de bœuf hyposodique (p. 67)**
1 **c. à soupe de sauce Worcestershire hyposodique**
¼ **c. à thé de sel**
¼ **c. à thé de poivre noir**
6 **tranches épaisses de pain croûté**
3 **tranches de gruyère ou d'emmenthal, coupées en deux**

1 Dans une grande casserole antiadhésive, réchauffez le beurre et l'huile rapidement. Ajoutez les oignons et l'ail et faites-les cuire 25 minutes à petit feu en remuant souvent.

2 Ajoutez le bouillon, le vin, la sauce Worcestershire, le sel et le poivre. Quand l'ébullition est prise, couvrez et laissez mijoter 15 minutes à petit feu.

3 Par ailleurs, allumez le gril. Disposez les tranches de pain sur une plaque et faites-les griller 30 à 60 secondes à 10 cm (4 po) de l'élément. Sur chaque tranche, déposez ensuite ½ tranche de fromage et faites griller 1 minute. Dressez la soupe dans des bols avec une tranche de pain gratinée. Donne 6 portions en entrée.

Préparation : 15 minutes Cuisson : 45 minutes

Par portion : Calories 238. Gras total 10 g. Gras saturé 4 g. Protéines 8 g. Hydrates de carbone 26 g. Fibres 2 g. Sodium 388 mg. Cholestérol 21 mg.

Minestrone dalla Nonna

La minestra *est une soupe italienne très épaisse dans laquelle entrent un grand nombre de légumes. Additionnée de pâtes et de haricots secs, elle prend le nom de minestrone.*

1 **c. à soupe d'huile d'olive**
1 **gros oignon, haché**
2 **gousses d'ail, hachées**
3½ **tasses de bouillon de bœuf hyposodique (p. 67)**
2 **tasses (ou 1 boîte) de haricots blancs, égouttés**
1¾ **tasse de tomates concassées, ou de tomates italiennes, en boîte, coupées grossièrement en conservant leur jus**
2 **tasses de chou grossièrement râpé**
2 **grosses carottes, tranchées mince**
1 **c. à thé d'origan séché**
½ **c. à thé de basilic séché**
½ **c. à thé de sel**
½ **c. à thé de poivre noir**
60 **g (2 oz) de vermicelles ou de spaghettinis, cassés en petits morceaux**
1 **petite courgette, coupée en deux sur la longueur et tranchée**

1 Dans une grande casserole antiadhésive, réchauffez l'huile à feu assez vif et faites-y cuire l'oignon et l'ail 5 minutes. Ajoutez le bouillon, les haricots blancs, les tomates, le chou, les carottes, l'origan, le basilic, le sel et le poivre. Quand l'ébullition est prise, ajoutez les pâtes. Couvrez et laissez mijoter 15 minutes à petit feu. Ajoutez la courgette et laissez cuire 3 minutes de plus, sans couvrir. Servez avec du parmesan râpé. Donne 8 portions en entrée.

Préparation : 20 minutes Cuisson : 29 minutes

Par portion : Calories 120. Gras total 3 g. Gras saturé 0 g. Protéines 5 g. Hydrates de carbone 21 g. Fibres 4 g. Sodium 226 mg. Cholestérol 0 mg.

Soupe hongroise aux cerises

*Cette soupe existe également dans la cuisine allemande
et la cuisine scandinave où on la sert chaude.
La voici en version froide.*

1 tasse d'eau

¼ tasse de sucre

1 bâton de cannelle de 10 cm (4 po)

1 c. à thé de fécule de maïs

2 c. à soupe d'eau froide

2 tasses de cerises noires ou rouges, dénoyautées

1 tasse de crème sure allégée

½ tasse de vin rouge sec, ou de jus d'orange

1 Dans une casserole moyenne, amenez à ébullition la tasse d'eau, le sucre et la cannelle. Laissez mijoter 5 minutes à feu doux. Retirez le bâton de cannelle.

2 Incorporez au fouet la fécule de maïs délayée dans l'eau froide, et laissez cuire 2 minutes, ou jusqu'à épaississement, en fouettant sans arrêt. Ajoutez les cerises. Versez la soupe dans un grand bol ; attendez qu'elle tiédisse, couvrez-la et réfrigérez-la pendant 4 à 24 heures. Avant de servir, incorporez la crème sure et le vin rouge. Dressez la soupe dans des bols glacés. Donne 6 portions en entrée.

Préparation : 10 minutes Cuisson : 10 minutes
Réfrigération : 4 heures

Par portion : Calories 137. Gras total 5 g. Gras saturé 3 g.
Protéines 2 g. Hydrates de carbone 19 g. Fibres 1 g.
Sodium 17 mg. Cholestérol 15 mg.

POUR SERVIR LES POTAGES FROIDS

Pour une présentation attrayante, nichez les bols dans de la glace concassée.

• Service par portion. Prenez deux bols à soupe qui entrent l'un dans l'autre ; mettez dans le grand de la glace pilée et dans le petit, la soupe.

• Service à la table. Remplissez un grand bol en verre avec de la glace pilée ; installez-y un autre bol pour recevoir la soupe.

Le potage restera froid même si les convives se font attendre.

Potage bortsch

*Pour gagner du temps, remplacez les feuilles
des betteraves par 1 paquet (300 g/10 oz) d'épinards
surgelés et les betteraves fraîches par 2 boîtes
(398 ml/14 oz chacune) de betteraves, égouttées.*

6 betteraves moyennes (1 kg/2 lb), avec leurs feuilles

2 c. à soupe de beurre, ou de margarine

1 gros oignon, haché

5 tasses de bouillon de bœuf hyposodique (p. 67)

1¾ tasse de tomates concassées, ou de tomates hyposodiques en boîte, concassées

2 c. à thé de marjolaine séchée

1 c. à thé de sel

1 c. à thé d'aneth séché

½ c. à thé de poivre noir

2 tasses de chou grossièrement râpé

2 tasses de viande cuite (bœuf, porc ou jambon hyposodique), détaillée en bouchées

2 c. à soupe de vinaigre

1 c. à soupe de sucre

1 Ne laissez que 2,5 cm (1 po) de tige aux betteraves. (Si le feuillage est frais et sans défaut, réservez-le. Sinon, utilisez 2 tasses d'épinards frais hachés.) Mettez les betteraves dans un grand faitout avec de l'eau légèrement salée pour couvrir la surface. Ramenez l'ébullition, couvrez et laissez mijoter pendant 45 minutes à petit feu. Égouttez et laissez tiédir. Épluchez les betteraves et détaillez-en 4 tasses en allumettes.

2 Par ailleurs, lavez les feuilles des betteraves et hachez-en 2 tasses. Reprenez le faitout et faites-y fondre le beurre à feu assez vif. Ajoutez l'oignon et faites-le cuire 5 minutes.

3 Mettez dans le beurre les feuilles de betterave (ou les épinards), le bouillon, les tomates, la marjolaine, le sel, l'aneth séché et le poivre. Quand l'ébullition a repris, couvrez et laissez mijoter de 5 à 10 minutes. Ajoutez le chou, la viande, le vinaigre et le sucre. Incorporez délicatement les betteraves. Couvrez et laissez mijoter de 5 à 7 minutes. Donne 8 portions.

Préparation : 25 minutes Cuisson : 1 h 10

Par portion : Calories 162. Gras total 6 g. Gras saturé 3 g.
Protéines 13 g. Hydrates de carbone 17 g. Fibres 3 g.
Sodium 419 mg. Cholestérol 32 mg.

Potage bortsch

Soupe aux nouilles à la chinoise

Soupe aux nouilles à la chinoise

*Dans les repas chinois, le second service est généralement une soupe. Et cette soupe renferme
souvent des nouilles : on disait qu'elles étaient un gage de longue vie.*

  6 **champignons chinois séchés**

 60 **g (2 oz) de nouilles chinoises, ou de cheveux d'ange**

3½ **tasses de bouillon de poulet hyposodique (p. 67)**

1½ **tasse de viande cuite (poulet, porc ou jambon
hyposodique), détaillée en bouchées**

  1 **tasse de chou chinois finement râpé**

⅛ **c. à thé de poivre noir**

  1 **gros oignon vert, tranché mince**

  2 **c. à soupe de persil haché**

1 Faites tremper les champignons 30 minutes dans de
l'eau tiède à couvert. Rincez-les et essorez-les. Retirez les pieds pour ne garder que les chapeaux ; tranchez-

les mince. Par ailleurs, faites cuire les nouilles selon les
directives du paquet. Égouttez-les et réservez-les.

2 Amenez le bouillon à ébullition. Mettez-y les champignons, la viande cuite, le chou et le poivre. Couvrez et laissez mijoter 10 minutes à feu doux.

3 Au moment de servir, déposez les nouilles dans les
bols à soupe. Recueillez les champignons avec une
cuiller à trous et dressez-les sur les nouilles. Versez le
bouillon par-dessus. Décorez d'oignon vert et de persil.
Donne 6 portions en entrée.

Préparation : 15 minutes Repos : 30 minutes
Cuisson : 15 minutes

Par portion : Calories 128. Gras total 3 g. Gras saturé 1 g.
Protéines 12 g. Hydrates de carbone 12 g. Fibres 1 g.
Sodium 52 mg. Cholestérol 39 mg.

Soupe aux légumes à la finlandaise

Appelée Kesakeitto, *cette soupe épaisse et crémeuse était faite avec les premiers légumes du printemps et servie avec des viandes froides dressées sur du pain.*

2   **tasses d'eau**

2   **grosses carottes, tranchées**

1   **tasse de petits pois frais ou surgelés**

1   **tasse de haricots verts coupés, frais ou surgelés**

1   **tasse de fleurons de chou-fleur frais ou surgelés**

1   **pomme de terre moyenne, épluchée et coupée en dés**

4   **gros oignons verts, tranchés mince, ou ½ tasse de poireau tranché**

6   **petits radis, coupés en quatre**

⅛   **c. à thé de sel**

1   **tasse d'épinards frais, hachés**

2   **c. à soupe de beurre, ou de margarine**

2   **c. à soupe de farine**

1   **c. à soupe d'aneth frais, haché, ou 1 c. à thé d'aneth séché**

¼   **c. à thé de sel**

¼   **c. à thé de poivre noir**

2   **tasses de lait écrémé à 1 p. 100**

1   **gros jaune d'œuf, légèrement battu**

1 Dans une grande casserole, réunissez l'eau, les carottes, les petits pois, les haricots, le chou-fleur, la pomme de terre, les oignons verts, les radis et ⅛ c. à thé de sel. Quand l'ébullition est prise, couvrez et laissez mijoter doucement de 10 à 15 minutes. (Faites cuire les légumes surgelés selon les directives du paquet.) Ajoutez les épinards. Égouttez aussitôt les légumes en réservant 1 tasse de l'eau de cuisson.

2 Dans la même casserole, faites fondre le beurre à feu modéré. Ajoutez, en fouettant, la farine, l'aneth et ¼ c. à thé de sel ainsi que le poivre. Une minute plus tard, incorporez l'eau de cuisson réservée et le lait et laissez cuire jusqu'à épaississement en fouettant constamment. Comptez encore 2 minutes de cuisson sans cesser de fouetter.

3 Incorporez petit à petit 1 tasse de cette préparation dans le jaune d'œuf et reversez le tout dans la casserole. Prolongez la cuisson de 3 minutes sans laisser bouillir. Ajoutez les légumes cuits, réchauffez et servez. Donne 6 portions en entrée.

Préparation : 25 minutes Cuisson : 25 minutes

Par portion : Calories 155. Gras total 6 g. Gras saturé 3 g. Protéines 7 g. Hydrates de carbone 20 g. Fibres 4 g. Sodium 272 mg. Cholestérol 49 mg.

Potage aux œufs et au citron à la grecque

Il paraît que si l'on fait des bruits de baiser au moment d'incorporer le bouillon et le jus de citron dans l'œuf battu, le potage ne tournera pas.

3½   **tasses de bouillon de poulet hyposodique (p. 67)**

¼   **tasse de riz blanc cru à longs grains**

3   **gros œufs**

3   **c. à soupe de jus de citron**

2   **c. à soupe de menthe fraîche, hachée, ou de persil**

1 Amenez le bouillon à ébullition dans une grande casserole. Ajoutez le riz cru. Couvrez et laissez mijoter à feu doux 15 minutes.

2 Fouettez vivement les œufs au batteur électrique jusqu'à ce qu'ils deviennent épais et jaune clair. Incorporez peu à peu ¼ tasse de bouillon chaud et le jus de citron ; fouettez vivement 2 minutes de plus.

3 Versez ce mélange lentement dans le bouillon chaud en fouettant constamment à la fourchette : les œufs vont cuire en minces filaments. (Ne faites pas bouillir le potage : les œufs coaguleraient.) Décorez de menthe hachée. Donne 4 portions en entrée.

Préparation : 5 minutes Cuisson : 20 minutes

Par portion : Calories 110. Gras total 4 g. Gras saturé 1 g. Protéines 6 g. Hydrates de carbone 13 g. Fibres 0 g. Sodium 49 mg. Cholestérol 160 mg.

Potage aux os de dinde

Choisissez des os charnus :
vous ferez plaisir aux gourmands.

8 tasses d'eau

1 carcasse charnue de dinde, défaite en morceaux

2 oignons moyens, ou 2 rutabagas, taillés en quartiers

2 tasses de brins de persil, ou de feuilles de céleri

4 gousses d'ail, coupées en quatre

4 feuilles de laurier

2 c. à thé de poivre noir en grains

1 c. à thé de sel

1 gros oignon, haché

½ tasse de riz blanc cru à longs grains

4 tasses de légumes frais (carottes, céleri, chou-fleur, brocoli, champignons, poivron vert, petits pois et haricots de Lima, au choix), tranchés s'il y a lieu

1 c. à thé d'estragon séché

½ c. à thé de sel

½ c. à thé de poivre noir

1 Dans un grand faitout, réunissez l'eau, la carcasse de dinde, les oignons, le persil, l'ail, le laurier, les grains de poivre et 1 c. à thé de sel. Quand l'ébullition est prise, couvrez et laissez mijoter 2 heures à feu doux.

2 Retirez et laissez tiédir la carcasse. Dégagez la chair ; jetez les os. Doublez une passoire de deux épaisseurs d'étamine de coton. Passez le bouillon et dégraissez-le. Jetez les légumes et les aromates.

3 Amenez le bouillon à ébullition. Mettez-y l'oignon haché et le riz cru ; couvrez et laissez mijoter 15 minutes à feu doux. Ajoutez la chair de dinde, 4 tasses de légumes, l'estragon, ½ c. à thé de sel et le poivre noir. Couvrez et laissez mijoter 15 minutes de plus en remuant de temps à autre. Donne 6 portions en plat principal.

Préparation : 25 minutes Cuisson : 2 h 45

Par portion : Calories 217. Gras total 4 g. Gras saturé 1 g.
Protéines 21 g. Hydrates de carbone 26 g. Fibres 4 g.
Sodium 634 mg. Cholestérol 44 mg.

Crème de poulet

Voici une façon idéale d'utiliser des restes de poulet.
Relevez ce potage d'amandes rôties.

1 c. à soupe de beurre, ou de margarine

¾ tasse de poireau tranché mince, ou 6 gros oignons verts

1¾ tasse de bouillon de poulet hyposodique (p. 67)

½ tasse de crème légère

½ c. à thé de sel

¼ c. à thé de poivre

¼ c. à thé de muscade

2 tasses de lait écrémé à 1 p. 100

⅓ tasse de farine

2 tasses de poulet cuit, haché fin

1 Dans une grande casserole, faites fondre le beurre à feu modéré. Faites-y revenir le poireau ; quand il est attendri, ajoutez le bouillon, la crème, le sel, le poivre et la muscade. Fouettez ensemble le lait et la farine et incorporez-les à la soupe. Laissez cuire 10 minutes, ou jusqu'à épaississement, en remuant constamment.

2 Incorporez le poulet cuit et prolongez la cuisson de 5 minutes sans couvrir. Donne 4 portions en plat principal.

Préparation : 10 minutes Cuisson : 20 minutes

Par portion : Calories 307. Gras total 14 g. Gras saturé 7 g.
Protéines 27 g. Hydrates de carbone 18 g. Fibres 1 g.
Sodium 431 mg. Cholestérol 91 mg.

Crème de poulet aux amandes Suivez la même recette et ajoutez ¼ **tasse d'amandes effilées et grillées**, en même temps que le poulet.

Par portion : Calories 341. Gras total 17 g. Gras saturé 7 g.
Protéines 28 g. Hydrates de carbone 19 g. Fibres 2 g.
Sodium 432 mg. Cholestérol 91 mg.

Crème à la dinde Suivez la recette de crème au poulet, mais remplacez le poulet par **2 tasses de dinde cuite, hachée fin**.

Par portion : Calories 293. Gras total 12 g. Gras saturé 7 g.
Protéines 27 g. Hydrates de carbone 18 g. Fibres 1 g.
Sodium 420 mg. Cholestérol 81 mg.

Chaudrée de maïs au jambon

Chaudrée de maïs au jambon

*Rien de plus substantiel que ce potage épais et crémeux
qu'on peut préparer, en saison, avec du maïs frais, incomparablement
meilleur que le maïs surgelé ou en conserve.*

4 **épis de maïs moyens, ou 2 tasses de maïs en grains**

1³⁄₄ **tasse de bouillon de poulet hyposodique (p. 67)**

1 **gros oignon, haché**

1 **pomme de terre moyenne, épluchée et détaillée
en dés (1 tasse), ou 1 panais**

1 **tasse de poivron haché**

1 **c. à soupe de marjolaine fraîche, hachée,
ou 1 c. à thé de marjolaine séchée**

¹⁄₄ **c. à thé de sel**

¹⁄₄ **c. à thé de poivre**

¹⁄₂ **tasse de lait écrémé à 1 p. 100**

3 **c. à soupe de farine**

1 **tasse de jambon hyposodique cuit,
détaillé en bouchées**

1 Dégagez les grains des épis au couteau ; comptez-en 2 tasses. Dans une grande casserole, réunissez le maïs, le bouillon, l'oignon, la pomme de terre, le poivron, la marjolaine, le sel et le poivre. Quand l'ébullition est prise, couvrez et laissez mijoter 10 minutes à petit feu en remuant de temps à autre.

2 Par ailleurs, fouettez ensemble le lait et la farine et versez-les dans la casserole. Faites cuire 2 minutes, ou jusqu'à épaississement, en remuant sans arrêt. Incorporez le jambon et laissez cuire 2 minutes de plus. Donne 4 portions.

Préparation : 20 minutes Cuisson : 20 minutes

Par portion : Calories 232. Gras total 4 g. Gras saturé 1 g.
Protéines 14 g. Hydrates de carbone 38 g. Fibres 4 g.
Sodium 577 mg. Cholestérol 24 mg.

Potage portugais

Potage portugais

Le caldo verde, *soupe populaire auprès des pêcheurs*
de la côte atlantique du Portugal, se fait avec de la saucisse
du pays appelée linguiça, *remplacée ici par de la saucisse*
à la dinde, et avec un chou local auquel on
a substitué des épinards.

1   **c. à soupe d'huile d'olive**

1   **gros oignon, haché fin**

2   **gousses d'ail, hachées**

3½   **tasses de bouillon de poulet hyposodique (p. 67)**

3   **pommes de terre moyennes, épluchées et hachées**

1   **paquet (300 g/10 oz) d'épinards hachés surgelés,**
    décongelés

180   **g (6 oz) de saucisse à la dinde, tranchée**

¼   **c. à thé de sel**

¼   **c. à thé de poivre noir**

1 Dans une grande casserole, réchauffez l'huile à feu modéré et faites-y cuire l'oignon et l'ail 5 minutes.

2 Ajoutez le bouillon et les pommes de terre. Quand l'ébullition est prise, couvrez et laissez mijoter pendant 30 minutes à petit feu. Avec un pilon ou une fourchette, écrasez un peu les pommes de terre pour épaissir le potage.

3 Ajoutez les épinards, la saucisse, le sel et le poivre et laissez mijoter 5 minutes sans couvrir. Donne 6 portions en entrée.

Préparation : 15 minutes Cuisson : 45 minutes

Par portion : Calories 163. Gras total 6 g. Gras saturé 2 g.
Protéines 7 g. Hydrates de carbone 20 g. Fibres 2 g.
Sodium 339 mg. Cholestérol 19 mg.

POUR PRÉPARER L'AIL

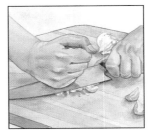 

1. Posez la gousse sur une planche à découper ; mettez le plat de la lame d'un couteau de chef dessus et donnez un bon coup de poing sur la lame.

2. Retirez la peau et une tranche du côté du pédicule. Hachez l'ail, s'il y a lieu, avec un couteau d'office bien tranchant.

Potage aux pois fendus

Autrefois, les soupes aux pois ou aux lentilles ressemblaient à des pot-au-feu. Elles restaient sur le coin du poêle et de jour en jour on leur ajoutait de la viande ou des légumes : c'est ce qu'on appelait « manger à la fortune du pot ».

3½   tasses de bouillon de poulet hyposodique (p. 67)

1   tasse de pois fendus, triés et lavés

1   c. à thé de cumin

½   c. à thé de sel

¼   à ½ c. à thé de cayenne

2   gros oignons, hachés

1   boîte (540 ml/19 oz) de tomates hyposodiques, concassées

2   grosses carottes, hachées

180   g (6 oz) de saucisse de dinde, tranchée

½   tasse d'eau

1 Dans une grande casserole, réunissez le bouillon, les pois fendus, le cumin, le sel et le cayenne. Quand l'ébullition est prise, couvrez et laissez mijoter 1 heure à petit feu en remuant de temps à autre.

2 Ajoutez les oignons, les tomates, les carottes, la saucisse et l'eau. Quand l'ébullition a repris, baissez le feu, couvrez la casserole et laissez mijoter 25 minutes de plus. Donne 4 portions en entrée.

Préparation : 15 minutes   Cuisson : 1 h 35

Par portion : Calories 323. Gras total 7 g. Gras saturé 2 g. Protéines 21 g. Hydrates de carbone 46 g. Fibres 8 g. Sodium 640 mg. Cholestérol 28 mg.

Potage purée Saint-Germain

Il est d'usage de préparer ce potage avec des pois frais, achetés en cosses au marché. Au printemps, quand ils sont tout jeunes, c'est un délice. Choisissez des cosses d'un vert vif et de taille moyenne ; rejetez les grosses cosses, trop mûres.

1¾   tasse de bouillon de poulet hyposodique (p. 67)

1   kg (2 lb) de pois frais, écossés (2 tasses), ou 1 paquet (300 g/10 oz) de pois verts surgelés

½   tasse de poireau finement haché

1   côte de céleri, hachée

1   grosse carotte, hachée

1   boîte (385 ml/12 oz) de lait écrémé évaporé

1   c. à thé de menthe séchée

¼   c. à thé de sel

⅛   c. à thé de poivre

1 Dans une grande casserole, mettez le bouillon, les pois, le poireau, le céleri et la carotte. Quand l'ébullition est prise, baissez le feu, couvrez et laissez mijoter 15 minutes. Hors du feu, laissez tiédir 10 minutes.

2 Travaillez le potage au robot ou au mélangeur en deux fois. Passez la purée au tamis ou au presse-purée et remettez-la dans la casserole. Ajoutez le lait, la menthe, le sel et le poivre et faites cuire à découvert 10 minutes. Donne 4 portions en entrée.

Préparation : 25 minutes   Refroidissement : 10 minutes
Cuisson : 30 minutes

Par portion : Calories 128. Gras total 0 g. Gras saturé 0 g. Protéines 10 g. Hydrates de carbone 22 g. Fibres 4 g. Sodium 258 mg. Cholestérol 3 mg.

Soupe aux pois

La soupe aux pois fournit l'occasion de faire bon usage d'un os du jambon quand il n'y reste plus qu'un peu de viande. Et pourquoi pas essayer de nouveaux assaisonnements ?

3½   tasses de bouillon de poulet hyposodique (p. 67)

1   tasse de pois jaunes secs, triés et rincés

1   os de jambon bien charnu (500-750 g/1-1½ lb)

1   c. à thé de marjolaine séchée

1   c. à thé de thym séché

2   gros oignons, coupés en deux et tranchés mince

2   côtes de céleri, hachées fin

½   c. à thé de gingembre moulu

¼   c. à thé de poivre noir

1 Dans une grande casserole, mettez le bouillon, les pois jaunes, l'os de jambon, la marjolaine et le thym. Quand l'ébullition est prise, baissez le feu, couvrez et laissez mijoter 1 heure. Avec une cuiller à trous, retirez l'os ; dégagez la chair et détaillez-la en bouchées pour la remettre dans la soupe.

2 Ajoutez les oignons, le céleri, le gingembre et le poivre. Ramenez l'ébullition, couvrez et laissez mijoter 25 minutes à feu doux en remuant de temps à autre. Donne 4 portions en entrée.

Préparation : 25 minutes   Cuisson : 1 h 35

Par portion : Calories 237. Gras total 2 g. Gras saturé 0 g. Protéines 18 g. Hydrates de carbone 39 g. Fibres 6 g. Sodium 267 mg. Cholestérol 10 mg.

Potage au porc
et à la choucroute

Les baies de genièvre servent généralement à atténuer le goût trop prononcé du gibier. Leur parfum acidulé convient en outre à condimenter certains apprêts, en particulier la choucroute.

1	**tranche de bacon maigre, hachée**
375	**g (12 oz) de porc désossé maigre, paré et détaillé en cubes**
1	**gros oignon, haché**
2	**gousses d'ail, hachées**
2	**tasses de choucroute avec son jus**
2	**pommes de terre moyenne, épluchées et hachées**
1¾	**tasse de bouillon de bœuf hyposodique (p. 67)**
1	**petite canette de bière légère**
6	**baies de genièvre (facultatif)**
3	**feuilles de laurier**
1	**c. à thé de paprika**
1	**c. à thé de graines de fenouil, écrasées**
½	**c. à thé de graines de carvi**
¼	**c. à thé de poivre noir**
¼	**tasse de crème sure allégée**

1 Dans une grande casserole, faites cuire le bacon à feu modéré. Retirez-le quand il est croustillant et épongez-le.

2 Dans le gras du bacon, faites blondir le porc, l'oignon et l'ail à feu modéré. Ajoutez ensuite la choucroute, les pommes de terre, le bouillon, la bière, les baies de genièvre, s'il y a lieu, le laurier, le paprika, les graines de fenouil, les graines de carvi et le poivre. Dès que l'ébullition est prise, couvrez et laissez mijoter pendant 1 heure à feu doux.

3 Retirez les feuilles de laurier et les baies de genièvre. Relevez le potage de crème sure et de bacon émietté. Donne 4 portions en plat principal.

Préparation : 20 minutes Cuisson : 1 h 20

Par portion : Calories 324. Gras total 13 g. Gras saturé 5 g. Protéines 22 g. Hydrates de carbone 25 g. Fibres 5 g. Sodium 867 mg. Cholestérol 73 mg.

Soupe au fromage
et à la bière

Faites tiédir le fromage avant de l'ajouter à la soupe : il fondra plus rapidement.

1	**c. à soupe de beurre, ou de margarine**
1	**oignon moyen, haché fin**
1	**carotte moyenne, râpée**
2	**tasses de lait écrémé à 1 p. 100**
¼	**tasse de farine**
¼	**c. à thé de cayenne**
1½	**tasse (180 g/6 oz) de cheddar fort, râpé**
1	**petite canette de bière légère**
1	**tasse de chou râpé**

1 Dans une grande casserole, faites fondre le beurre à feu modéré. Ajoutez l'oignon et la carotte et laissez cuire 5 minutes en remuant souvent. Par ailleurs, fouettez ensemble le lait, la farine et le cayenne. Versez dans la casserole et faites cuire 7 minutes ou jusqu'à épaississement en remuant constamment.

2 Ajoutez peu à peu le fromage et laissez-le fondre à feu doux (ne faites pas bouillir). Servez avec du pain pumpernickel. Donne 4 portions en plat principal.

Préparation : 20 minutes Cuisson : 18 minutes

Par portion : Calories 309. Gras total 18 g. Gras saturé 11 g. Protéines 15 g. Hydrates de carbone 18 g. Fibres 2 g. Sodium 709 mg. Cholestérol 53 mg.

GARNITURE DE POTAGES

Elles sont nombreuses, et vous pouvez même en inventer d'autres.

- Croûtons
- Maïs soufflé
- Craquelins
- Oignon vert haché
- Poivron haché
- Pain croûté tranché mince et grillé
- Ciboulette ciselée
- Frisettes de carotte
- Brins de fines herbes

Chaudrée de palourdes aux tomates

Chaudrée de palourdes aux tomates

*Une variante de la chaudrée classique, qu'on prépare
d'ordinaire avec du lait ou de la crème.*

2   **tasses de palourdes dégagées de leurs coquilles,
ou 2 boîtes (142 g/5 oz chacune) de petites palourdes**

2   **tranches de bacon maigre, hachées**

½   **tasse de poireau en tranches minces,
ou 4 gros oignons verts**

1   **côte de céleri, hachée fin**

2   **gousses d'ail, émincées**

3   **tasses de cocktail de légumes hyposodique**

2   **pommes de terre moyennes, épluchées et hachées**

1   **boîte (540 ml/19 oz) de tomates hyposodiques,
concassées**

1   **boîte (284 ml/10 oz) de maïs à grains entiers au
poivron rouge**

2   **feuilles de laurier**

2   **c. à thé de thym séché**

2   **c. à thé de sauce Worcestershire hyposodique**

1   **c. à thé de marjolaine séchée**

¼   **c. à thé de sel**

⅛   **c. à thé de sauce Tabasco**

1 Hachez grossièrement les palourdes en réservant leur jus. Filtrez-le pour éliminer les fragments de coquille. (Ou filtrez les petites palourdes en boîte et gardez leur jus.) Dans un faitout, faites cuire le bacon à feu modéré. Quand il est croustillant, retirez-le et épongez-le sur de l'essuie-tout.

2 Dans le gras du bacon, faites revenir le poireau, le céleri et l'ail 5 minutes à feu moyen ; ajoutez le cocktail de légumes, les pommes de terre, les tomates, le maïs, le laurier, le thym, la sauce Worcestershire, la marjolaine, le sel et le tabasco. Quand l'ébullition est prise, couvrez et laissez mijoter de 45 à 50 minutes à feu doux.

3 Incorporez les palourdes, le jus réservé et le bacon, et réchauffez le potage en remuant de temps à autre. Retirez le laurier. Donne 6 portions en plat principal.

Préparation : 25 minutes   Cuisson : 1 heure

Par portion : Calories 225. Gras total 7 g. Gras saturé 3 g.
Protéines 12 g. Hydrates de carbone 28 g. Fibres 4 g.
Sodium 481 mg. Cholestérol 27 mg.

Bisque de crabe

Autrefois, on faisait ce potage avec la chair et les œufs d'un crabe femelle et de la crème épaisse. En voici une version allégée à base de lait et de crème claire. Comme il est difficile d'avoir des œufs de crabe, remplacez-les par du jaune d'œuf cuit dur passé à travers un tamis.

- **1 gros oignon, haché fin**
- **1 côte de céleri, hachée fin**
- **¼ tasse de bouillon de poulet hyposodique (p. 67)**
- **2¾ tasses de lait écrémé à 1 p. 100**
- **1 tasse de crème légère**
- **3 c. à soupe de farine**
- **½ c. à thé de sel**
- **½ c. à thé de macis**
- **¼ c. à thé de poivre**
- **250 g (8 oz) de chair de crabe, parée et hachée, ou de goberge surgelée à saveur de crabe, décongelée**
- **¼ tasse de xérès sec, de vin blanc sec, ou de crème légère**

1 Dans une grande casserole, mettez l'oignon, le céleri et le bouillon. Quand l'ébullition est prise, couvrez et laissez mijoter 5 minutes à feu doux ; incorporez le lait. Fouettez ensemble la crème, la farine, le sel, le macis et le poivre. Versez-les dans la casserole et faites cuire 10 minutes, ou jusqu'à épaississement, à feu doux en remuant sans arrêt.

2 Incorporez la chair de crabe et le xérès et réchauffez 5 minutes. Donne 4 portions en plat principal.

Préparation : 20 minutes Cuisson : 25 minutes

Par portion : Calories 273. Gras total 11 g. Gras saturé 6 g. Protéines 21 g. Hydrates de carbone 20 g. Fibres 1 g. Sodium 600 mg. Cholestérol 78 mg.

Bisque de homard Suivez la recette principale en remplaçant le crabe, à l'étape 2, par **250 g (8 oz) de homard cuit, en bouchées.**

Par portion : Calories 266. Gras total 11 g. Gras saturé 6 g. Protéines 20 g. Hydrates de carbone 20 g. Fibres 1 g. Sodium 602 mg. Cholestérol 76 mg.

Bisque de poisson Suivez la recette principale en remplaçant le crabe, à l'étape 2, par **250 g (8 oz) de goberge, détaillée en bouchées.**

Par portion : Calories 261. Gras total 11 g. Gras saturé 6 g. Protéines 20 g. Hydrates de carbone 19 g. Fibres 1 g. Sodium 416 mg. Cholestérol 62 mg.

Soupe aux huîtres

Il était de tradition d'en servir comme premier service au réveillon de Noël ou au dîner du Jour de l'An. Chaque famille avait sa recette jalousement gardée et dont elle était très fière.

- **1 gros oignon, haché fin**
- **¼ tasse de bouillon de poulet hyposodique (p. 67)**
- **2 tasses d'huîtres dégagées de leurs coquilles, avec leur eau**
- **½ c. à thé de sel**
- **⅛ c. à thé de cayenne**
- **1¾ tasse de lait écrémé à 1 p. 100**
- **1 tasse de crème légère**
- **½ c. à thé de sauce Worcestershire hyposodique (facultatif)**

1 Dans une grande casserole, mettez l'oignon et le bouillon. Quand l'ébullition est prise, couvrez et laissez mijoter 5 minutes à feu doux. Ajoutez alors les huîtres, le sel et le cayenne et prolongez la cuisson de 3 à 4 minutes.

2 Dès que les huîtres sont devenues opaques et gonflées, ajoutez-y le lait, la crème et la sauce Worcestershire, s'il y a lieu. Couvrez et réchauffez la soupe, en remuant souvent. Donne 4 portions.

Préparation : 10 minutes Cuisson : 20 minutes

Par portion : Calories 230. Gras total 12 g. Gras saturé 6 g. Protéines 16 g. Hydrates de carbone 16 g. Fibres 1 g. Sodium 455 mg. Cholestérol 82 mg.

Bisque de crevettes Suivez la même recette, mais remplacez les huîtres par **375 g (12 oz) de crevettes grises moyennes, décortiquées et parées.** Le temps de cuisson est le même que pour les huîtres.

Par portion : Calories 207. Gras total 10 g. Gras saturé 6 g. Protéines 19 g. Hydrates de carbone 11 g. Fibres 1 g. Sodium 485 mg. Cholestérol 151 mg.

Petites gâteries

Chaudrée de thon de tonton

Les enfants s'en lécheront les doigts.

- 1 boîte de crème de pommes de terre ou de céleri non diluée
- 1 boîte de chaudrée de palourdes non diluée
- 2 tasses de lait écrémé à 1 p. 100
- 1 boîte (environ 180 g/ 6 oz) de thon dans l'eau, égoutté et émietté
- 1 petit bocal entier de piment rôti (facultatif)
- 1½ c. à thé de thym séché
- ¼ c. à thé de poivre noir

1. Mettez tous les ingrédients dans une grande casserole et amenez à ébullition. Baissez le feu, couvrez et laissez mijoter 5 minutes en remuant de temps à autre. Donne 4 portions.

Soupe au poulet de grand-maman

Elle avait la réputation de mettre le rhume en déroute.

- 3½ tasses de bouillon de poulet hyposodique (p. 67)
- 1 paquet (300 g/10 oz) de pois et carottes surgelés
- 1 tasse de poulet cuit haché
- 1½ c. à thé d'origan séché
- ¼ c. à thé de sel
- ¼ c. à thé de poivre noir
- ½ c. à thé de vermicelle aux œufs

1. Dans une grande casserole, mettez le bouillon, les pois et les carottes, le poulet, l'origan, le sel et le poivre. Quand l'ébullition est prise, ajoutez le vermicelle, couvrez et laissez mijoter 6 minutes à petit feu en remuant de temps à autre. Donne 4 portions.

Potage du cow-boy

- 375 g (12 oz) de bœuf maigre haché
- 1 oignon moyen, haché
- 1 boîte (398 ml/14 oz) de fèves au lard et aux tomates
- 1 boîte (540 ml/19 oz) de tomates hyposodiques, concassées
- 1½ tasse de bouillon de bœuf hyposodique (p. 67)
- 1 c. à soupe d'assaisonnement au chile
- ¼ c. à thé de sel
- ¼ c. à thé de poivre noir
- ½ tasse de rotelles, ou de macaronis, coupés
- ¼ tasse de cheddar râpé

1. Dans une grande casserole, faites revenir le bœuf et l'oignon. Dégraissez.

2. Ajoutez les fèves au lard, les tomates, le bouillon, l'assaisonnement au chile, le sel et le poivre. Quand l'ébullition est prise, ajoutez les pâtes, baissez le feu, couvrez et laissez mijoter 15 minutes en remuant souvent. Servez avec le cheddar. Donne 4 portions.

Soupe aux tomates et aux alphabets

Demandez aux enfants d'épeler leur nom dans leur soupe.

- 1 boîte de crème de cheddar non diluée
- 1 boîte de crème de tomates non diluée
- 2 tasses d'eau
- ½ tasse de poivron vert finement haché
- 1 c. à thé de basilic séché
- ⅛ c. à thé de poivre noir
- ⅓ tasse de pâtes en forme de lettres, ou de petits papillons

1. Dans une grande casserole, mettez la crème de cheddar, la crème de tomates, l'eau, le poivron, le basilic et le poivre. Quand l'ébullition est prise, ajoutez les pâtes, couvrez et laissez mijoter de 10 à 12 minutes à feu doux en remuant souvent. Donne 4 portions en entrée.

ŒUFS ET FROMAGE À LA CARTE

Depuis toujours, les œufs occupent une place importante dans l'alimentation. Ils constituent un apport précieux de protéines, tout comme le fromage qui, en plus, fournit du calcium. Le fromage permet de transformer d'humbles platées de légumes en somptueux plats gratinés.

L'expression « entre la poire et le fromage », qui signifie à la fin du repas, laisse croire qu'il fut un temps où on servait le plateau de fromages, non pas avant le dessert, mais en tout dernier lieu.

Strata aux asperges et au fromage (page 100)
Œufs à l'écossaise (page 92)
Omelette forestière (page 94)

87

Œufs brouillés à la saucisse

*Ce plat, qui peut constituer le mets de résistance
d'un petit déjeuner substantiel, a l'avantage de se préparer
la veille : atout important quand on a des amis
à sa table le matin.*

120	g (4 oz) de chair de saucisse de porc
6	gros œufs
2	gros blancs d'œufs
2	c. à soupe d'eau
1	c. à soupe de ciboulette hachée
1	tasse de lait écrémé à 1 p. 100
2	c. à soupe de farine
¼	c. à thé de poivre
⅛	c. à thé de sel
½	tasse de gruyère râpé
	Paprika

1 Dans une poêle antiadhésive de 25 cm (10 po), faites cuire la chair de saucisse à feu modéré. Par ailleurs, fouettez ensemble les œufs, les blancs d'œufs, l'eau et la ciboulette. Versez-les sur la saucisse et laissez cuire doucement 5 minutes en remuant à la spatule de bois. Dressez cet appareil dans quatre ramequins graissés.

2 Dans une casserole moyenne, fouettez ensemble le lait, la farine, le poivre et le sel. Faites cuire à feu modéré, sans cesser de fouetter, jusqu'à épaississement. Incorporez le fromage et continuez de fouetter jusqu'à ce qu'il fonde. Versez la sauce dans les ramequins. Couvrez et réfrigérez pendant 8 à 24 heures.

3 Préchauffez le four à 180 °C (350 °F). Couvrez, enfournez et réchauffez à fond, environ 40 minutes. Saupoudrez de paprika. Donne 4 portions.

Préparation : 10 minutes Cuisson à la poêle : 15 minutes
Réfrigération : 8 heures Cuisson au four : 40 minutes

Par portion : Calories 267. Gras total 17 g. Gras saturé 7 g.
Protéines 21 g. Hydrates de carbone 8 g. Fibres 0 g.
Sodium 444 mg. Cholestérol 347 mg.

Œufs à la florentine

*Les plats dans lesquels entrent des épinards sont dits
« à la florentine » dans la cuisine française. Celui-ci
constitue un repas léger, facile et rapide à préparer.*

1	paquet (300 g/10 oz) d'épinards surgelés, décongelés
½	tasse de poireau haché fin, ou d'oignons verts
½	tasse de jambon hyposodique haché fin
1½	c. à thé de basilic séché
¼	c. à thé de poivre noir
4	gros œufs
¼	tasse de lait écrémé à 1 p. 100
½	tasse (60 g/2 oz) de gruyère, ou d'emmenthal râpé

1 Préchauffez le four à 160 °C (325 °F). Déposez les épinards dans une passoire et pressez-les pour en extraire le plus d'eau possible. Mélangez ensemble les épinards, le poireau, le jambon, le basilic et le poivre. Mettez cet appareil dans quatre ramequins (ci-dessous).

2 Cassez les œufs dans les ramequins. Ajoutez le lait (ci-dessous). Déposez les ramequins dans une lèchefrite et versez-y 2,5 cm (1 po) d'eau bouillante. Enfournez et faites cuire 25 minutes. Saupoudrez de fromage. Donne 4 portions.

Préparation : 15 minutes Cuisson : 25 minutes

Par portion : Calories 155. Gras total 10 g. Gras saturé 4 g.
Protéines 13 g. Hydrates de carbone 5 g. Fibres 2 g.
Sodium 164 mg. Cholestérol 229 mg.

ŒUFS À LA FLORENTINE

1. Étalez des épinards en coquille dans le fond du ramequin ; pressez du bout des doigts.

2. Cassez un œuf sur les épinards et versez 1 c. à soupe de lait par-dessus.

Omelette à la paysanne

Omelette à la paysanne

*Cette omelette, avec les ingrédients robustes qu'elle renferme, aurait constitué autrefois
un solide déjeuner avant d'entreprendre la journée de travail. De nos jours, on la sert
de préférence les dimanches de paresse, pour faire deux repas en un seul.*

2 **tranches de bacon maigre, hachées**

2½ **tasses de pommes de terre rissolées avec oignons et poivron vert, surgelées**

5 **gros œufs**

2 **gros blancs d'œufs**

¼ **tasse de lait écrémé à 1 p. 100**

½ **c. à thé de cerfeuil séché, ou de thym séché**

½ **c. à thé de sel**

¼ **c. à thé de poivre noir**

1 Dans une sauteuse moyenne, faites cuire le bacon à feu moyen. Quand il est croustillant, épongez-le sur une feuille d'essuie-tout et réservez-le.

2 Dans le gras du bacon, faites cuire les pommes de terre de 8 à 10 minutes en remuant.

3 Par ailleurs, fouettez ensemble les œufs, les blancs d'œufs, le lait, le cerfeuil, le sel et le poivre. Versez cet appareil dans les pommes de terre et faites cuire à feu modéré sans remuer, jusqu'à ce que les œufs commencent à coaguler. (À plusieurs reprises, soulevez l'omelette avec une spatule pour faire passer la portion liquide par-dessous.) Laissez-les cuire 4 minutes de plus, la dernière minute avec un couvercle. Émiettez le bacon sur l'omelette. Donne 4 portions.

Préparation : 10 minutes Cuisson : 20 minutes

Par portion : Calories 247. Gras total 15 g. Gras saturé 6 g.
Protéines 12 g. Hydrates de carbone 15 g. Fibres 0 g.
Sodium 494 mg. Cholestérol 277 mg.

Œufs pochés, sauce créole

Œufs pochés, sauce créole

La sauce créole, à base de tomate concassée, est fortement relevée de poivre ou de piment.
Pour vous simplifier la tâche, utilisez des tomates en boîte.

1 **tasse de tomates hyposodiques concassées, avec leur jus**

2 **gousses d'ail, émincées**

⅛ **c. à thé de poivre noir**

⅛ **c. à thé de poivre blanc**

⅛ **c. à thé de cayenne**

6 **gros œufs**

3 **muffins anglais, ouverts et grillés**

1 Pour faire la sauce créole, mettez les tomates dans une petite casserole, avec l'ail et les trois poivres. Quand l'ébullition est prise, couvrez et laissez mijoter 10 minutes à feu doux en remuant de temps à autre.

2 Par ailleurs, remplissez aux deux tiers une sauteuse moyenne avec de l'eau additionnée de 1 c. à soupe de vinaigre blanc ; amenez à ébullition à feu modéré. Cassez les œufs un à un dans une soucoupe et faites-les glisser à mesure dans la sauteuse. Laissez-les cuire 4 ou 5 minutes dans l'eau qui mijote, tout en les aspergeant.

3 Dressez chaque œuf sur un demi-muffin et nappez de sauce créole. Donne 3 portions.

Préparation : 5 minutes Cuisson : 15 minutes

Par portion : Calories 316. Gras total 11 g. Gras saturé 3 g. Protéines 18 g. Hydrates de carbone 36 g. Fibres 4 g. Sodium 726 mg. Cholestérol 426 mg.

Crêpes juives

Les crêpes juives traditionnelles sont faites à base de farine matzo, sans levure. Celles-ci, à base de farine ordinaire, contiennent aussi un peu de levure chimique qui les rend beaucoup plus légères.

- **2 gros œufs**
- **½ c. à thé de vanille**
- **½ tasse de fromage Cottage allégé de type crémeux**
- **½ tasse de lait écrémé à 1 p. 100**
- **1 tasse de farine**
- **1 c. à soupe de sucre**
- **¼ c. à thé de levure chimique**
- **¼ c. à thé de cannelle**
- **⅛ c. à thé de sel**
- **2 c. à soupe d'huile**

1 Fouettez les œufs avec la vanille. Incorporez-y le fromage Cottage et le lait. Par ailleurs, mélangez ensemble la farine, le sucre, la levure chimique, la cannelle et le sel. Introduisez les œufs dans les ingrédients secs. Mélangez à peine, le temps que la pâte soit lisse. Couvrez et réfrigérez 30 minutes.

2 Graissez une sauteuse antiadhésive moyenne avec la moitié de l'huile et réchauffez-la à feu modéré. Faites cuire d'abord la moitié des crêpes, à raison de 1 cuillerée à soupe de pâte pour chaque crêpe. Quand apparaissent de petites bulles à la surface, tournez les crêpes et dorez-les sur l'autre face. Gardez au chaud.

3 Répétez l'opération avec le reste de l'huile et de la pâte. Servez les crêpes chaudes avec de la confiture de fraises, du sirop d'érable ou de la crème sure. Donne 4 portions.

Préparation : 10 minutes Réfrigération : 30 minutes
Cuisson : 12 minutes

Par portion : Calories 265. Gras total 11 g. Gras saturé 2 g.
Protéines 11 g. Hydrates de carbone 30 g. Fibres 1 g.
Sodium 251 mg. Cholestérol 112 mg.

Pouding au riz et au fromage

Cette version salée du pouding au riz classique vous fournit un plat idéal pour les petits soupers d'hiver. Servez-le avec des carottes au beurre et des muffins au son.

- **1 c. à soupe de beurre, ou de margarine**
- **2 c. à soupe de farine**
- **¾ c. à thé de marjolaine séchée**
- **¼ c. à thé de sel**
- **¼ c. à thé de poivre noir**
- **1½ tasse de lait écrémé à 1 p. 100**
- **1½ tasse (180 g/6 oz) de cheddar râpé**
- **3 tasses de riz blanc à grains longs déjà cuit**
- **2 gros blancs d'œufs**
- **1 gros œuf**

1 Préchauffez le four à 160 °C (325 °F). Dans une casserole moyenne, faites fondre le beurre à feu modéré. Incorporez au fouet la farine, la marjolaine, le sel et le poivre ; laissez cuire 1 minute. Ajoutez le lait et prolongez la cuisson jusqu'à épaississement en fouettant sans arrêt. Incorporez le cheddar.

2 Dans un bol moyen, mélangez le riz, les blancs d'œufs et l'œuf. Incorporez la sauce au fromage. Graissez un plat à four de 20 × 20 × 5 cm (8 × 8 × 2 po). Versez-y la préparation, enfournez et faites cuire de 30 à 35 minutes. Donne 6 portions.

Préparation : 10 minutes Cuisson : 36 minutes

Par portion : Calories 318. Gras total 13 g. Gras saturé 8 g.
Protéines 14 g. Hydrates de carbone 35 g. Fibres 1 g.
Sodium 345 mg. Cholestérol 73 mg.

POUR VOUS METTRE AU GOÛT DU JOUR

Dans la cuisine actuelle, on tend à réduire la teneur en lipides et en cholestérol. Une bonne façon entre autres d'y parvenir est de remplacer une partie des œufs entiers par du blanc d'œuf.

Œufs à l'écossaise

*Dans la recette originale, les galettes sont cuites en
pleine friture. Pour réduire la teneur en matières grasses, on
préférera les cuire au four. Ces œufs se mangent chauds
ou froids ; ils sont parfaits pour les pique-niques.*

250 g (8 oz) de bœuf haché très maigre

 2 oignons verts moyens, hachés fin

½ c. à thé de romarin séché

⅛ c. à thé de sel

 4 gros œufs durs, débarrassés de leur coquille

⅓ tasse de craquelins réduits en poudre

½ tasse de sauce chili, de ketchup
  ou de sauce spaghetti

1 Mélangez ensemble le bœuf haché, les oignons verts,
le romarin et le sel. Enrobez chaque œuf de cet
appareil. Couvrez et réfrigérez pendant 2 à 4 heures.

2 Préchauffez le four à 200 °C (400 °F). Roulez les
œufs enrobés dans les craquelins pulvérisés et déposez-les dans un plat à four graissé. Enfournez et faites
cuire 30 minutes. Réchauffez la sauce à part. Nappez-en
les œufs. Donne 4 portions.

Préparation : 15 minutes Réfrigération : 2 heures
Cuisson : 30 minutes

Par portion : Calories 243. Gras total 13 g. Gras saturé 4 g.
Protéines 19 g. Hydrates de carbone 13 g. Fibres 1 g.
Sodium 647 mg. Cholestérol 253 mg.

ŒUFS CUITS DUR

Voici comment les réussir à la perfection.

• Déposez les œufs dans une casserole et couvrez-
les d'eau froide. Faites prendre l'ébullition à
feu vif. Baissez le feu et laissez cuire à l'eau
frémissante pendant 15 minutes. Égouttez les
œufs et couvrez-les d'eau froide.

• Quand ils sont assez froids pour être manipulés,
frappez à petits coups chaque œuf sur le comptoir
et roulez-le entre vos mains. Enlevez la coquille
en commençant par le gros bout.

Omelette soufflée

*L'omelette soufflée a connu son heure de gloire ;
assez curieusement, c'est dans les cabanes à sucre
qu'on peut encore la trouver, arrosée de sirop d'érable.
En voici une nouvelle version.*

 5 gros œufs

 2 petites pommes, parées et tranchées

 2 c. à soupe de jus de pomme

 1 c. à soupe de miel

⅛ c. à thé de cannelle
  Pincée de muscade

 2 c. à soupe d'eau

⅛ c. à thé de sel

 1 c. à soupe de beurre, ou de margarine

1 Séparez les œufs ; éliminez un des jaunes d'œufs.
Mettez les blancs dans un grand bol ; les jaunes, dans
un petit.

2 Préchauffez le four à 160 °C (325 °F). Dans une casserole moyenne, déposez les tranches de pomme
avec le jus de pomme, le miel, la cannelle et la muscade.
Quand l'ébullition est prise, laissez mijoter 5 minutes à
petit feu sans couvrir. Couvrez et réservez au chaud.

3 Au batteur électrique, fouettez les blancs jusqu'à ce
qu'ils soient mousseux. Ajoutez l'eau et continuez de
battre jusqu'à formation de pics fermes. Fouettez les
jaunes à la fourchette avec le sel. Incorporez-les aux
blancs.

4 Dans une sauteuse moyenne, faites fondre le beurre
à feu modéré jusqu'à ce qu'il soit assez chaud pour
y faire grésiller une goutte d'eau. Versez les œufs dans
la sauteuse en les faisant légèrement remonter sur les
bords. Laissez cuire à feu doux de 8 à 10 minutes.
Quand les œufs ont coagulé, couvrez la poignée de la
sauteuse de papier aluminium, enfournez et faites cuire
environ 8 à 10 minutes, jusqu'à ce qu'un couteau inséré
au centre de l'omelette en ressorte propre.

5 Entaillez légèrement l'omelette pour marquer deux
moitiés inégales ; repliez la petite moitié sur la
grande et dressez l'omelette dans un plat. Nappez-la de
la préparation aux pommes. Donne 2 portions.

Préparation : 15 minutes Cuisson : 23 minutes

Par portion : Calories 317. Gras total 17 g. Gras saturé 7 g.
Protéines 15 g. Hydrates de carbone 29 g. Fibres 2 g.
Sodium 344 mg. Cholestérol 442 mg.

Omelette soufflée

Omelette forestière

Les maniaques vous diront que, pour réussir une omelette, il faut trouver la bonne poêle et la réserver à ce seul usage. Au bon vieux temps, on se servait d'un ustensile en fonte noire qui avait le mérite de bien répartir la chaleur.

Sauce forestière :
- 1 **c. à soupe de beurre, ou de margarine**
- 1 **tasse de champignons frais, tranchés mince**
- 2 **c. à soupe de farine**
- ½ **c. à thé de poudre d'oignon**
- ½ **c. à thé de sel**
- ⅛ **c. à thé de poivre noir**
- 1 **tasse de lait écrémé à 1 p. 100**

Omelette :
- 3 **gros œufs**
- 2 **gros blancs d'œufs**
- 2 **c. à soupe d'eau**
- ½ **c. à thé d'estragon séché**
- ⅛ **c. à thé de sel**
- 1 **c. à soupe de beurre, ou de margarine**

CUISSON D'UNE OMELETTE

Réchauffez le beurre. Pour vérifier s'il est prêt, jetez-y une goutte d'eau : elle doit grésiller. Versez les œufs dans la sauteuse et continuez ainsi :

1. Quand les œufs commencent à coaguler, soulevez l'omelette avec le coin d'une spatule pour que les œufs non coagulés glissent en dessous. L'omelette doit être prise mais rester encore luisante.

2. Avec la spatule, rabattez une moitié de l'omelette sur l'autre. En inclinant la sauteuse, faites glisser l'omelette sur le côté, puis dans l'assiette.

---

1 Faites d'abord la sauce. Dans une petite casserole, faites cuire les champignons dans 1 c. à soupe de beurre, 3 minutes à feu modéré. Dans un petit bol, mélangez la farine, la poudre d'oignon, ½ c. à thé de sel et le poivre, et ajoutez-les aux champignons ; laissez cuire 1 minute. Incorporez le lait et prolongez la cuisson de 5 minutes, ou jusqu'à épaississement, en remuant sans arrêt. Couvrez et réservez au chaud.

2 Pour l'omelette, fouettez ensemble, dans un bol moyen, les œufs, les blancs d'œufs, l'eau, l'estragon et ⅛ c. à thé de sel. À feu modéré, faites fondre 1 c. à soupe de beurre dans une sauteuse moyenne antiadhésive (voir l'encadré) et étalez-le bien. Versez-y les œufs et laissez-les cuire 4 minutes. Comptez 2 minutes de cuisson à partir du moment où ils ont coagulé (voir l'encadré). Pliez l'omelette en deux et dressez-la dans un plat. Nappez de sauce forestière. Donne 2 portions.

Préparation : 10 minutes Cuisson : 15 minutes

Par portion : Calories 320. Gras total 21 g. Gras saturé 10 g.
Protéines 19 g. Hydrates de carbone 15 g. Fibres 1 g.
Sodium 996 mg. Cholestérol 355 mg.

✳

Omelette forestière au fromage Suivez la recette ci-dessus pour l'omelette, mais supprimez la sauce forestière. Faites plutôt fondre dans une petite casserole **1 c. à soupe de beurre, ou de margarine** à feu assez vif. Jetez-y ½ **tasse de champignons frais tranchés.** Lorsqu'ils sont attendris, étalez-les sur la moitié de l'omelette ; repliez l'autre moitié par-dessus. Garnissez de **2 c. à soupe de cheddar, ou de gruyère, râpé.**

Par portion : Calories 263. Gras total 21 g. Gras saturé 11 g.
Protéines 15 g. Hydrates de carbone 2 g. Fibres 0 g.
Sodium 444 mg. Cholestérol 358 mg.

✳

Omelette sucrée Suivez la recette principale pour l'omelette en supprimant l'estragon, et remplacez la sauce forestière par ce qui suit. Étalez sur la moitié de l'omelette ¼ **tasse de marmelade à l'orange,** ou bien de **confiture de framboises ou de bleuets ;** repliez l'autre moitié par-dessus. Saupoudrez de **sucre glace.**

Par portion : Calories 286. Gras total 13 g. Gras saturé 6 g.
Protéines 13 g. Hydrates de carbone 30 g. Fibres 0 g.
Sodium 364 mg. Cholestérol 335 mg.

Sandwichs dorés au fromage

Les tranches de pain doré se préparent avec du pain un peu rassis trempé dans de l'œuf battu. Pour alléger le plat, on remplace ici un œuf par un blanc d'œuf et on grille le sandwich dans une poêle antiadhésive au lieu de le faire frire au beurre.

Sandwichs :

- 1 c. à soupe de beurre, ou de margarine
- ½ tasse de champignons frais hachés
- ¼ tasse d'oignon haché
- ⅛ c. à thé de poivre noir
- 8 tranches de pain de mie blanc
- 4 tranches de cheddar, ou de gruyère
- 2 tranches de mozzarella allégée, coupées en diagonale

Enrobage :

- 1 gros œuf
- 1 gros blanc d'œuf
- 3 c. à soupe de lait écrémé à 1 p. 100
- Enduit antiadhésif

1 Dans une sauteuse moyenne, à feu modéré, faites cuire dans le beurre les champignons, l'oignon et le poivre. Retirez du feu quand les légumes sont attendris.

2 Pour chaque sandwich, déposez sur une tranche de pain une tranche de cheddar, le quart des champignons et ½ tranche de mozzarella. Recouvrez d'une autre tranche de pain.

3 Par ailleurs, fouettez ensemble l'œuf, le blanc d'œuf et le lait. Trempez les sandwichs des deux côtés dans cet appareil. Essuyez la sauteuse et mettez-y de l'enduit antiadhésif. À feu moyen, faites dorer les sandwichs deux par deux des deux côtés. Donne 4 sandwichs.

Préparation : 10 minutes Cuisson : 13 minutes

Par portion : Calories 428. Gras total 18 g. Gras saturé 9 g. Protéines 20 g. Hydrates de carbone 46 g. Fibres 2 g. Sodium 729 mg. Cholestérol 89 mg.

❋

Sandwichs dorés au fromage à la crème Suivez la même recette, mais remplacez tous les ingrédients des sandwichs par ⅓ **tasse de fromage à la crème écrémé,**

Sandwichs dorés au fromage

¼ **tasse de carotte râpée fin,** ¼ **tasse de noix hachées fin et 8 tranches de pain aux raisins et à la cannelle.** Dans un petit bol, mélangez le fromage à la crème, la carotte et les noix. Étalez cet appareil sur la moitié des tranches de pain et refermez les sandwichs. Trempez-les dans l'enrobage aux œufs et faites cuire comme à l'étape 3.

Par portion : Calories 250. Gras total 8 g. Gras saturé 1 g. Protéines 13 g. Hydrates de carbone 30 g. Fibres 3 g. Sodium 458 mg. Cholestérol 60 mg.

ŒUFS DE PÂQUES

La décoration des œufs de Pâques est une vieille tradition encore pratiquée dans certains pays d'Europe de l'Est. On utilise en règle générale des teintures naturelles obtenues avec des fruits ou des légumes. Voici quelques conseils que vous pouvez mettre à l'essai sans attendre que le Carême soit terminé.

CUISSON DES ŒUFS

1. Commencez par plonger les œufs dans du détersif dilué dans de l'eau.

2. Brossez-les avec une brosse douce pour les débarrasser de leur huile : les teintures prendront mieux. Rincez-les.

3. Déposez les œufs dans une casserole en acier inoxydable, en fonte émaillée ou en verre (l'aluminium empêcherait la teinture d'adhérer aux œufs). Versez de l'eau froide pour les recouvrir de 2,5 cm (1 po). Quand l'ébullition est prise, baissez le feu pour que l'eau frissonne et laissez-les cuire 15 minutes.

4. Égouttez les œufs et mettez-les dans l'eau froide jusqu'à ce qu'ils soient tièdes. Gardez-les au réfrigérateur jusqu'au moment de vous en servir.

TEINTURES NATURELLES

Les fruits, les légumes, les épices, les fines herbes et les graines donnent une jolie palette de teintes naturelles avec lesquelles on décore les œufs de Pâques. La teinte est plus ou moins riche selon le degré de concentration du bain, la durée d'immersion des œufs et la porosité de la coquille.

Voici des couleurs que vous pouvez obtenir avec des produits naturels. Si vous vous proposez de manger les œufs, vous devez prendre des matières colorantes non chimiques et exemptes de pesticides.

• **Roses et rouges** Avec 2 tasses de canneberges, de betteraves tranchées ou de framboises rouges, vous obtenez toute une gamme de rouges pastel.

• **Orange** Pour obtenir toute une gamme d'orangés, utilisez les pelures de quatre gros oignons jaunes.

• **Jaunes** Avec 2 c. à thé de cumin, vous composez des jaunes doux, tandis que la même quantité de curcuma donne des jaunes plus appuyés.

• **Bleus** Avec 4 tasses de chou rouge, vous obtiendrez des bleus sarcelle plus ou moins appuyés, tandis que 2 tasses de jus de bleuet en conserve vous donneront des teintes plus ou moins foncées de bleu franc.

CONFECTION DES ŒUFS DE PÂQUES

1 Pour confectionner les bains, lavez ou rincez les fruits et les légumes. (Sautez les étapes 1 et 2 si vous utilisez du jus en conserve.) Placez-les dans une casserole en acier inoxydable, en fonte émaillée ou en verre (l'aluminium empêcherait la teinture d'adhérer aux œufs). Ajoutez **2 tasses d'eau froide** et amenez l'ébullition. Couvrez, baissez le feu et faites mijoter 5 minutes. Laissez tiédir le bain.

2 Filtez l'infusion à travers une passoire. Jetez les matières végétales. Gardez le bain de teinture au réfrigérateur dans un bocal bien fermé et étiqueté jusqu'au moment de vous en servir. (Cette opération peut se faire jusqu'à deux semaines avant l'utilisation.)

3 Déposez le bain dans une petite casserole en acier inoxydable, en fonte émaillée ou en verre (l'aluminium empêcherait la teinture d'adhérer

aux œufs). Amenez l'ébullition à feu modéré. Hors du feu, ajoutez **1 c. à soupe de vinaigre blanc.** Immergez de 2 à 4 œufs dans le bain chaud ; laissez-les dedans jusqu'à obtention de la nuance

désirée. (Les teintures naturelles se fixent plus lentement que les teintures commerciales. Le procédé peut prendre de quelques minutes à plusieurs heures.)

4 Quand ils ont été teints à votre satisfaction, séchez les œufs et badigeonnez-les **d'huile à salade.** Ils se garderont 10 jours au réfrigérateur.

Vol-au-vent mimosa

Vol-au-vent mimosa

C'est en faisant passer du jaune d'œuf au travers d'une fine passoire qu'on obtient cet effet mimosa, si décoratif.
Vous trouverez des vol-au-vent tout prêts au rayon de la pâtisserie.

6 œufs durs

1¼ tasse de lait écrémé à 1 p. 100

2 c. à soupe de farine

1 c. à thé de marjolaine séchée

¼ c. à thé de sel

¼ c. à thé de poivre noir

4 vol-au-vent

1 Coupez les œufs durs en deux ; éliminez quatre jaunes. Hachez grossièrement un des deux autres jaunes et tous les blancs. Réservez le dernier jaune.

2 Dans une petite casserole, fouettez le lait avec la farine, la marjolaine, le sel et le poivre. Faites cuire à feu modéré en fouettant sans arrêt. Sans cesser de fouetter, prolongez la cuisson de 2 minutes quand l'appareil a commencé à épaissir. Incorporez les œufs hachés.

3 Déposez la sauce dans les vol-au-vent. Passez le jaune réservé à travers une passoire fine pour en décorer la surface. Donne 4 portions.

Préparation : 10 minutes Cuisson : 8 minutes

Par portion : Calories 325. Gras total 19 g. Gras saturé 4 g.
Protéines 13 g. Hydrates de carbone 26 g. Fibres 1 g.
Sodium 410 mg. Cholestérol 109 mg.

Œufs en salade

Les salades aux œufs ont connu une grande popularité vers 1930-1940, tout comme les œufs en sauce Béchamel, relevés d'oignon, à l'anglaise : des mets qu'on servait de préférence le vendredi, jour où l'on était tenu de faire maigre, c'est-à-dire de ne pas manger de viande.

7 œufs durs

2 c. à soupe d'oignon haché fin

2 c. à soupe de céleri haché fin

1 c. à soupe de piments rôtis hachés fin

¼ tasse de mayonnaise allégée

1 c. à soupe de vinaigrette allégée

¼ c. à thé de graines de céleri (facultatif)

¼ c. à thé de sel

⅛ c. à thé de poivre noir

1 Coupez les œufs durs en deux. Éliminez quatre jaunes. Hachez les blancs et les œufs complets. Dans un grand bol, mélangez les œufs hachés, l'oignon, le céleri et le piment rôti.

2 Par ailleurs, mélangez la mayonnaise avec la vinaigrette, les graines de céleri, s'il y a lieu, le sel et le poivre. Incorporez cet appareil dans les œufs. Dressez la salade sur des feuilles de laitue ou étalez-la sur du pain. Donne 2 portions ou 4 sandwichs.

Préparation : 15 minutes

Par portion : Calories 240. Gras total 15 g. Gras saturé 4 g. Protéines 17 g. Hydrates de carbone 10 g. Fibres 1 g. Sodium 798 mg. Cholestérol 326 mg.

Œufs farcis à la diable

Ce plat très simple est toujours apprécié, aussi bien dans un buffet froid ou chaud que comme plat d'entrée.

12 œufs durs

½ tasse de mayonnaise allégée

1 c. à thé de sauce Worcestershire hyposodique

1 c. à thé de vinaigre à l'estragon

½ c. à thé de moutarde sèche

¼ c. à thé de sel

⅛ c. à thé de poivre noir

2 c. à soupe de persil haché

1 Coupez les œufs durs en deux. Retirez les jaunes. Réservez les blancs.

2 Dans un grand bol, écrasez finement les jaunes à la fourchette. Incorporez la mayonnaise, la sauce Worcestershire, le vinaigre, la moutarde, le sel et le poivre.

3 Dressez cet appareil dans les blancs avec une cuiller ou une poche à douille (ci-dessous). Décorez de persil. Couvrez et réfrigérez pendant 1 à 6 heures. Donne 24 pièces.

Préparation : 20 minutes   Réfrigération : 1 heure

Par portion : Calories 52. Gras total 4 g. Gras saturé 1 g. Protéines 3 g. Hydrates de carbone 1 g. Fibres 0 g. Sodium 80 mg. Cholestérol 107 mg.

Œufs farcis Mille-Îles   Suivez la même recette, mais remplacez la sauce Worcestershire et le vinaigre à l'estragon par **½ tasse de vinaigrette des Mille-Îles allégée** que vous ajoutez à la mayonnaise.

Par portion : Calories 47. Gras total 3 g. Gras saturé 1 g. Protéines 3 g. Hydrates de carbone 1 g. Fibres 0 g. Sodium 104 mg. Cholestérol 107 mg.

POUR GARNIR DES ŒUFS DURS

Garniture simple. Remplissez une cuillerée à thé bombée de jaunes d'œufs écrasés, arrondissez avec une autre cuiller à thé et faites glisser dans un blanc.

Garniture raffinée. Mettez tout l'appareil à base de jaunes d'œufs dans une poche à pâtisserie munie d'une grande douille en étoile et remplissez les blancs.

Strata aux asperges et au fromage

La strata, sorte de pouding au pain salé, est un plat des États-Unis qui date de la Dépression. Son nom permet de supposer que des nouveaux arrivants italiens imaginèrent ce plat à la fois économique et nourrissant.

- 1 paquet (300 g/10 oz) d'asperges surgelées
- 8 tranches de pain de mie un peu rassis, écroûtées
- 1½ tasse (180 g/6 oz) de muenster râpé, ou de mozzarella allégée
- 1½ tasse de lait écrémé à 1 p. 100
- 3 gros œufs
- 2 gros blancs d'œufs
- 1 c. à thé d'aneth séché
- ½ c. à thé de moutarde sèche
- ¼ c. à thé de sel
- ¼ c. à thé de poivre

1 Faites cuire les asperges selon les directives du paquet. Égouttez-les. Découpez le pain en carrés de 5 cm (2 po). Mettez-en la moitié dans le fond d'un moule à four rectangulaire. Étalez par-dessus la moitié du fromage, les asperges, puis le reste du fromage. Couvrez avec le reste du pain.

2 Par ailleurs, fouettez ensemble le lait, les œufs, les blancs d'œufs, l'aneth, la moutarde, le sel et le poivre. Versez cet appareil dans le moule. Couvrez et réfrigérez pendant 2 à 24 heures.

3 Préchauffez le four à 160 °C (325 °F). Découvrez le plat, enfournez-le et faites cuire de 45 à 50 minutes, jusqu'à ce qu'un couteau inséré au centre ressorte propre. Laissez reposer 10 minutes avant de servir. Donne 6 portions.

Préparation : 20 minutes Réfrigération : 2 heures
Cuisson : 50 minutes Repos : 10 minutes

Par portion : Calories 270. Gras total 14 g. Gras saturé 7 g.
Protéines 17 g. Hydrates de carbone 21 g. Fibres 2 g.
Sodium 455 mg. Cholestérol 136 mg.

Œufs au brocoli Suivez la même recette, mais remplacez les asperges par **1 tasse de brocoli surgelé** et le muenster par **1½ tasse de gouda râpé**.

Par portion : Calories 262. Gras total 13 g. Gras saturé 6 g.
Protéines 17 g. Hydrates de carbone 21 g. Fibres 2 g.
Sodium 513 mg. Cholestérol 141 mg.

Omelette aux poivrons

Cette recette serait originaire de Sicile où elle a pu être apportée par les Espagnols qui dominèrent l'île pendant quelques siècles. La présence de poivrons le laisse soupçonner.

- 1 c. à soupe d'huile d'olive
- 2 gros poivrons verts, détaillés en fines lanières
- 1 gousse d'ail, hachée
- 4 gros œufs
- 4 gros blancs d'œufs
- 2 c. à soupe de lait écrémé à 1 p. 100
- 2 c. à soupe de basilic frais, haché, ou 2 c. à thé de basilic séché
- ½ c. à thé de sel
- ¼ c. à thé de poivre noir

1 Dans une sauteuse antiadhésive de 25 cm (10 po), réchauffez l'huile d'olive à feu assez vif et faites-y cuire les poivrons verts et l'ail.

2 Par ailleurs, fouettez ensemble les œufs, les blancs d'œufs, le lait, le basilic, le sel et le poivre. Versez cet appareil sur les poivrons et laissez cuire 4 minutes en remuant à la cuiller de bois. Servez avec des tomates tranchées. Donne 4 portions.

Préparation : 10 minutes Cuisson : 10 minutes

Par portion : Calories 136. Gras total 9 g. Gras saturé 2 g.
Protéines 10 g. Hydrates de carbone 4 g. Fibres 1 g.
Sodium 389 mg. Cholestérol 213 mg.

Œufs brouillés au fromage Cottage Suivez la même recette, en supprimant les poivrons verts et l'ail. Incorporez aux œufs **½ tasse de fromage Cottage en grains** et **4 oignons verts moyens, hachés fin**. Réchauffez l'huile à feu assez vif et faites-y cuire les œufs comme à l'étape 2.

Par portion : Calories 142. Gras total 9 g. Gras saturé 2 g.
Protéines 13 g. Hydrates de carbone 2 g. Fibres 0 g.
Sodium 392 mg. Cholestérol 215 mg.

Quiche lorraine

Quiche lorraine

La mode de la quiche lorraine s'est répandue en Amérique du Nord après la Seconde Guerre mondiale et n'a jamais décliné depuis lors. On en a tiré depuis une foule de variantes ; celle-ci est une adaptation de la recette classique.

1 abaisse de pâte achetée ou maison (p. 337)

1½ tasse (180 g/6 oz) de gruyère râpé, ou de mozzarella allégée

½ tasse de jambon hyposodique haché fin

2 c. à soupe de farine

1½ tasse de lait écrémé à 1 p. 100

2 gros œufs

2 gros blancs d'œufs

½ c. à thé de fines herbes séchées, ou de basilic

⅛ c. à thé de poivre noir

1 Préchauffez le four à 200 °C (400 °F). Installez l'abaisse dans un moule à tarte ou à quiche ; festonnez le bord. Posez du papier d'aluminium et des haricots secs par-dessus. Faites cuire 15 minutes. Laissez refroidir la croûte 5 minutes sur une grille ; ôtez les haricots et le papier (les haricots peuvent resservir).

2 Mélangez le fromage, le jambon et la farine et mettez-les dans la croûte.

3 Fouettez ensemble le lait, les œufs, les blancs d'œufs, les fines herbes et le poivre. Versez cet appareil sur le jambon. Couvrez le tour de la quiche de papier d'aluminium, enfournez et faites d'abord cuire 20 minutes. Retirez le papier d'aluminium et prolongez la cuisson de 15 minutes. Donne 6 portions.

Préparation : 15 minutes Cuisson : 50 minutes

Par portion : Calories 320. Gras total 18 g. Gras saturé 7 g. Protéines 18 g. Hydrates de carbone 21 g. Fibres 1 g. Sodium 559 mg. Cholestérol 95 mg.

Soufflé aux deux fromages

Soufflé aux deux fromages

Le soufflé est composé de blancs d'œufs battus en neige et d'un appareil en crème ou en purée additionné de jaunes d'œufs. Au four, les jaunes se coagulent et emprisonnent les bulles d'air des blancs battus. C'est ainsi que le soufflé est divinement léger.

 5 **gros œufs**
 ¾ **tasse de lait écrémé à 1 p. 100**
 2 **c. à soupe de farine**
 ¼ **c. à thé de sel**
    Quelques traits de sauce Tabasco
 ⅓ **tasse d'emmenthal râpé**
 ⅓ **tasse de gruyère râpé**

1 Séparez les œufs. Éliminez deux des jaunes. Placez les blancs dans un bol moyen et les jaunes qui restent, dans un petit bol.

2 Préchauffez le four à 160 °C (325 °F). Rehaussez la paroi d'un moule à soufflé avec du papier d'aluminium (voir l'encadré, p. 103). Graissez légèrement le moule et le papier. Dans une petite casserole, fouettez ensemble le lait, la farine, le sel et le Tabasco. Faites cuire à feu modéré en remuant constamment. Quand la sauce commence à épaissir, prolongez la cuisson de 2 minutes. Ajoutez alors les deux fromages et remuez pour les faire fondre. Retirez du feu.

3 Battez les jaunes d'œufs. Ajoutez-leur un peu de sauce, puis versez-les lentement dans la sauce tout en fouettant.

4 Fouettez les blancs d'œufs au batteur électrique, à grande vitesse, jusqu'à formation de pics souples. Mélangez le quart des blancs d'œufs avec l'appareil précédent ; incorporez le reste en soulevant délicatement. Versez la préparation dans un moule ; incisez la surface (ci-dessous). Faites cuire le soufflé 45 minutes au four, jusqu'à ce qu'il soit gonflé et doré. Donne 4 portions.

Préparation : 20 minutes Cuisson : 52 minutes

Par portion : Calories 164. Gras total 10 g. Gras saturé 5 g. Protéines 13 g. Hydrates de carbone 6 g. Fibres 0 g. Sodium 496 mg. Cholestérol 178 mg.

✳

Soufflé au cheddar et aux chilis Suivez la même recette, mais remplacez le gruyère et l'emmenthal par ³/₄ **tasse de cheddar fort râpé** et ¹/₂ **tasse de piments chilis verts, hachés,** que vous ajouterez à la sauce avant d'y incorporer les blancs en neige.

Par portion : Calories 190. Gras total 11 g. Gras saturé 6 g. Protéines 14 g. Hydrates de carbone 8 g. Fibres 1 g. Sodium 696 mg. Cholestérol 184 mg.

POUR RÉUSSIR UN SOUFFLÉ

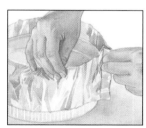 

Rehaussez le moule, avec un col en papier d'aluminium : découpez un morceau de papier assez grand pour faire le tour du moule. Pliez-le en trois sur la longueur ; fixez-le en place avec du ruban-cache. Il doit ajouter 5 cm (2 po) à la hauteur du moule.

Avant de mettre le soufflé au four, entaillez-le sur 2,5 cm (1 po) de profondeur, avec une petite spatule de métal pour former un cercle à 2,5 cm (1 po) de la paroi. Sous l'effet de la cuisson, le soufflé se dotera d'une jolie calotte.

Omelette aux artichauts

1   **bocal de cœurs d'artichauts marinés**
1   **oignon moyen, haché**
3   **gros œufs**
2   **gros blancs d'œufs**
1¹/₂   **tasse (180 g/6 oz) de cheddar fort râpé**
¹/₂   **tasse de craquelins hyposodiques écrasés**
¹/₈   **c. à thé de poivre noir**

1 Préchauffez le four à 180 °C (350 °F). Égouttez les cœurs d'artichauts en réservant 1 c. à soupe de marinade. Hachez-les. Dans une casserole moyenne, réchauffez la marinade réservée à feu modéré et faites-y cuire l'oignon.

2 Par ailleurs, fouettez ensemble les œufs et les blancs d'œufs. Ajoutez les artichauts, les oignons cuits, le fromage, les craquelins et le poivre. Versez la préparation dans un moule à four graissé. Enfournez et laissez cuire 35 minutes. Servez avec une salade verte. Donne 4 portions.

Préparation : 20 minutes Cuisson : 40 minutes

Par portion : Calories 363. Gras total 24 g. Gras saturé 11 g. Protéines 20 g. Hydrates de carbone 19 g. Fibres 3 g. Sodium 693 mg. Cholestérol 204 mg.

Fondue soufflée

Voici une variante du soufflé classique au fromage.
Le gruyère ou l'emmenthal ont été remplacés par du cheddar.
L'appareil gonfle moins que le soufflé classique ou même que l'omelette soufflée, mais il donne un plat d'une belle texture.

3   **gros blancs d'œufs**
1¹/₄   **tasse de lait écrémé à 1 p. 100**
1   **tasse de mie de pain frais émiettée (2 tranches)**
¹/₃   **tasse de cheddar râpé**
2   **gros jaunes d'œufs**
1   **c. à soupe de beurre fondu, ou de margarine**
¹/₂   **c. à thé de thym séché**
¹/₄   **c. à thé de sel**
¹/₄   **c. à thé de poivre noir**

1 Préchauffez le four à 160 °C (325 °F). Fouettez les blancs d'œufs en neige ferme au batteur électrique réglé à grande vitesse.

2 Par ailleurs, fouettez le lait avec la mie de pain émiettée, le cheddar, les jaunes d'œufs, le beurre fondu, le thym, le sel et le poivre. Incorporez les blancs dans cet appareil. Versez dans un moule rond, graissé, de 20 cm (8 po) de diamètre.

3 Déposez les ramequins dans une lèchefrite et versez-y 2,5 cm (1 po) d'eau bouillante. Enfournez et faites cuire de 30 à 35 minutes. Accompagnez de brocoli. Donne 3 portions en plat principal.

Préparation : 20 minutes Cuisson : 30 minutes

Par portion : Calories 223. Gras total 13 g. Gras saturé 7 g. Protéines 13 g. Hydrates de carbone 14 g. Fibres 0 g. Sodium 478 mg. Cholestérol 169 mg.

Croquettes de maïs

Croquettes de maïs

*Dorées et croustillantes à l'extérieur, souples et crémeuses à l'intérieur,
les croquettes ne perdent rien de leur popularité avec les années.*

  6 gros œufs durs

  **1 tasse de maïs hyposodique en boîte,
      style crémeux**

 ⅓ tasse de farine

 ½ c. à thé de poudre d'oignon

 ¼ c. à thé de sel

 ¼ c. à thé de poivre noir

 ¼ tasse de lait écrémé à 1 p. 100

  2 c. à soupe de persil haché

  1 tasse de chapelure fine assaisonnée

  2 gros œufs, légèrement battus

  2 c. à soupe d'huile

1 Coupez les œufs durs en deux. Éliminez trois jaunes. Hachez fin les jaunes qui restent et tous les blancs. Réservez. Dans une petite casserole, réunissez le maïs, la farine, la poudre d'oignon, le sel et le poivre. Incorporez le lait. Faites cuire 5 minutes en remuant constamment. Versez cet appareil dans un grand bol.

2 Incorporez les œufs hachés et le persil. Couvrez et réfrigérez pendant 1 à 24 heures.

3 Préchauffez le four à 150 °C (300 °F). Dans deux assiettes creuses, étalez respectivement la chapelure et les œufs battus. Déposez ¼ tasse de la préparation au maïs sur la chapelure et formez une croquette de 1,5 cm (½ po) d'épaisseur. Enrobez-la de chapelure. Tournez-la dans les œufs battus et de nouveau dans la chapelure. Préparez ainsi huit croquettes.

4 Dans une sauteuse antiadhésive, réchauffez 1 c. à soupe d'huile à feu assez vif. Faites-y cuire la moitié des croquettes 8 minutes en les tournant fréquemment. Enfournez-les pendant que vous faites cuire les quatre autres. Donne 4 portions.

Préparation : 20 minutes Réfrigération : 1 heure
Cuisson : 22 minutes

Par portion : Calories 365. Gras total 15 g. Gras saturé 3 g.
Protéines 17 g. Hydrates de carbone 41 g. Fibres 4 g.
Sodium 1 097 mg. Cholestérol 267 mg.

Chilis farcis

En cuisine tex-mex, les chilis farcis sont frits dans l'huile. Cuits au four, comme ici, ils sont meilleurs pour la santé et non moins bons au goût.

- 4 piments poblano ou anaheim, coupés en deux sur la longueur, ou 2 poivrons verts, en quartiers
- 120 g (4 oz) de fromage (monterey jack ou cheddar)
- 3 gros œufs
- 2 gros blancs d'œufs
- ½ tasse de lait écrémé à 1 p. 100
- ½ tasse de farine
- ½ c. à thé de coriandre séchée, ou de persil
- ½ c. à thé de levure chimique
- ⅛ c. à thé de sel
- ⅛ c. à thé de cayenne
- ⅓ tasse du même fromage, râpé grossièrement
- ½ tasse de sauce piquante

1 Préchauffez le four à 230 °C (450 °F). Débarrassez les piments des queues, de la semence et des côtes blanches. Remplissez une casserole moyenne d'eau et portez-la à ébullition. Faites-y cuire les piments 3 minutes, sans couvrir. Égouttez-les et déposez-les à l'envers sur du papier de cuisine. Détaillez le fromage en petits morceaux susceptibles d'entrer dans les piments. Disposez les piments dans un plat à four graissé.

2 Par ailleurs, fouettez ensemble les œufs, les blancs d'œufs et le lait. Au fouet, incorporez la farine, la coriandre, la levure chimique, le sel et le cayenne. Versez cet appareil sur les piments.

3 Enfournez et faites cuire 15 minutes : la pâte sera gonflée et dorée. Répartissez le fromage râpé sur les piments et servez-les en présentant la sauce piquante à côté. Donne 4 portions.

Préparation : 25 minutes Cuisson : 25 minutes

Par portion : Calories 306. Gras total 16 g. Gras saturé 9 g. Protéines 20 g. Hydrates de carbone 21 g. Fibres 2 g. Sodium 583 mg. Cholestérol 195 mg.

Gratin de semoule

Pour conserver le maïs, les Amérindiens le « lessivaient » à la cendre de bois, tradition qu'on a conservée dans le sud des États-Unis. Si le maïs lessivé reste en grains, on l'appelle hominy. S'il est réduit en poudre, il prend le nom de grits. Ceux-ci sont donc une forme de semoule, comme la polenta.

- 3 tasses de bouillon de poulet hyposodique (p. 67)
- 1 oignon moyen, haché
- 1 gousse d'ail, hachée
- ⅛ c. à thé de sauce Tabasco
- ¾ tasse de grits, ou de semoule de maïs à cuisson rapide
- ½ tasse (60 g/2 oz) de monterey jack râpé
- ½ tasse (60 g/2 oz) de cheddar fort râpé
- ¼ tasse de parmesan râpé
- 1 gros œuf
- 2 gros blancs d'œufs

1 Préchauffez le four à 180 °C (350 °F). Dans une grande casserole, mélangez le bouillon de poulet, l'oignon, l'ail et le tabasco. Quand l'ébullition est prise, ajoutez les grits lentement en remuant. Laissez mijoter 5 à 7 minutes à feu doux sans couvrir ; remuez souvent pour empêcher la semoule d'attacher. Hors du feu, ajoutez le monterey jack, le cheddar et la moitié du parmesan ; remuez pour qu'ils fondent. Laissez tiédir.

2 Au batteur électrique, fouettez à grande vitesse l'œuf et les blancs d'œufs 3 minutes pour qu'ils épaississent. Versez la moitié des œufs battus dans les grits. Incorporez ceux-ci dans le reste des œufs battus.

3 Mettez la préparation dans un plat à gratin graissé. Éparpillez le reste du parmesan en surface. Couvrez, enfournez et faites cuire d'abord 20 minutes. Découvrez et prolongez la cuisson de 20 minutes pour que le gratin soit gonflé et doré. Servez avec du rosbif, du porc ou du poulet rôti. Donne 6 portions.

Préparation : 15 minutes Cuisson : 50 minutes

Par portion : Calories 194. Gras total 8 g. Gras saturé 5 g. Protéines 10 g. Hydrates de carbone 19 g. Fibres 0 g. Sodium 293 mg. Cholestérol 56 mg.

Rinktum tiddy

*Le Rinktum tiddy est une variante
de la fondue galloise dans laquelle
il entre de la tomate.*

2 **tasses de lait écrémé à 1 p. 100**

¼ **tasse de farine**

½ **c. à thé de moutarde sèche**

⅛ **c. à thé de poivre**

2 **tasses (250 g/8 oz) de cheddar fort râpé**

1 **petite tomate, pelée, épépinée et hachée fin**

8 **toasts de pain complet, coupés en deux en diagonale**

1 Dans une casserole moyenne, fouettez ensemble le lait, la farine, la moutarde et le poivre. Faites-les cuire à feu modéré en remuant constamment. Quand le mélange a épaissi, prolongez la cuisson de 2 minutes, sans cesser de fouetter. Incorporez le cheddar. Laissez-le fondre, puis ajoutez la tomate. Servez sur des toasts. Donne 4 portions.

Préparation : 10 minutes Cuisson : 10 minutes

Par portion : Calories 460. Gras total 22 g. Gras saturé 13 g.
Protéines 24 g. Hydrates de carbone 44 g. Fibres 4 g.
Sodium 1 218 mg. Cholestérol 58 mg.

Œufs en sauce cari

6 **gros œufs durs**

1¼ **tasse de lait écrémé à 1 p. 100**

2 **c. à soupe de farine**

2 **c. à thé de poudre de cari**

¼ **c. à thé de sel**

⅛ **c. à thé de poivre noir**

½ **tasse de crème sure allégée**

1 Coupez les œufs durs en quatre sur la longueur. Éliminez les jaunes de deux œufs. Dans une casserole moyenne, fouettez le lait avec la farine, la poudre de cari, le sel et le poivre. Laissez cuire à feu modéré en fouettant sans arrêt. Quand la sauce a épaissi, prolongez la cuisson de 2 minutes, sans cesser de fouetter. Ajoutez la crème sure en fouettant. Incorporez délicatement les œufs. Réchauffez sans laisser bouillir. Dressez cet apprêt sur du riz cuit agrémenté de raisins secs, d'arachides et de noix de coco. Donne 4 portions.

Préparation : 10 minutes Cuisson : 10 minutes

Par portion : Calories 176. Gras total 10 g. Gras saturé 4 g.
Protéines 12 g. Hydrates de carbone 9 g. Fibres 0 g.
Sodium 299 mg. Cholestérol 227 mg.

Timbales calico au fromage

*Le goût piquant de la tomate relève ces petits flans à
l'ancienne. Accompagnez les timbales de bouquets
de brocoli ou de pointes d'asperges.*

1 **tasse (125 g/4 oz) de monterey jack râpé**

½ **tasse de carotte râpée**

2 **c. à soupe de parmesan râpé**

2 **c. à soupe de farine**

1 **tasse de lait écrémé à 1 p. 100**

2 **gros blancs d'œufs**

1 **gros œuf**

½ **c. à thé de sarriette séchée, ou de basilic**

⅛ **c. à thé de poivre noir**

Sauce tomate éclair (recette ci-dessous)

1 Préchauffez le four à 160 °C (325 °F). Dans un bol moyen, réunissez le monterey jack, la carotte, le parmesan et la farine.

2 Par ailleurs, fouettez le lait avec les blancs d'œufs, l'œuf, la sarriette et le poivre ; incorporez les ingrédients secs. Versez l'appareil dans quatre ramequins.

3 Déposez les ramequins dans une lèchefrite et versez alentour 2,5 cm (1 po) d'eau bouillante. Enfournez et faites cuire de 35 à 40 minutes. Démoulez les ramequins dans des assiettes et nappez-les de sauce tomate éclair. Donne 2 portions.

Préparation : 20 minutes Cuisson : 35 minutes

Par portion : Calories 419. Gras total 23 g. Gras saturé 14 g.
Protéines 29 g. Hydrates de carbone 25 g. Fibres 3 g.
Sodium 597 mg. Cholestérol 167 mg.

Sauce tomate éclair

Au robot ou au mélangeur, travaillez ensemble **1 tasse de tomates hyposodiques en conserve, ¼ c. à thé de sarriette séchée, ou de basilic, et ¼ c. à thé de poudre d'oignon.** Versez le tout dans une petite casserole et réchauffez cette sauce à feu modéré. Donne 1 tasse.

Pour ½ tasse : Calories 34. Gras total 0 g. Gras saturé 0 g.
Protéines 1 g. Hydrates de carbone 9 g. Fibres 2 g.
Sodium 20 mg. Cholestérol 0 mg.

Petites gâteries

Œil coquin

Laissez les enfants découper les trous.

- **2 tranches de pain de mie blanc**
- **2 c. à thé de beurre ramolli, ou de margarine**
- **2 gros œufs**
- **1 tranche de bacon maigre cuite, hachée**

1. Avec un emporte-pièce de 5 cm (2 po), évidez le centre des tranches de pain. (Servez-vous-en pour faire ensuite de la chapelure.) Beurrez le pain des deux côtés. À feu moyen, faites-le griller d'un côté dans une sauteuse.

2. Quand il est doré, tournez-le, cassez un œuf dans le trou, saupoudrez-le de bacon, couvrez et faites cuire 5 ou 6 minutes à petit feu. Donne 2 portions.

Face à fromage

Les enfants raffoleront de ces tartines amusantes.

- **4 tranches de pain de mie blanc**
- **4 tranches de cheddar**
  Garnitures (carotte, courgette, poivron vert, noix, graines de sésame, raisins secs), tranchées ou râpées, s'il y a lieu.

1. Allumez le gril. Déposez une tranche de cheddar sur chaque tranche de pain. Avec les ingrédients suggérés, composez des visages amusants. Faites griller les tartines à 7 ou 10 cm (3 ou 4 po) de l'élément pendant 2 à 3 minutes pour que le fromage fonde. Donne 4 portions.

Œufs aux nids

Ce régal ravira les enfants, même les plus capricieux.

- **1½ tasse de purée de pommes de terre chaude**
- **¼ tasse de trempette à la crème sure et à l'oignon**
- **1 c. à soupe de persil haché**
- **4 gros œufs**
- **¼ tasse (30 g/1 oz) de cheddar allégé râpé**

1. Préchauffez le four à 220 °C (425 °F). Mélangez la purée de pommes de terre avec la crème sure et le persil. Dressez cet appareil dans quatre gros ramequins graissés. Tassez-le avec une cuiller de manière à former un nid.

2. Cassez un œuf dans ce nid. Déposez les ramequins sur une plaque, enfournez et faites cuire 15 minutes. Saupoudrez de cheddar et laissez reposer 2 minutes, le temps qu'il fonde. Donne 4 portions.

Gaminades au fromage

Garnies de fromage et d'ingrédients divers, elles sont idéales pour le lunch.

- **½ tasse (60 g/2 oz) de mozzarella allégée râpée, ou de monterey jack**
- **2 tortillas de blé**
  Garnitures (olives, tomate, oignon vert, poivron vert), tranchées ou hachées

1. Éparpillez la moitié de la mozzarella sur la moitié d'une tortilla. Ajoutez l'une ou l'autre des garnitures suggérées. Rabattez par-dessus la demi-tortilla non garnie. Appuyez pour sceller.

2. Réchauffez une sauteuse à feu moyen. Faites dorer la tortilla 3 minutes pour que le fromage fonde. Tournez une fois. Répétez ces opérations avec la deuxième tortilla. Découpez chaque tortilla en trois triangles. Donne 2 portions.

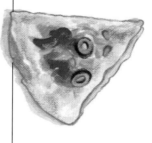

SARABANDE DE VIANDES

Autrefois, les repas de fête s'élaboraient
autour d'une pièce de viande rôtie
ou d'une belle volaille, juteuse
et dorée. On était économe ;
chaque famille possédait un arsenal
de recettes pour utiliser les dessertes et
personne ne s'en plaignait. Il y avait
même des gourmands pour préférer
le « rôti du lundi » à celui du dimanche.
On savait apprêter les pièces de viande
moins luxueuses, c'est-à-dire moins
tendres, mais plus savoureuses et plus
maigres. Bonne nouvelle : on revient
peu à peu à cette cuisine saine
aux saveurs franches… et les pages
qui suivent reprennent plusieurs
de ces anciennes recettes.

Gigot d'agneau à la menthe (page 150)
Osso bucco en sauce tomate (page 133)
Flanc de bœuf farci (page 116)

Rosbif au pouding du Yorkshire

*Plus proche parent, à l'origine, de la crêpe que du pouding,
cet accompagnement du rosbif est classique en Angleterre.
Présenté ici en ramequins, il mérite mieux son nom
de pouding. Essayez-le : c'est une heureuse dérogation
au service habituel du rosbif.*

1   **rosbif de 1,5 kg (3 lb) dans le faux-filet**
⅛   **c. à thé de sel**
⅛   **c. à thé de poivre**

Pouding du Yorkshire :

2   **gros œufs, légèrement battus**
2   **gros blancs d'œufs, légèrement battus**
1½   **tasse de lait écrémé à 1 p. 100**
1½   **tasse de farine**
¼   **c. à thé de sel**
¼   **c. à thé de thym séché**

Sauce forestière :

1½   **tasse de bouillon de bœuf hyposodique (p. 67)**
½   **tasse de porto, ou de bouillon de bœuf hyposodique (p. 67)**
1½   **tasse de champignons frais tranchés**
¼   **tasse d'échalotes hachées, ou 2 gros oignons verts, tranchés mince**
½   **c. à thé de thym séché**
⅛   **c. à thé de sel**
⅛   **c. à thé de poivre noir**
2   **c. à soupe de farine**
2   **c. à soupe de beurre ramolli, ou de margarine**

1 Préchauffez le four à 180 °C (350 °F). Saupoudrez le bœuf de sel et de poivre. Déposez-le sur la grille d'une lèchefrite et insérez un thermomètre à viande au centre. Enfournez et faites cuire de 40 à 60 minutes (température interne : 60 °C/140 °F) si vous l'aimez saignant, 55 minutes (70 °C/155 °F) pour l'avoir à point.

2 Retirez le rosbif et couvrez-le de papier d'aluminium. Mesurez le fond de cuisson : vous devriez en avoir 2 c. à soupe ; au besoin ajoutez de l'huile. Portez le four à 200 °C (400 °F).

3 Graissez huit ramequins et déposez-les dans un plat à four. Fouettez ensemble les œufs, les blancs d'œufs,

le lait et les 2 c. à soupe de fond de cuisson. Ajoutez 1½ tasse de farine, ¼ c. à thé de sel et ¼ c. à thé de thym. Remplissez les ramequins aux deux tiers.

4 Faites cuire 40 minutes. Quand les poudings seront dorés, retirez-les et percez la croûte pour que la vapeur s'échappe.

5 D'autre part, versez le bouillon et le porto dans la lèchefrite et déglacez (voir ci-dessous). Ajoutez les champignons, les échalotes, ½ c. à thé de thym, ⅛ c. à thé de sel et autant de poivre. Quand l'ébullition est prise, baissez le feu et laissez bouillir 3 minutes environ en remuant.

6 Dans un petit bol, mélangez la farine et le beurre ; ajoutez-les à la lèchefrite. Quand l'ébullition est prise, laissez bouillir 1 minute en remuant. Tranchez la viande et servez-la immédiatement, accompagnée d'un ramequin et de sauce. Donne 8 portions.

Préparation : 15 minutes   Cuisson : 1 h 25

Par portion : Calories 362. Gras total 16 g. Gras saturé 7 g.
Protéines 28 g. Hydrates de carbone 24 g. Fibres 1 g.
Sodium 273 mg. Cholestérol 123 mg.

POUR DÉGLACER LA LÈCHEFRITE

◆ Retirez la pièce de viande de la lèchefrite. À l'aide d'une cuiller, enlevez le gras de cuisson qui servira à préparer le pouding du Yorkshire.

◆ Ajoutez un peu du liquide que vous avez prévu pour faire la sauce. Avec une cuiller en bois, grattez le fond de la lèchefrite. (Il faut que celle-ci soit très chaude pour réchauffer le liquide qui aidera à déloger les particules carbonisées.)

Il était d'usage autrefois de faire la sauce directement dans l'ustensile ayant servi à la cuisson du rôti. La méthode reste valable, dans la mesure où votre lèchefrite peut aller sur l'élément. Dans le cas contraire, après l'avoir déglacée, versez-en le contenu dans une casserole pour faire cuire la sauce sur le feu.

Rosbif au pouding du Yorkshire

Pot-au-feu à l'ancienne

Parce que la viande cuit lentement, le pot-au-feu offre deux grands avantages. Il permet d'utiliser des coupes économiques et, mieux encore, il répand dans la maison un fumet réconfortant.

Enduit antiadhésif

1 kg (2½ lb) de palette de bœuf, parée et ficelée

2 tasses de bouillon de bœuf hyposodique (p. 67)

2 c. à soupe de concentré de tomate hyposodique

1 c. à soupe de sauce Worcestershire hyposodique

2 feuilles de laurier

2 c. à thé de marjolaine séchée, ou de thym séché

½ c. à thé de sel

¼ c. à thé de poivre noir

6 petites carottes entières, ou 3 carottes moyennes, coupées en deux

6 pommes de terre moyennes, épluchées et coupées en deux

1 oignon moyen, détaillé en six

1 petit rutabaga, épluché et détaillé en morceaux de 1,5 cm (½ po)

Sauce :

⅓ tasse d'eau

3 c. à soupe de farine

1 Vaporisez un faitout d'enduit antiadhésif et réchauffez-le à feu modéré. Faites-y rissoler la viande de tous les côtés pendant environ 10 minutes. Au besoin, enlevez le gras.

2 Mélangez le bouillon, le concentré de tomate, la sauce Worcestershire, le laurier, la marjolaine, le sel et le poivre, et versez ce fond de cuisson sur la viande. Quand l'ébullition est prise, couvrez et laissez mijoter à feu doux pendant 1 h 45.

3 Tournez la viande ; ajoutez les carottes, les pommes de terre, l'oignon et le rutabaga. Quand l'ébullition reprend, couvrez et laissez mijoter de 30 à 40 minutes à feu doux.

4 Disposez la viande et les légumes dans un plat ; couvrez de papier d'aluminium et gardez au chaud. Retirez le laurier.

5 Mesurez le fond de cuisson et dégraissez-le (voir ci-dessous). Au besoin, ajoutez du bouillon de bœuf pour obtenir 2 tasses de fond. Remettez-le dans le faitout.

6 Délayez la farine dans l'eau avec un fouet et versez dans le fond de cuisson. Lancez l'ébullition à feu modéré et laissez bouillir 1 minute sans cesser de fouetter. Dressez la sauce dans une saucière et servez. Donne 6 portions.

Préparation : 15 minutes Cuisson : 2 h 40

Par portion : Calories 377. Gras total 8 g. Gras saturé 3 g.
Protéines 33 g. Hydrates de carbone 44 g. Fibres 5 g.
Sodium 304 mg. Cholestérol 85 mg.

Marmite de porc Suivez la même recette, en remplaçant le bœuf par **2 kg (4½ lb) de longe de porc, ficelée** ; doublez tous les autres ingrédients. À l'étape 2, faites cuire la viande 1 h 15. Ajoutez les légumes et continuez comme à l'étape 3. Pour faire la sauce (étape 5), utilisez 4 tasses de fond de cuisson. Donne 12 portions.

Par portion : Calories 443. Gras total 10 g. Gras saturé 3 g.
Protéines 43 g. Hydrates de carbone 44 g. Fibres 5 g.
Sodium 306 mg. Cholestérol 100 mg.

POUR DÉGRAISSER LE FOND DE CUISSON

Utilisez une cuiller de métal ou un instrument spécial. Ou, pour gagner du temps :

1. Versez le fond de cuisson dans un bol en métal placé dans un récipient d'eau glacée. (Ou placez-le au congélateur ; mais ce sera un peu plus long.)

2. Laissez le gras figer en surface.

3. Retirez-le en le soulevant avec une cuiller.

Bœuf braisé à la crème sure

Bœuf braisé à la crème sure

*Les plats de viande mijotés lentement dans un fond condimenté
provienment d'une tradition millénaire qui s'est constituée dans tous les pays d'Europe.
Ici, la présence de crème sure révèle une influence germanique ou d'Europe centrale.*

Enduit antiadhésif

1,2 kg (environ 3 lb) de palette de bœuf, parée

1³/₄ tasse de tomates concassées dans leur jus

1 gros oignon, haché

2 grosses carottes, hachées

¹/₂ tasse de bouillon de bœuf hyposodique (p. 67)

2 feuilles de laurier

¹/₂ c. à thé de sel

¹/₂ c. à thé de cumin

¹/₄ c. à thé de poivre noir

¹/₂ tasse de crème sure allégée

2 c. à soupe de farine

1 Préchauffez le four à 180 °C (350 °F). Vaporisez un faitout d'enduit antiadhésif. Réchauffez-le à feu assez vif et faites-y rissoler la viande de tous les côtés pendant 6 à 10 minutes. Enlevez le gras s'il y a lieu.

2 Ajoutez les tomates, l'oignon, les carottes, le bouillon, le laurier, le sel, le cumin et le poivre. Couvrez, enfournez et laissez cuire de 2 h 30 à 3 heures, en arrosant la viande de temps à autre. Dressez la pièce dans un plat ; couvrez de papier d'aluminium et gardez au chaud.

3 Retirez le laurier. Dégraissez le fond (voir page ci-contre). Délayez la farine dans la crème sure et versez dans la cocotte. Faites cuire à feu modéré 3 minutes, ou jusqu'à épaississement, en remuant constamment. Ne laissez pas bouillir. Dressez la viande sur un lit de nouilles et nappez de sauce. Donne de 6 à 8 portions.

Préparation : 15 minutes Cuisson : 2 h 40

Par portion : Calories 349. Gras total 13 g. Gras saturé 5 g.
Protéines 45 g. Hydrates de carbone 10 g. Fibres 2 g.
Sodium 448 mg. Cholestérol 137 mg.

Sauerbraten

Sauerbraten

*Dans cette recette allemande, la viande est marinée
avant d'être braisée. Puis elle est relevée d'une sauce aigre-douce épaissie
aux brisures de biscuits au gingembre.*

2   kg (4 lb) de croupe de bœuf, désossée et parée

2   tasses d'eau

1½ tasse de vin rouge, ou de bouillon de bœuf
hyposodique (p. 67)

1   tasse de vinaigre de vin rouge, ou de vinaigre de cidre

3   c. à soupe de cassonade blonde bien tassée

4   feuilles de laurier

4   brins de persil

2   c. à thé de clous de girofle entiers

1   c. à thé de grains de poivre noir

½   c. à thé de sel

½   c. à thé de baies de piment de la Jamaïque

1   c. à soupe d'huile

2   oignons moyens, tranchés

1   petit chou, paré et détaillé en 10 quartiers

Sauce :

1   à 1½ tasse de biscuits au gingembre,
brisés en petits morceaux

1 Enfermez la viande, l'eau, le vin, le vinaigre, la cassonade, le laurier, le persil, le clou, le poivre, le sel et le piment de la Jamaïque dans un grand sac de plastique robuste (voir ci-dessous). Laissez mariner au réfrigérateur un ou deux jours ; agitez le sac de temps à autre.

2 Égouttez la viande ; filtrez et réservez la marinade en jetant ses ingrédients solides. Épongez le bœuf avec des feuilles d'essuie-tout. Réchauffez l'huile dans un faitout à feu modéré. Faites-y revenir la viande de tous les côtés pendant 10 minutes environ.

3 Ajoutez la marinade réservée et les oignons. Quand l'ébullition est prise, couvrez et laissez mijoter à petit feu pendant 2 h 30.

4 Déposez la viande et les oignons dans un plat ; couvrez de papier d'aluminium et gardez au chaud. Mettez le chou dans le fond de cuisson. Quand l'ébullition a repris, couvrez et laissez mijoter 10 minutes. Dressez le chou cuit autour du bœuf, couvrez et gardez au chaud.

5 Versez 1 tasse de biscuits au gingembre dans le fond de cuisson et faites prendre l'ébullition. Laissez bouillir 1 minute en remuant constamment. Au besoin, ajoutez des biscuits pour que la sauce ait la consistance désirée. Nappez-en la viande, les oignons et le chou et servez sur un lit de nouilles. Donne 10 portions.

Préparation : 15 minutes Marinage : 1 jour
Cuisson : 3 h 5

Par portion : Calories 349. Gras total 11 g. Gras saturé 3 g. Protéines 40 g. Hydrates de carbone 17 g. Fibres 3 g. Sodium 238 mg. Cholestérol 115 mg.

POUR MARINER LA VIANDE

On peut faire mariner la viande comme autrefois, dans un grand bol couvert d'une assiette ; mais il est tellement plus simple d'employer un sac de plastique.

1. Déposez la viande dans un sac de plastique robuste placé dans un bol ou un plat. Ajoutez la marinade.

2. Fermez le sac et agitez-le pour bien répartir la marinade. Réfrigérez le temps voulu. Agitez le sac de temps à autre durant ce temps.

3. Au moment de préparer le plat, retirez la viande du sac.

Bœuf salé aux petits légumes

La durée de la cuisson dépend de vos préférences : si vous aimez le bœuf en compote, comptez jusqu'à 4 heures de cuisson. Avant de mettre les légumes, goûtez au fond de cuisson ; s'il est très salé ou très gras, jetez-en la moitié et complétez avec de l'eau bouillante. Ajoutez ensuite les légumes : ils auront meilleur goût.

1,5	kg (environ 3 lb) de bœuf salé, rincé (en réservant le jus) et paré
8	tasses d'eau environ
2	feuilles de laurier
1	c. à thé de clous de girofle entiers
1	c. à thé de graines de carvi
½	c. à thé de poivre noir
6	petites pommes de terre
12	petites carottes, parées
6	petits navets, épluchés, coupés en tranches de 1,5 cm (½ po) et détaillés en bouchées
1	gros oignon, coupé en six quartiers
½	petit chou
12	choux de Bruxelles, parés
1	c. à soupe de persil haché

1 Déposez le bœuf salé dans un grand faitout avec son jus et suffisamment d'eau pour le recouvrir. Aromatisez avec le laurier, les clous, le carvi et le poivre. (Si le bœuf salé est présenté avec un sachet d'aromates, ajoutez-le mais supprimez le laurier, les clous, le carvi et le poivre.) Quand l'ébullition est prise, couvrez et laissez mijoter à petit feu pendant 2 h 30 environ.

2 Épluchez une bande autour des pommes de terre et mettez-les dans le faitout avec les carottes, les navets et l'oignon. Quand l'ébullition a repris, couvrez et laissez mijoter à petit feu 15 minutes. Détaillez le chou en 3 quartiers et ceux-ci en deux moitiés. Ajoutez-les ainsi que les choux de Bruxelles. Quand l'ébullition a repris, couvrez et laissez mijoter 10 minutes environ.

3 Retirez la viande et tranchez-la à contre-sens ; disposez les tranches dans une assiette. Dressez les légumes alentour et saupoudrez de persil. Servez avec de la moutarde ou du raifort préparé. Donne 6 portions.

Préparation : 10 minutes Cuisson : 3 h 15

Par portion : Calories 543. Gras total 25 g. Gras saturé 8 g. Protéines 30 g. Hydrates de carbone 52 g. Fibres 11 g. Sodium 1 534 mg. Cholestérol 125 mg.

Flanc de bœuf farci

*Le bifteck de flanc était autrefois considéré
par les bouchers comme un morceau de choix qu'ils
se réservaient. Servez ce plat avec
des haricots verts cuits à la vapeur.*

- **1 bifteck de flanc (750 g/1½ lb), paré**
- **¼ c. à thé de sel**
- **¼ c. à thé de poivre**
- **1 c. à soupe de beurre, ou de margarine**
- **¼ tasse d'oignon jaune haché**
- **¼ tasse de poivron vert haché**
- **¼ tasse de carotte hachée**
- **½ c. à thé de sauge séchée**
- **½ c. à thé de marjolaine séchée**
- **1½ tasse de croûtons**
- **2 à 3 c. à soupe de bouillon de bœuf hyposodique (p. 67), ou d'eau**
- **1 c. à soupe d'huile**

Sauce :

- **1 tasse de bouillon de bœuf hyposodique (p. 67)**
- **½ tasse de vin rouge, ou de bouillon de bœuf hyposodique (p. 67)**
- **¼ tasse de concentré de tomate hyposodique**
- **½ c. à thé de sauge séchée**
- **½ c. à thé de marjolaine séchée**

1 Assaisonnez le bifteck avec ⅛ c. à thé de sel et autant de poivre. Aplatissez la pièce (voir ci-contre) pour lui donner 1,5 à 2 cm (½ à ¾ po) d'épaisseur. Incisez-la sur ses deux faces.

2 Pour préparer la farce, faites fondre le beurre à feu assez vif. Ajoutez l'oignon, le poivron et la carotte et laissez cuire 5 minutes environ. Retirez du feu et ajoutez ½ c. à thé de sauge, autant de marjolaine, le reste du sel et du poivre, ainsi que les croûtons. Humectez de 2 à 3 c. à soupe de bouillon de bœuf.

3 Préchauffez le four à 180 °C (350 °F). Étalez la farce sur la viande, roulez et ficelez (voir ci-dessous). Dans une grande sauteuse, réchauffez l'huile à feu assez vif et faites-y rissoler la pièce pendant 8 minutes environ. Déposez-la dans un grand plat à four peu profond.

4 Préparez la sauce dans la même sauteuse. Mettez-y 1 tasse de bouillon de bœuf, le vin, le concentré de tomate, la sauge et la marjolaine ; lancez l'ébullition en dégageant les particules de viande carbonisées. Versez ce fond autour de la viande.

5 Couvrez, enfournez et laissez cuire 1 h 15 environ. Pour servir, tranchez la viande et disposez-la joliment dans un plat. Dégraissez la sauce (voir p. 112) et servez-la en saucière. Donne 6 portions.

Préparation : 30 minutes Cuisson : 1 h 30

Par portion : Calories 283. Gras total 14 g. Gras saturé 5 g.
Protéines 25 g. Hydrates de carbone 10 g. Fibres 1 g.
Sodium 267 mg. Cholestérol 64 mg.

POUR APLATIR ET GARNIR UN BIFTECK DE FLANC

1. Utilisez une batte à viande ou la face à petites dents d'un attendrisseur à viande. Martelez la pièce à partir du centre et en allant vers les extrémités.

2. Étalez la farce sur la viande et enroulez celle-ci sur elle-même en serrant. Fixez le rouleau avec de la ficelle de cuisine.

Filet mignon, sauce forestière

Filet mignon, sauce forestière

Il est d'usage de préparer cette sauce avec de petits champignons blancs,
mais vous pouvez tout aussi bien prendre des shiitakes, des champignons café ou des chanterelles.

1   **c. à soupe d'huile d'olive**
4   **biftecks de filet de 2,5 cm (1 po) d'épaisseur, parés**
    (750 g/1½ lb)

Sauce :

1½ **tasse de champignons frais, tranchés**
½   **tasse de poireau tranché, ou d'oignon jaune**
½   **tasse de vin blanc sec, ou de bouillon de poulet**
    hyposodique (p. 67)
⅛   **c. à thé de sel**
⅛   **c. à thé de poivre noir**
½   **tasse de crème sure allégée**
1   **c. à soupe de farine**

1 Dans une grande sauteuse, réchauffez l'huile à feu assez vif ; faites-y cuire les biftecks en les retournant souvent. Au bout de 8 à 10 minutes, ils seront cuits à point. Mettez-les dans une assiette chaude et couvrez-les de papier d'aluminium le temps de faire la sauce.

2 Dans la même sauteuse, mettez les champignons, le poireau, le vin, le sel et le poivre. Quand l'ébullition est prise, laissez mijoter à découvert 3 minutes environ.

3 Par ailleurs, délayez la farine dans la crème sure et versez dans la sauteuse. Laissez cuire 2 minutes à feu modéré, en remuant constamment ; ne faites pas bouillir. Une fois la sauce épaissie, nappez-en les filets. Donne 4 portions.

Préparation : 10 minutes   Cuisson : 15 minutes

Par portion : Calories 360. Gras total 20 g. Gras saturé 7 g.
Protéines 37 g. Hydrates de carbone 5 g. Fibres 1 g.
Sodium 160 mg. Cholestérol 117 mg.

Bifteck à la suisse

Bifteck à la suisse

Ce plat d'une grande saveur fait appel à une coupe
économique qu'une lente cuisson attendrit. La sauce jardinère, très colorée,
fait merveille sur des nouilles ou du riz.

500 g (1 lb) de bœuf désossé dans la ronde, en un seul morceau de 2 cm (³⁄₄ po) d'épaisseur

¼ c. à thé de sel

¼ c. à thé de poivre noir
Enduit antiadhésif

2 c. à soupe de farine

1³⁄₄ tasse de tomates hyposodiques concassées, dans leur jus

2 côtes de céleri, en tranches de 1,5 cm (½ po)

1 gros oignon, en quartiers

³⁄₄ tasse de grains de maïs

1½ c. à thé d'origan séché

1 Préchauffez le four à 180 °C (350 °F). Assaisonnez le bœuf de sel et de poivre sur les deux faces et détaillez-le en quatre morceaux. Aplatissez ceux-ci pour leur donner 1,5 cm (½ po) d'épaisseur (voir p. 116).

2 Vaporisez une grande sauteuse d'enduit antiadhésif. Réchauffez-la à feu assez vif et faites-y revenir la viande de tous les côtés pendant 3 minutes environ. Déposez-la dans un plat à four rectangulaire.

3 Mettez la farine dans la sauteuse et, après l'avoir délayée dans le gras de la viande, ajoutez les tomates, le céleri, l'oignon, le maïs et l'origan. Faites prendre l'ébullition et laissez bouillir 1 minute en remuant. Versez la sauce sur la viande.

4 Couvrez, enfournez et laissez cuire pendant 1 h 15 environ. Servez avec de la purée de pommes de terre ou des nouilles. Donne 4 portions.

Préparation : 20 minutes Cuisson : 1 h 25

Par portion : Calories 236. Gras total 7 g. Gras saturé 2 g.
Protéines 26 g. Hydrates de carbone 17 g. Fibres 4 g.
Sodium 206 mg. Cholestérol 70 mg.

Bœuf campagnard en sauce demi-glace

Les recettes campagnardes font généralement appel à des coupes économiques. Ici, le bœuf est attendri à la main et enrobé de farine pour mieux conserver ses jus.

- 1 tranche de 2 cm (³⁄₄ po) d'épaisseur de bœuf désossé dans la ronde (500 g/1 lb)
- 3 c. à soupe de farine
- 1 c. à thé de moutarde sèche
- ¼ c. à thé de sel
- ⅛ c. à thé de cayenne
- 2 c. à soupe d'huile

Sauce :

- 2 tasses de champignons frais, tranchés
- 1 c. à soupe de farine
- ¾ tasse de bouillon de bœuf hyposodique (p. 67)
- ⅓ tasse de vin rouge, ou de jus de tomate
- 1 c. à thé de sauce Worcestershire hyposodique
- ¼ c. à thé de sauge séchée
- Pincée de cayenne

1 Dégraissez la tranche de bœuf et découpez-la en quatre morceaux. Aplatissez ceux-ci des deux côtés (voir p. 116) pour leur donner 6 mm (¼ po) d'épaisseur. Dans un sac de plastique, mettez 3 c. à soupe de farine, la moutarde, le sel et ⅛ c. à thé de cayenne. Jetez-y les morceaux l'un après l'autre et secouez le sac pour les enfariner.

2 Dans une sauteuse antiadhésive, réchauffez l'huile à feu assez vif. Faites-y rissoler la viande, deux morceaux à la fois, environ 2 minutes de chaque côté. Déposez-les dans un plat, couvrez de papier d'aluminium et gardez-les au chaud.

3 Pour la sauce, faites revenir les champignons environ 3 minutes dans la même sauteuse en l'agitant. Incorporez 1 c. à soupe de farine. Ajoutez le bouillon, le vin, la sauce Worcestershire, la sauge et le cayenne. Quand l'ébullition est prise, laissez bouillir à feu modéré 1 minute, ou jusqu'à épaississement, en remuant souvent. Nappez la viande de sauce. Donne 4 portions.

Préparation : 15 minutes Cuisson : 15 minutes

Par portion : Calories 277. Gras total 14 g. Gras saturé 3 g.
Protéines 25 g. Hydrates de carbone 9 g. Fibres 1 g.
Sodium 179 mg. Cholestérol 70 mg.

Foie de veau à la lyonnaise

Les plats préparés avec une fondue d'oignon sont souvent dits à la lyonnaise. Le secret du succès : une cuisson lente et prolongée.

- 500 g (1 lb) de foie de veau en tranches de 1,5 cm (³⁄₈ po) d'épaisseur
- 1 c. à soupe de beurre, de margarine, ou d'huile d'olive
- 1 gros oignon, tranché mince
- ⅛ c. à thé de sel
- ⅛ c. à thé de poivre noir
- 2 c. à soupe de jus de citron
- 1 c. à thé de sauce Worcestershire hyposodique
- 2 c. à soupe de persil haché

1 Détaillez le foie en fines lanières. À feu modéré, faites doucement fondre l'oignon dans le beurre pendant 10 minutes environ en remuant souvent.

2 Ajoutez le foie, assaisonnez de sel et de poivre et laissez cuire 3 ou 4 minutes, en remuant souvent. Mettez le foie et l'oignon dans un plat.

3 Versez le jus de citron et la sauce Worcestershire dans la sauteuse et grattez pour dégager les particules carbonisées. Nappez le foie de sauce et décorez de persil. Donne 4 portions.

Préparation : 10 minutes Cuisson : 14 minutes

Par portion : Calories 162. Gras total 8 g. Gras saturé 4 g.
Protéines 16 g. Hydrates de carbone 6 g. Fibres 1 g.
Sodium 141 mg. Cholestérol 415 mg.

Bifteck à la lyonnaise Suivez la même recette, mais remplacez le foie de veau par **500 g (1 lb) de surlonge de bœuf désossée, parée et détaillée en fines lanières.**

Par portion : Calories 236. Gras total 11 g. Gras saturé 5 g.
Protéines 29 g. Hydrates de carbone 4 g. Fibres 1 g.
Sodium 358 mg. Cholestérol 90 mg.

Tourte de bœuf à l'anglaise

*Cette tourte était autrefois mise à cuire
dans une grande marmite, non pas posée sur le poêle,
mais suspendue à la crémaillère. Par une cheminée ménagée
dans la croûte, on ajoutait de temps à autre un peu
de bouillon pour empêcher la viande de sécher.*

Enduit antiadhésif

500	**g (1 lb) de ronde de bœuf désossée, parée et découpée en cubes de 2 cm (¾ po)**
1	**gousse d'ail, émincée**
1¼	**tasse de bouillon de bœuf hyposodique (p. 67)**
½	**tasse de vin rouge, ou de bouillon de bœuf hyposodique (p. 67)**
1	**feuille de laurier**
1½	**c. à thé de sarriette séchée**
½	**c. à thé d'aneth séché**
¼	**c. à thé de sel**
¼	**c. à thé de poivre noir**
1½	**tasse de champignons frais, tranchés**
2	**panais moyens, épluchés et découpés en dés de 1,5 cm (½ po)**
2	**carottes moyennes, tranchées mince**
1	**gros oignon, détaillé en bouchées**
1	**gros poivron rouge ou vert, détaillé en bouchées**
¾	**tasse de petits pois surgelés**
¼	**tasse de farine**
1	**abaisse achetée, ou faite maison (p. 337)**
	Lait écrémé à 1 p. 100

1 Vaporisez un faitout d'enduit antiadhésif. Chauffez-le à feu assez vif et faites-y rissoler la viande de tous les côtés pendant 10 minutes environ.

2 Ajoutez ¾ tasse de bouillon de bœuf, le vin, le laurier, la sarriette, l'aneth, le sel et le poivre. Quand l'ébullition est prise, couvrez et laissez mijoter à petit feu 40 minutes.

3 Ajoutez les champignons, le panais, les carottes, l'oignon et le poivron, et relancez l'ébullition. Couvrez et laissez mijoter à petit feu 30 minutes environ. Incorporez les petits pois. Ôtez le laurier.

4 Préchauffez le four à 190 °C (375 °F). Délayez la farine à part dans le reste du bouillon de bœuf et versez-la dans le faitout. Quand l'ébullition a repris, laissez bouillir 1 minute en remuant. Versez cet appareil dans un plat à four.

5 Posez l'abaisse sur le plat en la laissant déborder de 2,5 cm (1 po). Repliez cette bordure et festonnez-la. Ménagez quelques fentes pour que la vapeur s'échappe. Badigeonnez de lait. Enfournez et faites cuire 20 minutes pour dorer la croûte. Donne 4 portions.

Préparation : 20 minutes Cuisson sur l'élément : 1 h 35
Cuisson au four : 20 minutes

Par portion : Calories 577. Gras total 23 g. Gras saturé 18 g.
Protéines 30 g. Hydrates de carbone 58 g. Fibres 7 g.
Sodium 448 mg. Cholestérol 70 mg.

Paprikache de bœuf

*Servez-le à la hongroise, c'est-à-dire sur un lit
de nouilles poudrées de graines de pavot.*

Enduit antiadhésif

750	**g (1½ lb) de palette de bœuf désossée, parée et découpée en cubes de 2 cm (¾ po)**
2	**oignons moyens, en quartiers**
1	**gousse d'ail, émincée**
1	**c. à soupe de farine**
1	**c. à soupe de paprika fort**
2	**c. à thé de thym séché**
½	**c. à thé de sel**
½	**c. à thé de poivre noir**
1¾	**tasse de tomates hyposodiques, concassées dans leur jus**
1	**tasse de bouillon de bœuf hyposodique (p. 67)**
1	**gros poivron vert, en petites lanières**
1	**tasse de crème sure allégée**
2	**c. à soupe de farine**

1 Vaporisez un faitout d'enduit antiadhésif. Chauffez-le à feu assez vif et faites-y revenir le bœuf, les oignons et l'ail pendant 10 minutes environ.

2 Saupoudrez 1 c. à soupe de farine, le paprika, le thym, le sel et le poivre. Incorporez les tomates, le bouillon et le poivron. Quand l'ébullition est prise, couvrez et laissez mijoter à petit feu pendant 1 h 15 à 1 h 30 en remuant de temps à autre.

3 Délayez la farine à part dans la crème sure et versez-la dans le faitout. À feu modéré, prolongez la cuisson de 3 minutes pour faire épaissir : ne laissez pas bouillir. Servez sur un lit de nouilles chaudes. Donne 6 portions.

Préparation : 15 minutes Cuisson : 1 h 35

Par portion : Calories 274. Gras total 12 g. Gras saturé 5 g.
Protéines 29 g. Hydrates de carbone 13 g. Fibres 2 g.
Sodium 257 mg. Cholestérol 93 mg.

Chili con carne à l'américaine

Chili con carne à l'américaine

Ce chili diffère de la préparation classique de deux façons :
il n'y entre pas de haricots et la viande reste en morceaux.

Enduit antiadhésif
750 **g (1½ lb) de ronde de bœuf désossée et parée,**
  détaillée en dés de 2 cm (¾ po)

  3 **oignons moyens, hachés**

  1 **grosse gousse d'ail, émincée**

3½ **tasses de tomates hyposodiques, concassées dans**
  leur jus

  2 **tasses de sauce tomate hyposodique**

  1 **tasse de bouillon de bœuf hyposodique (p. 67)**

  2 **c. à soupe d'assaisonnement au chile**

  2 **c. à soupe de piment jalapeño au chile**

  2 **c. à thé d'origan séché, ou de basilic**

  1 **c. à thé de sucre**

  1 **c. à thé de cumin**

  1 **c. à thé de sauce Worcestershire hyposodique**

½ **c. à thé de cayenne**

1 Vaporisez un faitout d'enduit antiadhésif. Chauffez-le à feu assez vif et faites-y revenir la viande, les oignons et l'ail 10 minutes environ.

2 Incorporez le reste des ingrédients et amenez à ébullition.

3 Quand l'ébullition est prise, baissez le feu, couvrez et faites mijoter de 50 à 60 minutes, le temps que la viande attendrisse. Pour épaissir le chili, prolongez la cuisson à découvert. Servez sur un lit de riz. Donne 6 portions.

Préparation : 20 minutes Cuisson : 1 h 5

Par portion : Calories 241. Gras total 8 g. Gras saturé 3 g.
Protéines 26 g. Hydrates de carbone 18 g. Fibres 5 g.
Sodium 146 mg. Cholestérol 70 mg.

Chaussons à la viande

Chaussons à la viande

On dit que les mineurs descendaient dans les puits avec ces robustes chaussons à la
viande en guise de casse-croûte. Les habitudes de travail ont bien changé ; les appétits aussi.
Aussi est-il raisonnable de présumer que chaque chausson rassasiera trois personnes.

500 g (1 lb) de ronde de bœuf désossée et parée,
** hachée au couteau**
  1 pomme de terre moyenne, épluchée et hachée
  1 tasse de rutabaga, ou de navet, haché
 ½ tasse d'oignon haché
  2 c. à soupe de persil haché
  1 c. à soupe de sauce Worcestershire hyposodique
  1 gousse d'ail, émincée
  1 c. à thé de basilic séché
 ¼ c. à thé de sel
 ⅛ c. à thé de cayenne
  2 abaisses achetées ou faites maison (p. 337)
  ** Lait écrémé à 1 p. 100**

1 Préchauffez le four à 190 °C (375 °F). Mélangez la viande, la pomme de terre, le rutabaga, l'oignon, le persil, la sauce Worcestershire, l'ail, le basilic, le sel et le cayenne.

2 Déposez la moitié de cet appareil sur la moitié d'une abaisse ; repliez l'autre moitié par-dessus en aumonière. Festonnez le bord. Répétez l'opération avec le reste de la viande et l'autre abaisse. Entaillez la pâte pour permettre à la vapeur de s'échapper ; badigeonnez-la de lait pour qu'elle dore plus facilement.

3 Déposez les deux chaussons sur une plaque, enfournez et faites cuire de 35 à 40 minutes. Découpez chacun en trois et servez avec du ketchup ou de la sauce à pizza. Donne 6 portions.

Préparation : 25 minutes Cuisson : 35 minutes

Par portion : Calories 458. Gras total 24 g. Gras saturé 21 g. Protéines 19 g. Hydrates de carbone 40 g. Fibres 1 g. Sodium 411 mg. Cholestérol 47 mg.

Chaussons au poulet Suivez la même recette, mais remplacez le bœuf par **500 g (1 lb) de poitrine de poulet sans peau ni os,** hachée au couteau.

Par portion : Calories 438. Gras total 22 g. Gras saturé 21 g. Protéines 19 g. Hydrates de carbone 40 g. Fibres 1 g. Sodium 423 mg. Cholestérol 42 mg.

Hachis de bœuf

Ce plat simple mais exquis pouvait se faire avec la viande d'une soupe et un peu de son bouillon, additionnés de pommes de terre en gros dés, et d'épices qu'on remplaçait à l'occasion par un peu de cretons pour enrichir et parfumer le tout.

Enduit antiadhésif

1 **c. à soupe d'huile**

3 **tasses de légumes-racines cuits et hachés (pommes de terre, carottes, rutabagas ou navets), seuls ou mélangés**

2 **tasses de bœuf cuit haché, ou de bœuf salé**

1 **oignon moyen, haché**

½ **tasse de poivron vert haché**

2 **c. à thé de sauce Worcestershire hyposodique**

⅛ **c. à thé de sel**

⅛ **c. à thé de cayenne**

½ **tasse de ketchup, de sauce chili ou de sauce de rôti**

1 Vaporisez une sauteuse moyenne d'enduit antiadhésif. Mettez-y l'huile et réchauffez-la à feu modéré. Ajoutez tous les ingrédients sauf le ketchup.

2 Faites revenir 10 minutes environ en remuant souvent. Incorporez le ketchup. Donne 4 portions.

Préparation : 20 minutes Cuisson : 11 minutes

Par portion : Calories 299. Gras total 8 g. Gras saturé 2 g. Protéines 23 g. Hydrates de carbone 35 g. Fibres 2 g. Sodium 489 mg. Cholestérol 48 mg.

Pâté de viande à la moutarde

Le pâté, ou pain de viande, est mélangé à des craquelins et allégé avec du lait. Un glacis à la moutarde lui confère une note originale.

750 **g (1½ lb) de bœuf maigre haché**

½ **tasse de craquelins hyposodiques écrasés**

½ **tasse de lait écrémé à 1 p. 100**

1 **petit oignon, haché fin**

⅓ **tasse de champignons frais, hachés fin, ou de poivron vert**

2 **c. à soupe de persil haché**

½ **c. à thé de sel**

½ **c. à thé de sauge séchée**

¼ **c. à thé de poivre noir**

2 **gros blancs d'œufs, légèrement battus**

⅓ **tasse de cassonade blonde bien tassée**

1 **c. à soupe de jus de citron**

1½ **c. à thé de moutarde de Dijon, ou ½ c. à thé de moutarde sèche**

1 Préchauffez le four à 180 °C (350 °F). Mélangez ensemble le bœuf haché, les craquelins, le lait, l'oignon, les champignons, le persil, le sel, la sauge, le poivre et les blancs d'œufs. Façonnez cet appareil en pâté dans un moule de 20 × 10 cm (8 × 4 po). Lissez la surface.

2 Enfournez et faites cuire 1 h 15, ou jusqu'à ce qu'un thermomètre à viande inséré au centre du pâté marque 75 °C (170 °F).

3 Par ailleurs, mélangez ensemble la cassonade, le jus de citron et la moutarde. Étalez ce glacis sur le pâté et prolongez la cuisson au four de 10 minutes. Servez avec une purée de pommes de terre. Donne 6 portions.

Préparation : 20 minutes Cuisson : 1 h 25

Par portion : Calories 284. Gras total 13 g. Gras saturé 5 g. Protéines 26 g. Hydrates de carbone 14 g. Fibres 0 g. Sodium 328 mg. Cholestérol 82 mg.

Petits pains farcis au bœuf

Nos grand-mères les appelaient « petits pains bourrés ».
Vous pouvez préparer deux repas d'un coup en doublant
la recette et en congelant la moitié des boulettes.
Une autre fois, les ayant mis à décongeler la veille
au réfrigérateur, il suffira de les réchauffer dans leur sauce.

Boulettes de viande :

250 g (8 oz) de bœuf maigre haché
¼ tasse de chapelure fine
1 c. à soupe de lait écrémé à 1 p. 100
¼ c. à thé de poudre d'ail
⅛ c. à thé de sel
⅛ c. à thé de poivre noir
1 gros blanc d'œuf
   Enduit antiadhésif

Sauce :

125 g (4 oz) de chair à saucisse
1 petit oignon, haché
⅓ tasse de poivron vert haché
1 tasse de sauce tomate hyposodique
1 tasse de tomates hyposodiques, concassées dans leur jus
1 c. à thé de basilic séché
1 c. à thé d'origan séché
⅛ c. à thé de sel
⅛ c. à thé de poivre noir
4 petits pains croûtés de 18 cm (7 po) de longueur
¼ tasse de mozzarella allégée râpée
1 c. à soupe de parmesan râpé

Petits pains farcis au bœuf

1 Mélangez ensemble le bœuf haché, la chapelure, le lait, la poudre d'ail, ⅛ c. à thé de sel, autant de poivre noir et le blanc d'œuf. Façonnez 16 boulettes.

2 Vaporisez une sauteuse moyenne d'enduit antiadhésif. Réchauffez-la à feu modéré et faites-y rissoler les boulettes 5 minutes environ sur toute leur surface. Retirez-les et gardez-les au chaud.

3 Pour la sauce, faites revenir la chair à saucisse à feu assez vif dans la même sauteuse, avec l'oignon et le poivron. Enlevez le gras. Incorporez la sauce tomate, les tomates, le basilic, l'origan, ⅛ c. à thé de sel, autant de poivre noir et enfin les boulettes.

4 Quand l'ébullition est prise, couvrez et laissez mijoter à feu doux 10 minutes. Découvrez la sauteuse et prolongez la cuisson de 5 à 10 minutes en remuant de temps à autre.

5 Allumez le gril. Tranchez une calotte sur les petits pains et évidez-les. Remplissez-les de farce, saupoudrez de mozzarella et de parmesan et faites gratiner 1 minute à 10 cm (4 po) de l'élément. Donne 4 portions.

Préparation : 15 minutes Cuisson : 30 minutes

Par portion : Calories 469. Gras total 12 g. Gras saturé 4 g. Protéines 29 g. Hydrates de carbone 62 g. Fibres 5 g. Sodium 941 mg. Cholestérol 46 mg.

Hambourgeois fantaisie

*Ce plat ne s'appelle pas hambourgeois pour rien :
originaire de Hambourg, il fut introduit aux États-Unis
au moment de la grande exposition de Saint Louis en 1904.*

500	g (1 lb) de bœuf maigre haché
¼	tasse de chapelure fine
½	c. à thé de moutarde sèche
¼	c. à thé de sel
¼	c. à thé de poivre noir
2	gros blancs d'œufs
60	g (2 oz) de fromage Neufchâtel, ramolli
1	gros oignon vert, tranché mince, ou 2 c. à soupe de persil haché
1	c. à soupe d'olives noires dénoyautées, hachées
4	petits pains à hambourgeois, ouverts et grillés

1 Allumez le gril ou le barbecue. Mélangez ensemble le bœuf haché, la chapelure, la moutarde, le sel, le poivre et les blancs d'œufs. Façonnez huit galettes de 6 mm (¼ po) d'épaisseur.

2 Par ailleurs, mélangez le fromage, l'oignon vert et les olives. Farcissez les galettes (voir ci-dessous).

3 Faites griller les galettes 5 ou 6 minutes de chaque côté à 10 cm (4 po) de l'élément ou du brasier. Glissez-les dans les petits pains avec des tranches de tomate et des feuilles de laitue. Donne 4 portions.

Préparation : 20 minutes Cuisson : 10 minutes

Par portion : Calories 447. Gras total 21 g. Gras saturé 8 g.
Protéines 33 g. Hydrates de carbone 29 g. Fibres 2 g.
Sodium 593 mg. Cholestérol 89 mg.

POUR FARCIR LES HAMBOURGEOIS

Déposez la farce au centre de la moitié des galettes de viande en l'étalant jusqu'à 1,5 cm (½ po) du bord. Surmontez-les d'une seconde galette. Scellez les deux galettes 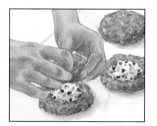 ensemble en appuyant sur les bords. Au besoin, redonnez à la viande une forme circulaire.

Hérissons gratinés

*On appelle ainsi ces boulettes de viande
parce que, à la cuisson, les grains de riz font saillie
comme des piquants de hérisson.*

500	g (1 lb) de bœuf maigre haché
¼	tasse de riz blanc cru à longs grains
¼	tasse d'oignon haché fin
¼	c. à thé de sel
¼	c. à thé de poivre noir
2	gros blancs d'œufs
	Enduit antiadhésif
2½	tasses de bouillon de bœuf hyposodique (p. 67)
1	boîte (156 ml/5½ oz) de concentré de tomate hyposodique
¼	tasse de cassonade blonde bien tassée
¼	tasse de vinaigre de vin rouge
2	pommes de terre moyennes, en tranches de 6 mm (¼ po) d'épaisseur
2	tasses de chou rouge râpé
1	c. à soupe de persil haché

1 Mélangez ensemble le bœuf haché, le riz cru, l'oignon, le sel, le poivre et les blancs d'œufs. Façonnez 12 boulettes.

2 Vaporisez un faitout d'enduit antiadhésif et réchauffez-le à feu modéré. Faites-y rissoler les boulettes sur toute leur surface. Retirez-les, videz le gras et remettez-les dans le faitout.

3 Par ailleurs, mélangez ensemble le bouillon, le concentré de tomate, la cassonade et le vinaigre ; versez le tout dans la sauteuse. Quand l'ébullition est prise, couvrez et laissez mijoter à feu doux 5 minutes. Ajoutez les pommes de terre et, quand l'ébullition a repris, couvrez le faitout et accordez 35 minutes de cuisson à feu doux.

4 Ajoutez le chou, couvrez et laissez cuire de 5 à 10 minutes de plus à partir du moment où l'ébullition reprend. Saupoudrez de persil. Donne 4 portions.

Préparation : 20 minutes Cuisson : 1 h 5

Par portion : Calories 411. Gras total 14 g. Gras saturé 5 g.
Protéines 30 g. Hydrates de carbone 44 g. Fibres 5 g.
Sodium 262 mg. Cholestérol 81 mg.

Picadillo

Picadillo

*Plat typique de la cuisine tex-mex, le picadillo est un hachis de bœuf à l'aigre-douce,
servi sur du couscous ou du riz, ou dressé dans des poivrons.*

500 g (1 lb) de bœuf maigre haché	1 c. à soupe de vinaigre
2 gousses d'ail, hachées	1 c. à thé de sucre
1¾ tasse de tomates hyposodiques concassées, avec leur jus	½ c. à thé de graines de céleri
1 pomme moyenne, hachée avec la pelure	½ c. à thé de cannelle
4 gros oignons verts, tranchés mince	½ c. à thé de cumin
⅓ tasse de raisins secs	¼ c. à thé de sel
¼ tasse d'eau	¼ c. à thé de poivre noir
2 c. à soupe d'olives vertes farcies au piment	⅛ c. à thé de clou de girofle
1 c. à soupe de piment jalapeño mariné, haché	3 c. à soupe d'amandes effilées grillées (facultatif)

1 Dans une grande sauteuse, faites cuire le bœuf haché et l'ail à feu assez vif. Enlevez le gras.

2 Ajoutez tous les autres ingrédients à l'exception des amandes.

3 Quand l'ébullition est prise, couvrez et laissez mijoter 20 minutes à feu doux. Incorporez les amandes, s'il y a lieu, et prolongez la cuisson de 1 minute à découvert. Servez sur un lit de riz. Donne 4 portions.

Préparation : 20 minutes Cuisson : 31 minutes

Par portion : Calories 303. Gras total 13 g. Gras saturé 5 g. Protéines 23 g. Hydrates de carbone 26 g. Fibres 3 g. Sodium 308 mg. Cholestérol 71 mg.

Ragoût de boulettes de bœuf express

Si on veut s'épargner l'embarras de mouler les boulettes, on peut tout simplement jeter l'appareil par petites cuillerées dans le bouillon fumant.

1⅓ tasse de cocktail de légumes épicé

3 c. à soupe de farine

3 tasses de macédoine de légumes, égouttée

2½ tasses de bouillon de bœuf hyposodique (p. 67)

1¾ tasse de tomates hyposodiques, concassées dans leur jus

½ c. à thé d'origan séché

250 g (8 oz) de bœuf maigre haché

2 c. à soupe de chapelure

2 c. à soupe de lait écrémé à 1 p. 100

⅛ c. à thé de sel d'ail

1 gros blanc d'œuf

1 Dans un faitout, délayez la farine dans le cocktail de légumes avec un fouet. Ajoutez la macédoine de légumes, le bouillon, les tomates et l'origan ; faites prendre l'ébullition à feu vif.

2 Par ailleurs, mélangez le bœuf haché, la chapelure, le lait, le sel d'ail et le blanc d'œuf.

3 Laissez tomber ce mélange par petites cuillerées dans le bouillon fumant. Couvrez et laissez mijoter 6 ou 7 minutes à feu doux en remuant de temps à autre. Donne 4 portions.

Préparation : 9 minutes Cuisson : 11 minutes

Par portion : Calories 294. Gras total 7 g. Gras saturé 3 g. Protéines 21 g. Hydrates de carbone 38 g. Fibres 10 g. Sodium 697 mg. Cholestérol 41 mg.

Cigares au chou à l'aigre-douce

Le chou est un excellent légume sur le plan diététique. Apprêté comme ici, à l'aigre-douce, il est aussi excellent sur le plan de la gastronomie.

1 gros chou

500 g (1 lb) de bœuf maigre haché

¾ tasse de riz blanc cuit à longs grains

1 petit oignon, haché

2 c. à soupe de persil haché

½ c. à thé de sel

¼ c. à thé de muscade

¼ c. à thé de poivre noir

2 gros blancs d'œufs

1 tasse de tomates hyposodiques en boîte, concassées dans leur jus

1 tasse de sauce tomate hyposodique

⅓ tasse de raisins secs

2 c. à soupe de cassonade blonde bien tassée

1 c. à thé de jus de citron

1 Préchauffez le four à 180 °C (350 °F). Détachez du chou huit grandes feuilles extérieures. Hachez le reste de façon à en avoir 6 tasses ; déposez-le dans un plat à four rectangulaire.

2 Ôtez la grosse nervure centrale des feuilles de chou réservées mais laissez-les entières. Plongez-les, quatre à la fois, dans un grand bassin d'eau bouillante : prévoyez environ 3 minutes pour qu'elles s'attendrissent. Asséchez-les.

3 Mélangez le bœuf haché, le riz cuit, l'oignon, le persil, le sel, la muscade, le poivre et les blancs d'œufs. Déposez ⅓ tasse de cet appareil sur chaque feuille de chou. Rabattez les côtés et formez huit rouleaux. Déposez-les, ouverture dessous, sur le chou haché.

4 Dans une casserole moyenne, mettez les tomates, la sauce tomate, les raisins secs, la cassonade et le jus de citron. Quand l'ébullition est prise, versez la sauce sur les cigares au chou, couvrez, enfournez et laissez cuire 1 h 15 environ en arrosant une ou deux fois. Servez avec des tranches d'orange. Donne 4 portions.

Préparation : 40 minutes Cuisson sur l'élément : 15 minutes
Cuisson au four : 1 h 15

Par portion : Calories 340. Gras total 6 g. Gras saturé 2 g. Protéines 26 g. Hydrates de carbone 50 g. Fibres 11 g. Sodium 388 mg. Cholestérol 44 mg.

Bœuf aux nouilles gratiné

La garniture de croûtons beurrés donne du croustillant et de l'élégance à ce plat. Mais vous pouvez la supprimer si vous surveillez vos apports en matières grasses.

100 g (3 oz) de nouilles larges
375 g (12 oz) de bœuf maigre haché
  1 petit oignon, haché
  1 petit poivron vert, haché
  1 gousse d'ail, hachée
  2 c. à thé d'assaisonnement au chile
  1 c. à thé d'origan séché
  ¼ c. à thé de sel
  ¼ c. à thé de poivre noir
  2 tasses de maïs en crème hyposodique
  1 grosse tomate, détaillée en bouchées
  1 c. à soupe de beurre, ou de margarine
  1 tasse de croûtons

1 Préchauffez le four à 180 °C (350 °F). Faites cuire les nouilles selon les directives de l'emballage. Refroidissez-les et égouttez-les.

2 Dans une sauteuse moyenne, faites revenir ensemble le bœuf haché, l'oignon, le poivron et l'ail à feu assez vif. Enlevez le gras. Ajoutez l'assaisonnement au chile, l'origan, le sel et le poivre noir.

3 Mélangez les nouilles avec le bœuf assaisonné, le maïs et la tomate. Mettez cet apprêt dans un plat à gratin légèrement graissé. Couvrez, enfournez et laissez cuire 35 minutes.

4 Par ailleurs, faites fondre le beurre à feu modéré dans une petite casserole. Jetez-y les croûtons et remuez pour bien les enrober. Disposez-les sur le ragoût et remettez le plat au four sans le couvrir. Prolongez la cuisson de 5 à 10 minutes pour que les croûtons soient dorés et croustillants. Donne 3 ou 4 portions.

Préparation : 20 minutes Cuisson : 50 minutes

Par portion : Calories 499. Gras total 19 g. Gras saturé 8 g.
Protéines 29 g. Hydrates de carbone 57 g. Fibres 11 g.
Sodium 380 mg. Cholestérol 104 mg.

Bœuf Stroganov vite fait

Ce plat du XIXᵉ siècle aurait été nommé en l'honneur du comte russe Stroganov par son chef cuisinier. Depuis lors, le filet mignon a fait place au bœuf haché.

500 g (1 lb) de bœuf maigre haché
  2 tasses de champignons frais tranchés
  1 gros oignon, haché
  1 gousse d'ail, émincée
  3 c. à soupe de farine
  1 tasse de crème sure allégée
  ¾ tasse de bouillon de bœuf hyposodique (p. 67)
  2 c. à soupe d'olives noires dénoyautées, hachées, ou d'olives vertes farcies au piment (facultatif)
  2 c. à soupe de xérès sec, ou de ketchup
  ½ c. à thé de sel
  ½ c. à thé de moutarde sèche
  ¼ c. à thé de poivre noir
  2 c. à soupe de persil haché

1 Dans une sauteuse moyenne, faites cuire le bœuf haché à feu assez vif avec les champignons, l'oignon et l'ail. Enlevez le gras.

2 Dans un bol moyen, délayez la farine dans la crème sure. Ajoutez le bouillon, les olives, s'il y a lieu, le xérès, le sel, la moutarde sèche et le poivre ; versez le tout dans la sauteuse.

3 Laissez cuire à feu modéré 3 minutes, ou jusqu'à épaississement, en remuant constamment. Ne laissez pas bouillir. Dressez la préparation sur un lit de nouilles ou de riz, et décorez de persil haché. Donne 4 portions.

Préparation : 20 minutes Cuisson : 10 minutes

Par portion : Calories 335. Gras total 20 g. Gras saturé 9 g.
Protéines 25 g. Hydrates de carbone 12 g. Fibres 2 g.
Sodium 390 mg. Cholestérol 94 mg.

CHOIX DU BŒUF HACHÉ

On distinguait autrefois la qualité du bœuf haché par la coupe de viande dont il provenait : surlonge, ronde, palette, ou ce qu'on appelait bœuf haché à hamburger. On accorde aujourd'hui une importance égale à son contenu en matières grasses. Le bœuf haché proprement dit renferme 30 p. 100 de gras, le mi-maigre 23 p. 100, le maigre 17 p. 100 et l'extra-maigre 10 p. 100 et moins.

Tamales de bœuf à la mexicaine

Tamales de bœuf à la mexicaine

Les véritables tamales mexicains se composent d'une bouillie de farine de maïs condimentée,
mise à cuire dans des feuilles de bananier.

½ tasse de farine de maïs

½ tasse d'eau froide

¼ c. à thé de sel

⅛ c. à thé de cayenne

1⅓ tasse d'eau

500 g (1 lb) de bœuf maigre haché

1 gros oignon, haché

1 poivron vert moyen, haché

2 gousses d'ail, émincées

1 boîte de haricots rouges, égouttés

1 tasse de sauce à enchiladas

1 petite boîte (90 g/3 oz) de chili vert, non égoutté, détaillé en dés

¼ tasse d'olives noires dénoyautées, hachées

2 c. à thé d'assaisonnement au chile

½ tasse de cheddar allégé râpé

1 Mélangez la farine de maïs, l'eau froide, le sel et le cayenne. Dans une casserole moyenne, amenez l'eau à ébullition. Versez-y la farine délayée et remuez constamment pour éviter la formation de grumeaux. Quand l'ébullition est prise, baissez le feu et faites épaissir 10 à 15 minutes en remuant de temps à autre.

2 Préchauffez le four à 180 °C (350 °F). Dans une grande sauteuse, faites revenir le bœuf haché, l'oignon, le poivron et l'ail. Enlevez le gras. Ajoutez les haricots rouges, la sauce à enchiladas, le chili vert, les olives noires et l'assaisonnement au chile. Donnez un bouillon.

3 Étalez la bouillie de maïs dans un plat à four rectangulaire graissé. Dressez le bœuf par-dessus. Couvrez, enfournez et faites cuire 20 minutes environ. Saupoudrez de cheddar et remettez au four sans couvrir ; faites gratiner 2 minutes. Donne 6 portions.

Préparation : 20 minutes Cuisson : 42 minutes

Par portion : Calories 302. Gras total 12 g. Gras saturé 5 g.
Protéines 22 g. Hydrates de carbone 28 g. Fibres 7 g.
Sodium 609 mg. Cholestérol 53 mg.

Ragoût de veau aux quenelles

Ragoût de veau aux quenelles

Vous pouvez remplacer le veau par du porc ou de l'agneau. Mais ne soulevez pas le couvercle pendant la cuisson des quenelles car elles se dégonfleront et deviendront pâteuses.

Ragoût :

1 c. à soupe de beurre, de margarine ou d'huile

500 g (1 lb) de veau, désossé, paré et détaillé en cubes de 2 cm (¾ po)

1 gousse d'ail, émincée

¼ c. à thé de poivre noir concassé

3 c. à soupe de farine

3 tasses de bouillon de poulet hyposodique (p. 67)

2 tasses de champignons frais, tranchés

2 carottes moyennes, en tranches de 1,5 cm (½ po)

2 côtes de céleri, en tranches de 1,5 cm (½ po)

1 tasse de petits oignons blancs surgelés

1 tasse de vin blanc sec, ou de bouillon de poulet hyposodique (p. 67)

2 feuilles de laurier

2 c. à thé de thym séché

1 c. à thé de zeste de citron râpé (facultatif)

¼ c. à thé de sel

¼ c. à thé de muscade

Quenelles :

¾ tasse de farine

1 c. à thé de levure chimique

1 c. à soupe de ciboulette ciselée, ou de persil haché

¼ c. à thé de poivre concassé

Pincée de sel

⅓ tasse de lait écrémé à 1 p. 100

1 c. à soupe d'huile

1 Mettez le beurre à fondre dans un faitout à feu modéré. Faites-y revenir la viande et l'ail avec ¼ c. à thé de poivre pendant 10 minutes environ.

2 Incorporez 3 c. à soupe de farine. Ajoutez le bouillon de poulet, les champignons, les carottes, le céleri, les petits oignons, le vin blanc, le laurier, le thym, le zeste de citron, s'il y a lieu, le sel et la muscade. Quand l'ébullition est prise, couvrez et laissez mijoter 40 minutes à petit feu.

3 Par ailleurs, mélangez ¾ tasse de farine, la levure chimique, la ciboulette, le poivre et la pincée de sel. Dans un autre bol, fouettez ensemble le lait et l'huile. Versez-les dans les ingrédients secs et mélangez à la fourchette.

4 Formez quatre monticules de pâte et laissez-les tomber un à un dans le ragoût bouillant. Couvrez et laissez mijoter 10 minutes environ (ne soulevez pas le couvercle). Retirz le laurier. Donne 4 portions.

Préparation : 25 minutes Cuisson : 1 h 10

Par portion : Calories 404. Gras total 14 g. Gras saturé 5 g. Protéines 26 g. Hydrates de carbone 34 g. Fibres 4 g. Sodium 420 mg. Cholestérol 101 mg.

Escalopes de veau, sauce forestière

Les escalopes de veau sont classiques, mais vous pouvez tenter l'expérience des escalopes de bœuf ou de porc.

500 g (1 lb) de minces escalopes de veau

⅛ c. à thé de sel

⅛ c. à thé de poivre noir

2 c. à soupe de beurre, ou de margarine

1½ tasse de champignons frais tranchés

1 petit oignon, tranché

¾ tasse de bouillon de poulet hyposodique (p. 67)

⅓ tasse de vin blanc sec, ou de bouillon de poulet hyposodique (p. 67)

1 c. à soupe de jus de citron

½ c. à thé de romarin séché

1 c. à soupe de persil haché

1 Martelez les escalopes de veau des deux côtés pour leur donner 3 mm (⅛ po) d'épaisseur (voir p. 116). Assaisonnez de sel et de poivre.

2 Dans une grande sauteuse antiadhésive, faites fondre le beurre à feu modéré et saisissez les escalopes, deux à la fois, de 1 à 2 minutes de chaque côté. Gardez-les au chaud, couvertes de papier d'aluminium.

3 Dans la même sauteuse, faites revenir les champignons et l'oignon pendant 4 minutes à feu modéré. Ajoutez le bouillon de poulet, le vin, le jus de citron et le romarin ; déglacez la sauteuse. Faites bouillir 5 minutes sans couvrir pour que la sauce diminue un peu. Incorporez le persil. Servez les escalopes nappées de sauce. Donne 4 portions.

Préparation : 15 minutes Cuisson : 15 minutes

Par portion : Calories 207. Gras total 9 g. Gras saturé 5 g. Protéines 26 g. Hydrates de carbone 4 g. Fibres 1 g. Sodium 186 mg. Cholestérol 104 mg.

Grillades de veau à la créole

Grillades de veau à la créole

Les plats à la créole peuvent être plus ou moins piquants.
Ils se servent sur de la semoule de maïs qu'on peut remplacer par du riz.

500 g (1 lb) de ronde de veau désossée et débarrassée de tout gras, ou de longe de porc, de 2 cm (³⁄₄ po) d'épaisseur

1 c. à soupe d'huile

1³⁄₄ tasse de tomates hyposodiques en boîte, concassées dans leur jus

1 oignon moyen, tranché

2 petits poivrons jaunes ou verts, en fines lanières

1 c. à soupe de piment jalapeño mariné, haché

2 gousses d'ail, émincées

½ c. à thé de sel

⅛ c. à thé de cayenne

3 tasses de bouillon de poulet hyposodique (p. 67)

³⁄₄ tasse de semoule de maïs à cuisson rapide

4 oignons verts moyens, finement hachés

2 c. à soupe de persil haché

1 Découpez le veau en huit. Martelez les morceaux des deux côtés pour leur donner 6 mm (¼ po) d'épaisseur (voir p. 116).

2 Dans une sauteuse antiadhésive, réchauffez l'huile à feu assez vif et faites-y rissoler les grillades de veau, quatre par quatre ; comptez de 1 à 2 minutes de cuisson de chaque côté.

3 Mélangez dans la sauteuse les tomates, l'oignon, les poivrons, le piment jalapeño, 1 gousse d'ail, ¼ c. à thé de sel et le cayenne. Déposez par-dessus les grillades de veau. Amenez à ébullition, baissez le feu et laissez mijoter 20 minutes, le temps que la viande s'attendrisse.

4 Entre-temps, faites bouillir le bouillon de poulet dans une casserole moyenne. Versez-y peu à peu la semoule de maïs en remuant constamment. Incorporez les oignons verts, l'autre gousse d'ail et ¼ c. à thé de sel. Laissez épaissir la sauce pendant 5 à 7 minutes à petit feu, sans couvrir, en remuant souvent.

5 Dressez la viande sur la bouillie de maïs, arrosez de sauce et décorez de persil. Donne 4 portions.

Préparation : 25 minutes Cuisson : 30 minutes

Par portion : Calories 331. Gras total 7 g. Gras saturé 1 g. Protéines 30 g. Hydrates de carbone 39 g. Fibres 7 g. Sodium 376 mg. Cholestérol 88 mg.

Osso buco
en sauce tomate

L'osso buco est un ragoût de jarret de veau qui peut se servir sur des nouilles, du riz ou de toutes petites pâtes appelées orzos. On peut remplacer le jarret de veau par du jarret de bœuf.

Enduit antiadhésif

6 à 8 rouelles de jarret de veau de 7 cm (2½ po) d'épaisseur (environ 1,5 kg/3 lb)

1 c. à soupe d'huile

2 carottes moyennes, hachées

1 gros oignon, haché

1 gousse d'ail, hachée

1¾ tasse de tomates hyposodiques en boîte, concassées dans leur jus

1 tasse de vin blanc sec, ou de bouillon de bœuf hyposodique (p. 67)

2 c. à soupe de concentré de tomate hyposodique

1 feuille de laurier

1 c. à thé de thym séché

1 c. à thé de basilic séché

¼ c. à thé de sel

¼ c. à thé de poivre noir

¼ tasse d'eau froide

2 c. à soupe de farine

¼ tasse de persil ciselé

2 c. à thé de zeste de citron râpé

1 Vaporisez un faitout d'enduit antiadhésif, puis réchauffez-le à feu modéré. Mettez-y les rouelles de veau et faites-les rissoler 10 minutes en les tournant souvent. Retirez-les.

2 Mettez l'huile dans le faitout ; réchauffez-la à feu modéré et faites-y attendrir les carottes, l'oignon et l'ail 5 minutes environ. Ajoutez les tomates, le vin, le concentré de tomate, le laurier, le thym, le basilic, le sel et le poivre, ainsi que les rouelles de veau. Quand l'ébullition est prise, couvrez et laissez mijoter à petit feu pendant 1 h 15 à 1 h 30.

3 Retirez la viande, couvrez-la de papier d'aluminium et gardez-la au chaud. Par ailleurs, délayez la farine dans l'eau froide et jetez-la dans le faitout. Faites bouillir 1 minute à feu modéré en remuant sans arrêt. Dans un petit bol, mélangez le persil et le zeste de citron.

4 Mettez quelques cuillerées de sauce sur la viande ainsi que le persil au citron. Servez le reste de la sauce en saucière. Servez sur des nouilles, du riz ou des orzos cuits. Donne 6 portions.

Préparation : 15 minutes Cuisson : 1 h 40

Par portion : Calories 246. Gras total 7 g. Gras saturé 2 g. Protéines 27 g. Hydrates de carbone 11 g. Fibres 3 g. Sodium 187 mg. Cholestérol 98 mg.

L'ACHAT DU VEAU

◆ Les découpes du veau sont sensiblement les mêmes que celles du bœuf, mais plus petites. Elles sont toutes tendres car l'animal est jeune.

◆ La chair du veau, d'un rose tendre, a un grain plus fin que celle du bœuf.

◆ Choisissez les pièces qui présentent le moins de gras. Le peu qu'il y a doit être d'un beau blanc.

◆ Veau de lait ou veau de grain ? Pour conserver le grain et la texture du veau de lait, certains producteurs ont cru bon de confiner les bêtes dans des stalles pour les empêcher de brouter l'herbe. Trop longtemps nourries exclusivement de lait, elles finissaient par devenir anémiques. Cette forme de cruauté animale a amené bien des gens à délaisser le veau de lait. En contrepartie, les cuisiniers d'expérience soutiennent que le veau nourri au grain n'est rien d'autre que du jeune bœuf.

Rôti de porc farci aux fruits

Rôti de porc farci aux fruits

Le rôti de porc farci aux pommes et aux pruneaux est le repas traditionnel de Noël au Danemark.
Remplacez les croûtons ordinaires par du pain aux raisins rassi : c'est encore meilleur.

1 **rôti de longe de porc de 2 kg (4 lb),**
   l'os partiellement détaché

⅛ **c. à thé de sel**

⅛ **c. à thé de poivre**

Farce :

1 **tasse de pruneaux dénoyautés**

⅔ **tasse d'eau**

3 **c. à soupe de beurre, ou de margarine**

1 **petit oignon, haché**

2 **c. à soupe de cassonade blonde bien tassée**

1 **c. à thé de zeste de citron râpé**

½ **c. à thé de cannelle**

¼ **c. à thé de cardamome**

6 **tasses de croûtons**

1 **grosse pomme acide, hachée**

½ **tasse de jus de pomme**

1 Préchauffez le four à 160 °C (325 °F). Placez le rôti à l'envers sur une planche. Pratiquez des entailles pour y insérer la farce (voir page ci-contre). Assaisonnez la pièce de sel et de poivre.

2 Mettez les pruneaux et l'eau dans une petite casserole. Quand l'ébullition est prise, couvrez et laissez mijoter 10 minutes environ à feu doux. Égouttez les pruneaux et hachez-les.

3 Mettez le beurre à fondre dans la même casserole. Faites-y revenir l'oignon pendant 3 minutes à feu modéré. Retirez la casserole du feu et incorporez la cassonade, le zeste, la cannelle et la cardamome.

4Déposez les croûtons dans un grand bol. Ajoutez le mélange d'oignons, les pruneaux hachés et la pomme. Aspergez de jus de pomme. Remuez délicatement. Introduisez environ 3 c. à soupe de cette farce dans chaque entaille du rôti (voir ci-dessous). Déposez le reste de la farce dans un plat à gratin et réservez-le.

5Déposez le rôti dans une lèchefrite, os par-dessous, et faites-le cuire entre 1 h 45 et 2 h 15, ou jusqu'à ce qu'un thermomètre inséré au centre de la chair (et non de la farce) marque 70 °C (155 °F). (Étendez du papier d'aluminium sur le rôti après 1 heure de cuisson pour protéger la farce.) Enfournez le plat de farce entre 30 et 40 minutes avant la fin de la cuisson.

6Laissez la viande reposer 15 minutes avant de la découper. Servez la farce à part. Donne 8 portions.

Préparation : 35 minutes Cuisson : 2 h 5
Repos : 15 minutes

Par portion : Calories 429. Gras total 16 g. Gras saturé 7 g.
Protéines 35 g. Hydrates de carbone 35 g. Fibres 3 g.
Sodium 313 mg. Cholestérol 103 mg.

POUR FARCIR UN RÔTI

 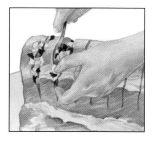

1. Avec un couteau bien aiguisé, pratiquez des entailles profondes dans la chair épaisse, entre les os des côtes, jusqu'à 1,5 cm (½ po) des bords.

2. Ouvrez chaque entaille pour y introduire la farce à l'aide d'une petite cuiller. Tassez-la de manière à en faire pénétrer environ 3 c. à soupe.

Longe de porc à la paysanne, sauce aux cerises

Le porc a longtemps été considéré comme l'assurance du paysan. Bon an, mal an, celui-ci pouvait compter sur les revenus qu'il en tirait alors que les récoltes demeuraient à la merci des intempéries.

1,5 kg (3½ lb) de longe de porc, désossée et parée

⅛ c. à thé de sel

⅛ c. à thé de poivre noir

Sauce :

4 c. à thé de fécule de maïs

¼ c. à thé de coriandre

⅛ c. à thé de muscade

1 tasse de cocktail de canneberges

½ tasse de gelée de groseille

2 tasses de cerises rouges dénoyautées, congelées ou en boîte, bien égouttées

1Préchauffez le four à 160 °C (325 °F). Assaisonnez le rôti de sel et de poivre ; placez-le sur la grille d'une lèchefrite. Insérez un thermomètre à viande au centre. Enfournez et faites cuire entre 1 h 15 et 1 h 45, pour que la température interne atteigne 70 °C (155 °F). Couvrez la viande de papier d'aluminium et attendez 15 minutes avant de la découper.

2Entre-temps, réunissez dans une casserole moyenne la fécule, la coriandre et la muscade. Incorporez le cocktail de canneberges et la gelée de groseille.

3Faites cuire à feu modéré en fouettant sans arrêt jusqu'à épaississement. Prolongez alors la cuisson de 2 minutes, sans cesser de fouetter. Incorporez les cerises et réchauffez-les à fond. Servez la sauce en saucière ; accompagnez le rôti de riz cuit. Donne 8 à 10 portions.

Préparation : 10 minutes Cuisson : 1 h 15
Repos : 15 minutes

Par portion : Calories 344. Gras total 12 g. Gras saturé 4 g.
Protéines 36 g. Hydrates de carbone 23 g. Fibres 1 g.
Sodium 125 mg. Cholestérol 101 mg.

Rôti de porc à la sauge

Ce plat robuste tire toute sa saveur des éclats d'ail dont vous le piquez et du mélange de sauge et de thym dont il est enrobé.

1,5 kg (3 lb) de longe de porc, désossée et ficelée
2 grosses gousses d'ail, taillées en éclats
1 c. à soupe d'huile d'olive
1½ c. à thé de sauge séchée
1½ c. à thé de thym séché
½ c. à thé de sel
¼ c. à thé de poivre noir
½ tasse de vin blanc sec,
   ou de bouillon de poulet hyposodique (p. 67)
2 c. à soupe de persil haché

1 Préchauffez le four à 160 °C (325 °F). Pratiquez environ 12 incisions un peu partout dans le rôti pour y introduire les éclats d'ail. Frottez la pièce d'huile et enrobez-la de sauge, de thym, de sel et de poivre.

2 Déposez la viande sur la grille d'une lèchefrite et insérez un thermomètre au centre. Laissez cuire à découvert de 1 h 45 à 2 heures, jusqu'à ce que la température interne atteigne 70 °C (155 °F). Couvrez le rôti de papier d'aluminium et attendez 15 minutes avant de le découper.

3 Versez le vin dans la lèchefrite et déglacez-la (voir p. 110). Amenez l'ébullition à feu modéré et laissez bouillir pour que la sauce prenne de la consistance.

4 Découpez le rôti ; nappez les tranches de sauce et saupoudrez-les de persil. Donne 8 portions.

Préparation : 10 minutes Cuisson : 1 h 50
Repos : 15 minutes

Par portion : Calories 281. Gras total 13 g. Gras saturé 4 g. Protéines 35 g. Hydrates de carbone 1 g. Fibres 0 g. Sodium 219 mg. Cholestérol 101 mg.

Filet de porc, sauce piquante

1 filet de porc (750 g/1½ lb)
⅛ c. à thé de sel
⅛ c. à thé de poivre
1 tasse de sauce tomate hyposodique en boîte
1 petit oignon, haché fin
2 c. à soupe de vinaigre
1 c. à soupe d'huile
1 c. à soupe de sauce Worcestershire hyposodique
1 gousse d'ail, émincée
1½ c. à thé de raifort préparé, égoutté
1 c. à thé de moutarde sèche
½ c. à thé d'assaisonnement au chile
¼ c. à thé de sel
1 c. à soupe de persil haché

1 Préchauffez le four à 220 °C (425 °F). Assaisonnez le filet de porc de sel et de poivre noir. Déposez-le sur la grille d'une lèchefrite et faites cuire de 40 à 50 minutes (la température interne doit être de 70 °C (155 °F) au thermomètre à viande à lecture instantanée).

2 Dans une petite casserole, mettez le reste des ingrédients, sauf le persil. Amenez à ébullition et laissez mijoter de 10 à 15 minutes à feu modéré, sans couvrir. Incorporez le persil. Réservez la moitié de cette sauce ; couvrez-la et gardez-la au chaud. Badigeonnez le filet de porc avec le reste de la sauce durant les 10 dernières minutes de cuisson.

3 Couvrez la viande de papier d'aluminium et attendez 15 minutes avant de la découper. Servez avec la sauce réservée. Donne 6 portions.

Préparation : 10 minutes Cuisson : 40 minutes
Repos : 15 minutes

Par portion : Calories 182. Gras total 7 g. Gras saturé 2 g. Protéines 25 g. Hydrates de carbone 5 g. Fibres 1 g. Sodium 203 mg. Cholestérol 67 mg.

Filet de bœuf, sauce piquante Suivez la même recette, mais remplacez le filet de porc par **750 g (1½ lb) de filet de bœuf**. Calculez environ 15 minutes de plus pour la cuisson si vous le voulez à point.

Par portion : Calories 219. Gras total 11 g. Gras saturé 3 g. Protéines 25 g. Hydrates de carbone 5 g. Fibres 1 g. Sodium 208 mg. Cholestérol 71 mg.

Braisé de porc aux saveurs d'automne

Braisé de porc aux saveurs d'automne

*Si le printemps est la saison des primeurs du jardin, l'automne est
celle des récoltes plantureuses. Ce braisé est entouré de patates douces,
de courge, de panais et d'oignons.*

Enduit antiadhésif
1,5 kg (3 lb) de longe de porc désossée, ficelée
1 tasse de bouillon de bœuf hyposodique (p. 67)
1⅓ tasse de jus de pomme
2 feuilles de laurier
1 c. à thé de thym séché
1 c. à thé de marjolaine séchée
½ c. à thé de sel
¼ c. à thé de cayenne
1 courge moyenne
4 panais moyens, épluchés et coupés en quatre
2 tasses de patates douces, épluchées et taillées en dés
2 oignons moyens, découpés en petits quartiers
2 tasses de petits champignons entiers
3 c. à soupe de farine

1 Vaporisez un grand faitout d'enduit antiadhésif et réchauffez-le à feu modéré. Faites-y revenir la viande 10 minutes environ en la tournant à plusieurs reprises. Ajoutez le bouillon, 1 tasse du jus de pomme, le laurier, le thym, la marjolaine, le sel et le cayenne.

2 Quand l'ébullition est prise, couvrez et laissez mijoter 1 h 45 à petit feu. Retournez le rôti. Dans l'intervalle, coupez la courge en deux et ôtez la semence. Détaillez chaque moitié en quatre. Mettez la courge, le panais, les patates douces, les oignons et les champignons dans le faitout.

3 Quand l'ébullition reprend, couvrez et laissez mijoter 25 à 30 minutes à petit feu. Disposez la viande et les légumes dans un plat de service ; couvrez de papier d'aluminium et gardez au chaud. Retirez le laurier.

4 Mesurez le fond de cuisson et dégraissez-le (voir p. 112). Au besoin, ajoutez du bouillon de bœuf hyposodique, ou de l'eau, de façon à obtenir 2 tasses de liquide. Dans un petit bol, délayez la farine au fouet dans le reste du jus de pomme ; versez-la dans le faitout. Amenez à ébullition à feu modéré et laissez bouillir 1 minute en fouettant constamment. Servez la sauce en saucière. Donne 8 portions.

Préparation : 15 minutes Cuisson : 2 h 35

Par portion : Calories 477. Gras total 18 g. Gras saturé 6 g.
Protéines 36 g. Hydrates de carbone 44 g. Fibres 7 g.
Sodium 233 mg. Cholestérol 107 mg.

Côtelettes de porc à la choucroute et au cidre

Côtelettes de porc à la choucroute et au cidre

La choucroute se vend en boîte ; on en trouve aussi dans les charcuteries
où elle est généralement apprêtée au vin blanc. Elle sert ici, de même que le cidre, à garder le moelleux
des côtelettes qui, autrement, pourraient se dessécher en cuisant.

Enduit antiadhésif

6 **côtelettes de porc de 2 cm (¾ po) d'épaisseur,
non désossées mais dégraissées (environ 1 kg/2 lb)**

2 **tasses de choucroute en boîte, rincée et égouttée,
ou de choucroute fraîche au vin blanc**

1 **gros oignon, tranché**

1 **tasse de carotte râpée**

½ **tasse de cidre, ou de jus de pomme**

1 **c. à soupe de cassonade blonde bien tassée**

½ **c. à thé de romarin séché**

¼ **c. à thé de gingembre**

¼ **c. à thé de poivre noir**

1 Vaporisez une sauteuse moyenne d'enduit antiadhésif. Réchauffez-la à feu modéré et faites-y revenir les côtelettes, trois par trois, en comptant environ 3 minutes de cuisson de chaque côté.

2 Au fond de la sauteuse, étendez la choucroute, l'oignon, la carotte, le cidre, la cassonade, le romarin, le gingembre et le poivre. Remuez. Déposez les côtelettes par-dessus.

3 Amenez à ébullition, couvrez et laissez cuire de 5 à 6 minutes à petit feu, jusqu'à ce que leur chair ne soit plus rosée. Donne 6 portions.

Préparation : 15 minutes Cuisson : 20 minutes

Par portion : Calories 201. Gras total 7 g. Gras saturé 2 g.
Protéines 24 g. Hydrates de carbone 10 g. Fibres 2 g.
Sodium 355 mg. Cholestérol 67 mg.

Côtelettes de porc farcies de canneberges à la sauge

*Cette farce est meilleure si vous la préparez
avec des canneberges crues. Faites-en provision à
Noël et gardez-les au congélateur :
elles se conservent un an.*

¹/₃ tasse de canneberges hachées
 1 c. à soupe de sucre
 4 côtelettes de porc de 3 cm (1¹/₄ po) d'épaisseur,
   non désossées mais dégraissées (environ 1 kg/2 lb)
 1 c. à soupe de beurre, ou de margarine
¹/₃ tasse de céleri haché
¹/₄ tasse d'oignon haché
 2 c. à soupe de jus d'orange
 1 c. à thé de zeste d'orange râpé
¹/₂ c. à thé de sauge
 1 tasse de croûtons
¹/₈ c. à thé de sel
¹/₈ c. à thé de poivre noir

1 Préchauffez le four à 190 °C (375 °F). Mélangez les canneberges et le sucre. Avec un couteau pointu et bien coupant, ouvrez les côtelettes sur l'épaisseur en allant vers l'os.

2 Mettez le beurre à fondre dans une petite casserole et faites-y revenir le céleri et l'oignon pendant 5 minutes. Ajoutez le jus et le zeste d'orange, la sauge et les canneberges sucrées. Incorporez les croûtons ; remuez pour bien les humecter.

3 Introduisez ¹/₄ tasse de cette farce dans chaque côtelette et enfermez-la avec un cure-dent. Déposez les côtelettes sur la grille d'une lèchefrite ; assaisonnez de sel et de poivre. Enfournez et laissez cuire 35 à 40 minutes. Retirez les cure-dents et servez. Donne 4 portions.

Préparation : 25 minutes Cuisson : 41 minutes

Par portion : Calories 294. Gras total 13 g. Gras saturé 6 g.
Protéines 31 g. Hydrates de carbone 12 g. Fibres 1 g.
Sodium 199 mg. Cholestérol 81 mg.

Côtelettes de porc à l'aigre-douce

*Pour ramollir une cassonade qui a durci, mettez-y un
quartier de pomme ou une tranche de pain et refermez le sac.
Autrefois, il fallait attendre jusqu'au lendemain ; aujourd'hui,
il suffit de mettre le sac 30 secondes au micro-ondes.*

 Enduit antiadhésif
 4 côtelettes de porc de 2 cm (³/₄ po) d'épaisseur,
   désossées et dégraissées (500 g/1 lb)
 2 carottes moyennes, tranchées mince
 1 oignon moyen, tranché mince
 4 tranches de citron
²/₃ tasse de jus de pomme
 3 c. à soupe de cassonade blonde bien tassée
 3 c. à soupe de vinaigre
 1 gousse d'ail, émincée
¹/₂ c. à thé de gingembre
¹/₄ c. à thé de sel
¹/₄ c. à thé de poivre noir
 3 c. à soupe d'eau froide
 4 c. à thé de fécule de maïs

1 Vaporisez une sauteuse moyenne d'enduit antiadhésif. Réchauffez-la à feu modéré et faites-y revenir les côtelettes 3 minutes environ de chaque côté.

2 Ajoutez les carottes, l'oignon et les tranches de citron. Dans un bol, mélangez le jus de pomme, la cassonade, le vinaigre, l'ail, le gingembre, le sel et le poivre. Versez cette marinade sur la viande et les légumes.

3 Quand l'ébullition est prise, couvrez et laissez mijoter de 5 à 6 minutes à petit feu. Dressez les côtelettes et le citron dans un plat de service, couvrez de papier d'aluminium et réservez au chaud.

4 Dans un petit bol, délayez la fécule dans l'eau froide et versez-la dans la sauteuse. Faites épaissir 2 minutes. Nappez les côtelettes de sauce et servez avec du riz ou des nouilles. Donne 4 portions.

Préparation : 15 minutes Cuisson : 15 minutes

Par portion : Calories 263. Gras total 8 g. Gras saturé 3 g.
Protéines 27 g. Hydrates de carbone 22 g. Fibres 2 g.
Sodium 205 mg. Cholestérol 73 mg.

Côtelettes de porc sur lit de petits légumes

Cette recette constitue un repas-en-un-plat.
Viande et légumes cuisent lentement ensemble et
leurs parfums s'entremêlent.

1	c. à soupe d'huile
4	côtelettes de porc de 2 cm (³/₄ po) d'épaisseur, non désossées mais dégraissées (750 g/1¹/₂ lb)
1	poivron vert moyen, haché
1	oignon moyen, haché
1³/₄	tasse de tomates hyposodiques en boîte, concassées dans leur jus
2	pommes moyennes, hachées avec la pelure
¹/₂	tasse de riz blanc cru à longs grains
¹/₂	tasse de bouillon de poulet hyposodique (p. 67)
1	c. à thé de marjolaine séchée
¹/₂	c. à thé de sauge
¹/₄	c. à thé de sel
¹/₄	c. à thé de poivre noir

1 Préchauffez le four à 180 °C (350 °F). Dans une sauteuse moyenne, réchauffez l'huile à feu modéré et faites-y rissoler les côtelettes 3 minutes environ de chaque côté. Retirez-les.

2 Mettez le poivron et l'oignon dans la sauteuse et faites-les revenir 5 minutes environ. Ajoutez les tomates, les pommes, le riz cru, le bouillon, la marjolaine, la sauge, le sel et le poivre ; amenez à ébullition.

3 Versez la sauce bouillonnante dans un plat à four rectangulaire et déposez les côtelettes par-dessus. Couvrez, enfournez et laissez cuire 35 minutes. Découvrez le plat et prolongez la cuisson de 10 à 15 minutes, ou jusqu'à ce que les côtelettes et le riz soient à point. Donne 4 portions.

Préparation : 20 minutes Cuisson : 1 heure

Par portion : Calories 381. Gras total 11 g. Gras saturé 3 g.
Protéines 30 g. Hydrates de carbone 40 g. Fibres 4 g.
Sodium 206 mg. Cholestérol 75 mg.

Chop suey aux champignons

Ce fameux plat chinois des Américains se prépare, non
pas avec des fèves germées, comme on le dit communément,
mais bien avec des germes d'un haricot appelé mungo.

	Enduit antiadhésif
375	g (12 oz) de porc, désossé, dégraissé et détaillé en dés de 1,5 cm (¹/₂ po)
125	g (4 oz) de bœuf désossé, dégraissé et détaillé en dés de 1,5 cm (¹/₂ po)
1	gousse d'ail, hachée
1¹/₂	tasse de bouillon de bœuf hyposodique (p. 67)
¹/₄	tasse de sauce soja hyposodique
1	c. à soupe de mélasse
³/₄	c. à thé de gingembre
¹/₄	c. à thé de poivre noir
2	carottes moyennes, tranchées mince
2	côtes de céleri, tranchées mince
2	tasses de champignons tranchés (shiitakes ou autres)
2	tasses de germes de mungo, frais ou en boîte
1	tasse de pousses de bambou, égouttées et tranchées
8	oignons verts moyens, en tronçons de 2,5 cm (1 po)
¹/₄	tasse d'eau froide
2	c. à soupe de fécule de maïs

1 Vaporisez un faitout d'enduit antiadhésif. Après l'avoir réchauffé, faites-y revenir le porc, le bœuf et l'ail de 5 à 10 minutes à feu modéré. Ajoutez le bouillon, la sauce soja, la mélasse, le gingembre et le poivre.

2 Quand l'ébullition est prise, couvrez et laissez mijoter à petit feu. Au bout de 25 minutes, ajoutez les carottes et le céleri et prolongez la cuisson de 10 minutes environ, toujours à couvert.

3 Ajoutez alors les champignons, les germes de mungo, les pousses de bambou et les oignons verts. Par ailleurs, délayez la fécule dans l'eau froide et versez-la dans le faitout. Laissez cuire 2 minutes ou jusqu'à épaississement. Servez sur du riz cuit. Donne 4 portions.

Préparation : 20 minutes Cuisson : 53 minutes

Par portion : Calories 303. Gras total 9 g. Gras saturé 3 g.
Protéines 28 g. Hydrates de carbone 29 g. Fibres 5 g.
Sodium 626 mg. Cholestérol 80 mg.

Côtes levées de porc à la sauce piquante

Côtes levées de porc à la sauce piquante

Voici un plat dont tout le monde raffole, des plus petits aux plus grands.
Agrémentée de jus et de zeste d'orange et bien relevée, cette recette
rajeunit la préparation traditionnelle des côtes levées.

1 à 1,5 kg (2½-3 lb) de côtes levées de porc, découpées
en morceaux de deux côtes

1 oignon moyen, haché

¼ tasse de jus d'orange

½ tasse de sauce chili

1 c. à soupe de mélasse

1 c. à thé de zeste d'orange

½ c. à thé de moutarde sèche

¼ c. à thé de clou de girofle

⅛ c. à thé de cayenne

1 Préchauffez le four à 180 °C (350 °F). Déposez les côtes levées, os dessous, dans un grand plat à four. Enfournez et faites cuire 1 h 15 à 1 h 30. Ôtez le gras.

2 Faites cuire l'oignon dans le jus d'orange 5 minutes environ à feu modéré. Incorporez la sauce chili, la mélasse, le zeste, la moutarde sèche, le clou de girofle et le cayenne, et donnez un bouillon.

3 Réservez la moitié de cette sauce. Avec le reste, badigeonnez les côtes levées. Prolongez leur cuisson de 15 minutes environ en les badigeonnant de nouveau à une ou deux reprises. Servez le reste de la sauce en saucière. Donne 4 portions.

Préparation : 10 minutes Cuisson : 1 h 30

Par portion : Calories 364. Gras total 18 g. Gras saturé 6 g.
Protéines 34 g. Hydrates de carbone 16 g. Fibres 1 g.
Sodium 539 mg. Cholestérol 109 mg.

Tourte au porc et aux pommes

Tourte au porc et aux pommes

L'alliance du porc et des pommes a fait ses preuves depuis longtemps en cuisine.
Réunis dans une tourte, ils font merveille.

500	g (1 lb) de porc maigre haché
1	oignon moyen, haché
1	côte de céleri, hachée
½	tasse de chapelure fine
½	tasse de bouillon de poulet hyposodique (p. 67)
½	c. à thé de sel
½	c. à thé de sauge
⅛	c. à thé de cayenne
2	abaisses de tarte achetées ou faites maison (p. 337)
2	pommes acides moyennes, pelées et tranchées mince
2	c. à soupe de sucre
¼	c. à thé de piment de la Jamaïque
	Lait écrémé à 1 p. 100

1 Préchauffez le four à 200 °C (400 °F). Dans une sauteuse moyenne, faites cuire le porc haché avec l'oignon et le céleri jusqu'à ce qu'il perde sa teinte rosée. Videz le gras. Ajoutez la chapelure, le bouillon, le sel, la sauge et le cayenne.

2 Foncez un moule à tarte avec une des deux abaisses ; égalisez la bordure. Déposez-y le porc haché cuit. Par ailleurs, mélangez les pommes, le sucre et le piment de la Jamaïque. Étalez cet appareil par-dessus la viande.

3 Mettez la deuxième abaisse en couvercle. Laissez-la déborder de 1,5 cm (½ po). Repliez cette bordure et festonnez-la. Ciselez l'abaisse pour que la vapeur puisse

s'échapper. Badigeonnez la pâte de lait. Enfournez et faites cuire de 35 à 40 minutes. Laissez reposer la tourte 10 minutes avant de la découper. Donne 6 portions.

Préparation : 20 minutes Cuisson : 40 minutes
Repos : 10 minutes

Par portion : Calories 517. Gras total 27 g. Gras saturé 22 g. Protéines 20 g. Hydrates de carbone 49 g. Fibres 1 g. Sodium 586 mg. Cholestérol 55 mg.

Ragoût de boulettes aux câpres

Cette recette emprunte à la cuisine allemande.
Les boulettes se font avec du porc, mais on peut
le remplacer en partie par du bœuf ou du veau.
La sauce, à base de crème sure allégée,
est relevée d'un peu de citron et de câpres.

500 g (1 lb) de porc maigre haché
¼ tasse de chapelure fine
1 c. à soupe de lait écrémé à 1 p. 100
1 filet d'anchois, haché (facultatif)
¼ c. à thé de poivre noir
1 gros blanc d'œuf
2 c. à soupe de beurre, ou de margarine
2 oignons moyens, tranchés et détaillés en anneaux
3 c. à soupe de farine
1 c. à soupe de cassonade blonde bien tassée
1 c. à thé de thym séché
1½ tasse de bouillon de bœuf hyposodique (p. 67)
1 c. à soupe de jus de citron
2 c. à soupe de câpres bien égouttés
2 c. à soupe de persil haché

1 Préchauffez le four à 180 °C (350 °F). Mélangez le porc haché avec la chapelure, le lait, le filet d'anchois, s'il y a lieu, ⅛ c. à thé de poivre et le blanc d'œuf. Façonnez 24 boulettes.

2 Déposez les boulettes, sans les superposer, dans un grand plat à four. Faites cuire de 15 à 20 minutes au four. Égouttez bien.

3 Par ailleurs, faites fondre le beurre à feu modéré dans une casserole. Ajoutez les oignons et laissez-les

attendrir 10 minutes environ. Incorporez la farine, la cassonade, le thym et le reste du poivre. Mouillez avec le bouillon et le jus de citron. Laissez cuire jusqu'à épaississement en remuant sans arrêt. Prolongez la cuisson de 2 minutes, en remuant toujours.

4 Incorporez les câpres, le persil et les boulettes et réchauffez bien. Servez le ragoût de boulettes sur un lit de nouilles. Donne 4 portions.

Préparation : 20 minutes Cuisson : 20 minutes

Par portion : Calories 320. Gras total 15 g. Gras saturé 7 g. Protéines 27 g. Hydrates de carbone 18 g. Fibres 1 g. Sodium 281 mg. Cholestérol 99 mg.

Jambon rôti à la mélasse

De l'avis de plusieurs, il s'agit de la plus ancienne
et sans doute de la meilleure recette pour faire ressortir
le goût du jambon. Si vous aimez un goût plus relevé,
employez de la moutarde épicée.

1 jambon cuit hyposodique de 1,5 kg (3 lb), désossé
2 c. à soupe de beurre, ou de margarine
1 c. à soupe de cassonade blonde bien tassée
1 c. à soupe de mélasse
1 c. à thé de moutarde préparée
¼ tasse de chapelure fine

1 Préchauffez le four à 160 °C (325 °F). Incisez le gras du jambon en losanges (voir p. 144). Déposez la pièce sur la grille d'une rôtissoire. Insérez le thermomètre à viande au centre et faites cuire 1 h 15 au four.

2 Entre-temps, faites fondre le beurre à feu modéré dans une petite casserole. Mettez-y la cassonade, la mélasse et la moutarde, mélangez bien, puis ajoutez la chapelure.

3 Avec une grande cuiller, étalez ce glacis sur le jambon et prolongez sa cuisson de 15 à 30 minutes : la température interne du rôti doit être de 60 °C (135 °F). Couvrez-le de papier d'aluminium et attendez 15 minutes avant de le découper. Donne 12 portions.

Préparation : 10 minutes Cuisson : 1 h 30
Repos : 15 minutes

Par portion : Calories 156. Gras total 7 g. Gras saturé 3 g. Protéines 18 g. Hydrates de carbone 5 g. Fibres 0 g. Sodium 868 mg. Cholestérol 50 mg.

Jambon rôti à l'érable, sauce aux raisins secs

Le fidèle animal qu'on appelle porc en boucherie a bien des noms. Le mâle s'appelle verrat, la femelle truie, l'animal châtré cochon et les petits, gorets, cochons de lait ou porcelets. On lui est redevable d'un grand nombre de plats traditionnels dans la cuisine du Canada français.

1 jambon fumé précuit, bout du jarret (2 kg/4 lb)

2 c. à soupe de clous de girofle entiers

Glacis :

¼ tasse de sirop d'érable

1 c. à soupe de beurre, ou de margarine

1 c. à soupe de sirop de maïs doré

1 c. à soupe de jus d'orange

⅛ c. à thé de piment de la Jamaïque
Pincée de clou de girofle moulu

Sauce aux raisins secs :

¼ tasse de cassonade blonde bien tassée

2 c. à soupe de fécule de maïs

1½ tasse de jus de pomme

1 tasse de raisins secs

3 c. à soupe de jus d'orange

1 c. à soupe de vinaigre

1 c. à thé de zeste d'orange râpé

⅛ c. à thé de piment de la Jamaïque

1 Préchauffez le four à 160 °C (325 °F). Ciselez le jambon en losanges et piquez-le de clous de girofle (à droite). Déposez-le sur une grille dans une rôtissoire. Insérez un thermomètre à viande au centre de la portion la plus charnue, sans atteindre l'os. Faites cuire 1 h 15.

2 Pour préparer le glacis, mettez tous les ingrédients dans une petite casserole. Au premier bouillon, retirez-la du feu.

3 Badigeonnez le jambon avec ce sirop. Enfournez de nouveau et laissez cuire environ 15 minutes pour que la température interne atteigne 60 °C (135 °F). Couvrez le rôti de papier d'aluminium et attendez 15 minutes avant de le découper.

4 Pendant ce temps, préparez la sauce aux raisins secs. Dans une casserole moyenne, délayez la cassonade et la fécule dans le jus de pomme ; ajoutez les raisins secs, le jus d'orange, le vinaigre, le zeste et le piment de la Jamaïque.

5 Faites cuire à feu modéré jusqu'à épaississement, en remuant constamment, et prolongez la cuisson de 1 à 2 minutes, sans cesser de remuer. Servez le jambon nappé de sauce. Donne 10 portions.

Préparation : 15 minutes Cuisson : 1 h 30
Repos : 15 minutes

Par portion : Calories 258. Gras total 6 g. Gras saturé 2 g.
Protéines 21 g. Hydrates de carbone 30 g. Fibres 1 g.
Sodium 1 121 mg. Cholestérol 49 mg.

Jambon rôti à l'érable, sauce aux fruits Suivez la recette ci-dessus pour le jambon et le glacis (étapes 1, 2 et 3). Mais remplacez la sauce aux raisins par celle qui suit. Dans une casserole moyenne, délayez **¼ tasse de cassonade blonde bien tassée** et **2 c. à soupe de fécule de maïs** dans **1½ tasse de jus d'orange**. Faites épaissir cette sauce à feu modéré, en remuant. Accordez 1 ou 2 minutes de plus de cuisson avant d'ajouter **2 tasses de demi-abricots en sirop léger, égouttés et tranchés**, et **1½ tasse de fraises en tranches**. Réchauffez bien.

Par portion : Calories 241. Gras total 6 g. Gras saturé 2 g.
Protéines 22 g. Hydrates de carbone 25 g. Fibres 1 g.
Sodium 1 120 mg. Cholestérol 49 mg.

POUR CISELER LE JAMBON

Le jambon à l'ancienne est toujours ciselé en losanges et piqué de clous de girofle : les incisions permettent au glacis de parfumer la viande.

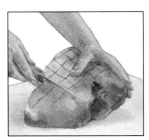
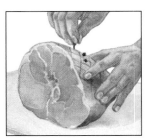

1. Avec un couteau bien aiguisé, pratiquez en diagonale des incisions parallèles de 1 cm (¼ po) de profondeur tous les 2,5 cm (1 po). Faites une seconde série d'incisions, à angle droit.

2. Vous obtiendrez ainsi un motif de losanges. Piquez un clou de girofle au milieu de chacun d'eux. Percez d'abord la peau avec une brochette : le clou entrera plus facilement.

Jambon rôti à l'érable, sauce aux raisins secs

Steak de jambon poêlé, sauce aux prunes

Steak de jambon poêlé, sauce aux prunes

Nos ancêtres les Gaulois, qui ne rataient jamais l'occasion de festoyer, étaient déjà experts dans l'art de saler et de fumer le jambon. On dit qu'ils en mangeaient au début du repas pour stimuler l'appétit ou à la fin pour exciter la soif.

1 grande tranche de jambon fumé précuit de 2,5 cm (1 po) d'épaisseur (environ 750 g/1½ lb)

1 c. à soupe de beurre, ou de margarine

2 c. à soupe de cassonade blonde bien tassée

¾ c. à thé de moutarde sèche

½ c. à thé de muscade

⅛ c. à thé de clou de girofle

1 boîte (398 ml/14 oz) d'ananas en tranches, conservé dans son jus

Jus d'orange

3 prunes moyennes, tranchées, ou 1 grosse pomme acide, parée et tranchée mince

⅓ tasse de xérès sec, ou de jus d'orange

2 c. à soupe de fécule de maïs

1 Incisez le bord de la tranche tous les 2,5 cm (1 po). Dans une grande sauteuse, faites fondre le beurre à feu modéré. Incorporez la cassonade, la moutarde sèche, la muscade et le clou. Ajoutez la tranche de jambon et faites-la dorer 5 minutes environ de chaque côté.

2 Égouttez et réservez les ananas. Ajoutez assez de jus d'orange au jus d'ananas pour obtenir 1 tasse de liquide. Versez-le sur le jambon. Quand l'ébullition est prise, couvrez et laissez mijoter à petit feu 10 minutes. Ajoutez l'ananas et les prunes, et laissez mijoter 5 minutes de plus. Mettez le jambon dans une assiette, couvrez de papier d'aluminium et gardez au chaud.

3 Dans un petit bol, délayez la fécule dans le xérès, versez-la dans la sauteuse et faites épaissir la sauce environ 2 minutes. Nappez le jambon de sauce aux fruits. Donne 6 portions.

Préparation : 15 minutes Cuisson : 25 minutes

Par portion : Calories 258. Gras total 7 g. Gras saturé 3 g. Protéines 22 g. Hydrates de carbone 24 g. Fibres 1 g. Sodium 1 151 mg. Cholestérol 52 mg.

Steak de jambon aux canneberges et au miel

La tranche de jambon présente deux avantages : c'est une pièce de taille pratique et elle cuit rapidement.

- 1 grande tranche de jambon fumé précuit de 2,5 cm (1 po) d'épaisseur (environ 750 g/1½ lb)
- 1 c. à soupe de clous de girofle entiers
- ½ tasse de vin rouge, ou de jus d'orange
- ¼ tasse de miel
- ½ c. à thé de gingembre
- ¼ c. à thé de piment de la Jamaïque
- 1½ tasse de canneberges
- 1 tasse de petits oignons blancs surgelés

1 Préchauffez le four à 180 °C (350 °F). Incisez la surface de la tranche de jambon en losanges et piquez-la de clous de girofle (voir p. 144). Incisez également le bord de la tranche tous les 2,5 cm (1 po). Déposez-la sur la grille d'une lèchefrite. Enfournez et faites cuire environ 30 minutes.

2 Entre-temps, mettez le vin rouge, le miel, le gingembre et le piment de la Jamaïque dans une casserole moyenne. Au premier bouillon, ajoutez les canneberges et les petits oignons. Quand l'ébullition reprend, maintenez-la 5 minutes à feu assez vif pour faire éclater la peau des canneberges. Servez cette compote de canneberges avec le jambon. Donne 6 portions.

Préparation : 10 minutes Cuisson : 30 minutes

Par portion : Calories 213. Gras total 5 g. Gras saturé 2 g. Protéines 22 g. Hydrates de carbone 18 g. Fibres 1 g. Sodium 1 134 mg. Cholestérol 47 mg.

Pâté de jambon aux biscuits graham

Les ingrédients de ce pâté peuvent tout aussi bien être façonnés en boulettes. L'addition de porc frais et de biscuits graham donne à ce « pain de viande » une petite saveur de noisettes douces, fort agréable.

- 750 g (1½ lb) de jambon cuit, haché
- 500 g (1 lb) de porc maigre haché
- ¾ tasse de biscuits graham écrasés
- ½ tasse de lait écrémé à 1 p. 100
- ¼ tasse de carotte hachée
- ¼ tasse d'oignon haché fin
- ¼ c. à thé de poivre noir
- 1 gros œuf, légèrement battu
- 1 gros blanc d'œuf, légèrement battu
- ½ tasse de ketchup
- ¼ tasse de cassonade blonde bien tassée
- 2 c. à soupe de vinaigre
- ½ c. à thé de poudre d'oignon

1 Préchauffez le four à 180 °C (350 °F). Dans un grand bol, mélangez le jambon et le porc hachés, les biscuits graham, le lait, la carotte, l'oignon, le poivre, l'œuf et le blanc d'œuf. Tassez cette préparation dans un moule à pain de 22 × 12 cm (9 × 5 po) ; lissez la surface à la fourchette. Enfournez et faites d'abord cuire 1 heure. Videz le gras.

2 Mélangez le ketchup, la cassonade, le vinaigre et la poudre d'oignon. Étalez la moitié de cette pâte sèche sur le pâté. Faites cuire 15 à 30 minutes de plus : la température interne doit atteindre 70 °C (155 °F) au thermomètre à lecture instantanée. Servez le reste de la sauce en saucière. Donne 8 portions.

Préparation : 15 minutes Cuisson : 1 h 15

Par portion : Calories 293. Gras total 10 g. Gras saturé 3 g. Protéines 31 g. Hydrates de carbone 19 g. Fibres 1 g. Sodium 1 158 mg. Cholestérol 104 mg.

Boulettes de jambon Suivez la même recette, mais façonnez la préparation en 24 boulettes. Disposez-les côte à côte dans un plat à four et faites cuire 45 minutes. Videz le gras. Versez la totalité de la sauce sur les boulettes et prolongez la cuisson de 10 minutes.

Par portion : Calories 293. Gras total 10 g. Gras saturé 3 g. Protéines 31 g. Hydrates de carbone 19 g. Fibres 1 g. Sodium 1 158 mg. Cholestérol 104 mg.

Jambon, maïs et macaronis au gratin

Avec cette recette, vous pouvez déguiser des restes de jambon rôti en un merveilleux pâté bien gratiné.

½ tasse de macaronis en coudes

1 c. à soupe de beurre, de margarine, ou d'huile d'olive

½ tasse de poivron vert haché

¼ tasse d'oignon haché

2 c. à soupe de farine

1¼ tasse de lait écrémé à 1 p. 100

½ c. à thé de moutarde sèche

   Pincée de cayenne

2 tasses de jambon hyposodique cuit, haché

1 tasse de maïs à grains entiers, frais ou décongelé

⅓ tasse de cheddar râpé

¾ tasse de mie de pain émiettée

1 c. à soupe de beurre fondu, ou de margarine

   Paprika

1 Préchauffez le four à 180 °C (350 °F). Faites cuire les macaronis selon les directives de l'emballage. Rincez-les et égouttez-les.

2 Faites fondre 1 c. à soupe de beurre dans une casserole moyenne. Ajoutez le poivron et l'oignon, et laissez cuire 5 minutes. Incorporez la farine. Ajoutez le lait, la moutarde et le cayenne. Faites cuire en remuant. Quand la préparation commence à épaissir, comptez encore 2 minutes de cuisson, toujours en remuant.

3 Incorporez le jambon, le maïs et les macaronis cuits. Versez cet appareil dans un plat à four rectangulaire. Recouvrez de cheddar. Dans un petit bol à part, imprégnez de beurre fondu la mie de pain émiettée. Égrenez-la sur le plat et saupoudrez de paprika. Enfournez et laissez cuire de 25 à 30 minutes. Donne 4 portions.

Préparation : 15 minutes Cuisson : 35 minutes

Par portion : Calories 338. Gras total 13 g. Gras saturé 7 g. Protéines 22 g. Hydrates de carbone 32 g. Fibres 2 g. Sodium 842 mg. Cholestérol 70 mg.

Bratwürste à la bière

Bratwürste à la bière

La bratwurst est une saucisse allemande qui ressemble au boudin blanc et contient du veau. On a l'habitude de la griller ; dans cette recette, on la fait pocher dans de la bière.

1 c. à soupe d'huile d'olive

1 oignon moyen, tranché

1 tasse de bière légère, ou de bouillon de bœuf hyposodique (p. 67)

1 tasse de bouillon de bœuf hyposodique (p. 67)

2 c. à soupe de cassonade blonde bien tassée

2 c. à soupe de vinaigre

2 feuilles de laurier

1 c. à thé de graines de carvi

1 c. à thé de thym séché

1 c. à thé de sauce Worcestershire hyposodique

¼ c. à thé de poivre noir

4 bratwürste (375 g/12 oz)

2 c. à soupe de farine

2 c. à soupe de persil haché

1 Dans une sauteuse moyenne, réchauffez l'huile à feu modéré ; faites-y attendrir l'oignon 5 minutes.

2 Ajoutez la bière, ³/₄ tasse de bouillon, la cassonade, le vinaigre, le laurier, le carvi, le thym, la sauce Worcestershire et le poivre. Plongez les bratwürste dans ce liquide. Quand l'ébullition est prise, couvrez et laissez pocher 10 minutes environ à feu doux. Mettez les bratwürste dans un plat, couvrez de papier d'aluminium et réservez au chaud. Retirez le laurier.

3 Délayez la farine dans le reste du bouillon et ajoutez-la au contenu de la sauteuse. Laissez épaissir à feu modéré en remuant constamment. Ajoutez 2 minutes de cuisson, puis incorporez le persil. Versez cette sauce sur les bratwürste et servez avec des pommes de terre en purée ou des nouilles. Donne 4 portions.

Préparation : 10 minutes Cuisson : 25 minutes

Par portion : Calories 376. Gras total 30 g. Gras saturé 14 g.
Protéines 12 g. Hydrates de carbone 14 g. Fibres 1 g.
Sodium 863 mg. Cholestérol 39 mg.

Ragoût de saucisse aux poivrons

Durant les millénaires qui ont précédé l'invention de la réfrigération, la façon de conserver la viande était de la saler, de la condimenter ou de la fumer. Aujourd'hui, on fait tout cela par pure gourmandise.

Enduit antiadhésif
375 **g (12 oz) de saucisse fumée maigre, déjà cuite, détaillée en tronçons de 1,5 cm (½ po)**
1 **tasse de poivron vert haché**
1 **oignon moyen, haché**
1 **gousse d'ail, émincée**
1³/₄ **tasse de tomates hyposodiques en boîte**
1 **c. à soupe de farine**
1 **tasse de maïs à grains entiers, frais ou décongelé**
2 **c. à soupe de persil haché**
1 **c. à soupe de cassonade blonde bien tassée**
1 **c. à soupe de vinaigre**
1 **c. à soupe de moutarde préparée**
½ **c. à thé de marjolaine séchée**
¼ **c. à thé de poivre noir**

1 Vaporisez une sauteuse moyenne d'enduit antiadhésif. Réchauffez-la à feu assez vif et faites-y cuire la saucisse, le poivron, l'oignon et l'ail pendant 5 minutes environ.

2 Égouttez les tomates en conservant le jus. Délayez la farine dans ce jus ; versez-la dans la sauteuse. Incorporez les tomates, le maïs, le persil, la cassonade, le vinaigre, la moutarde, la marjolaine et le poivre noir ; faites cuire à feu modéré en remuant constamment. Quand la préparation a épaissi, comptez encore 2 minutes de cuisson en remuant. Dressez le ragoût sur un lit de riz. Donne 3 ou 4 portions.

Préparation : 20 minutes Cuisson : 12 minutes

Par portion : Calories 380. Gras total 23 g. Gras saturé 8 g.
Protéines 20 g. Hydrates de carbone 30 g. Fibres 4 g.
Sodium 1 165 mg. Cholestérol 80 mg.

Bacon de dos poêlé à l'orange et au miel

Ce bacon, coupé dans la longe de porc fumée, s'apparente au jambon. Il se vend déjà tranché, mais il est préférable de l'acheter en une seule pièce et de le trancher soi-même.

1 **c. à soupe de beurre, ou de margarine**
375 **g (12 oz) de bacon de dos, tranché**
¹/₃ **tasse de miel**
1 **c. à soupe de jus d'orange**
1 **c. à thé de zeste d'orange râpé**
¼ **c. à thé de moutarde sèche**
¹/₈ **c. à thé de poivre noir concassé**

1 Dans une sauteuse moyenne antiadhésive, faites fondre le beurre à feu modéré. Mettez-y la moitié des tranches de bacon et faites-les blondir 1 minute de chaque côté. Retirez-les et faites cuire le reste.

2 Par ailleurs, mélangez le miel, le jus et le zeste d'orange, la moutarde et le poivre. Remettez le bacon dans la sauteuse et versez la sauce au miel par-dessus. Donnez un bouillon, baissez le feu et laissez cuire à découvert 5 minutes environ, ou jusqu'à ce que le sirop commence à caraméliser.

3 Dressez le bacon dans un plat et nappez-le de sauce. Accompagnez-le de riz. Donne 4 portions.

Préparation : 5 minutes Cuisson : 10 minutes

Par portion : Calories 213. Gras total 7 g. Gras saturé 3 g.
Protéines 13 g. Hydrates de carbone 24 g. Fibres 0 g.
Sodium 859 mg. Cholestérol 39 mg.

Gigot d'agneau à la menthe

Voici une recette typiquement anglaise qu'on a du plaisir à servir de temps à autre. La menthe fraîche est évidemment supérieure à la menthe séchée, mais cette dernière n'est pas non plus à dédaigner.

- 1 gigot d'agneau de 2,5 kg (5 à 6 lb), dégraissé et paré
- 3 c. à soupe de menthe fraîche hachée
- 2 c. à soupe de jus de citron
- 2 c. à soupe de persil haché
- 1 c. à soupe d'oignon râpé, ou de jus d'oignon
- 1 tasse de gelée à la menthe
- 2 c. à soupe de fécule de maïs
- 1 c. à soupe de zeste de citron râpé
- ¾ tasse de jus de pomme

1 Préchauffez le four à 160 °C (325 °F). Pratiquez environ 18 incisions peu profondes dans la viande : insérez-y la menthe. Frottez le gigot avec le jus de citron. Saupoudrez-le de persil et d'oignon.

2 Déposez le gigot, gras par-dessus, sur la grille d'une rôtissoire. Introduisez un thermomètre au centre de la partie la plus charnue, sans aller jusqu'à l'os. Laissez cuire entre 1 h 30 et 2 h 30, selon le degré de cuisson désiré. (La température interne doit être de 60 °C/ 140 °F pour une viande rosée et de 70 °C/155 °F pour une cuisson à point.) Couvrez le gigot de papier d'aluminium et attendez 15 minutes avant de le découper.

3 Entre-temps, mélangez la gelée à la menthe, la fécule et le zeste de citron dans une petite casserole. Incorporez le jus de pomme et faites cuire à feu modéré en remuant constamment. Quand la sauce a épaissi, prolongez la cuisson de 2 minutes pour avoir une sauce homogène. Servez la sauce en saucière pour accompagner le gigot. Donne 12 à 14 portions.

Préparation : 15 minutes Cuisson : 1 h 30
Repos : 15 minutes

Par portion : Calories 248. Gras total 7 g. Gras saturé 2 g.
Protéines 25 g. Hydrates de carbone 20 g. Fibres 0 g.
Sodium 70 mg. Cholestérol 79 mg.

LE THERMOMÈTRE À VIANDE

- ◆ Pour les rôtis. Introduisez-le thermomètre dans la partie la plus charnue de la pièce en vous assurant qu'il ne touche ni un os, ni du gras.

- ◆ Pour les petites pièces. Les petits rôtis et les pâtés de viande ne supporteront pas le poids d'un thermomètre en cours de cuisson. Il faut en utiliser un qui permet une lecture instantanée.

Ragoût d'agneau au chili vert

D'origine mexicaine, ce plat combine piment, poivron, haricot et agneau dans une sauce tomatée. On peut le préparer avec du porc.

- Enduit antiadhésif
- 500 g (1 lb) d'agneau désossé et dégraissé, détaillé en dés de 1,5 cm (½ po)
- 1¾ tasse de tomates, concassées dans leur jus
- 1 gros poivron vert, haché
- 1 gros oignon, haché
- 1 tasse de sauce tomate hyposodique
- 1 boîte de 90 g (3 oz) de piment chili vert non égoutté, détaillé en dés
- 2 feuilles de laurier
- 1½ c. à thé de coriandre séchée
- 1 c. à thé d'origan séché
- ½ c. à thé de sauge
- ¼ c. à thé de sel
- ¼ c. à thé de poivre noir

1 Vaporisez une grande casserole d'enduit antiadhésif. Réchauffez-la à feu assez vif et faites-y rissoler les dés d'agneau de 5 à 10 minutes.

2 Ajoutez les tomates, le poivron vert, l'oignon, la sauce tomate, le chili, le laurier, la coriandre, l'origan, la sauge, le sel et le poivre. Quand l'ébullition est prise, couvrez et laissez mijoter à petit feu de 50 à 60 minutes. Retirez le laurier.

3 Servez ce ragoût sur un lit de haricots pinto réchauffés, ou de riz cuit. Donne 4 portions.

Préparation : 15 minutes Cuisson : 1 heure

Par portion : Calories 217. Gras total 9 g. Gras saturé 3 g.
Protéines 22 g. Hydrates de carbone 13 g. Fibres 3 g.
Sodium 771 mg. Cholestérol 67 mg.

Cari d'agneau à l'indienne

Cari d'agneau à l'indienne

La poudre de cari est un mélange de substances aromatiques : curcuma, cumin, coriandre et autres.
Sa composition pouvant varier d'une marque à l'autre, il est recommandé d'en essayer plusieurs.

1	c. à soupe d'huile
500	g (1 lb) d'agneau désossé et dégraissé, détaillé en cubes de 2 cm (¾ po)
1	oignon moyen, tranché mince
2	c. à soupe de poudre de cari
2	gousses d'ail, émincées
¼	tasse de farine
1½	tasse de pommes de terre hachées
1½	tasse de bouillon de bœuf hyposodique (p. 67)
1	tasse de céleri haché
½	tasse de carotte râpée
1	c. à soupe de cassonade blonde bien tassée
1	c. à thé de moutarde sèche
1	c. à thé de poudre de gingembre
½	c. à thé de sel
¼	c. à thé de cayenne

1 Dans une sauteuse antiadhésive moyenne, réchauffez l'huile à feu assez vif et faites-y revenir l'agneau et l'oignon 10 minutes, avec la poudre de cari et l'ail.

2 Incorporez la farine. Ajoutez les pommes de terre, le bouillon, le céleri, la carotte, la cassonade, la moutarde, le gingembre, le sel et le cayenne. Quand l'ébullition est prise, couvrez et laissez mijoter de 30 à 40 minutes à petit feu.

3 Servez le cari sur du riz aux petits pois. Décorez-le de raisins secs, de noix de coco, de gingembre confit haché ou d'arachides. Donne 4 portions.

Préparation : 25 minutes Cuisson : 45 minutes

Par portion : Calories 318. Gras total 13 g. Gras saturé 4 g.
Protéines 23 g. Hydrates de carbone 28 g. Fibres 4 g.
Sodium 361 mg. Cholestérol 67 mg.

Ragoût irlandais

C'est un plat très simple, mais toujours « ragoûtant »,
dans lequel la viande n'est pas saisie.

500 g (1 lb) d'agneau désossé et dégraissé, détaillé en cubes de 2,5 cm (1 po)

4½ tasses de bouillon de bœuf hyposodique (p. 67)

3 poireaux moyens, tranchés, ou 1 gros oignon, tranché mince

1 feuille de laurier

½ c. à thé de sel

¼ c. à thé de poivre noir

4 carottes moyennes, tranchées

3 panais moyens, épluchés et détaillés en dés de 1,5 cm (½ po)

1 c. à thé d'aneth séché

¼ tasse de farine

1 Dans un faitout, mettez à chauffer l'agneau, 4 tasses de bouillon et les poireaux avec le laurier, le sel et le poivre. Quand l'ébullition est prise, couvrez et laissez mijoter 45 minutes à petit feu.

2 Ajoutez les carottes et les panais. Dès que l'ébullition reprend, couvrez et prévoyez 30 minutes de cuisson environ pour que la viande soit bien tendre. Ajoutez l'aneth.

3 Délayez la farine dans ½ tasse de bouillon et versez-la dans le faitout. Laissez la sauce épaissir à feu modéré en remuant ; faites cuire 2 minutes de plus, toujours en remuant. Retirez le laurier. Donne 4 portions.

Préparation : 20 minutes Cuisson : 1 h 30

Par portion : Calories 372. Gras total 10 g. Gras saturé 3 g.
Protéines 24 g. Hydrates de carbone 49 g. Fibres 9 g.
Sodium 385 mg. Cholestérol 67 mg.

ACHAT DE L'AGNEAU DÉSOSSÉ

Parmi toutes les découpes, choisissez les pièces prises dans le gigot ou l'épaule. Ce sont les plus maigres et il est facile de les détailler en bouchées. Le jeune agneau se distingue par une chair plus rose que rouge. Il ne doit y avoir qu'une mince couche de gras.

Civet de lapin

Anciennement, la marinade servait à attendrir la chair
du lapin sauvage. Comme on prépare aujourd'hui le civet
avec du lapin d'élevage, voire même du poulet, elle ne sert
plus qu'à donner du goût à la sauce.

1 lapin de 1,5 kg (2½ à 3 lb), ou 1,5 kg (2½ à 3 lb) de poulet découpé, sans la peau

1½ tasse de bouillon de bœuf hyposodique (p. 67)

1 tasse de vin rouge, ou de jus de tomate

½ tasse de vinaigre de vin rouge, ou de vinaigre de cidre

¼ tasse de cassonade blonde bien tassée

2 feuilles de laurier

1 bâton de cannelle fragmenté en trois

1 c. à thé de clous de girofle

1 c. à thé de baies de piment de la Jamaïque

¼ c. à thé de sel

¼ c. à thé de poivre noir

1 c. à soupe d'huile

1 oignon moyen, tranché

¼ tasse d'eau froide

2 c. à soupe de farine

1 Découpez le lapin en huit. Lavez, égouttez et asséchez les morceaux. Mettez-les dans un grand sac de plastique robuste (voir p. 115) avec le bouillon, le vin rouge, le vinaigre, la cassonade, le laurier, la cannelle, le clou de girofle, les baies de piment de la Jamaïque, le sel et le poivre. Laissez mariner de un à deux jours au réfrigérateur en agitant le sac de temps à autre.

2 Égouttez le lapin. Filtrez la marinade et n'en gardez que le liquide. Épongez les morceaux. Réchauffez l'huile à feu modéré dans un faitout. Faites-y revenir les morceaux de lapin 7 ou 8 minutes en les retournant.

3 Ajoutez le liquide de la marinade et l'oignon. Amenez à ébullition, couvrez et laissez mijoter de 45 à 55 minutes. Dressez la viande et l'oignon dans un plat ; couvrez de papier d'aluminium et gardez au chaud.

4 Dégraissez le fond de cuisson (voir p. 112). N'en laissez que 1½ tasse dans le faitout. Délayez à part la farine dans l'eau froide et versez-la dans le faitout. Faites bouillir 1 minute en remuant constamment. Nappez le civet de sauce. Donne 4 portions.

Préparation : 20 minutes Marinage : 24 heures
Cuisson : 1 heure

Par portion : Calories 429. Gras total 15 g. Gras saturé 3 g.
Protéines 46 g. Hydrates de carbone 17 g. Fibres 1 g.
Sodium 269 mg. Cholestérol 135 mg.

Petites gâteries

Pâtés mignons

Avec de la confiture d'abricots, ces pâtés sont de vrais péchés mignons.

500 g (1 lb) de bœuf maigre haché, ou de porc

¼ tasse de chapelure

5 c. à soupe de confiture d'abricots

1 c. à soupe de moutarde préparée

¼ c. à thé de sel

⅛ c. à thé de poivre noir

1 gros blanc d'œuf légèrement battu

1. Préchauffez le four à 180 °C (350 °F). Mélangez le bœuf, la chapelure, 3 c. à soupe de confiture d'abricots, la moutarde, le sel et le poivre. Façonnez quatre petits pâtés ; mettez-les dans un plat à four et lissez la surface.

2. Faites cuire de 50 à 55 minutes : la température interne doit être de 75 °C (170 °F).

3. Étalez le reste de la confiture sur les pâtés mignons. Donne 4 portions.

Chili con carne

Pour innover, dressez-le sur des muffins au maïs.

500 g (1 lb) de bœuf haché

1 boîte de haricots rouges non égouttés

1¾ tasse de tomates hyposodiques, concassées dans leur jus

1 tasse de sauce tomate hyposodique

1 c. à soupe d'assaisonnement au chile

1½ c. à thé de poudre d'oignon

¼ tasse de cheddar allégé râpé

1. Dans une grande casserole, faites cuire la viande à feu assez vif. Videz le gras.

2. Ajoutez tous les ingrédients sauf le

cheddar. Quand l'ébullition est prise, couvrez et laissez mijoter 10 minutes à feu doux. Remuez de temps à autre.

3. Servez le chili dans des bols à soupe. Saupoudrez de cheddar. Donne 4 portions.

Saucisses en chemise

Ce plat, dans toutes ses versions, fait toujours les délices des petits.

8 bâtonnets de pain réfrigérés

2 c. à soupe de lait écrémé à 1 p. 100

⅓ tasse de parmesan râpé

8 saucisses de Francfort hypolipidiques

1. Préchauffez le four à 180 °C (350 °F). Déroulez les bâtonnets de pain. Badigeonnez-les de lait et roulez-les dans le parmesan. Enroulez-les autour d'une saucisse. Déposez-les sur une plaque à four graissée.

2. Enfournez et laissez cuire de 18 à 20 minutes. Servez avec du ketchup et de la moutarde préparée. Donne 8 portions.

Pizzettes au bacon

Un casse-croûte vite fait.

4 muffins anglais, ouverts

1 tasse de sauce à pizza

½ tasse de bacon de dos haché

½ tasse de poivron vert haché ou ¼ tasse d'olives noires dénoyautées, hachées

125 g (4 oz) de mozzarella allégée râpée

1. Allumez le gril. Faites griller les demi-muffins à 12 cm (5 po) de l'élément pendant 1 ou 2 minutes.

2. Étalez la sauce à pizza ; garnissez de bacon et de poivron ; saupoudrez de fromage.

3. Remettez 3 minutes sous le gril pour que le fromage gratine. Donne 4 portions.

VOLAILLE EN RIPAILLE

Le poulet a toujours eu sa place dans la cuisine familiale ; adultes et enfants en raffolent à l'unisson. Mais parce qu'elle pouvait servir un grand nombre de convives, c'est la dinde qui trônait dans les grandes réunions. Les familles étant devenues plus petites, l'oie et le canard gagnent rapidement de la popularité, tout comme la pintade, les cailles et le faisan ; ce sont toutefois encore des volailles luxueuses que l'on garde pour les occasions spéciales. Dans ce chapitre, vous retrouverez les recettes traditionnelles pour apprêter toutes ces volailles, avec quelques retouches pour les adapter au goût du jour.

155

Poulet farci aux marrons

Poulet farci aux marrons

*Dans beaucoup de nos familles, le poulet farci, rôti au four, attendait les convives au retour
de la messe du dimanche. La farce aux marrons, chère aux Français, est d'introduction plus récente chez nous.*

3 c. à soupe de beurre, ou de margarine

1 oignon moyen, haché

1 côte de céleri, hachée

4 tasses de croûtons

2 tasses (ou 1 boîte) de marrons cuits au naturel, hachés

¼ tasse de pacanes grillées, concassées

1 c. à thé de thym séché

1 c. à thé de sarriette séchée

½ c. à thé de sel

½ c. à thé de poivre noir

¾ tasse de bouillon de poulet hyposodique (p. 67)

1 poulet à griller de 1,5 kg (2½ à 3 lb)
   Sauce blanche (recette, p. 157)

1 Dans une petite casserole, laissez fondre le beurre à feu assez vif. Faites-y revenir l'oignon et le céleri 5 minutes. Mettez-les dans un grand bol avec les croûtons, les marrons, les pacanes, le thym, la sarriette, le sel et le poivre. Mouillez avec le bouillon et remuez bien.

2 Préchauffez le four à 190 °C (375 °F). Rincez et asséchez le poulet. Farcissez-le et troussez-le (voir p. 185). Mettez-le sur la grille d'une lèchefrite. Introduisez un thermomètre dans la partie charnue de la cuisse, sans toucher à l'os. Réservez le reste de la farce dans un plat à four graissé. Faites rôtir le poulet pendant 1 heure à 1 h 15, jusqu'à ce que sa température interne atteigne 85 °C (180 °F). Enfournez le plat de farce 20 à 30 minutes avant la fin de la cuisson. Laissez reposer le poulet 10 minutes avant de le découper.

3 Entre-temps, préparez la sauce blanche. Découpez le poulet et retirez la peau. Servez-le nappé de sauce. Donne 6 portions.

Préparation : 25 minutes   Cuisson : 1 h 5
Repos : 10 minutes

Par portion : Calories 439. Gras total 18 g. Gras saturé 6 g.
Protéines 32 g. Hydrates de carbone 38 g. Fibres 4 g.
Sodium 532 mg. Cholestérol 90 mg.

Sauce blanche

Dans une petite casserole, mettez **1 boîte (385 ml/ 12 oz) de lait écrémé évaporé**, **2 c. à soupe de farine**, **1 c. à soupe de granules hyposodiques de bouillon de poulet ou de bœuf** et **⅛ c. à thé de poivre noir**. Mélangez avec un fouet. Faites cuire environ 5 minutes, en fouettant constamment. Lorsque la sauce a épaissi, accordez 2 minutes de plus de cuisson. Donne 1½ tasse.

Pour ¼ tasse : Calories 23. Gras total 0 g. Gras saturé 0 g.
Protéines 1 g. Hydrates de carbone 4 g. Fibres 0 g.
Sodium 16 mg. Cholestérol 0 mg.

Farce au pain et aux craquelins relevée de fines herbes

Cette farce suffit à garnir un poulet de 1,5 kg (3 lb). Triplez la recette pour une dinde d'environ 6 kg (12 lb).

- **2 c. à soupe de beurre, ou de margarine**
- **1 gros oignon, haché**
- **3 tasses de mie de pain émiettée, grillée**
- **1 tasse de craquelins hyposodiques broyés**
- **¼ tasse de persil haché**
- **½ c. à thé de sarriette séchée**
- **½ c. à thé de marjolaine séchée**
- **¼ c. à thé de sauge séchée**
- **¼ c. à thé de romarin séché**
- **¼ c. à thé de poivre noir**
- **½ tasse de bouillon de poulet hyposodique (p. 67)**

1 Préchauffez le four à 190 °C (375 °F). Dans une casserole moyenne, mettez le beurre à fondre. Faites-y revenir l'oignon à feu assez vif pendant 5 minutes. Retirez la casserole du feu ; ajoutez la mie de pain, les craquelins broyés, le persil, la sarriette, la marjolaine, la sauge, le romarin et le poivre. Mouillez avec le bouillon.

2 Farcissez le poulet avec cet appareil et mettez le reste dans un plat à four graissé. Couvrez, enfournez et laissez cuire de 25 à 30 minutes. Donne 4 tasses.

Préparation : 10 minutes Cuisson : 31 minutes

Par portion : Calories 233. Gras total 10 g. Gras saturé 4 g.
Protéines 5 g. Hydrates de carbone 32 g. Fibres 2 g.
Sodium 330 mg. Cholestérol 16 mg.

Poulet rôti aux fines herbes

Pourquoi se priver de fines herbes fraîches ? Les cuisinières avaient coutume d'en faire pousser dans des pots, sur le rebord d'une fenêtre. À défaut, rappelez-vous que 1 c. à thé d'herbes séchées équivalent à 1 c. à soupe d'herbes fraîches.

- **2 c. à soupe de persil haché**
- **2 c. à soupe de basilic frais haché**
- **2 c. à soupe d'origan frais haché**
- **2 c. à thé de romarin frais haché**
- **¼ c. à thé de sel**
- **¼ c. à thé de poivre noir**
- **2 c. à soupe de jus de citron**
- **1 poulet à griller de 1 kg (2½ à 3 lb)**

1 Dans un petit bol, mélangez le persil, le basilic, l'origan, le romarin, le sel et le poivre. Incorporez le jus de citron ; malaxez en pâte.

2 Préchauffez le four à 190 °C (375 °F). Lavez et asséchez le poulet. Troussez-le (voir p. 185). Placez-le sur la grille d'une lèchefrite. Enduisez-le de pâte aux fines herbes. Introduisez un thermomètre dans la partie charnue de la cuisse, sans toucher à l'os. Faites rôtir pendant 1 heure à 1 h 15, jusqu'à ce que la température interne de la volaille atteigne 85 °C (180 °F). Arrosez toutes les 15 minutes. Laissez reposer le poulet 10 minutes avant de le découper. Donne 6 portions.

Préparation : 10 minutes Cuisson : 1 heure
Repos : 10 minutes

Par portion : Calories 218. Gras total 12 g. Gras saturé 3 g.
Protéines 25 g. Hydrates de carbone 1 g. Fibres 0 g.
Sodium 163 mg. Cholestérol 79 mg.

POULETS À GRILLER OU À RÔTIR

On les distingue par leur poids et non par leur alimentation ou leur élevage. Le poulet à griller pèse entre 1,2 et 1,8 kg (2½ à 4 lb) ; le poulet à rôtir est plus gros. Le chapon désignait autrefois un jeune coq châtré ; cette catégorie a disparu et le chapon n'est plus qu'un gros poulet.

Poulet frit du Kentucky (arrière-plan) et Poulet frit au four (premier plan)

Poulet frit du Kentucky

Le poulet pané et cuit en grande friture est une recette typiquement américaine, qu'ont popularisée ici
des restaurants à succursales bien connus. Dans la recette qui suit, le poulet, enrobé d'une panure allégée,
est saisi dans très peu d'huile et achève de cuire au four. Autant de trucs pour réduire sa teneur en matières grasses.

1 **poulet à griller de 1,5 kg (2½ à 3 lb) sans la peau et les ailerons, découpé en huit morceaux**

1 **tasse de farine tout usage, ou de farine autolevante**

1 **c. à thé de paprika**

½ **c. à thé de poivre noir**

1 **tasse de lait de babeurre écrémé à 1 p. 100, ou de lait aigre (p. 300)**

2 **c. à soupe d'huile**

1 **tasse de lait écrémé à 1 p. 100**

1 Préchauffez le four à 200 °C (400 °F). Lavez et asséchez le poulet. Tapissez de papier aluminium un plat à four de 33 × 22 × 5 cm (13 × 9 × 2 po) ; graissez-le. Mélangez la farine, le paprika et le poivre sur une feuille de papier ciré ; mettez-en 3 c. à soupe en réserve.

2 Plongez le poulet dans ½ tasse de lait de babeurre ; roulez-le ensuite dans les ingrédients secs. Réchauffez l'huile dans une grande sauteuse antiadhésive et faites rissoler le poulet 10 minutes sur toutes ses faces.

Déposez les morceaux dans le plat à four et laissez-les cuire 20 minutes à découvert en les tournant une fois.

3 Mesurez l'huile qui reste dans la sauteuse ; rajoutez-en au besoin, de façon à en avoir 2 c. à soupe. Délayez dans cette huile 2 c. à soupe des ingrédients secs réservés ; faites cuire 1 minute à feu modéré pour obtenir un roux blond. Incorporez le lait peu à peu en fouettant. Laissez mijoter à petit feu 5 minutes environ, ou jusqu'à épaississement, sans cesser de fouetter. Délayez le reste des ingrédients secs réservés (1 c. à soupe) dans le reste du babeurre (½ tasse). Versez-les dans la sauteuse et faites cuire 1 minute en fouettant. Servez cette sauce avec le poulet. Donne 4 portions.

Préparation : 20 minutes   Cuisson : 31 minutes

Par portion : Calories 473. Gras total 18 g. Gras saturé 4 g.
Protéines 46 g. Hydrates de carbone 30 g. Fibres 1 g.
Sodium 604 mg. Cholestérol 122 mg.

Poulet frit au four

Le beurre donne de la classe à ce plat.

1   **poulet à griller de 1,5 kg (2½ à 3 lb), découpé en huit morceaux, sans la peau et les ailerons**

1   **gros blanc d'œuf**

2   **c. à soupe d'eau**

¾   **tasse de chapelure fine assaisonnée**

2   **c. à soupe de beurre fondu, ou de margarine**

1 Préchauffez le four à 190 °C (375 °F). Fouettez ensemble le blanc d'œuf et l'eau. Placez la chapelure sur du papier ciré. Lavez et asséchez les morceaux de poulet. Plongez-les dans le blanc d'œuf ; roulez-les dans la chapelure.

2 Disposez les morceaux dans un plat à four graissé. Aspergez-les de beurre fondu. Faites-les cuire 50 minutes environ, sans les retourner. Donne 4 portions.

Préparation : 15 minutes Cuisson : 50 minutes

Par portion : Calories 378. Gras total 16 g. Gras saturé 6 g. Protéines 42 g. Hydrates de carbone 14 g. Fibres 1 g. Sodium 346 mg. Cholestérol 133 mg.

Ragoût de poulet à l'indienne

Ce plat se prête très bien à la congélation.

1,5   **kg (2½ à 3 lb) de découpes de poulet (demi-poitrines, cuisses et pilons)**

¾   **c. à thé de sel**

1   **c. à soupe d'huile**

3   **gros poivrons verts, découpés en bouchées**

3   **gros oignons, hachés**

5½   **tasses de tomates hyposodiques en boîte, concassées dans leur jus**

1   **tasse de raisins de Corinthe**

2   **c. à thé de poudre de cari**

1½   **c. à thé de thym séché**

¼   **c. à thé de cayenne**

¼   **c. à thé de poivre noir**

⅛   **c. à thé de clou de girofle**

1 Débarrassez le poulet de sa peau. Rincez et séchez les morceaux. Déposez-les dans un faitout avec assez d'eau pour les couvrir et ¼ c. à thé de sel. Amenez à ébullition, écumez, puis couvrez et laissez mijoter 30 minutes à petit feu. Retirez les morceaux de poulet ; désossez-les et découpez la chair en bouchées. (Le fond de cuisson vous fera une bonne soupe.)

2 Pendant que le poulet mijote, réchauffez l'huile à feu assez vif dans une grande sauteuse. Faites-y revenir les poivrons et les oignons 5 minutes. Ajoutez les tomates, les raisins de Corinthe, la poudre de cari, le thym, le cayenne, le poivre noir, le clou de girofle et ½ c. à thé de sel. Amenez à ébullition, couvrez et laissez mijoter à petit feu 15 minutes. Incorporez le poulet, réchauffez et servez sur du riz. Donne 4 à 6 portions.

Préparation : 25 minutes Cuisson : 1 h 5

Par portion : Calories 465. Gras total 12 g. Gras saturé 2 g. Protéines 40 g. Hydrates de carbone 54 g. Fibres 12 g. Sodium 531 mg. Cholestérol 100 mg.

Ragoût de poulet Brunswick

Il paraît que, autrefois, ce ragoût était préparé avec de l'écureuil ou du lapin.

1,5   **kg (2½ à 3 lb) de découpes de poulet (demi-poitrines, cuisses et pilons)**

4   **tasses d'eau**

1   **gros oignon, haché**

2   **feuilles de laurier**

½   **c. à thé de sel**

1   **tasse de tomates hyposodiques en boîte, concassées dans leur jus**

1   **tasse de haricots de Lima, frais ou congelés**

1   **tasse de maïs en grains**

½   **tasse de jambon hyposodique cuit, haché**

¼   **tasse de persil haché**

¼   **c. à thé de cayenne**

1   **c. à soupe de sauce Worcestershire hyposodique**

1 Débarrassez le poulet de sa peau. Rincez et asséchez les morceaux. Déposez-les dans un faitout avec l'eau, l'oignon, le laurier et le sel. Dès que l'ébullition est prise, écumez, couvrez et laissez mijoter 30 minutes environ à petit feu. Retirez les morceaux de poulet ; quand ils sont suffisamment refroidis, désossez-les et coupez la chair en bouchées.

2 Mettez les tomates, les haricots de Lima, le maïs, le jambon, le persil, le cayenne et la sauce Worcestershire dans le faitout. Quand l'ébullition a repris, couvrez et laissez mijoter 10 minutes à petit feu. Retirez le laurier. Incorporez la chair de poulet et réchauffez. Donne 5 à 6 portions.

Préparation : 20 minutes Cuisson : 50 minutes

Par portion : Calories 307. Gras total 8 g. Gras saturé 2 g. Protéines 36 g. Hydrates de carbone 24 g. Fibres 7 g. Sodium 501 mg. Cholestérol 90 mg.

cuisson, toujours en remuant ; ne laissez pas bouillir. Dressez le poulet sur un lit de nouilles et nappez-le de sauce. Donne 4 à 6 portions.

Préparation : 15 minutes Cuisson : 55 minutes

Par portion : Calories 320. Gras total 15 g. Gras saturé 5 g. Protéines 36 g. Hydrates de carbone 10 g. Fibres 2 g. Sodium 256 mg. Cholestérol 112 mg.

LE POULET EST-IL CUIT ?

Faites le premier test avant que le temps de cuisson suggéré soit totalement écoulé. Piquez ou entaillez le poulet. S'il laisse échapper un liquide incolore, et non rosé, il est à point. Comme la chair blanche cuit plus vite que la chair brune, retirez les découpes de blanc en premier et gardez-les au chaud.

Poulet au paprika

D'origine hongroise, cette recette se fait normalement avec un paprika rose, très fort. On peut employer du paprika rouge, plus doux, qui est plus courant.

1   poulet de 1,5 kg (3 lb), découpé en huit morceaux
1   c. à soupe d'huile
1   tasse de céleri tranché
1   oignon moyen, tranché
2   c. à soupe de paprika
¼   c. à thé de sel
¼   c. à thé de poivre noir
1¼   tasse de bouillon de poulet hyposodique (p. 67)
½   tasse de crème sure allégée
2   c. à soupe de farine

1 Débarrassez le poulet de sa peau. Lavez et asséchez les morceaux. Réchauffez l'huile à feu assez vif dans une grande sauteuse antiadhésive. Faites-y rissoler les morceaux de poulet 10 minutes en les retournant une fois. Retirez-les de la sauteuse.

2 Dans la même sauteuse, faites revenir le céleri et l'oignon 5 minutes. Incorporez le paprika, le sel et le poivre. Après 1 minute, mouillez avec le bouillon. Remettez les morceaux de poulet dans la sauteuse. Quand l'ébullition est prise, couvrez et laissez mijoter 30 minutes environ à petit feu, jusqu'à parfaite cuisson.

3 Retirez le poulet ; couvrez-le et gardez-le au chaud. Fouettez ensemble la crème sure et la farine et versez-les dans la sauteuse. Faites cuire en remuant. Lorsque la sauce a épaissi, accordez-lui encore 1 minute de

---

Mole de poulet

Ce plat mexicain – prononcez molé en mettant l'accent sur la première syllabe – était à l'origine fait de dinde et relevé de chilis et de chocolat ; il aurait été créé en l'honneur d'un vice-roi espagnol.

1,5   kg (2½ à 3 lb) de découpes de poulet (demi-poitrines, cuisses et pilons)
2   c. à soupe de beurre, ou de margarine, ou d'huile d'olive
1   oignon moyen, haché
1   petit poivron vert, taillé en fines lanières
2   gousses d'ail, émincées
2   grosses tomates, hachées
¾   tasse de bouillon de poulet hyposodique (p. 67)
1   c. à soupe de cacao non sucré
¼   c. à thé de sel
¼   c. à thé de cannelle
¼   c. à thé de piment rouge concassé
¼   tasse d'eau froide
2   c. à soupe de fécule de maïs

1 Débarrassez le poulet de sa peau. Lavez et asséchez les morceaux. Laissez fondre le beurre à feu modéré dans une grande sauteuse antiadhésive. Faites-y rissoler les morceaux de poulet 10 minutes en les retournant de temps à autre. Retirez-les de la sauteuse.

2 Dans la même sauteuse, faites revenir l'oignon, le poivron et l'ail 5 minutes. Ajoutez les tomates, le bouillon, le cacao, le sel, la cannelle, le cayenne et enfin le poulet réservé. Quand l'ébullition est prise, couvrez et laissez mijoter 30 minutes environ à petit feu.

3 Retirez le poulet, couvrez-le et gardez-le au chaud. Délayez la fécule dans l'eau froide et versez-les dans la sauteuse. Laissez cuire 2 minutes ou jusqu'à épaississement. Dressez le poulet sur un lit de riz et nappez de sauce. Donne 4 à 6 portions.

Préparation : 20 minutes Cuisson : 53 minutes

Par portion : Calories 311. Gras total 14 g. Gras saturé 6 g. Protéines 35 g. Hydrates de carbone 12 g. Fibres 2 g. Sodium 285 mg. Cholestérol 116 mg.

Gombo de poulet aux huîtres

Gombo de poulet aux huîtres

Le gombo est un plat d'origine africaine préparé avec de l'okra
ou gombo, légume appelé quingombo *en langue bantou. Adapté par les Créoles,*
il est devenu un des mets traditionnels de la Louisiane.

⅓	tasse de farine
3	c. à soupe d'huile
1,5	kg (2½ à 3 lb) de découpes de poulet (demi-poitrines, cuisses et pilons)
	Enduit antiadhésif
1	c. à soupe d'huile
2	côtes de céleri, tranchées
1	poivron moyen, haché
1	oignon moyen, tranché mince
1	gousse d'ail, émincée
2½	tasses de bouillon de poulet hyposodique (p. 67)
1¾	tasse de tomates hyposodiques en boîte, concassées dans leur jus
¼ à ½	c. à thé de cayenne
¼	c. à thé de sel
¼	c. à thé de poivre noir
1	tasse d'okra, frais ou congelé, détaillé en tronçons de 2,5 cm (1 po)
1	tasse d'huîtres, en casseau ou en boîte, égouttées

1 Dans une grande casserole, amalgamez au fouet la farine et 3 c. à soupe d'huile. Faites cuire de 5 à 7 minutes à feu modéré en remuant, pour obtenir un roux brun. Retirez la casserole du feu.

2 Débarrassez le poulet de sa peau. Lavez et asséchez les morceaux. Vaporisez un faitout d'enduit antiadhésif. Versez 1 c. à soupe d'huile, réchauffez-la à feu assez vif et faites-y revenir le poulet 10 minutes en le retournant de temps à autre. Retirez-le. Faites revenir le céleri, le poivron, l'oignon et l'ail 5 minutes dans le faitout. Ajoutez le roux brun et, quand il est devenu très chaud, délayez-le peu à peu avec le bouillon. Ajoutez les tomates, le cayenne, le sel, le poivre, puis le poulet.

3 Couvrez et laissez mijoter 30 minutes. Ajoutez l'okra et les huîtres, et prolongez la cuisson de 10 minutes. Servez sur un lit de riz. Donne 5 ou 6 portions.

Préparation : 20 minutes Cuisson : 1 h 5

Par portion : Calories 362. Gras total 18 g. Gras saturé 3 g. Protéines 32 g. Hydrates de carbone 18 g. Fibres 4 g. Sodium 269 mg. Cholestérol 93 mg.

Arroz con pollo

Arroz con pollo

Dans la cuisine espagnole à laquelle il appartient,
ce riz au poulet est relevé de safran, substance aromatique préparée
avec les stigmates orangés d'une espèce comestible de crocus.

1,5 kg (2½ à 3 lb) de découpes de poulet
(demi-poitrines, cuisses et pilons)
Enduit antiadhésif
1 c. à soupe d'huile
1 tasse de riz blanc cru à longs grains
2 gousses d'ail, émincées
2 tasses de bouillon de poulet hyposodique (p. 67)
1¾ tasse de tomates hyposodiques en boîte,
concassées dans leur jus
1 gros poivron vert, haché
½ tasse de jambon hyposodique cuit, haché
¾ c. à thé de sauce Tabasco
¼ c. à thé de sel
¼ tasse d'olives noires tranchées

1 Débarrassez le poulet de sa peau. Lavez et asséchez les morceaux. Vaporisez un faitout d'enduit antiadhésif. Réchauffez l'huile à feu assez vif et faites-y rissoler les morceaux de poulet 10 minutes en les retournant de temps à autre. Retirez le poulet du faitout et mettez-y le riz cru et l'ail. Faites blondir le riz à feu modéré pendant 5 minutes en remuant.

2 Ajoutez le bouillon, les tomates, le poivron, le jambon, la sauce Tabasco et le sel, ainsi que le poulet. Quand l'ébullition est prise, couvrez et laissez mijoter 30 minutes environ à petit feu. Incorporez les olives. Donne 6 portions.

Préparation : 15 minutes Cuisson : 50 minutes

Par portion : Calories 333. Gras total 9 g. Gras saturé 2 g.
Protéines 28 g. Hydrates de carbone 32 g. Fibres 2 g.
Sodium 317 mg. Cholestérol 74 mg.

Poulet Marengo

*Cette recette a été créée en l'honneur du général
Bonaparte – il n'était pas encore Napoléon –,
qui venait de remporter la victoire sur les Autrichiens
à la bataille de Marengo, le 14 juin 1800.*

1,5 kg (2½ à 3 lb) de découpes de poulet
(demi-poitrines, cuisses et pilons)

⅓ tasse de farine

¼ c. à thé de sel

⅛ c. à thé de poivre noir

2 c. à soupe d'huile

1½ tasse de bouillon de poulet hyposodique (p. 67)

2 tomates moyennes, hachées

2 tasses de champignons tranchés

1 oignon moyen, haché

2 gousses d'ail, émincées

1½ c. à thé de thym séché

¼ c. à thé de sel

¼ c. à thé de poivre noir

¼ tasse de xérès sec, ou de bouillon de poulet
hyposodique (p. 67)

2 c. à soupe de farine

¼ tasse de persil haché

1 Débarrassez le poulet de sa peau. Lavez et asséchez les morceaux. Mélangez ⅓ tasse de farine, ¼ c. à thé de sel et ⅛ c. à thé de poivre noir sur du papier ciré. Enrobez-en les morceaux de poulet. Réchauffez l'huile à feu assez vif dans une grande sauteuse antiadhésive. Faites-y revenir le poulet 10 minutes en tournant les morceaux de temps à autre. Videz le gras.

2 Dans un grand bol, mélangez le bouillon, les tomates, les champignons, l'oignon, l'ail, le thym, ¼ c. à thé de sel et ¼ c. à thé de poivre. Versez le tout dans la sauteuse. Quand l'ébullition est prise, couvrez et laissez mijoter 30 minutes environ à petit feu. Retirez le poulet, couvrez-le et gardez-le au chaud.

3 Délayez la farine dans le xérès ; versez dans la sauteuse et remuez. Faites épaissir la sauce en remuant et prolongez la cuisson de 2 minutes. Ajoutez le persil. Nappez le poulet de cette sauce. Donne 4 à 6 portions.

Préparation : 25 minutes Cuisson : 50 minutes

Par portion : Calories 365. Gras total 15 g. Gras saturé 3 g.
Protéines 37 g. Hydrates de carbone 18 g. Fibres 2 g.
Sodium 360 mg. Cholestérol 100 mg.

Poulet poché
avec quenelles persillées

*On peut servir les morceaux de poulet avec les os,
comme ici, ou les désosser avant de faire cuire les quenelles
dans le bouillon. De toutes les façons, ce plat est
bon à s'en lécher les doigts.*

1,5 kg (2½ à 3 lb) de découpes de poulet
(demi-poitrines, cuisses et pilons)

3 tasses de bouillon de poulet hyposodique (p. 67)

2 oignons moyens, tranchés

2 côtes de céleri, en tranches de 1,5 cm (½ po)

1½ c. à thé d'assaisonnement pour volaille

½ c. à thé de poudre d'ail

½ c. à thé de sel

½ c. à thé de poivre noir

¼ tasse d'eau froide

2 c. à soupe de farine

Quenelles :

1 tasse de farine

2 c. à soupe de persil haché

1 c. à thé de levure chimique

¼ c. à thé de sel

⅓ tasse de lait écrémé à 1 p. 100

2 c. à soupe d'huile

1 Débarrassez le poulet de sa peau. Lavez et asséchez les morceaux. Dans un faitout, mettez le poulet, le bouillon, les oignons, le céleri, l'assaisonnement pour volaille, la poudre d'ail, le sel et le poivre. Quand l'ébullition est prise, couvrez et laissez mijoter 30 minutes environ à feu doux. Délayez les 2 c. à soupe de farine dans l'eau froide et versez-les dans le faitout. Faites épaissir le liquide en remuant et prolongez la cuisson de 2 minutes.

2 Pour faire les quenelles, mélangez, dans un bol moyen, la tasse de farine, le persil, la levure chimique et le sel. Dans un petit bol, mélangez au fouet le lait et l'huile ; versez-les sur les ingrédients secs et mélangez à la fourchette pour obtenir une pâte homogène. Laissez tomber cette pâte en quatre monticules dans le liquide bouillant. Couvrez et faites mijoter 10 minutes sans soulever le couvercle. Vérifiez la cuisson des quenelles en y insérant un cure-dent ; il doit en ressortir propre. Donne 4 portions.

Préparation : 20 minutes Cuisson : 50 minutes

Par portion : Calories 436. Gras total 15 g. Gras saturé 3 g.
Protéines 39 g. Hydrates de carbone 35 g. Fibres 2 g.
Sodium 636 mg. Cholestérol 101 mg.

Poulet poché et tagliatelles

Voici un bon plat, vite fait et bien composé diététiquement, surtout si vous y ajoutez un ou deux légumes d'accompagnement.

- **1,5 kg (2½ à 3 lb) de découpes de poulet (demi-poitrines, cuisses et pilons)**
- **4 tasses de bouillon de poulet hyposodique (p. 67)**
- **2 grosses carottes, en tranches de 1,5 cm (½ po)**
- **1 gros oignon, haché**
- **1 c. à thé de graines de céleri (facultatif)**
- **¼ c. à thé de sel**
- **¼ c. à thé de poivre noir**
- **180 g (6 oz) de tagliatelles**
- **¼ tasse d'eau froide**
- **2 c. à soupe de farine**

1 Débarrassez le poulet de sa peau. Lavez et asséchez les morceaux. Déposez-les dans un faitout avec le bouillon, les carottes, l'oignon, les graines de céleri, s'il y a lieu, le sel et le poivre. Dès que l'ébullition est prise, couvrez et laissez mijoter 30 minutes environ à petit feu. Retirez les morceaux de poulet ; quand ils ont suffisamment tiédi, désossez-les et coupez la chair en bouchées.

2 Ramenez le bouillon au point d'ébullition à feu vif. Versez-y les nouilles. Quand l'ébullition est prise, couvrez et laissez mijoter 6 minutes. Remettez le poulet.

3 Délayez la farine à part dans l'eau froide et versez-la dans le faitout. Faites épaissir le fond de cuisson en remuant et prolongez la cuisson de 2 minutes. Servez ce poulet poché accompagné des légumes de votre choix. Donne 4 portions.

Préparation : 20 minutes Cuisson : 1 h 10

Par portion : Calories 420. Gras total 10 g. Gras saturé 2 g. Protéines 40 g. Hydrates de carbone 42 g. Fibres 3 g. Sodium 241 mg. Cholestérol 130 mg.

Dinde pochée et tagliatelles Suivez la recette ci-dessus, mais remplacez le poulet par **500 g (1 lb) de poitrine de dinde**. À l'étape 1, vérifiez-en la cuisson au bout de 25 minutes.

Par portion : Calories 329. Gras total 3 g. Gras saturé 0 g. Protéines 32 g. Hydrates de carbone 42 g. Fibres 3 g. Sodium 203 mg. Cholestérol 103 mg.

Poulet poché et nouilles maison Suivez la recette principale, mais supprimez les tagliatelles et préparez les nouilles comme suit. Dans un bol moyen, mélangez **1 gros œuf, légèrement battu**, avec **3 c. à soupe de lait écrémé à 1 p. 100** et **¼ c. à thé de sel**. Incorporez doucement **1¼ tasse de farine** pour obtenir une pâte épaisse.

Abaissez-la et découpez-la (voir ci-dessous). Laissez sécher les nouilles 2 heures à la température ambiante. Elles se gardent trois jours au réfrigérateur dans un plat bien fermé ou beaucoup plus longtemps au congélateur. À l'étape 2 de la recette, versez les nouilles dans le fond de cuisson bouillant. Quand l'ébullition est prise, couvrez et laissez mijoter 10 minutes à petit feu. Remettez le poulet et poursuivez avec l'étape 3.

Par portion : Calories 425. Gras total 9 g. Gras saturé 3 g. Protéines 41 g. Hydrates de carbone 42 g. Fibres 3 g. Sodium 386 mg. Cholestérol 154 mg.

POUR DÉCOUPER LES NOUILLES

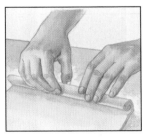 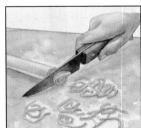

1. Abaissez la pâte en un rectangle de 3 mm (⅛ po) d'épaisseur. Attendez 20 minutes. Enroulez l'abaisse sur elle-même sans serrer.

2. Découpez des tranches de 3 mm (⅛ po). Déroulez les tranches et détaillez-les en tronçons de 8 cm (3 po).

Poulet poché et nouilles maison

Poulet à la cajun

*Vous pouvez intensifier l'accent cajun
avec un peu de cayenne ou de sauce forte
si cela vous plaît.*

125 g (4 oz) de saucisse douce

2 gros poivrons verts, en demi-rondelles minces

1 gros oignon, coupé en deux et tranché mince

4 gousses d'ail, émincées

**1,5 kg (2½ à 3 lb) de découpes de poulet
(demi-poitrines, cuisses et pilons)**

1 c. à soupe d'huile

**1 boîte (796 ml/28 oz) de tomates italiennes,
concassées dans leur jus**

2 c. à soupe de vinaigre de vin rouge, ou de cidre

¼ c. à thé de sel

1 Faites cuire la saucisse dans un faitout avec les poivrons, l'oignon et l'ail. Quand elle est à point, retirez-la avec les légumes et égouttez. Essuyez le faitout.

2 Débarrassez le poulet de sa peau. Lavez et asséchez les morceaux. Réchauffez l'huile dans le faitout et faites-y revenir le poulet 10 minutes à feu assez vif, en le retournant souvent. Remettez la saucisse et les légumes ; ajoutez les tomates, le vinaigre et le sel. Quand l'ébullition est prise, couvrez et laissez mijoter 30 minutes à petit feu en remuant souvent. Servez sur un lit de riz ou de nouilles. Donne 4 portions.

Préparation : 20 minutes Cuisson : 50 minutes

Par portion : Calories 374. Gras total 15 g. Gras saturé 4 g.
Protéines 43 g. Hydrates de carbone 16 g. Fibres 3 g.
Sodium 690 mg. Cholestérol 123 mg.

POUR DÉCOUPER UN POULET

Découper ses propres morceaux de poulet permet
de faire des économies.

1. Découpez d'abord les cuisses. Faites jouer l'os dans son articulation pour le dégager. Détachez le pilon du haut de cuisse.

2. Découpez chaque aile au ras du corps. Repliez-la de façon à casser l'os au niveau de l'articulation. Achevez de le sectionner.

3. Séparez la poitrine du dos en tranchant de chaque côté dans les côtes. Écartez les deux parties, puis coupez.

4. Tranchez la poitrine en deux en décalant un peu le couteau du centre. Coupez aussi le dos en deux.

Poulet à la crème

*En utilisant de la crème moins concentrée, on réduit la teneur
de ce plat en matières grasses sans lui enlever ses qualités.*

**1,5 kg (2½ à 3 lb) de découpes de poulet
(demi-poitrines, cuisses et pilons)**

3½ tasses d'eau

2 c. à thé d'aneth séché

½ c. à thé de sel

¼ c. à thé de poivre noir

4 carottes, en tranches de 1,5 cm (½ po)

2 pommes de terre moyennes, en cubes de 2,5 cm (1 po)

**2 panais, épluchés et détaillés en tranches de 1,5 cm
(½ po)**

½ tasse d'eau froide

3 c. à soupe de farine

⅓ tasse de crème claire

1 Débarrassez le poulet de sa peau. Lavez et asséchez les morceaux. Mettez-les dans un faitout avec les 3½ tasses d'eau, l'aneth, le sel et le poivre. Quand l'ébullition est prise, couvrez et laissez mijoter 5 minutes à feu doux. Ajoutez les carottes, les pommes de terre et le panais. Prolongez la cuisson de 20 minutes. Dressez le poulet et les légumes dans un plat de service.

2 Délayez la farine au fouet dans ½ tasse d'eau froide ; incorporez-la au fouet dans le fond de cuisson et laissez cuire 2 minutes. Versez la crème et donnez un bouillon. Nappez le ragoût de sauce. Donne 4 portions.

Préparation : 25 minutes Cuisson : 40 minutes

Par portion : Calories 417. Gras total 10 g. Gras saturé 4 g.
Protéines 41 g. Hydrates de carbone 40 g. Fibres 6 g.
Sodium 424 mg. Cholestérol 119 mg.

Ragoût de poulet garni

Ragoût de poulet garni

La garniture proposée ici s'apparente par sa texture aux biscuits sablés.
Une alliance surprenante, mais savoureuse.

500 g (1 lb) de poulet désossé (cuisses ou poitrine), découpé en bouchées de 2,5 cm (1 po), sans la peau

1 gros oignon, en quartiers de 2,5 cm (1 po)

250 g (8 oz) de champignons, coupés en quatre

1 tasse de bouillon de poulet hyposodique (p. 67)

3 gousses d'ail, émincées

1 c. à thé de romarin séché

¼ c. à thé de sel et ¼ c. à thé de poivre noir

2 c. à soupe de fécule de maïs, délayée dans ¼ tasse d'eau froide

1 tasse de petits pois, frais ou congelés

1 tasse de piment doux rôti, égoutté et en lanières

Galettes :

½ tasse de lait babeurre écrémé à 1 p. 100, ou de lait aigre (p. 300)

½ c. à thé d'oignon séché, ou d'oignon haché

1 tasse de farine

1 c. à thé de levure chimique

¼ c. à thé de bicarbonate de soude

⅛ c. à thé de sel

3 c. à soupe de beurre, ou de margarine

1 Préchauffez le four à 190 °C (375 °F). Dans une grande casserole, mettez le poulet, l'oignon, les champignons, le bouillon, l'ail, le romarin, le sel et le poivre. Amenez à ébullition et laissez mijoter 3 minutes à feu doux sans couvrir. Incorporez la fécule délayée. Prolongez la cuisson de 2 minutes avant d'ajouter les petits pois et le piment doux.

2 Pour préparer les galettes, faites réhydrater l'oignon séché dans le babeurre. Dans un grand bol, mélangez la farine, la levure chimique, le bicarbonate de soude et ⅛ c. à thé de sel. Amalgamez le beurre à l'aide d'un mélangeur à pâte. Incorporez juste ce qu'il faut du babeure condimenté pour que la pâte soit homogène.

3 Abaissez un cercle de pâte de 22 cm (9 po). Découpez-y neuf galettes avec un emporte-pièce. Ramenez l'ébullition dans la casserole. Versez son contenu dans une cocotte ; disposez les galettes à la surface. Enfournez et laissez cuire 20 à 25 minutes. Donne 4 portions.

Préparation : 25 minutes Cuisson : 35 minutes

Par portion : Calories 459. Gras total 18 g. Gras saturé 8 g.
Protéines 30 g. Hydrates de carbone 43 g. Fibres 6 g.
Sodium 641 mg. Cholestérol 101 mg.

Poulet en cocotte

*Grâce aux ingrédients qu'on peut acheter tout préparés,
ce plat est prêt en une petite heure ; autrefois, il aurait
fallu compter une demi-journée de travail.*

- 10 cuisses de poulet
- 1½ tasse de lait écrémé à 1 p. 100
- 1 boîte de crème de champignons
- 1 boîte de crème de poulet
- 1 tasse de riz blanc cru à longs grains
- 1 petit oignon, haché
- ⅛ c. à thé de poivre noir

1 Préchauffez le four à 180 °C (350 °F). Débarrassez les cuisses de poulet de leur peau. Lavez-les et asséchez-les. Mettez-les dans une cocotte. Dans un bol moyen, mélangez le lait, la crème de champignons, la crème de poulet, le riz cru, l'oignon et le poivre. Nappez-en le poulet.

2 Couvrez la cocotte, enfournez-la et faites cuire pendant 45 minutes. Enlevez le couvercle et prolongez la cuisson de 15 minutes. Donne 5 portions.

Préparation : 10 minutes Cuisson : 1 heure

Par portion : Calories 477. Gras total 15 g. Gras saturé 5 g.
Protéines 35 g. Hydrates de carbone 46 g. Fibres 1 g.
Sodium 610 mg. Cholestérol 112 mg.

Poulet grillé, sauce barbecue

*Parce qu'il est grillé au four, ce poulet peut
se préparer aussi bien en hiver qu'en été. En adaptant le
temps de cuisson, il serait sans doute délicieux de préparer
cette recette sur le barbecue.*

- 1 c. à soupe d'huile
- 1 oignon moyen, haché fin
- 1 tasse de ketchup hyposodique
- ¼ tasse de cassonade blonde bien tassée
- ¼ tasse de vinaigre de cidre
- 2 c. à thé de sauce Worcestershire hyposodique
- 2 c. à thé de moutarde préparée
- ¼ c. à thé de cayenne
- 1,5 kg (2½ à 3 lb) de découpes de poulet (demi-poitrines, cuisses et pilons)

1 Préchauffez le four à 190 °C (375 °F). Dans une petite casserole, réchauffez l'huile à feu assez vif et

Poulet grillé, sauce barbecue

faites-y revenir l'oignon 5 minutes. Ajoutez le ketchup, la cassonade, le vinaigre, la sauce Worcestershire, la moutarde et le cayenne. Quand l'ébullition est prise, couvrez et laissez mijoter 10 minutes à petit feu.

2 Débarrassez le poulet de sa peau. Lavez et asséchez les morceaux. Disposez-les dans un plat à four rectangulaire graissé et nappez-les de sauce. Couvrez d'une feuille d'aluminium, enfournez et faites cuire 20 minutes. Enlevez la feuille d'aluminium et prolongez la cuisson de 15 à 20 minutes. Donne 4 portions.

Préparation : 15 minutes Cuisson : 55 minutes

Par portion : Calories 348. Gras total 11 g. Gras saturé 2 g.
Protéines 35 g. Hydrates de carbone 28 g. Fibres 1 g.
Sodium 142 mg. Cholestérol 100 mg.

Fricassée de poulet

La poule demande à cuire plus longtemps que le poulet, mais son goût en fricassée est irremplaçable : si vous trouvez de la poule et du temps, n'hésitez pas. Autrement, prenez, comme ici, des blancs de poulet.

- 4 demi-poitrines de poulet désossées, sans la peau (environ 150 g/5 oz chacune)
- 1/3 tasse de farine
- 1 c. à thé de thym séché
- 1/2 c. à thé de paprika
- 1/4 c. à thé de sel
- 1/8 c. à thé de poivre noir
- 1/4 tasse de lait écrémé à 1 p. 100
- 1 c. à soupe d'huile
- 1 oignon moyen, haché
- 1/2 tasse de bouillon de poulet hyposodique (p. 67)
- 2 feuilles de laurier
- 1/2 c. à thé de graines de céleri
- 1/4 c. à thé de sel
- 1/4 c. à thé de poivre noir
- 1 boîte (385 ml/12 oz) de lait écrémé évaporé
- 2 c. à soupe de farine

1 Lavez et asséchez le poulet. Mélangez 1/3 tasse de farine, le thym, le paprika, 1/4 c. à thé de sel et 1/8 c. à thé de poivre sur du papier ciré. Passez les morceaux de poulet dans le lait, puis dans les ingrédients secs.

2 Réchauffez l'huile à feu assez vif dans une sauteuse moyenne antiadhésive. Faites-y revenir le poulet 2 minutes de chaque côté. Réservez-le. Mettez l'oignon dans la sauteuse et laissez-le cuire 3 minutes.

3 Ajoutez le bouillon, le laurier, les graines de céleri, 1/4 c. à thé de sel et 1/4 c. à thé de poivre. Remettez le poulet dans cette cuisson ainsi que le jus qu'il a rendu. Quand l'ébullition est prise, couvrez et laissez mijoter 10 minutes environ à petit feu. Jetez le laurier. Retirez le poulet ; couvrez-le et gardez-le au chaud.

4 Dans un bol moyen, fouettez le lait évaporé avec 2 c. à soupe de farine. Faites épaissir à feu modéré en remuant, puis accordez 2 minutes de plus de cuisson. Dressez le poulet sur un lit de nouilles et nappez-le de sauce. Donne 4 portions.

Préparation : 15 minutes Cuisson : 25 minutes

Par portion : Calories 329. Gras total 7 g. Gras saturé 1 g. Protéines 40 g. Hydrates de carbone 24 g. Fibres 1 g. Sodium 442 mg. Cholestérol 88 mg.

Poulet Kiev

Cette spécialité de la cuisine russe a eu jadis beaucoup de succès dans les restaurants chics. Dans cette recette, la panure est allégée, mais une farce au beurre et aux fines herbes conserve au poulet une saveur très raffinée.

- 1/4 tasse de beurre mou, ou de margarine
- 2 c. à soupe de persil haché
- 2 c. à soupe de ciboulette ciselée, ou de tiges d'oignon vert
- 1 gousse d'ail, émincée
- 1/8 c. à thé de poivre noir
- 4 demi-poitrines de poulet désossées, sans la peau (environ 150 g/5 oz chacune)
- 1/4 tasse de farine
- 1/4 c. à thé de sel
- 2 gros blancs d'œufs
- 2 c. à soupe d'eau
- 1/2 tasse de chapelure
- 1 c. à soupe de beurre, ou de margarine

1 Mélangez le beurre, le persil, la ciboulette, l'ail et le poivre. Couvrez le bol et mettez-le au congélateur de 20 à 30 minutes pour raffermir le beurre.

2 Lavez et asséchez le poulet. Aplatissez les blancs en escalope avec un maillet à viande ou le fond d'une casserole : donnez-leur 3 mm (1/8 po) d'épaisseur. Étalez un peu de beurre manié sur les escalopes et enroulez-les en paupiette ; fixez avec un cure-dent.

3 Mélangez la farine et le sel sur du papier ciré. Dans un petit bol, fouettez les blancs d'œufs avec l'eau. Mettez la chapelure sur du papier ciré. Passez les paupiettes de poulet dans la farine, dans les blancs d'œufs battus, puis dans la chapelure. Enveloppez-les dans du papier ciré et laissez-les 1 à 24 heures au réfrigérateur.

4 Préchauffez le four à 200 °C (400 °F). Dans une sauteuse antiadhésive moyenne, mettez à fondre 1 c. à soupe de beurre à feu assez vif. Faites-y revenir les paupiettes 5 minutes. Disposez-les dans un plat à four carré et terminez la cuisson au four, environ 15 minutes. Servez avec un riz pilaf. Donne 4 portions.

Préparation : 20 minutes Refroidissement : 1 h 20
Cuisson : 21 minutes

Par portion : Calories 342. Gras total 16 g. Gras saturé 8 g. Protéines 33 g. Hydrates de carbone 16 g. Fibres 1 g. Sodium 455 mg. Cholestérol 109 mg.

Chow mein au poulet

Chow mein au poulet

On sert d'habitude le chow mein sur des nouilles à la chinoise
cuites à l'eau, égouttées et revenues dans de l'huile aromatique.
Pour diminuer la teneur en lipides de ce plat, servez-le sur du riz.

4 demi-poitrines de poulet désossées (environ 150 g/5 oz chacune), détaillées en minces lanières
  Enduit antiadhésif
2 c. à soupe d'huile
2 côtes de céleri, en tronçons de 2,5 cm (1 po)
2 oignons moyens, coupés en deux et tranchés
2 gousses d'ail, émincées
1¼ tasse de bouillon de poulet hyposodique (p. 67)
¼ tasse de sauce soja hyposodique
2 c. à soupe de fécule de maïs
1 c. à soupe de cassonade blonde bien tassée
2 tasses de légumes chinois en boîte, bien égouttés
1 tasse de châtaignes d'eau tranchées en boîte, bien égouttées
3 tasses de nouilles chinoises

1 Rincez et asséchez le poulet. Vaporisez un wok ou une grande sauteuse d'enduit antiadhésif. Réchauffez-y 1 c. à soupe d'huile à feu assez vif et faites revenir le poulet environ 3 minutes. Retirez-le avec une cuiller à trous. Couvrez-le et gardez-le au chaud.

2 Réchauffez le reste de l'huile dans le wok et faites-y revenir le céleri, les oignons et l'ail 2 minutes.

3 Dans un petit bol, mélangez au fouet le bouillon, la sauce soja, la fécule et la cassonade. Versez-les dans le wok en même temps que vous ajoutez les légumes chinois et les châtaignes d'eau. Amenez à ébullition et laissez épaissir la sauce environ 1 minute.

4 Remettez le poulet dans le wok avec le jus qu'il a rendu et prolongez la cuisson de 1 minute pour que tout soit bien chaud. Dressez cet appareil sur les nouilles à la chow mein. Donne 4 portions.

Préparation : 20 minutes Cuisson : 12 minutes

Par portion : Calories 486. Gras total 21 g. Gras saturé 3 g.
Protéines 35 g. Hydrates de carbone 40 g. Fibres 5 g.
Sodium 840 mg. Cholestérol 78 mg.

Escalopes de poulet panées

*Les blancs de poulet sont aplatis en
escalopes et panés à l'anglaise.*

**4 demi-poitrines de poulet désossées
(environ 150 g/5 oz chacune), sans la peau**

¼ **tasse de farine**

1 gros œuf

2 c. à soupe de lait écrémé à 1 p. 100

¾ **tasse de chapelure fine assaisonnée**

¼ **c. à thé de sel**

¼ **c. à thé de poivre noir**

2 c. à soupe d'huile

½ **citron moyen**

1 Rincez et asséchez le poulet. Donnez aux demi-poitrines une épaisseur de 1,5 cm (½ po) avec un maillet ou le fond d'une casserole. Déposez la farine sur du papier ciré. Fouettez l'œuf dans un petit bol avec le lait. Mettez la chapelure avec le sel et le poivre sur une autre feuille de papier ciré. Enrobez les escalopes de farine, puis d'œuf battu et enfin de chapelure.

2 Réchauffez l'huile à feu modéré dans une grande sauteuse antiadhésive et faites-y cuire les escalopes 4 minutes environ de chaque côté. Disposez-les dans une assiette et aspergez-les de jus de citron. Accompagnez de pointes d'asperges. Donne 4 portions.

Préparation : 10 minutes Cuisson : 9 minutes

Par portion : Calories 348. Gras total 12 g. Gras saturé 2 g.
Protéines 35 g. Hydrates de carbone 23 g. Fibres 0 g.
Sodium 818 mg. Cholestérol 132 mg.

Enchiladas de poulet à la salsa verde

*Les tomatillos utilisés dans la recette traditionnelle,
qui appartient à la cuisine tex-mex, sont parfois appelés
tomates vertes alors qu'il s'agit d'un fruit tout à fait distinct.
On en trouve dans les magasins de spécialités mexicaines.*

**Salsa verde (recette ci-contre),
ou 1½ tasse de sauce verte**

1 tasse de crème sure allégée

1 gros oignon, haché

1 poivron vert moyen, haché

¼ **tasse d'eau**

2 tasses de blanc de poulet cuit, haché

1 tasse (120 g/4 oz) de mozzarella grossièrement râpée

6 tortillas de blé de 18 cm (7 po)

1 Préchauffez le four à 180 °C (350 °F). Préparez la salsa verde. Ensuite, travaillez au robot ou au mélangeur 1 tasse de salsa verde avec la crème sure.

2 Dans une petite casserole, mettez l'oignon, le poivron et l'eau. Couvrez et laissez cuire 5 minutes environ. Égouttez. Dans un bol moyen, réunissez les légumes cuits, le poulet et ¾ tasse de mozzarella.

3 Déposez une tortilla au fond d'un plat à four carré. Garnissez-la de ½ tasse d'appareil au poulet, puis de 3 c. à soupe de salsa verde à la crème sure. Répétez l'opération avec toutes les tortillas. Sur la dernière, mettez le reste de la salsa verde et éparpillez le reste de la mozzarella. Couvrez de papier aluminium. Enfournez et faites cuire 25 minutes. Découvrez le plat et prolongez la cuisson de 5 minutes. Découpez en quatre et servez avec une salade verte. Donne 4 portions.

Préparation : 25 minutes Cuisson : 45 minutes

Par portion : Calories 531. Gras total 21 g. Gras saturé 9 g.
Protéines 38 g. Hydrates de carbone 49 g. Fibres 7 g.
Sodium 1 118 mg. Cholestérol 98 mg.

Salsa verde

Au robot ou au mélangeur, réduisez en purée **2 boîtes (385 ml/13 oz chacune) de tomatillos, égouttés, et 2 boîtes (90 g/3 oz chacune) de chilis verts, hachés dans leur jus** avec **4 brins de coriandre fraîche ou de persil, 4 gousses d'ail et** ⅛ **c. à thé de cayenne.** Versez la préparation dans une petite casserole. Amenez à ébullition, couvrez et faites mijoter à petit feu pendant 5 minutes. Laissez refroidir à la température ambiante. (Réfrigérée, cette sauce peut se servir en trempette.) Donne 1½ tasse.

Pour 1 cuillerée à soupe : Calories 13. Gras total 0 g.
Gras saturé 0 g. Protéines 0 g. Hydrates de carbone 3 g.
Fibres 1 g. Sodium 111 mg. Cholestérol 0 mg.

Croquettes de poulet, sauce Béchamel

Pour réduire leur teneur en lipides, on fait cuire les croquettes au four et on les sert avec une sauce crémeuse allégée, aromatisée au basilic.

- 3 **c. à soupe de beurre, ou de margarine**
- 1 **oignon moyen, haché fin**
- 2 **c. à soupe de persil haché**
- ½ **tasse de farine**
- ¼ **c. à thé de sel**
- ⅛ **c. à thé de cayenne**
- ¼ **tasse de bouillon de poulet hyposodique (p. 67)**
- 2 **c. à soupe de lait écrémé à 1 p. 100**
- 1½ **tasse de blanc de poulet cuit, haché**
- ⅓ **tasse de chapelure**
- 1 **gros œuf, légèrement battu**
- ½ **tasse de chapelure**
  Sauce Béchamel (recette ci-contre)

1 Dans une petite casserole, mettez à fondre le beurre à feu modéré. Faites-y revenir l'oignon 5 minutes. Incorporez le persil. Dans un petit bol, mélangez la farine, le sel et le cayenne. Versez ces ingrédients dans la casserole. Faites cuire 1 minute. Mouillez avec le bouillon et le lait. Remuez. Quand la sauce commence à épaissir, prolongez la cuisson de 2 minutes en remuant.

2 Versez cet appareil dans un grand bol. Ajoutez-y le poulet haché et ⅓ tasse de chapelure. Couvrez et réfrigérez au moins 1 heure. Prélevez ¼ tasse de ce mélange et moulez-le avec vos mains en croquette de 2 cm (¾ po) d'épaisseur : vous en aurez huit en tout.

3 Préchauffez le four à 190 °C (375 °F). Mettez l'œuf battu dans un plat peu profond. Déposez ½ tasse de chapelure sur du papier ciré. Enrobez les croquettes de chapelure, d'œuf battu, et encore de chapelure. Déposez-les dans un plat à four graissé et faites-les cuire au four de 25 à 30 minutes. Servez avec la sauce Béchamel. Donne 4 portions.

Préparation : 30 minutes Refroidissement : 1 heure
Cuisson : 40 minutes

Par portion : Calories 373. Gras total 16 g. Gras saturé 9 g.
Protéines 20 g. Hydrates de carbone 35 g. Fibres 2 g.
Sodium 702 mg. Cholestérol 118 mg.

Sauce Béchamel

Dans une petite casserole, faites fondre **1 c. à soupe de beurre, ou de margarine**, à feu modéré. Incorporez au fouet **2 c. à soupe de farine**, **½ c. à thé de basilic séché**, **¼ c. à thé de sel** et **une pincée de poivre**. Faites cuire 1 minute. Ajoutez peu à peu **1 tasse de lait écrémé à 1 p. 100**. Quand la sauce commence à épaissir, prolongez la cuisson de 2 minutes, toujours en fouettant. Donne 1 tasse.

Pour ¼ tasse : Calories 66. Gras total 4 g. Gras saturé 2 g.
Protéines 2 g. Hydrates de carbone 6 g. Fibres 0 g.
Sodium 193 mg. Cholestérol 10 mg.

Cari de poulet aux pommes vite fait

Les caris, mets d'origine indienne, ont pénétré ici par l'entremise des Anglais. Mais c'est vraiment après la Seconde Guerre mondiale qu'ils sont devenus populaires.

- 2 **c. à soupe de beurre, ou de margarine**
- 1 **gros oignon, coupé en deux et tranché mince**
- 1 **petit poivron vert, haché**
- 1 **petite pomme acide, parée et hachée**
- 2 **gousses d'ail, hachées**
- 1 **c. à soupe de poudre de cari**
- 5 **c. à soupe de farine**
- 1 **c. à soupe de sucre**
- ¼ **c. à thé de sel**
- ¼ **c. à thé de poivre noir**
- 1 **tasse de jus de pomme**
- 1 **tasse de bouillon de poulet hyposodique (p. 67)**
- 2 **c. à soupe de vinaigre de cidre**
- 2½ **tasses de blanc de poulet cuit, taillé en bouchées**

1 Dans une casserole moyenne, faites cuire dans le beurre, à feu modéré, l'oignon, le poivron, la pomme, l'ail et la poudre de cari. Au bout de 5 minutes, ajoutez la farine, le sucre, le sel et le poivre. Mouillez avec le jus de pomme, le bouillon et le vinaigre. Laissez épaissir en remuant et prolongez la cuisson de 2 minutes.

2 Réchauffez le poulet dans cette sauce. Servez sur un lit de riz, accompagné de chutney. Donne 4 portions.

Préparation : 15 minutes Cuisson : 15 minutes

Par portion : Calories 322. Gras total 10 g. Gras saturé 5 g.
Protéines 33 g. Hydrates de carbone 25 g. Fibres 2 g.
Sodium 269 mg. Cholestérol 100 mg.

Croquettes de poulet, sauce Béchamel

Soufflé de poulet à la paresseuse

Ce soufflé, qui n'en est pas un, en a pourtant toutes les qualités – et une de plus : il est facile à faire. Servez-le avec des légumes cuits à la vapeur ou une salade verte.

5	**gros œufs**
¾	**tasse de lait écrémé à 1 p. 100**
2	**c. à soupe de farine**
½	**c. à thé de moutarde sèche**
¼	**c. à thé de poivre**
⅛	**c. à thé de sel**
3	**c. à soupe de parmesan râpé**
2	**c. à soupe de persil ciselé**
2	**tasses de blanc de poulet cuit, haché**

1 Préchauffez le four à 160 °C (325 °F). Séparez les œufs ; supprimez 2 jaunes. Mettez les blancs dans un grand bol, les jaunes dans un petit. Graissez le fond seulement d'un moule à soufflé de huit tasses.

2 Dans une casserole moyenne, fouettez le lait avec la farine, la moutarde sèche, le poivre et le sel. Faites cuire à feu modéré 2 minutes environ, ou jusqu'à épaississement, tout en fouettant. Incorporez le parmesan et le persil.

3 Battez les jaunes d'œufs. Ajoutez-leur lentement la moitié de la préparation précédente ; remettez le tout dans la casserole. Faites cuire 1 minute, ou jusqu'à épaississement, en fouettant sans arrêt : ne laissez pas bouillir. Incorporez le poulet.

4 Fouettez les blancs d'œufs à grande vitesse au batteur électrique jusqu'à formation de pics souples. Faites entrer le quart des blancs dans le mélange au poulet ; incorporez le reste en soulevant délicatement. Dressez la préparation dans le moule. Enfournez et faites cuire environ 40 minutes, jusqu'à ce qu'un couteau inséré au centre en ressorte propre. Servez immédiatement. Donne 4 portions.

Préparation : 15 minutes Cuisson : 43 minutes

Par portion : Calories 255. Gras total 11 g. Gras saturé 4 g. Protéines 31 g. Hydrates de carbone 6 g. Fibres 0 g. Sodium 313 mg. Cholestérol 228 mg.

DU POULET CUIT À VOLONTÉ

Voici comment obtenir du poulet cuit lorsque vous n'avez pas de restes sous la main.

◆ Achetez un poulet déjà cuit sur le gril.

◆ Voyez si votre épicier ne vendrait pas du poulet cuit surgelé.

◆ Pochez des blancs de poulet ou de dinde. Pour obtenir 2 tasses de poulet cuit détaillé en bouchées, mettez dans une grande sauteuse 375 g (12 oz) de poitrine de poulet ou de dinde désossée, sans la peau. Recouvrez d'eau. Amenez à ébullition, mettez un couvercle sur la sauteuse et laissez pocher le poulet de 12 à 14 minutes à petit feu.

Foies de poulet aux champignons et aux oignons

Une recette classique, qui n'a rien perdu de sa popularité.

500	**g (1 lb) de foies de poulet, coupés en quatre**
¼	**tasse de farine**
2	**c. à soupe d'huile**
2	**tasses de champignons tranchés**
1	**gros oignon, tranché mince**
¼	**tasse de bouillon de poulet hyposodique (p. 67)**
½	**c. à thé de basilic séché**
¼	**c. à thé de sel**
¼	**c. à thé de poivre noir**
2	**c. à soupe de persil haché**

1 Épongez les foies de poulet. Étendez la farine sur du papier ciré. Farinez les morceaux de foie.

2 Dans une grande sauteuse antiadhésive, réchauffez l'huile à feu assez vif. Faites-y revenir les foies, les champignons et l'oignon environ 5 minutes : les foies doivent rester rosés à l'intérieur. Ajoutez le bouillon, le basilic, le sel et le poivre. Couvrez la sauteuse et laissez mijoter 5 minutes. Ajoutez le persil. Servez sur un lit de riz. Donne 4 portions.

Préparation : 10 minutes Cuisson : 12 minutes

Par portion : Calories 181. Gras total 10 g. Gras saturé 1 g. Protéines 13 g. Hydrates de carbone 10 g. Fibres 1 g. Sodium 160 mg. Cholestérol 293 mg.

Poulets de Cornouailles farcis au riz sauvage

Poulets de Cornouailles farcis au riz sauvage

Le poulet Rock Cornish résulte d'un croisement entre un poulet de Cornouailles (Cornish)
et le poulet américain Plymouth Rock. Il est sur le marché depuis les années 1950.

³/₄ **tasse de riz sauvage cru**

1½ **tasse de bouillon de poulet hyposodique (p. 67)**

1 **c. à soupe de beurre, ou de margarine**

1 **tasse de champignons tranchés**

1 **oignon moyen, haché**

¼ **tasse de jambon hyposodique cuit, en dés**

¼ **tasse de pacanes grillées, hachées (facultatif)**

1 **c. à thé de thym séché**

1 **c. à thé de marjolaine séchée**

1 **c. à thé de zeste d'orange râpé**

¼ **c. à thé de sel**

¼ **c. à thé de poivre noir**

2 **poulets de Cornouailles de 500 g (1 lb) chacun**

1 Rincez le riz sauvage à l'eau froide dans une passoire. Dans une petite casserole, amenez le bouillon de poulet à ébullition à feu vif et jetez-y le riz. Quand l'ébullition reprend, couvrez, baissez le feu et laissez mijoter environ 40 minutes : le riz doit absorber presque tout le bouillon. Égouttez-le. Par ailleurs, faites cuire les champignons et l'oignon 5 minutes dans le beurre à feu modéré. Mettez-les ensuite dans un grand bol avec le riz cuit, le jambon, les pacanes, s'il y a lieu, le thym, la marjolaine, le zeste d'orange, le sel et le poivre.

2 Préchauffez le four à 190 °C (375 °F). Lavez et asséchez les poulets après avoir retiré les abattis. Farcissez-les et troussez-les (voir p. 185). Déposez-les sur la grille d'une lèchefrite ; recouvrez de papier aluminium. Réservez le reste de la farce dans un plat à four graissé.

3 Enfournez les poulets et laissez cuire 30 minutes. Découvrez-les et faites-les rôtir de 30 à 45 minutes en les arrosant de temps à autre avec le jus de cuisson. Enfournez le plat de farce 20 minutes avant la fin de la cuisson des poulets. Pour servir, découpez chaque poulet en deux et retirez la peau. Donne 4 portions.

Préparation : 15 minutes Cuisson sur l'élément : 45 minutes
Cuisson au four : 1 heure

Par portion : Calories 421. Gras total 14 g. Gras saturé 5 g.
Protéines 45 g. Hydrates de carbone 29 g. Fibres 2 g.
Sodium 662 mg. Cholestérol 127 mg.

Dinde rôtie, farcie au pain de maïs

Dinde rôtie,
farcie au pain de maïs

La dinde n'est pas originaire d'Inde, mais bien des Indes occidentales comme on appelait autrefois l'Amérique.
La farce au pain de maïs, chère à nos voisins américains, lui convient tout à fait.

3 c. à soupe de beurre, ou de margarine

1 gros oignon, haché

5 tasses de pain de maïs émietté

5 tasses de pain blanc grillé, émietté

1 c. à thé de levure chimique

1 c. à thé d'assaisonnement pour volaille

¼ c. à thé de poivre noir

¾ tasse de bouillon de poulet hyposodique (p. 67)

1 gros œuf, légèrement battu

1 dinde (5,5 kg/12 lb)

1 c. à soupe d'huile

Sauce aux abattis (recette page ci-contre)

1 Mettez le beurre à fondre à feu modéré ; faites-y revenir l'oignon 5 minutes. Retirez du feu. Dans un très grand bol, réunissez le pain de maïs et le pain blanc émiettés, la levure chimique, l'assaisonnement pour volaille, le poivre et l'oignon cuit. Dans un petit bol à part, fouettez le bouillon et l'œuf ; versez-les dans le mélange précédent et remuez bien.

2 Préchauffez le four à 160 °C (325 °F). Lavez et as- séchez la dinde ; conservez les abattis pour confec- tionner la sauce. Farcissez et troussez la dinde (voir p. 185). Déposez-la sur la grille dans une rôtissoire. Badigeonnez-la d'huile et introduisez un thermomètre dans la cuisse, sans toucher à l'os. Mettez le reste de la farce dans un plat à four graissé ; couvrez et réfrigérez.

3 Enfournez et faites cuire la dinde pendant 3 heures à 3 h 30, jusqu'à ce que sa température interne atteigne 85 °C (180 °F) ; arrosez-la souvent et couvrez-la de papier aluminium si elle a tendance à trop rôtir. Enfournez le plat de farce 30 minutes avant la fin de la cuisson en lui ajoutant 2 ou 3 c. à soupe de bouillon si elle paraît sèche. Laissez reposer la dinde de 15 à 20 minutes avant de la dépecer.

4 Dans l'intervalle, confectionnez la sauce aux abattis. Dépecez la dinde (ci-contre) en éliminant la peau. Présentez le reste de la farce en accompagnement et la sauce en saucière. Donne 12 portions.

Préparation : 20 minutes Cuisson sur l'élément : 6 minutes
Cuisson au four : 3 heures Repos : 15 minutes

Par portion, avec sauce : Calories 649. Gras total 22 g.
Gras saturé 7 g. Protéines 78 g. Hydrates de carbone 31 g.
Fibres 2 g. Sodium 705 mg. Cholestérol 316 mg.

Sauce aux abattis

Lavez les **abattis** de la dinde. Réfrigérez le foie. Dans une grande casserole, mettez le gésier, le cou et **4 tasses d'eau**. Ajoutez **1 oignon moyen, coupé en quartiers, 1 grosse carotte, en tronçons, 2 brins de persil, ½ c. à thé de sel** et **¼ c. à thé de poivre**. Amenez à ébullition, couvrez et laissez mijoter 40 minutes à feu doux. Ajoutez le foie et prolongez la cuisson de 20 minutes. Passez le bouillon ; mettez-en 1⅓ tasse de côté. Réservez les abattis ; jetez les légumes. Désossez le cou ; hachez-en finement la chair en même temps que le gésier et le foie.

Dans un faitout, fouettez les jus de cuisson de la lèchefrite avec **1 boîte (385 ml/12 oz) de lait écrémé évaporé**, ⅓ **tasse de farine, ¼ c. à thé de sel** et **¼ c. à thé de poivre**. Laissez cuire à feu modéré jusqu'à ébullition. Incorporez le bouillon en réserve ; quand la sauce commence à épaissir, accordez encore 2 minutes de cuisson en remuant au fouet. Ajoutez les abattis hachés et réchauffez. Donne 3 tasses.

Pour ¼ tasse : Calories 77. Gras total 2 g. Gras saturé 1 g.
Protéines 7 g. Hydrates de carbone 6 g. Fibres 0 g.
Sodium 147 mg. Cholestérol 102 mg.

POUR DÉPECER UNE DINDE

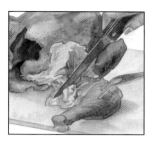

1. Dégagez d'abord les pattes. Écartez le pilon de la carcasse et coupez entre celle-ci et la cuisse. Sectionnez l'articulation de la cuisse et détachez-la. Séparez maintenant le pilon de la cuisse en tranchant à travers l'articulation qui les réunit.

2. Enlevez les ailes en sectionnant les articulations des os, là où ils s'insèrent dans le dos de la carcasse. Découpez les blancs en fines tranches en les laissant attachées à la carcasse dans le bas.

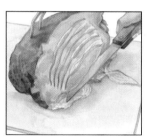

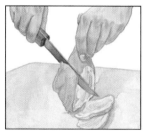

3. Faites une incision profonde, à l'horizontale, jusqu'au bréchet pour dégager les tranches. Détaillez en petites aiguillettes ce qui reste de chair sur la poitrine en suivant la courbe du bréchet.

4. Si vous voulez découper la chair des pilons, tenez-les par le petit bout et tranchez parallèlement à l'os en insérant le couteau sous les tendons. Faites pivoter le pilon au fur et à mesure.

UN GRAND REPAS DE FAMILLE

Une fois l'an, à tout le moins – ce peut être à l'Action de grâce, au temps des Fêtes ou à l'occasion d'un événement spécial –, les familles ont coutume de se réunir pour partager un repas. Dans ces cas, il faut « penser grand ». La dinde rôtie offre alors d'immenses avantages. Elle peut servir un grand nombre de convives et, parce qu'elle cuit longtemps au four, permet aux hôtes d'accueillir leurs invités sans se presser. Ce menu pour 12 personnes (que vous pouvez doubler au besoin) peut être commencé quelques jours à l'avance et rassasiera pleinement tous les appétits. Les recettes, que vous retrouverez toutes dans ce livre, ont été choisies avec le souci de marier les couleurs et les saveurs pour donner à votre table une allure de festivités.

Menu d'un jour de fête
(Pour 12 personnes)

Punch aux canneberges ou Cidre chaud aux canneberges
(ci-contre)

Légumes du potager marinés
(Page 27)

Dinde rôtie, farcie au pain de maïs
(Page 176)

Coupes d'orange garnies de canneberges
(Page 270)

Ignames glacés aux pommes
(Page 262)

Haricots verts à l'oignon
(Page 242)

Croissants aux noix
(Page 312)

Tarte mousseline à la citrouille
(Page 336)

Tarte aux pommes parfumée au cidre
(Page 331)

Punch aux canneberges

Cette boisson d'origine américaine était généreusement additionnée de brandy ou de rhum à l'époque coloniale. En voici une version assagie dont toute la famille pourra se régaler.

- 4 **tasses de sorbet aux framboises, ramolli**
- 3 **tasses de cocktail de canneberges**
- ¼ **tasse de jus de citron**
- 3 **tasses de soda au gingembre très froid**

1. Mettez la moitié du sorbet, la moitié du cocktail de canneberges et la moitié du jus de citron dans le mélangeur. Travaillez jusqu'à homogénéité. Versez dans 6 verres. Répétez avec le reste des mêmes ingrédients.

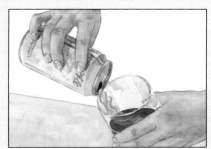

2. Faites couler du soda au gingembre dans les verres, le long de la paroi. Remuez un peu. Donne 12 portions de 180 ml (6 oz).

Cidre chaud aux canneberges

Le cidre chaud rehaussé de sucre et d'épices était un cordial fort apprécié autrefois. Pour les enfants, on le préparait à base de jus de pomme.

- 8 **tasses de cocktail de canneberges**
- 3 **tasses de framboises congelées sans sucre, décongelées et écrasées à la fourchette**
- 6 **bâtons de cannelle de 8 cm (3 po)**
- 1½ **c. à thé de clous de girofle entiers**
- 1 **gousse de vanille, fendue en deux**
- 4 **tasses de cidre, à la température ambiante**

1. Dans une grande casserole, réunissez le cocktail de canneberges, les framboises, les bâtons de cannelle, les clous de girofle et la gousse de vanille. Amenez à ébullition, puis laissez mijoter 15 minutes à petit feu sans couvrir.

2. Filtrez le punch à travers une passoire à fine mèche ; mettez-le dans un pot calorifuge. Ajoutez le cidre et remuez. Donne 12 portions de 250 ml (8 oz).

Pâté de dinde

Pâté de dinde

Tous les types de pâte conviennent à ce pâté, depuis la feuilletée –
la plus prestigieuse – jusqu'à la pâte brisée.

750 g (1½ lb) de blanc de dinde, détaillé en bouchées
de 2,5 cm (1 po)

1 grosse pomme de terre, épluchée et coupée en dés

2 carottes moyennes, tranchées

1 oignon moyen, coupé en deux et tranché mince

½ tasse d'eau

¼ c. à thé de sel

1 boîte (385 ml/12 oz) de lait écrémé évaporé

⅓ tasse de farine

1 c. à thé de thym séché

¼ c. à thé de sel

¼ c. à thé de poivre

1 abaisse de pâte achetée ou faite maison (p. 337)
Lait écrémé à 1 p. 100

1 Épongez la dinde. Mettez-la dans une grande casserole avec la pomme de terre, les carottes, l'oignon, l'eau et ¼ c. à thé de sel. Amenez à ébullition, couvrez et laissez mijoter à petit feu 15 minutes environ. Égouttez en réservant le fond de cuisson.

2 Préchauffez le four à 180 °C (350 °F). Dans la même casserole, fouettez le lait évaporé avec la farine, le thym, ¼ c. à thé de sel et le poivre. Ajoutez le fond de cuisson réservé. Quand la sauce commence à épaissir, accordez encore 2 minutes de cuisson, toujours en fouettant. Incorporez la dinde et les légumes.

3 Dressez le ragoût dans une cocotte graissée. Posez l'abaisse en guise de couvercle (ci-dessous) en la laissant déborder de 2,5 cm (1 po) ; repliez et festonnez. Incisez la pâte pour que la vapeur puisse s'échapper. Badigeonnez de lait. Enfournez et faites cuire de 20 à 25 minutes. Laissez reposer le pâté 5 minutes avant de le servir. Donne 6 portions.

Préparation : 20 minutes Cuisson sur l'élément : 25 minutes
Cuisson au four : 20 minutes Repos : 5 minutes

Par portion : Calories 384. Gras total 11 g. Gras saturé 10 g.
Protéines 33 g. Hydrates de carbone 37 g. Fibres 1 g.
Sodium 439 mg. Cholestérol 75 mg.

POUR AJUSTER UN COUVERCLE DE PÂTE

Il n'est pas toujours facile d'installer une abaisse par-dessus un ragoût. Voici une bonne méthode pour déplacer l'abaisse sans l'abîmer.

 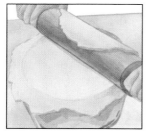

1. Montez l'abaisse sur le rouleau à pâtisserie ; enroulez-la.

2. Déposez-la de manière à ce que son extrémité dépasse légèrement le bord, puis déroulez-la.

Petit hachis de dinde

Le hachis est une bénédiction culinaire quand vient le moment d'utiliser des restes de viande ou de légumes. On y met ce que l'on veut et c'est toujours délicieux.

2 pommes de terre moyennes, épluchées et hachées
2 c. à soupe de beurre, ou de margarine
1 oignon moyen, haché
1 petit poivron vert ou rouge, haché
2 tasses de dinde cuite, hachée
½ c. à thé de romarin séché
¼ c. à thé de poivre noir
⅛ c. à thé de sel
¼ tasse de bouillon de poulet hyposodique (p. 67)

1 Dans une petite casserole, faites cuire les pommes de terre dans l'eau à feu vif. Quand l'ébullition est prise, couvrez et laissez mijoter à petit feu 15 minutes environ pour qu'elles soient tout à fait tendres. Égouttez-les.

2 Mettez le beurre à fondre dans une sauteuse et faites-y revenir l'oignon et le poivron 5 minutes à feu modéré. Ajoutez les pommes de terre cuites, la dinde, le romarin, le poivre et le sel, et prolongez la cuisson de 5 minutes tout en remuant. Incorporez le bouillon et laissez cuire 2 minutes de plus ou jusqu'à obtention de la consistance désirée. Donne 3 portions.

Préparation : 20 minutes Cuisson : 33 minutes

Par portion : Calories 365. Gras total 14 g. Gras saturé 7 g.
Protéines 36 g. Hydrates de carbone 24 g. Fibres 2 g.
Sodium 253 mg. Cholestérol 107 mg.

Petit hachis de poulet Suivez la même recette, mais remplacez la dinde par **2 tasses de poulet cuit, haché**, et le bouillon de poulet par **¼ tasse de sauce du poulet de la veille, ou achetée toute faite.**

Par portion : Calories 402. Gras total 17 g. Gras saturé 7 g.
Protéines 36 g. Hydrates de carbone 25 g. Fibres 2 g.
Sodium 385 mg. Cholestérol 122 mg.

Gratin de dinde

Les gratins, qui occupaient jadis une grande place dans le menu familial, étaient généralement recouverts de chapelure de pain rassis ou de craquelins. Il n'y a pas très longtemps qu'on s'est mis à les coiffer de croûtons et même de mélange à farce du commerce.

   2 **c. à soupe de beurre fondu, ou de margarine**
   1 **c. à thé de poudre d'oignon**
   ½ **c. à thé de poudre d'ail**
   ½ **c. à thé d'assaisonnement pour volaille**
   ¼ **c. à thé de poivre noir (ou davantage, au goût)**
   3 **tasses de cubes de pain frais**
1½ **tasse de bouillon de poulet hyposodique (p. 67)**
   2 **c. à soupe de farine**
   1 **c. à thé de marjolaine séchée**
   ¼ **c. à thé de sel**
   ⅛ **c. à thé de poivre noir (ou davantage, au goût)**
   3 **gros œufs, légèrement battus**
   2 **tasses de blanc de dinde, ou de blanc de poulet, cuit et haché**
   ¼ **tasse de champignons tranchés**

1 Préchauffez le four à 190 °C (375 °F). Dans un petit bol, mélangez le beurre fondu, la poudre d'oignon, la poudre d'ail, l'assaisonnement pour volaille et ¼ c. à thé de poivre. Mettez les croûtons dans un grand bol et arrosez-les de ce beurre condimenté. Étalez la préparation dans un grand plat à four peu profond. Enfournez et faites griller le pain 10 minutes environ en remuant souvent. Réglez le thermostat du four à 160 °C (325 °F).

2 Dans une casserole moyenne, fouettez le bouillon avec la farine, la marjolaine, le sel et ⅛ c. à thé de poivre. Faites chauffer à feu modéré en fouettant sans arrêt. Quand la sauce commence à épaissir, accordez encore 2 minutes de cuisson. Dans un petit bol, incorporez aux œufs battus ½ tasse de cette sauce ; versez le tout dans la casserole. Faites cuire 2 minutes en remuant sans arrêt : ne laissez pas bouillir.

3 Graissez un plat à four carré de 20 cm (8 po). Étendez-y la moitié des croûtons, puis la dinde et les champignons, et recouvrez avec le reste des croûtons. Nappez de sauce. Couvrez, enfournez et laissez cuire 25 minutes. Prolongez la cuisson de 5 minutes à découvert. Donne 4 portions.

Préparation : 15 minutes Cuisson : 40 minutes

Par portion : Calories 292. Gras total 11 g. Gras saturé 5 g.
Protéines 29 g. Hydrates de carbone 17 g. Fibres 1 g.
Sodium 447 mg. Cholestérol 236 mg.

Pain de dinde, sauce aux champignons

Ce pain de dinde tout à fait délicieux est adapté d'une recette espagnole, Pastel de pavo y champipagno.

Pain de dinde :

   2 **tasses de dinde cuite, hachée menu**
   1 **tasse de mie de pain émiettée**
   2 **c. à soupe de piment doux rôti, égoutté et haché**
   ½ **c. à thé de graines de céleri**
   ½ **c. à thé de sel**
   ⅛ **c. à thé de poivre**
   ¾ **tasse de lait écrémé à 1 p. 100**
   2 **gros blancs d'œufs**
   1 **gros œuf**

Sauce aux champignons :

1½ **tasse de champignons tranchés**
   ½ **tasse de bouillon de poulet hyposodique (p. 67)**
   1 **boîte (385 ml/12 oz) de lait écrémé évaporé**
   3 **c. à soupe de farine**
   ⅛ **c. à thé de poivre**
   2 **c. à soupe de persil haché**
   1 **c. à thé de jus de citron**

1 Pour le pain de dinde, préchauffez le four à 160 °C (325 °F). Mettez dans un grand bol la dinde, la mie de pain émiettée, le piment doux rôti, les graines de céleri, le sel et ⅛ c. à thé de poivre. Fouettez le lait à part avec les blancs d'œufs et l'œuf ; versez ce liquide sur la dinde. Remplissez de la préparation un moule à pain de 20 × 10 × 5 cm (8 × 4 × 2 po). Enfournez et faites cuire 45 à 50 minutes, pour que le pain soit ferme au centre.

2 Pour la sauce aux champignons, mettez ceux-ci dans une casserole avec le bouillon. Amenez à ébullition, couvrez et laissez mijoter à petit feu 1 minute.

3 Dans un petit bol, fouettez le lait évaporé avec la farine et ⅛ c. à thé de poivre. Versez sur les champignons et laissez cuire à feu modéré. Quand la sauce commence à épaissir, accordez-lui encore 2 minutes de cuisson, en fouettant sans arrêt. Incorporez le persil et le jus de citron. Servez le pain nappé de sauce. Donne 4 portions.

Préparation : 20 minutes Cuisson : 45 minutes

Par portion : Calories 311. Gras total 8 g. Gras saturé 2 g.
Protéines 34 g. Hydrates de carbone 25 g. Fibres 1 g.
Sodium 551 mg. Cholestérol 121 mg.

Dinde Tetrazzini

Dinde Tetrazzini

Ce plat, créé pour le poulet, a été nommé en l'honneur d'une diva des années 1890,
Luisa Tetrazzini. Au fil des ans, il a fait son chemin jusqu'à la cuisine familiale.

180 g (6 oz) de spaghettis

1 boîte (385 ml/12 oz) de lait écrémé évaporé

½ tasse de lait écrémé à 1 p. 100

2 c. à soupe de farine

1 c. à thé de sauce Worcestershire hyposodique

¼ c. à thé de sel

¼ c. à thé de poivre

½ tasse (60 g/2 oz) de cheddar râpé

2 tasses de blanc de dinde, haché

¼ tasse de champignons tranchés

2 c. à soupe de piment doux rôti, haché (facultatif)

⅓ tasse de mie de pain émiettée

¼ tasse de parmesan râpé

1 Préchauffez le four à 180 °C (350 °F). Faites cuire les spaghettis selon les directives de l'emballage ; égouttez-les et gardez-les au chaud.

2 Dans une casserole moyenne, fouettez le lait évaporé avec le lait écrémé, la farine, la sauce Worcestershire, le sel et le poivre. Faites cuire à feu modéré en fouettant. Quand la sauce commence à épaissir, accordez-lui encore 2 minutes de cuisson, toujours en fouettant. Incorporez le cheddar. Quand il a fondu, ajoutez la dinde, les champignons et le piment doux rôti, s'il y a lieu.

3 Dans une cocotte de 8 tasses, graissée, déposez la moitié des spaghettis et la moitié de la dinde en sauce ; répétez. Mélangez la mie de pain émiettée et le parmesan ; éparpillez-les sur le plat. Enfournez et faites cuire 30 minutes à découvert. Donne 4 portions.

Préparation : 15 minutes Cuisson : 40 minutes

Par portion : Calories 458. Gras total 9 g. Gras saturé 5 g.
Protéines 41 g. Hydrates de carbone 51 g. Fibres 2 g.
Sodium 569 mg. Cholestérol 84 mg.

Club sandwich à la dinde

Club sandwich à la dinde

Deux théories s'affrontent sur l'origine du club sandwich.
Les uns soutiennent que le sandwich a été créé pour les voitures-salons des trains (club car) ;
d'autres, qu'il est apparu en premier lieu sur les menus des country clubs *élégants.*

 4 **tranches de bacon maigre, coupées en deux**
12 **toasts de pain blanc, ou de pain complet**
½ **tasse de mayonnaise allégée**
 8 **feuilles de laitue**
 1 **grosse tomate, tranchée mince**
250 **g (8 oz) de blanc de dinde cuit, détaillé en tranches minces, ou de blanc de poulet cuit**
 8 **petits cornichons sucrés (facultatif)**
 8 **olives vertes farcies au piment rouge (facultatif)**

1 Faites cuire le bacon à feu modéré. Retirez-le quand il est croustillant et déposez-le sur de l'essuie-tout.

2 Tartinez les toasts de mayonnaise d'un seul côté. Sur la face tartinée de quatre toasts, déposez tour à tour une feuille de laitue, quelques tranches de tomate, 2 demi-tranches de bacon, un autre toast, mayonnaise sur le dessus, une feuille de laitue et le quart de la dinde. Couvrez d'un troisième toast, mayonnaise en dessous.

3 Coupez les sandwichs en diagonale. À votre goût, enfilez cornichons et olives sur huit cure-dents et piquez-les dans les demi-sandwichs. Donne 4 portions.

Préparation : 15 minutes Cuisson : 5 minutes

Par portion : Calories 400. Gras total 13 g. Gras saturé 3 g.
Protéines 26 g. Hydrates de carbone 45 g. Fibres 2 g.
Sodium 700 mg. Cholestérol 62 mg.

Sandwichs
à la salade de dinde

Dans cette recette, la dinde est hachée, comme on le faisait autrefois, au lieu d'être coupée en tout petits morceaux. La garniture s'étend mieux et le sandwich se mange plus facilement en pique-nique.

2 tasses de dinde cuite, hachée

2 tasses d'ananas broyé dans son jus, égoutté

¼ tasse d'amandes grillées, hachées fin

¼ tasse de céleri, haché fin

¼ tasse de mayonnaise allégée

2 c. à soupe de crème sure allégée

1 c. à thé de jus de citron

¼ c. à thé de sel

12 tranches de pain blanc, ou de pain complet

6 feuilles de laitue

1 Dans un bol moyen, mélangez la dinde, l'ananas, les amandes, le céleri, la mayonnaise, la crème sure, le jus de citron et le sel. Étalez cet appareil sur la moitié des tranches de pain. Recouvrez de laitue et des autres tranches. Donne 6 portions.

Préparation : 20 minutes

Par portion : Calories 297. Gras total 10 g. Gras saturé 2 g. Protéines 19 g. Hydrates de carbone 33 g. Fibres 2 g. Sodium 451 mg. Cholestérol 40 mg.

Oie rôtie, farcie
aux raisins de Corinthe

L'oie rend beaucoup de graisse durant la cuisson. Retirez-la à mesure avec une pipette à arroser.

1 gros oignon, haché

1 grosse pomme acide, hachée

¼ tasse de bouillon de poulet hyposodique (p. 67)

6 tasses de mie de pain grillé, émiettée

½ tasse de raisins de Corinthe

¼ tasse d'amandes effilées, grillées

¼ tasse de persil haché

1 c. à thé de sauge séchée

¼ c. à thé de sel

¼ c. à thé de poivre noir (ou davantage, au goût)

⅓ tasse de bouillon de poulet hyposodique (p. 67)

1 oie de 3,5 kg (7 à 8 lb), sans les abattis

1 Dans une petite casserole, mettez l'oignon, la pomme et ¼ tasse de bouillon. Amenez à ébullition, couvrez et laissez mijoter 5 minutes à petit feu.

2 Dans un grand bol, déposez le mélange précédent, les miettes de pain grillé, les raisins de Corinthe, les amandes, le persil, la sauge, le sel et le poivre. Aspergez avec ⅓ tasse de bouillon et remuez.

3 Préchauffez le four à 180 °C (350 °F). Lavez et asséchez l'oie. Avec une brochette, perforez la peau dans le bas de la poitrine et des pattes et autour des ailes. Farcissez-la et troussez-la (ci-dessous). Mettez-la sur la grille d'une lèchefrite ; introduisez le thermomètre dans la cuisse, sans toucher à l'os. Déposez le reste de la farce dans un plat à four graissé ; couvrez et réfrigérez.

4 Faites rôtir l'oie pendant 2 heures à 2 h 30 : sa température interne doit atteindre 75 °C (175 °F). Videz fréquemment le gras qui s'accumule. Enfournez le plat de farce 30 minutes avant la fin de la cuisson. Laissez reposer la dinde de 15 à 20 minutes avant de la dépecer et de retirer la peau. Donne 6 portions.

Préparation : 20 minutes Cuisson sur l'élément : 8 minutes
Cuisson au four : 2 heures Repos : 15 minutes

Par portion : Calories 673. Gras total 28 g. Gras saturé 9 g. Protéines 64 g. Hydrates de carbone 41 g. Fibres 3 g. Sodium 467 mg. Cholestérol 319 mg.

POUR TROUSSER UNE VOLAILLE

 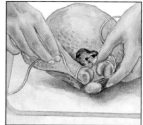

1. Introduisez d'abord la farce dans la cavité du cou, sans la tasser. Rabattez la peau et fixez-la avec une petite brochette. Remplissez ensuite la carcasse.

2. Si la peau déborde du croupion, faites deux fentes pour y insérer les pilons. Sinon, attachez ceux-ci ensemble avec de la ficelle. Rabattez les ailerons sous les ailes.

Faisan à la crème

Le faisan est de nos jours une volaille très luxueuse ;
on le sert généralement avec une sauce courte qui
met en relief sa fine saveur. Cette recette, dans laquelle
la « crème » est en réalité du lait écrémé évaporé,
est celle qui servait autrefois, les jours de fête,
à apprêter des volailles de toutes sortes.

6	c. à soupe de farine
¾	c. à thé de sel
⅛	c. à thé de poivre noir
1	faisan de 1,5 kg (2½ à 3 lb), découpé en quatre, en supprimant la peau et les ailerons
1	c. à soupe d'huile
1	gros oignon, coupé en deux et tranché
1	tasse de bouillon de poulet hyposodique (p. 67)
1	c. à soupe de beurre, ou de margarine
1½	tasse de champignons tranchés
¼	c. à thé de poivre noir
1	boîte (385 ml/12 oz) de lait écrémé évaporé
	Paprika

1 Sur du papier ciré, mélangez 3 c. à soupe de farine, ¼ c. à thé de sel et ⅛ c. à thé de poivre. Lavez, asséchez et farinez les morceaux de faisan (ci-dessus, à droite). Réchauffez l'huile dans une grande sauteuse et faites-y rissoler le faisan à feu assez vif, pendant 10 minutes, en le retournant de tous les côtés. Disposez les tranches d'oignon par-dessus. Mouillez avec le bouillon. Quand l'ébullition est prise, couvrez et laissez mijoter à petit feu environ 30 minutes.

2 Faites fondre le beurre dans une casserole à feu modéré. Ajoutez les champignons et faites-les attendrir 3 minutes. Incorporez le reste de la farine et du sel, ainsi que ¼ c. à thé de poivre. Après 1 minute de cuisson, ajoutez peu à peu le lait écrémé évaporé tout en remuant. Quand la sauce a épaissi, prolongez la cuisson de 2 minutes, sans cesser de remuer. Versez la sauce sur le faisan garni d'oignon. Saupoudrez de paprika. Donne 4 portions.

Préparation : 20 minutes Cuisson : 41 minutes

Par portion : Calories 371. Gras total 12 g. Gras saturé 4 g.
Protéines 42 g. Hydrates de carbone 22 g. Fibres 1 g.
Sodium 581 mg. Cholestérol 104 mg.

POUR FARINER LA VOLAILLE

Il est bon d'enrober une volaille de farine condimentée afin d'accentuer sa saveur, lui conserver ses jus et favoriser le rôtissage. Roulez les morceaux un à un dans les ingrédients  secs : enrobez-les complètement. Tapotez-les pour faire adhérer la farine et en rejeter tout excès.

Canard en simili salmis

Le véritable salmis est un ragoût de sauvagine que l'on
découpe en morceaux après l'avoir fait rôtir à demi, et que
l'on achève de cuire en casserole avec une sauce spéciale.

1	canard de 2 kg (4 à 4½ lb), découpé en quatre, en supprimant la peau et les ailerons
2	c. à soupe de beurre, ou de margarine
2	c. à soupe de farine
1½	c. à thé de thym séché
¼	c. à thé de sel
⅛	c. à thé de clou de girofle
⅛	c. à thé de poivre noir
¾	tasse de bouillon de bœuf hyposodique (p. 67)
½	tasse de vin rouge, ou de bouillon de bœuf (p. 67)

1 Préchauffez le four à 190 °C (375 °F). Lavez et asséchez le canard. Mettez le beurre à fondre à feu modéré dans une grande sauteuse. Faites-y rissoler les morceaux de canard de tous côtés pendant 10 minutes environ. Déposez-les dans un plat à four, graissé.

2 Dans les jus de la sauteuse, mélangez au fouet la farine, le thym, le sel, le clou de girofle et le poivre. Laissez cuire 1 minute. Incorporez le bouillon. Faites épaissir la sauce, puis prolongez sa cuisson de 2 minutes. Versez-la sur le canard. Couvrez, enfournez et laissez cuire 50 à 60 minutes. Dégraissez. Servez sur un lit de riz. Donne 4 portions.

Préparation : 15 minutes Cuisson : 1 h 5

Par portion : Calories 304. Gras total 18 g. Gras saturé 8 g.
Protéines 26 g. Hydrates de carbone 4 g. Fibres 0 g.
Sodium 265 mg. Cholestérol 111 mg.

Petites gâteries

Poulet grillé à l'italienne

8 pilons de poulet (875 g/1¾ lb)

⅓ tasse de farine

1 c. à thé d'assaisonnement à l'italienne

1 c. à soupe d'huile

1 tasse de sauce spaghetti

1. Préchauffez le four à 190 °C (375 °F). Retirez la peau des pilons, lavez-les et asséchez-les. Sur du papier ciré, mélangez la farine et l'assaisonnement à l'italienne. Farinez les pilons.

2. Réchauffez l'huile à feu assez vif dans une sauteuse. Faites dorer les pilons 10 minutes.

3. Disposez les pilons dans un plat à four graissé. Nappez-les de sauce spaghetti. Couvrez, enfournez et laissez cuire de 30 à 35 minutes. Servez avec du parmesan râpé. Donne 4 à 8 portions.

Sous-marins au poulet

Les enfants croiront qu'ils sont au restaurant.

2 c. à soupe de mayonnaise allégée

1 c. à thé de moutarde préparée

4 petits pains croûtés de 15 cm (6 po) de longueur

4 feuilles de laitue

180 g (6 oz) de poulet cuit, tranché mince

4 tranches de fromage fondu allégé

4 tranches de fromage gruyère allégé

12 tranches de cornichons

1. Dans un petit bol, mélangez la mayonnaise et la moutarde. Ouvrez les petits pains et tartinez-les.

2. Dans chacun, mettez une feuille de laitue, du poulet, une tranche de fromage fondu, une tranche de fromage gruyère et 3 tranches de cornichon. Donne 4 portions.

Poulet surprise

1 tasse de poulet cuit, haché

¼ tasse de crème sure allégée

¼ tasse (30 g/1 oz) de cheddar allégé râpé

⅛ c. à thé de poudre d'ail

Pincée de poivre noir

1 paquet (340 g/12 oz) de pâte réfrigérée pour petits pains

1 gros blanc d'œuf, légèrement battu

1. Préchauffez le four à 200 °C (400 °F). Mélangez dans un bol le poulet, la crème sure, le cheddar, la poudre d'ail et le poivre.

2. Aplatissez les pâtons en un cercle de 10 cm (4 po) sur une planche farinée. Déposez 1 c. à soupe bombée du mélange au poulet sur la moitié de chacun des cercles. Humectez le tour avec de l'eau. Rabattez l'autre moitié pour enfermer la farce. Cannelez la bordure à la fourchette. Badigeonnez de blanc d'œuf.

3. Déposez les pâtés sur une plaque. Enfournez et faites dorer de 8 à 10 minutes. Donne 10 surprises.

Pilons mignons

Les enfants vont adorer ces petits pilons croquants.

16 pilons de poulet miniatures

⅔ tasse de croustilles de pommes de terre écrasées

½ c. à thé d'assaisonnement au chile

¼ c. à thé de poudre d'oignon

⅛ c. à thé de poivre noir

2 c. à soupe de beurre fondu, ou de margarine

1. Allumez le gril. Retirez la peau des pilons ; épongez-les. Sur du papier ciré, mélangez les croustilles, l'assaisonnement au chile, la poudre d'oignon et le poivre. Roulez les pilons dans le beurre fondu, puis dans les croustilles assaisonnées. Déposez-les dans un moule graissé.

2. Faites-les griller à 8 cm (3 po) de l'élément pendant 3 minutes. Tournez-les et faites-les griller de 3 à 5 minutes de plus. Donne 4 à 8 portions.

POISSONS À FOISON

Eaux salées et eaux douces recèlent des ressources quasi inépuisables sur le plan de la nutrition et de la gastronomie. Longtemps boudés dans nos villes, où ils n'avaient pas toujours la fraîcheur souhaitable, poissons et fruits de mer connaissent pourtant d'excellentes recettes chez les habitants de nos côtes. Depuis qu'on peut s'approvisionner en abondance de bons poissons frais, notre répertoire de recettes en la matière s'est enrichi grâce aux pays où ils font partie de l'alimentation traditionnelle.

On retrouvera donc ici, outre les apprêts courants, d'autres qui nous sont parvenus des États-Unis, des Antilles, d'Europe, d'Afrique et du Japon.

Poisson farci à la polonaise

On recommande de préparer cette recette avec du brochet ;
il se marie bien à une farce à base de pain,
de champignons et de pomme.

- 1 **poisson éviscéré de 2 kg (4 lb) (brochet, corégone, morue, achigan de mer ou vivaneau)**
- 2 **c. à soupe de beurre, ou de margarine**
- 1 **gros oignon, haché**
- 1 **côte de céleri, tranchée**
- 1 **c. à thé de thym séché**
- ½ **c. à thé de sel**
- ¼ **c. à thé de poivre noir**
- 6 **tranches de pain de ménage, grillées et détaillées en gros dés (4 tasses)**
- 1 **pomme acide moyenne, pelée et hachée**
- ¼ **tasse de champignons tranchés**
- ⅓ à ⅔ **tasse de bouillon de poulet hyposodique (p. 67)**
- 1 **c. à soupe de beurre fondu, ou de margarine**

1 Préchauffez le four à 180 °C (350 °F). Rincez et épongez le poisson. Dans une grande sauteuse, mettez 2 c. à soupe de beurre à fondre ; faites-y revenir l'oignon et le céleri 5 minutes à feu modéré. Ajoutez le thym, le sel et le poivre. Dans un grand bol, mélangez les dés de pain grillé, la pomme et les champignons. Ajoutez le contenu de la sauteuse ; aspergez de bouillon et remuez.

2 Remplissez de farce l'intérieur du poisson ; mettez le reste de la farce dans un plat à four, couvrez et réfrigérez. Fermez l'ouverture avec de la ficelle ou une brochette. Déposez le poisson dans un plat à four graissé. Badigeonnez-le avec 1 c. à soupe de beurre fondu.

3 Couvrez de papier aluminium, enfournez et faites cuire de 50 à 60 minutes : la chair doit s'effeuiller facilement à la fourchette. Enfournez le plat de farce 20 à 25 minutes avant la fin de la cuisson. Donne 6 portions.

Préparation : 20 minutes Cuisson : 56 minutes

Par portion : Calories 272. Gras total 8 g. Gras saturé 4 g.
Protéines 31 g. Hydrates de carbone 18 g. Fibres 2 g.
Sodium 474 mg. Cholestérol 73 mg.

Poisson frit à l'afro-américaine

Les Américains d'origine africaine ont coutume d'enrober
la barbotte de farine de maïs et de la faire griller
à la poêle. La cuisson au four est plus légère.

- ½ **tasse de sauce tartare (recette ci-contre)**
- 4 **poissons de 250 à 300 g (8 à 10 oz) chacun (barbotte, barbue de rivière ou autre poisson de petite taille)**
- ⅓ **tasse de lait de babeurre écrémé à 1 p. 100**
- 1 **gros blanc d'œuf, légèrement battu**
- ⅓ **tasse de chapelure**
- ⅓ **tasse de farine de maïs**
- ½ **c. à thé de paprika**
- ½ **c. à thé de sel d'ail**
- 2 **c. à soupe de beurre fondu, ou de margarine**
- 1 **c. à soupe de jus de citron**

1 Préparez la sauce tartare. Couvrez et réfrigérez pendant que vous préparez le poisson.

2 Préchauffez le four à 260 °C (500 °F). Retirez la peau des poissons ; rincez-les et épongez-les. Mélangez le babeurre et le blanc d'œuf dans un petit bol. Mettez la chapelure, la farine de maïs, le paprika et le sel d'ail dans une assiette creuse. Trempez les poissons dans le babeurre et enrobez-les avec les ingrédients secs.

3 Déposez les poissons sur une grille graissée dans un grand plat à four. Dans un petit bol, mélangez le beurre fondu et le jus de citron ; aspergez-en les poissons. Enfournez et faites cuire de 12 à 14 minutes. Accompagnez de sauce tartare. Donne 4 portions.

Préparation : 20 minutes Cuisson : 12 minutes

Par portion : Calories 408. Gras total 24 g. Gras saturé 7 g.
Protéines 26 g. Hydrates de carbone 22 g. Fibres 1 g.
Sodium 697 mg. Cholestérol 90 mg.

Filets de poisson grillés au four Suivez la même recette, mais remplacez les poissons entiers par **750 g (1½ lb) de filets de poisson de 1 à 2,5 cm (½ à 1 po) d'épaisseur**, la chapelure et la farine de maïs par ⅔ **tasse de craquelins hyposodiques broyés**. Divisez ou coupez les filets en quatre portions. Enrobez-les et faites-les cuire 8 à 10 minutes par centimètre (½ po) d'épaisseur.

Par portion : Calories 466. Gras total 27 g. Gras saturé 8 g.
Protéines 29 g. Hydrates de carbone 25 g. Fibres 1 g.
Sodium 793 mg. Cholestérol 99 mg.

Sauce tartare

Dans un bol moyen, mélangez **1 tasse de mayonnaise allégée**, **¼ tasse de cornichons à l'aneth hachés fin**, ou **de relish à l'aneth**, **1 gros oignon vert, haché fin**, **1 c. à soupe de câpres, égouttées**, **1 c. à thé de moutarde de Dijon**, **½ c. à thé de thym séché** et **une pincée de cayenne**. Couvrez et rangez au réfrigérateur (1 semaine au maximum). Donne 1¼ tasse, ou 10 portions de 2 c. à soupe.

Par portion : Calories 60. Gras total 5 g. Gras saturé 1 g.
Protéines 0 g. Hydrates de carbone 4 g. Fibres 0 g.
Sodium 202 mg. Cholestérol 6 mg.

Flétan grillé, sauce aux œufs

Autrefois, le flétan était si abondant dans l'Atlantique que les pêcheurs ne savaient plus quoi en faire. Bien persillée, cette sauce fait ressortir la finesse de sa chair.

- **4 darnes de 250 g (8 oz) chacune de flétan, de saumon, de requin ou d'espadon**
- **1 c. à soupe de beurre fondu, ou de margarine**
- **1 c. à soupe de jus de citron**
- **½ c. à thé de poudre d'ail**
- **¼ c. à thé de sel**
- **⅛ c. à thé de poivre noir**
- **Sauce aux œufs (recette à droite)**

1 Allumez le gril. Dans un petit bol, mélangez le beurre fondu, le jus de citron, la poudre d'ail, le sel et le poivre.

2 Déposez les darnes sur la grille graissée d'une lèche-frite. Badigeonnez-les avec la moitié du beurre citronné. Faites griller 5 minutes à 12 cm (5 po) de l'élément. Tournez les darnes avec une spatule large. Badigeonnez-les avec le reste du beurre et faites griller de 5 à 7 minutes. Servez-les nappées de sauce aux œufs. Donne 4 portions.

Préparation : 10 minutes Cuisson : 10 minutes

Par portion : Calories 348. Gras total 14 g. Gras saturé 5 g.
Protéines 48 g. Hydrates de carbone 6 g. Fibres 0 g.
Sodium 384 mg. Cholestérol 191 mg.

Flétan grillé, sauce aux œufs

Sauce aux œufs

Dans une casserole moyenne, mélangez à l'aide d'un fouet **½ tasse de crème claire**, **2 c. à soupe de farine**, **½ c. à thé de moutarde sèche**, **⅛ c. à thé de sel** et **⅛ c. à thé de poivre**. Toujours en fouettant, ajoutez **½ tasse de bouillon de poulet hyposodique** (p. 67). Faites cuire 7 minutes à feu moyen sans cesser de fouetter. Quand la sauce a épaissi, ajoutez-y **2 gros œufs durs hachés** et **1 c. à soupe de persil haché** ; réchauffez bien. Donne 1½ tasse, ou 4 portions de ⅓ tasse.

Par portion : Calories 96. Gras total 6 g. Gras saturé 3 g.
Protéines 5 g. Hydrates de carbone 5 g. Fibres 0 g.
Sodium 111 mg. Cholestérol 117 mg.

Saumon poché, sauce à l'aneth

Saumon poché, sauce à l'aneth

La cuisson au court-bouillon, c'est-à-dire dans un liquide
bien condimenté, convient parfaitement à la cuisine légère
qui est en faveur de nos jours.

4 **darnes d'environ 180 g (6 oz) chacune de saumon**
  ou de flétan, de 2 cm (³⁄₄ po) d'épaisseur

1 **tasse de vin blanc sec, ou de bouillon de poulet**
  hyposodique (p. 67)

1 **petit oignon, tranché mince**

2 **tranches de citron**

4 **brins de persil**

4 **grains de poivre noir**

Sauce à l'aneth :

1 **c. à soupe de beurre, ou de margarine**

1 **c. à soupe de farine**

2 **c. à thé d'aneth frais haché,**
  ou ³⁄₄ c. à thé d'aneth séché

½ **c. à thé de sucre**

⅛ **c. à thé de sel**

1 **gros jaune d'œuf, légèrement battu**

1 **c. à thé de jus de citron**

1 Dans une grande sauteuse, chauffez le vin, l'oignon, les tranches de citron, le persil et les grains de poi-vre. Quand l'ébullition est prise, disposez les darnes côte à côte dans le fond de cuisson. Faites reprendre l'ébulli-tion. Couvrez et laissez mijoter 5 à 8 minutes à petit feu : le poisson doit s'effeuiller facilement. Retirez-le avec une spatule à trous et gardez-le au chaud. Filtrez le court-bouillon ; gardez-en 1 tasse.

2 Pour préparer la sauce à l'aneth, mettez le beurre à fondre dans une casserole à feu modéré. Ajoutez en fouettant la farine, l'aneth, le sucre et le sel ; faites cuire 1 minute. Mouillez peu à peu avec le court-bouillon réservé et fouettez jusqu'à épaississement. Incorporez ½ tasse de sauce dans le jaune d'œuf battu et reversez le tout dans la casserole. Laissez cuire 1 ou 2 minutes, sans faire bouillir. Ajoutez le jus de citron.

3 Nappez les darnes d'un peu de sauce ; servez le reste en saucière. Donne 4 portions.

Préparation : 10 minutes Cuisson : 15 minutes

Par portion : Calories 350. Gras total 17 g. Gras saturé 4 g.
Protéines 33 g. Hydrates de carbone 4 g. Fibres 0 g.
Sodium 178 mg. Cholestérol 163 mg.

Coulibiac de saumon

Le khol-gebäck était à l'origine une sorte de pâté de chou introduit en Russie par des immigrés allemands. Le mot a pris une assonance slave et les feuilles de chou ont été remplacées par une chemise de pâte. Le coulibiac se sert chaud, ou froid avec de la crème sure.

Garniture :

- **2 tasses de champignons tranchés**
- **1 tasse de poireau tranché, ou 8 gros oignons verts, tranchés**
- **¼ tasse d'eau**
- **3 gros œufs durs, les blancs seulement**
- **1 tasse de riz blanc cuit à longs grains**
- **¼ tasse de persil haché**
- **1 c. à thé d'aneth séché**
- **¼ c. à thé de sel**
- **¼ c. à thé de poivre noir**
- **1 boîte (environ 400 g/14 oz) de saumon, paré, égoutté et effeuillé**

Chemise de pâte :

- **1 paquet (454 g/16 oz) de feuilles à pâtisserie**
- **2 gros blancs d'œufs, légèrement battus**
- **1 c. à soupe d'eau**

1 Préchauffez le four à 200 °C (400 °F). Dans une grande casserole, déposez les champignons, le poireau et ¼ tasse d'eau ; couvrez et laissez cuire 5 minutes. Égouttez. Hachez les blancs d'œufs durs. Mettez-les dans la casserole, ainsi que le riz, le persil, l'aneth, le sel et le poivron. Incorporez délicatement le saumon.

2 Pour la chemise de pâte, abaissez un bloc de pâte feuilletée en un rectangle de 35 × 25 cm (14 × 10 po). Déposez-le dans un plat à four de 38 × 25 × 2,5 cm (15 × 10 × 1 po), doublé de papier aluminium. Abaissez l'autre bloc de pâte feuilletée en un rectangle de 30 × 20 cm (12 × 8 po). Mélangez les blancs d'œufs battus et l'eau ; badigeonnez de cette dorure la première abaisse. Étalez la garniture (à droite). Badigeonnez la bordure.

3 Déposez la deuxième abaisse sur la garniture. Faites passer par-dessus la bordure du dessous (à droite) et festonnez avec une fourchette. Pratiquez des entailles pour laisser échapper la vapeur. Badigeonnez la surface avec le reste de la dorure. Enfournez et faites cuire de 20 à 25 minutes pour que la pâte soit d'un beau doré. Donne 6 portions.

Préparation : 25 minutes Cuisson : 25 minutes

Par portion : Calories 472. Gras total 26 g. Gras saturé 1 g. Protéines 17 g. Hydrates de carbone 42 g. Fibres 1 g. Sodium 744 mg. Cholestérol 17 mg.

Coulibiac classique Suivez la même recette, mais remplacez le saumon en boîte par **500 g (1 lb) de filets ou de darnes de saumon, de 2 cm (¾ po) d'épaisseur**, pochés comme suit. Lavez et asséchez le poisson. Dans une grande sauteuse, réunissez **1 tasse de bouillon de poulet hyposodique (p. 67), 1 petite carotte, tranchée, 1 petit oignon, tranché, 1 côte de céleri, tranchée, 4 grains de poivre noir** et **2 feuilles de laurier**. Quand l'ébullition est prise, déposez les darnes de saumon côte à côte dans la sauteuse. Faites reprendre l'ébullition. Couvrez et laissez mijoter à petit feu de 5 à 8 minutes : le poisson doit s'effeuiller facilement. Retirez-le avec une spatule à trous et laissez-le refroidir. Débarrassez le saumon de la peau et des arêtes. Effeuillez la chair à la fourchette. Pour préparer la garniture et la chemise de pâte, revenez à la recette précédente.

Par portion : Calories 598. Gras total 28 g. Gras saturé 1 g. Protéines 26 g. Hydrates de carbone 59 g. Fibres 2 g. Sodium 573 mg. Cholestérol 32 mg.

POUR MONTER UN COULIBIAC

 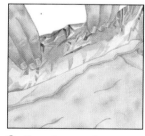

1. Étalez la garniture sur l'abaisse du fond en allant jusqu'à 2,5 cm (1 po) des bords. Posez l'autre abaisse par-dessus.

2. Sur chacun des quatre côtés, soulevez le papier aluminium pour que l'abaisse du dessous recouvre celle du dessus.

Darnes de poisson en tériyaki

Darnes de poisson en tériyaki

Les immigrants japonais, nombreux à s'installer dans l'Ouest du continent,
nous ont fait connaître le tériyaki. On peut faire griller les darnes dans le four ou au barbecue ;
dans ce dernier cas, servez-vous d'un panier à poisson : vous risquez moins de briser
les darnes en les tournant. À défaut, mettez du papier aluminium
sur la grille et pratiquez-y des fentes pour que le gras s'écoule.

4 **darnes de 250 g (8 oz) chacune de flétan, de requin**
   ou d'espadon, de 2,5 cm (1 po) d'épaisseur

Marinade :

¼ **tasse d'eau**

¼ **tasse de sauce soja hyposodique**

¼ **tasse de xérès sec, ou de bouillon**
   de poulet hyposodique (p. 67)

1 **c. à soupe de sucre**

2 **c. à thé de moutarde sèche**

1 **c. à thé de gingembre moulu**

3 **gousses d'ail, émincées**

1 Dans un bocal qui ferme bien, mettez l'eau, la sauce soja, le xérès, le sucre, la moutarde sèche, le gingembre moulu et l'ail. Fermez et agitez vigoureusement.

Versez la marinade dans un grand sac de plastique robuste ; mettez-y le poisson et fermez-le bien. Réfrigérez de 2 à 3 heures en retournant le sac de temps à autre.

2 Allumez le gril. Égouttez le poisson en réservant la marinade. Disposez-le sur la grille graissée d'une lèchefrite. Badigeonnez-le de marinade. Faites-le griller 5 minutes à 12 cm (5 po) de l'élément. Tournez-le, badigeonnez-le de nouveau avec la marinade et prolongez la cuisson de 5 à 7 minutes : la chair doit s'effeuiller facilement. Donne 4 portions.

Préparation : 10 minutes Marinage : 2 heures
Cuisson : 10 minutes

Par portion : Calories 251. Gras total 6 g. Gras saturé 1 g.
Protéines 44 g. Hydrates de carbone 7 g. Fibres 0 g.
Sodium 622 mg. Cholestérol 66 mg.

Filet de sole aux agrumes

Voici une recette toute simple et néanmoins exquise ; fines herbes et agrumes s'allient pour souligner la fine saveur de ce poisson.

½ tasse de jus d'orange

2 gros oignons verts, tranchés mince

2 c. à soupe de persil haché

2 c. à soupe de jus de citron ou de lime

1 c. à thé d'estragon séché

1 c. à thé de zeste d'orange râpé

1 c. à thé de zeste de citron ou de lime, râpé

¼ c. à thé de sel

750 g (1½ lb) de filets de limande-sole, de plie, d'achigan de mer ou d'aiglefin, de 0,5 à 1,5 cm (¼ à ½ po) d'épaisseur

Paprika

1 Mettez dans un bocal fermant bien le jus d'orange, les oignons verts, le persil, le jus de citron, l'estragon, les zestes d'orange et de citron et le sel. Bouchez et agitez vigoureusement. Versez cette marinade dans un grand sac de plastique robuste avec le poisson. Fermez le sac et réfrigérez de 6 à 24 heures ; retournez le sac de temps à autre.

2 Allumez le gril. Égouttez les filets en réservant la marinade. Disposez-les sur la grille graissée d'une lèchefrite en repliant les parties plus minces. Faites-les griller de 3 à 6 minutes à 12 cm (5 po) de l'élément : la chair doit s'effeuiller facilement. Badigeonnez de marinade une fois en cours de cuisson. Saupoudrez généreusement de paprika. Donne 4 portions.

Préparation : 15 minutes Marinage : 6 heures
Cuisson : 3 minutes

Par portion : Calories 156. Gras total 2 g. Gras saturé 0 g.
Protéines 29 g. Hydrates de carbone 5 g. Fibres 0 g.
Sodium 258 mg. Cholestérol 80 mg.

Morue grillée

Tendre et savoureuse, la morue se prête à une vaste gamme d'apprêts avec un minimum d'ingrédients.

750 g (1½ lb) de filets de morue, de plie ou de sébaste, de 2,5 cm (1 po) d'épaisseur

2 c. à soupe de jus de citron

1 c. à soupe de beurre fondu, ou de margarine

1 c. à thé de zeste de citron râpé

½ c. à thé de thym séché

¼ c. à thé de sel et ⅛ c. à thé de poivre noir

½ tasse de chapelure

1 Allumez le gril. Dans un petit bol, mélangez le jus de citron, le beurre, le zeste de citron, le thym, le sel et le poivre. Réservez.

2 Disposez les filets sur la grille graissée d'une lèchefrite en repliant les parties plus minces. Faites-les griller 5 minutes à 12 cm (5 po) de l'élément en les badigeonnant de marinade à deux reprises. Tournez, badigeonnez de nouveau et comptez encore 4 minutes de cuisson. Recouvrez de chapelure et faites griller 1 minute de plus : la chapelure doit être dorée et la chair du poisson s'effeuiller facilement. Servez avec des pommes de terre bouillies. Donne 4 portions.

Préparation : 10 minutes Cuisson : 10 minutes

Par portion : Calories 215. Gras total 5 g. Gras saturé 2 g.
Protéines 30 g. Hydrates de carbone 10 g. Fibres 1 g.
Sodium 393 mg. Cholestérol 88 mg.

ACHAT DU POISSON

Achetez les découpes de poisson en fonction de votre recette. Voici comment faire votre choix.

◆ Quand il vous faut un poisson entier, la recette précise, en général, s'il s'agit d'un poisson **vidé**, c'est-à-dire dont les viscères ont été retirés, ou **vidé et paré**, c'est-à-dire dont on a également enlevé les écailles, la tête, la queue et les nageoires. Lavez le poisson entier rapidement à l'eau froide et épongez-le.

◆ Le terme **darne** désigne une tranche coupée perpendiculairement à l'arête principale du poisson. Les darnes se taillent dans de gros poissons. Il suffit de les éponger.

◆ Par **filet**, on entend une pièce prélevée en longueur sur le poisson, de chaque côté de l'arête principale. On ne lave pas les filets.

◆ Jugez de la fraîcheur du poisson au nez : il doit avoir une odeur nette et agréable.

◆ Le poisson frais a la peau luisante et souple, la chair ferme et élastique. Les yeux sont limpides et saillants. Les ouïes sont sèches (non visqueuses) et de couleur franche.

Filets de poisson à la tomate fraîche

Cette recette, originaire de la région de Campanie, en Italie, se fait avec du poisson plat ; le sucre adoucit l'acidité de la tomate.

- 4 **filets de 180 g (6 oz) chacun de limande-sole ou de plie, de 0,5 à 1,5 cm (¼ à ½ po) d'épaisseur**
- 1 **c. à thé de basilic séché**
- ⅛ **c. à thé de sel**
- ⅛ **c. à thé de poivre noir**
- 1 **c. à soupe de beurre, ou de margarine**
- 1 **oignon moyen, haché**
- 2 **c. à soupe d'échalote hachée fin**
- 3 **gousses d'ail, émincées**
- 4 **tomates moyennes, pelées, épépinées et hachées (2½ tasses)**
- ½ **tasse de vin blanc sec, ou de bouillon de poulet hyposodique (p. 67)**
- 1 **c. à thé de sucre**
- 1 **c. à soupe de persil haché**

1 Saupoudrez les filets de basilic, de sel et de poivre. Enroulez-les sur eux-mêmes ; piquez-les d'un cure-dent.

2 Dans une grande sauteuse, mettez le beurre à fondre à feu modéré. Faites-y revenir l'oignon, l'échalote et l'ail 5 minutes. Ajoutez les tomates et le vin, ainsi que le sucre. Quand l'ébullition est prise, laissez mijoter à petit feu 15 minutes sans couvrir.

POISSON MAIGRE, POISSON GRAS

Les poissons n'ont pas tous la même teneur en lipides. Si dans la recette ci-contre, par exemple, vous remplacez l'alose par de la limande-sole ou de la plie, vous réduisez les matières grasses de 19 g par portion. Voici une liste de poissons maigres, moyennement gras ou très gras.

- **Maigres** Achigan de mer, aiglefin, barbotte, beaudroie, brochet, brosme, doré, flétan, hareng, limande-sole, mérou, morue, plie, requin, sébaste, turbot et vivaneau.

- **Moyennement gras** Bar commun, carpe, espadon, goberge, mahi-mahi et pompano.

- **Très gras** Alose, corégone, maquereau, saumon, tassergal, thon et truite.

3 Déposez les roulades de poisson dans cette sauce. Couvrez et laissez mijoter de 8 à 10 minutes : le poisson doit s'effeuiller facilement. Pour servir, retirez les cure-dents et servez les roulades nappées de la sauce aux tomates fraîches. Saupoudrez de persil. Accompagnez de riz ou de nouilles. Donne 4 portions.

Préparation : 20 minutes Cuisson : 34 minutes

Par portion : Calories 257. Gras total 6 g. Gras saturé 2 g. Protéines 37 g. Hydrates de carbone 10 g. Fibres 2 g. Sodium 246 mg. Cholestérol 98 mg.

Alose grillée aux champignons

L'alose est un poisson extrêmement délicat qui, au printemps, remonte les rivières pour venir frayer en eau douce.

- 1 **c. à soupe de beurre fondu, ou de margarine**
- 1 **c. à soupe de jus de citron**
- 1 **c. à soupe d'oignon finement haché**
- 1 **c. à soupe de raifort préparé, égoutté (ou davantage)**
- 1 **c. à soupe de moutarde de Dijon**
- ¼ **c. à thé de sel**
- 750 **g (1½ lb) de filets d'alose, de limande-sole ou de plie, de 0,5 à 1,5 cm (¼ à ½ po) d'épaisseur**
- ⅛ **c. à thé de poivre noir**
- 1 **c. à soupe de beurre, ou de margarine**
- 2 **tasses de champignons tranchés**

1 Allumez le gril. Dans un petit bol, mélangez 1 c. à soupe de beurre fondu, le jus de citron, l'oignon, le raifort, la moutarde, le sel et le poivre.

2 Disposez les filets sur la grille graissée d'une lèche-frite en repliant les parties plus minces. Badigeonnez avec l'apprêt ci-dessus. Faites-les griller de 3 à 6 minutes à 12 cm (5 po) de l'élément : la chair doit s'effeuiller facilement. Badigeonnez une fois en cours de cuisson.

3 Dans une sauteuse moyenne, faites fondre 1 c. à soupe de beurre à feu modéré. Faites-y revenir les champignons 3 minutes. Disposez-les sur les filets. Donne 4 portions.

Préparation : 10 minutes Cuisson : 3 minutes

Par portion : Calories 353. Gras total 26 g. Gras saturé 9 g. Protéines 26 g. Hydrates de carbone 3 g. Fibres 1 g. Sodium 365 mg. Cholestérol 122 mg.

Alose grillée aux champignons

Papillotes de poisson en jardinière de légumes

On désigne sous le nom de papillotes de petites pièces de viande, de légume ou de poisson enfermées dans une feuille de papier sulfurisé. On peut remplacer le papier sulfurisé, moins répandu, par du papier aluminium.

750 g (1½ lb) de filets de corégone, d'aiglefin, de touladi ou de vivaneau, de 2 à 2,5 cm (¾ à 1 po) d'épaisseur

2 carottes moyennes, en bâtonnets

2 côtes de céleri, en tranches minces

1 petit oignon rouge, tranché mince et séparé en anneaux

2 c. à soupe de beurre mou, ou de margarine

1 c. à soupe de persil haché

1 c. à soupe de jus de citron

¼ c. à thé de sel

¼ c. à thé de poudre d'ail

⅛ c. à thé de cayenne (ou davantage, au goût)

1 Préchauffez le four à 220 °C (425 °F). Détaillez les filets en quatre portions. Dans une casserole de taille moyenne, mettez 1,5 cm (½ po) d'eau et amenez-la à ébullition à feu vif. Ajoutez les carottes, le céleri et l'oignon et faites-les attendrir 3 ou 4 minutes. Égouttez.

2 Découpez quatre rectangles de 35 × 30 cm (14 × 12 po) dans du papier aluminium robuste ; graissez-les légèrement. Déposez une portion de poisson sur chacun des rectangles en repliant les parties plus minces. Dans un petit bol, mélangez le beurre mou, le persil, le jus de citron, le sel, la poudre d'ail et le cayenne. Répartissez ce beurre manié entre les quatre papillotes. Faites de même avec les légumes cuits.

3 Refermez les papillotes par un double pli. Déposez-les dans un plat à four peu profond. Enfournez et faites cuire de 18 à 20 minutes ; vérifiez la cuisson en ouvrant une papillote. Déposez chaque papillote dans une assiette. Découpez-la en X sur le dessus et repliez le papier : on la mange dans son emballage. Servez avec du pain à la levure aigre. Donne 4 portions.

Préparation : 20 minutes Cuisson : 26 minutes

Par portion : Calories 319. Gras total 16 g. Gras saturé 5 g. Protéines 34 g. Hydrates de carbone 8 g. Fibres 2 g. Sodium 312 mg. Cholestérol 121 mg.

Poisson pané à l'allemande

Ce plat est complet en soi ; il suffit de lui ajouter une salade.

750 g (1½ lb) de filets de plie, de turbo ou d'achigan de mer, de 1,5 à 2 cm (½ à ¾ po) d'épaisseur

6 pommes de terre moyennes (environ 1 kg/2 lb), tranchées mince

1 gros oignon, tranché mince

¾ c. à thé de sel

½ c. à thé de poivre (ou davantage, au goût)

2 c. à soupe d'huile d'olive

Sauce à la moutarde :

1 c. à soupe de beurre, ou de margarine

2 oignons verts moyens, tranchés mince

2 c. à soupe de farine

1⅓ tasse de lait écrémé à 1 p. 100

¼ tasse de crème claire

2 c. à soupe de moutarde de Dijon

2 c. à soupe de riesling, ou d'un autre vin blanc sec, ou d'eau

2 c. à thé de jus de citron

1 Préchauffez le four à 200 °C (400 °F). Coupez les filets en dés de 2 cm (¾ po) de côté ; réfrigérez. Dans une grande casserole, mettez les pommes de terre ; couvrez-les d'eau et lancez l'ébullition à feu vif. Couvrez et laissez mijoter à petit feu 5 minutes. Égouttez.

2 Disposez les pommes de terre et l'oignon dans un plat à four graissé. Saupoudrez avec ½ c. à thé de sel et ¼ c. à thé de poivre. Aspergez d'huile. Remuez. Faites cuire à découvert 45 minutes en remuant deux fois. Ajoutez délicatement le poisson. Prolongez la cuisson de 5 à 7 minutes.

3 Pour la sauce, mettez le beurre à fondre à feu assez vif dans une petite casserole. Faites-y attendrir les oignons verts 3 minutes environ. Ajoutez la farine ainsi que le reste du sel et du poivre. Laissez cuire 1 minute. Mouillez peu à peu avec le lait et la crème. Remuez. Quand la sauce a épaissi, prolongez la cuisson de 2 minutes en remuant. Mélangez à part, dans un petit bol, la moutarde, le vin et le jus de citron. Incorporez-les à la sauce. Servez avec le poisson. Donne 4 portions.

Préparation : 25 minutes Cuisson : 1 h 5

Par portion : Calories 471. Gras total 15 g. Gras saturé 5 g. Protéines 36 g. Hydrates de carbone 47 g. Fibres 3 g. Sodium 798 mg. Cholestérol 96 mg.

Kedgeree de la côte atlantique

Kedgeree de la côte atlantique

*Le kedgeree est un plat indien que les Britanniques, alors maîtres de l'Inde,
ont rapporté en Angleterre et qu'ils servaient au petit déjeuner. On préfère maintenant
le déguster le midi ou le soir.*

½ tasse de riz blanc cru à longs grains

500 g (1 lb) de filets d'aiglefin fumé, ou de morue fumée

2 feuilles de laurier

4 grains de poivre noir

1 c. à soupe de beurre, ou de margarine

1 gros oignon, haché

1 c. à thé de poudre de cari

¼ c. à thé de cayenne (ou davantage, au goût)

2 gros œufs durs, passés au tamis

2 c. à soupe de persil haché

1 Dans une casserole moyenne, faites cuire le riz selon les directives, en supprimant le sel.

2 Dans une grande sauteuse antiadhésive, déposez les filets côte à côte. Couvrez-les d'eau froide. Ajoutez le laurier et les grains de poivre, et lancez l'ébullition.

Couvrez et laissez mijoter de 8 à 10 minutes à petit feu. Égouttez ; jetez le liquide de cuisson et les aromates. Quand le poisson a tiédi, enlevez la peau et les arêtes. Effeuillez-le à la fourchette. Réservez.

3 Dans la même sauteuse, mettez le beurre à fondre à feu modéré ; faites-y attendrir l'oignon 5 minutes environ. Ajoutez la poudre de cari et le cayenne en remuant. Laissez cuire 1 minute avant d'ajouter le riz cuit et la moitié des œufs passés au tamis. Incorporez délicatement le poisson. Réchauffez en remuant avec précaution. Au moment de servir, saupoudrez la surface avec le reste des œufs et le persil. Donne 4 portions.

Préparation : 10 minutes Cuisson : 35 minutes

Par portion : Calories 304. Gras total 7 g. Gras saturé 3 g.
Protéines 34 g. Hydrates de carbone 24 g. Fibres 1 g.
Sodium 929 mg. Cholestérol 201 mg.

Filets de sole farcis aux fruits de mer

Filets de sole farcis aux fruits de mer

Ce plat élégant, tout indiqué pour les soirs de réception, peut se préparer avec des pétoncles ou des crevettes.
Pour que les roulades aient belle allure, choisissez des filets de forme et d'épaisseur uniformes.

500 g (1 lb) de pétoncles de mer, ou de grosses crevettes décortiquées et parées

1 paquet d'épinards hachés surgelés

1 oignon moyen, haché

1 tasse de mélange à farce hyposodique aux fines herbes

½ tasse de crème sure allégée

¼ tasse de parmesan râpé

1 kg (2 lb) de filets de limande-sole, de plie ou d'achigan de mer, de 0,5 à 1,5 cm (¼ à ½ po) d'épaisseur

1 gros œuf, légèrement battu
Paprika

1 Dans une grande casserole, amenez 4 tasses d'eau à ébullition et faites-y cuire les pétoncles 1 à 3 minutes : ils doivent devenir opaques, sans plus. Égouttez-les et coupez-les en quatre. Faites cuire les épinards selon les directives, avec l'oignon ; égouttez-les en les pressant. Dans un bol moyen, écrasez un peu le mélange à farce avec une cuiller lourde. Ajoutez-le aux épinards avec la crème sure, le parmesan et l'œuf. Mélangez bien. Incorporez les pétoncles.

2 Préchauffez le four à 190 °C (375 °F). Coupez les longs filets ou raboutez deux filets courts de manière à obtenir huit pièces de 18 à 20 cm (7 à 8 po) de longueur. Étalez environ ½ tasse de l'appareil aux pétoncles sur chacun d'eux. Enroulez-les sur eux-mêmes en commençant par le petit bout. Mettez un cure-dent. Disposez-les dans un plat à four graissé.

3 Enfournez et laissez cuire de 20 à 25 minutes : vérifiez à la fourchette la cuisson du poisson. Retirez les cure-dents et saupoudrez de paprika. Donne 8 portions.

Préparation : 20 minutes Cuisson sur l'élément : 10 minutes
Cuisson au four : 20 minutes

Par portion : Calories 204. Gras total 6 g. Gras saturé 2 g.
Protéines 28 g. Hydrates de carbone 9 g. Fibres 1 g.
Sodium 358 mg. Cholestérol 97 mg.

Pâté de poisson à la norvégienne, sauce aux crevettes

Les poissons blancs reçoivent avec profit un accompagnement de fruits de mer. Choisissez un poisson très frais ; la gélatine naturelle qu'il renferme donne du corps et de l'onctuosité au pâté.

- **1 c. à soupe de chapelure**
- **500 g (1 lb) de filets de flétan ou de morue de 0,5 à 1,5 cm (¼ à ½ po) d'épaisseur, sans la peau**
- **1⅓ tasse de crème claire**
- **2 c. à soupe de fécule de maïs**
- **¼ c. à thé de sel**
- **¼ c. à thé de poivre blanc (ou davantage, au goût)**
- **¼ c. à thé de muscade**
- **Sauce aux crevettes (recette ci-contre)**

1 Préchauffez le four à 180 °C (350 °F). Graissez un moule à pain de 20 × 10 × 5 cm (8 × 4 × 2 po). Chemisez-le de chapelure.

2 Découpez les filets en morceaux de 5 cm (2 po). Dans un petit bol, fouettez la crème avec la fécule, le sel, le poivre et la muscade. En deux opérations au mélangeur, réduisez le poisson en purée avec la crème apprêtée. Remplissez le moule de cette purée et tapotez-le contre le comptoir pour éliminer les poches d'air. Couvrez de papier aluminium.

3 Déposez le moule dans un plat à four et entourez-le de 4 cm (1½ po) d'eau bouillante. Enfournez et faites cuire de 30 à 40 minutes, jusqu'à ce qu'un couteau

inséré au centre du pâté en ressorte propre. Laissez-le refroidir 10 minutes sur une grille sans le découvrir. Inclinez-le pour vider le liquide accumulé. Démoulez et nappez de sauce aux crevettes. Donne 4 portions.

Préparation : 15 minutes Cuisson : 30 minutes
Repos : 10 minutes

Par portion : Calories 316. Gras total 13 g. Gras saturé 7 g.
Protéines 33 g. Hydrates de carbone 15 g. Fibres 0 g.
Sodium 471 mg. Cholestérol 121 mg.

Sauce aux crevettes

Dans une petite casserole, mélangez avec un fouet **1¼ tasse de lait écrémé à 1 p. 100, 2 c. à soupe de farine, ½ c. à thé d'aneth séché, ¼ c. à thé de sel et ⅛ c. à thé de poivre blanc.** Faites cuire 8 minutes environ à feu modéré en remuant sans arrêt. Quand la sauce a épaissi, ajoutez **125 g (4 oz) de crevettes moyennes, cuites et décortiquées.** Réchauffez et servez. Donne 1½ tasse, ou 4 portions de ⅓ tasse.

Par portion : Calories 75. Gras total 1 g. Gras saturé 1 g.
Protéines 9 g. Hydrates de carbone 7 g. Fibres 0 g.
Sodium 236 mg. Cholestérol 58 mg.

CUISSON DU POISSON

Voici comment apprécier le degré de cuisson du poisson.

◆ Le poisson cuit à point est opaque de part en part et le jus qui en coule est laiteux. Sa chair s'effeuille facilement à la fourchette là où il est le plus épais.

◆ Le poisson qui n'est pas assez cuit est translucide au centre et son jus est transparent. Il s'effeuille difficilement à la fourchette.

◆ S'il est trop cuit, il est opaque de part en part, mais il laisse échapper peu de jus. À la fourchette, il se déchiquette en fragments secs et friables.

Bouillabaisse nord-américaine

*Un humoriste français racontait que la bouillabaisse
avait été inventée par une abbesse gourmande et qu'il fallait
voir dans son nom la transformation de bouille-abbesse.
La bouillabaisse marseillaise se prépare avec une douzaine
de poissons de la Méditerranée, de la langouste,
du crabe et d'autres crustacés.*

250 g (8 oz) de filets de plie, de limande-sole,
ou d'aiglefin

250 g (8 oz) de pétoncles de mer

1 petite queue de homard de 250 g (8 oz),
ou 250 g (8 oz) de chair de homard

1 c. à soupe d'huile d'olive

1 gros oignon, haché

2 gousses d'ail, émincées

3½ tasses de bouillon de poulet hyposodique (p. 67)

1¾ tasse de tomates fraîches concassées, ou de tomates
hyposodiques en boîte, concassées dans leur jus

1 tasse de vin blanc sec, ou de bouillon
de poulet hyposodique (p. 67)

2 c. à soupe de persil haché

2 feuilles de laurier

1 c. à thé de thym séché

1 c. à thé de graines de fenouil, ou de graines de céleri

½ c. à thé de sel

¼ c. à thé de safran en filaments, broyés (facultatif)

⅛ c. à thé de cayenne

1 boîte (142 g/5 oz) de palourdes, hachées

Bouillabaisse nord-américaine

1 Détaillez le poisson en morceaux de 5 cm (2 po).
Coupez en deux les gros pétoncles. Fendez en deux
la queue du homard ; détaillez-la en six morceaux.

2 Dans une grande casserole, réchauffez l'huile à feu
modéré. Faites-y attendrir l'oignon avec l'ail pendant 5 minutes environ. Ajoutez le bouillon, les tomates, le vin, le persil, le laurier, le thym, les graines de
fenouil, le sel, le safran, s'il y a lieu, et le cayenne. Quand
l'ébullition est prise, couvrez et laissez mijoter à petit
feu 30 minutes.

3 Doublez une grande passoire de deux épaisseurs
d'étamine de coton. Installez-la sur une grande casserole. Passez le court-bouillon ; jetez les aromates.

4 Amenez le court-bouillon à ébullition. Mettez-y le
poisson, les pétoncles, le homard et les palourdes.
Ramenez l'ébullition et laissez mijoter à petit feu 4 ou
5 minutes sans couvrir. Surveillez la cuisson : le poisson
doit s'effeuiller facilement, le homard et les pétoncles
devenir opaques. Remuez de temps à autre. Servez avec
du pain croûté. Donne 6 portions.

Préparation : 25 minutes Cuisson : 55 minutes

Par portion : Calories 175. Gras total 4 g. Gras saturé 1 g.
Protéines 19 g. Hydrates de carbone 8 g. Fibres 1 g.
Sodium 443 mg. Cholestérol 49 mg.

Estouffade d'écrevisses à la cajun

Les écrevisses sont des crustacés d'eau douce dont le goût se rapproche de celui de la crevette. À défaut, prenez des crevettes.

375 g (12 oz) de queues d'écrevisses, ou de grosses crevettes

3 c. à soupe d'huile d'olive

1 gros oignon, haché

1 poivron vert moyen, haché

2 côtes de céleri, tranchées

4 gros oignons verts, tranchés

3 gousses d'ail, émincées

½ c. à thé de sel

½ c. à thé de sauce Tabasco (ou davantage, au goût)

3 c. à soupe de farine

4 tomates moyennes, pelées et hachées

1 Rincez et épongez les écrevisses. Dans une casserole à fond épais, réchauffez 1 c. à soupe d'huile à feu modéré ; faites-y cuire l'oignon, le poivron vert, le céleri, les oignons verts, l'ail, le sel et la sauce Tabasco pendant 8 à 10 minutes en remuant souvent. Réservez.

2 Dans la même casserole, mettez le reste de l'huile et la farine. Mélangez et laissez cuire à feu modéré pendant 5 à 7 minutes, en remuant fréquemment, pour obtenir un roux brun foncé. Incorporez les tomates peu à peu et lancez l'ébullition. Ajoutez les écrevisses et les légumes réservés. Couvrez et laissez mijoter à feu doux 5 minutes en remuant de temps à autre. Servez sur un lit de riz. Donne 4 portions.

Préparation : 20 minutes Cuisson : 23 minutes

Par portion : Calories 226. Gras total 12 g. Gras saturé 1 g. Protéines 16 g. Hydrates de carbone 17 g. Fibres 3 g. Sodium 447 mg. Cholestérol 121 mg.

Flan de crevettes au maïs

Servez ce flan avec des tomates en tranches et du pain croûté.

½ tasse de lait écrémé évaporé

2 gros blancs d'œufs

1 gros œuf

1 c. à thé de sauce Worcestershire hyposodique

¼ c. à thé de sel et ⅛ c. à thé de poivre noir

375 g (12 oz) de crevettes cuites, coupées en deux

2 tasses de maïs surgelé, décongelé

1 Préchauffez le four à 180 °C (350 °F). Dans un grand bol, fouettez le lait évaporé avec les blancs d'œufs, l'œuf, la sauce Worcestershire, le sel et le poivre. Incorporez les crevettes et le maïs.

2 Déposez cet appareil dans un moule à tarte de 22 cm (9 po). Enfournez et faites cuire 30 minutes environ. Attendez 5 minutes avant de servir. Donne 4 portions.

Préparation : 10 minutes Cuisson : 30 minutes
Repos : 5 minutes

Par portion : Calories 203. Gras total 2 g. Gras saturé 1 g. Protéines 27 g. Hydrates de carbone 21 g. Fibres 2 g. Sodium 412 mg. Cholestérol 220 mg.

Tout sur la crevette

◆ **Présentation** Les crevettes non décortiquées se vendent entières ou en queues, surgelées ou décongelées, crues ou cuites. On peut également acheter des queues de crevettes décortiquées, parées et cuites.

◆ **Quantités à acheter** Si les crevettes ne sont pas décortiquées, prenez-en 500 g (1 lb) pour en avoir 375 g (12 oz), ou 750 g (1½ lb) pour qu'il vous en reste 500 g (1 lb).

◆ **Grosseurs** Plus la crevette est grosse, plus elle est chère et moins il y en a dans 500 g (1 lb). On compte 100 toutes petites crevettes, comme les crevettes de Matane, dans 500 g (1 lb), mais seulement 10 crevettes géantes et parfois moins. Dans 500 g (1 lb) de grosses crevettes, on en obtient entre 20 et 30.

◆ **Achat** Avant de les acheter, assurez-vous que les crevettes ont une odeur fraîche et que leur chair est translucide, humide et ferme. Si elles sentent l'ammoniaque, si le bout est noirâtre ou si la carapace porte des taches, elles sont de mauvaise qualité.

◆ **Conservation** Dès que vous arrivez chez vous, rincez-les à l'eau froide et épongez-les. Enfermez-les dans un contenant et ne les gardez pas plus de deux jours au réfrigérateur. Il est inutile de laver les crevettes achetées cuites et décortiquées.

Matété de crevettes

*Voici le fameux matété martiniquais ou guadeloupéen
pour lequel il est recommandé de prendre des crevettes
géantes ou très grosses.*

375 g (12 oz) de grosses crevettes, décortiquées et parées

  2 c. à soupe d'huile d'olive

  1 gros oignon, haché

  1 poivron vert moyen, haché

  2 côtes de céleri, tranchées

  3 gousses d'ail, émincées

1¾ tasse de tomates fraîches concassées, ou de tomates
    hyposodiques en boîte, concassées dans leur jus

  1 c. à thé de thym séché

  2 feuilles de laurier

 ¼ c. à thé de sel

 ¼ c. à thé de poivre noir

 ¼ c. à thé de cayenne

1 Rincez et asséchez les crevettes. Dans une grande sauteuse, réchauffez l'huile à feu modéré. Ajoutez l'oignon, le poivron, le céleri et l'ail ; faites attendrir 8 à 10 minutes.

2 Incorporez les tomates, le thym, le laurier, le sel, le poivre et le cayenne. Quand l'ébullition est prise, couvrez et laissez mijoter à petit feu 5 minutes environ. Incorporez les crevettes et remuez de temps à autre jusqu'à ce qu'elles deviennent opaques. Retirez aussitôt du feu ; ôtez la feuille de laurier et servez sur un lit de riz. Donne 4 portions.

Préparation : 20 minutes Cuisson : 30 minutes

Par portion : Calories 165. Gras total 8 g. Gras saturé 1 g.
Protéines 15 g. Hydrates de carbone 10 g. Fibres 2 g.
Sodium 298 mg. Cholestérol 121 mg.

✳

Poisson à la créole Suivez la même recette, mais remplacez les crevettes par **375 g (12 oz) de filets de poisson, détaillés en morceaux de 2 cm (¾ po)**.

Par portion : Calories 202. Gras total 9 g. Gras saturé 1 g.
Protéines 18 g. Hydrates de carbone 10 g. Fibres 2 g.
Sodium 211 mg. Cholestérol 31 mg.

Langoustines au vin blanc

*Les langoustines sont de petits homards de Norvège,
cousins de notre homard, qu'on traite comme des crevettes.
On donne le nom de scampi aux langoustines,
voire aux grosses crevettes, grillées à l'italienne.*

750 g (1½ lb) de langoustines, ou de crevettes,
    décortiquées et parées

  2 c. à soupe de beurre, ou de margarine

 ¼ tasse de persil haché

  1 c. à thé de basilic séché

  3 gousses d'ail, émincées

 ¼ tasse de vin blanc sec

  1 c. à soupe de jus de citron

  1 c. à thé de zeste de citron râpé

 ¼ c. à thé de sel

 ⅛ c. à thé de poivre

1 Rincez et asséchez les langoustines. Dans une grande sauteuse antiadhésive, faites fondre le beurre à feu modéré. Faites-y revenir le persil, le basilic et l'ail 1 minute.

2 Ajoutez les langoustines, le vin, le jus et le zeste de citron, le sel et le poivre. Couvrez et laissez cuire 4 ou 5 minutes en remuant de temps à autre : les langoustines doivent devenir opaques. Servez avec des pointes de citron. Donne 4 portions.

Préparation : 15 minutes Cuisson : 6 minutes

Par portion : Calories 149. Gras total 7 g. Gras saturé 4 g.
Protéines 18 g. Hydrates de carbone 2 g. Fibres 0 g.
Sodium 380 mg. Cholestérol 177 mg.

POUR PARER LES CREVETTES

 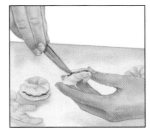

1. Pour enlever le filament noirâtre qui se trouve sur le dos de la crevette, faites une incision à cet endroit.

2. Soulevez le filament avec la pointe du couteau et tirez doucement. S'il se brise, enlevez les débris.

Gombo de fruits de mer

Gombo de fruits de mer

Ce plat, dont le nom lui vient du légume qui en fait invariablement partie – le gombo, aussi appelé okra –,
est l'un des favoris à La Nouvelle-Orléans. Autre particularité, on en épaissit la sauce avec un roux très brun,
qui lui confère de la couleur et de la saveur.

3	c. à soupe d'huile d'olive
1	gros oignon, haché
1	poivron rouge ou vert moyen, haché
4	gousses d'ail, émincées
3	c. à soupe de farine
3½	tasses de bouillon de poulet hyposodique (p. 67)
2	tasses d'okra, frais ou congelé, coupé en tranches
2	feuilles de laurier
1	c. à thé de thym séché
½	c. à thé de sel
½	c. à thé de cayenne
250	g (8 oz) de saucisse fumée à la dinde, ou d'andouille, en tranches de 1,5 cm (½ po) d'épaisseur
250	g (8 oz) de grosses crevettes, décortiquées et parées
250	g (8 oz) de chair de crabe, parée et déchiquetée
1	tasse d'huîtres décoquillées, avec leur eau

1 Dans un faitout, réchauffez 1 c. à soupe d'huile à feu modéré et faites-y cuire l'oignon, le poivron rouge et l'ail de 8 à 10 minutes en remuant souvent. Réservez.

2 Dans le même faitout, mettez le reste de l'huile et la farine. Faites cuire de 5 à 7 minutes à feu modéré pour obtenir un roux brun foncé ; remuez fréquemment. Mouillez peu à peu avec le bouillon. Incorporez l'okra, le laurier, le thym, le sel et le cayenne ainsi que les légumes réservés. Quand l'ébullition est prise, couvrez et laissez mijoter à petit feu 20 minutes.

3 Ajoutez la saucisse, couvrez et prolongez la cuisson de 10 minutes. Ajoutez les crevettes, le crabe et les huîtres, et laissez mijoter 5 minutes à découvert. Retirez le laurier. Servez sur un lit de riz en offrant de la sauce Tabasco. Donne 6 portions.

Préparation : 25 minutes Cuisson : 1 heure

Par portion : Calories 320. Gras total 15 g. Gras saturé 3 g.
Protéines 28 g. Hydrates de carbone 17 g. Fibres 3 g.
Sodium 770 mg. Cholestérol 153 mg.

Homard Thermidor

Homard Thermidor

Il s'agit d'un homard monté en sauce à la crème et gratiné.
La recette serait l'œuvre de M. Tony Girod, qui fut longtemps
chef d'un restaurant parisien célèbre, le Café de Paris.

4   queues de homard de 250 g (8 oz) chacune

1   c. à soupe de beurre, ou de margarine

1   tasse de champignons tranchés

4   échalotes, hachées, ou ¼ tasse d'oignon haché fin

¾   tasse de crème claire

2   c. à soupe de farine

1   c. à thé de moutarde sèche

½   c. à thé de sel

⅛   c. à thé de cayenne (ou davantage, au goût)

¾   tasse de lait écrémé à 1 p. 100

2   gros jaunes d'œufs, légèrement battus

2   c. à soupe de xérès sec, ou de bouillon de poulet hyposodique (p. 67)

2   c. à soupe de parmesan râpé

1 Dans un grand faitout, amenez 8 tasses d'eau à ébullition. Mettez-y les queues de homard et laissez mijoter à petit feu de 6 à 10 minutes sans couvrir : la carapace doit tourner au rouge vif et la chair être opaque. Égouttez et laissez refroidir. Retirez la chair des coffres (voir ci-dessous) et détaillez-la en bouchées ; déposez les coffres dans un plat à four peu profond.

2 Allumez le gril. Dans une sauteuse moyenne, faites fondre le beurre à feu modéré. Ajoutez les champignons et les échalotes et laissez cuire 3 minutes en remuant de temps à autre. Hors du feu, ajoutez le homard. Réservez.

3 Dans une casserole moyenne, mélangez au fouet la crème claire, la farine, la moutarde sèche, le sel et le cayenne. Ajoutez le lait et faites épaissir à feu modéré 8 minutes en fouettant sans arrêt. Incorporez ½ tasse de sauce dans les jaunes d'œufs ; versez le tout dans la casserole. Prolongez la cuisson de 3 minutes sans arrêter de fouetter : ne laissez pas bouillir. Ajoutez le homard et le xérès ; remuez et réchauffez.

4 Dressez la préparation dans les coffres. Saupoudrez de parmesan râpé et faites gratiner 2 ou 3 minutes à 12 cm (5 po) de l'élément. Donne 4 portions.

Préparation : 20 minutes Cuisson : 37 minutes

Par portion : Calories 329. Gras total 16 g. Gras saturé 9 g.
Protéines 32 g. Hydrates de carbone 12 g. Fibres 1 g.
Sodium 1 179 mg. Cholestérol 230 mg.

POUR OUVRIR LE HOMARD

Posez la queue de homard sur le dos. Ouvrez-la de chaque côté avec des ciseaux. Enlevez la membrane qui recouvre le ventre ; retirez la chair avec une fourchette.

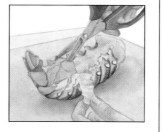

Féroce de crabe

Ce plat, dont le nom et le piquant proviennent des Antilles françaises, a été naturalisé en Amérique du Nord tout en restant... féroce.

1 c. à soupe de beurre, ou de margarine
1 petit poivron vert, haché
4 gros oignons verts, tranchés mince, ou ½ tasse de poireau
1 côte de céleri, tranchée
2 gousses d'ail, émincées
2 tasses de lait écrémé à 1 p. 100
¼ tasse de farine
1 c. à thé de moutarde sèche
¼ c. à thé de sel
¼ c. à thé de cayenne (ou davantage)
⅛ c. à thé de sauce Tabasco (ou davantage)
500 g (1 lb) de chair de crabe, parée et hachée
1 c. à soupe de beurre fondu, ou de margarine
½ tasse de chapelure

1 Préchauffez le four à 180 °C (350 °F). Dans une casserole moyenne, faites fondre 1 c. à soupe de beurre à feu modéré. Ajoutez le poivron, les oignons verts, le céleri et l'ail et faites revenir 5 minutes pour les attendrir. Dans un petit bol, fouettez le lait avec la farine, la moutarde sèche, le sel, le cayenne et la sauce Tabasco. Versez dans la casserole. Faites cuire 8 minutes, ou jusqu'à épaississement, en remuant constamment. Incorporez la chair de crabe.

2 Dressez cet appareil dans quatre ramequins graissés. Mélangez le beurre fondu et la chapelure ; étalez ce gratin sur les ramequins. Enfournez et faites cuire de 15 à 20 minutes : la chapelure doit prendre une belle teinte dorée. Donne 4 portions.

Préparation : 20 minutes Cuisson : 29 minutes

Par portion : Calories 256. Gras total 9 g. Gras saturé 5 g.
Protéines 19 g. Hydrates de carbone 25 g. Fibres 2 g.
Sodium 577 mg. Cholestérol 61 mg.

Brochettes de pétoncles

Brochettes de pétoncles

Pour assurer une cuisson uniforme de tous les éléments, laissez un peu d'espace entre eux.
Là où ils entrent en contact, la chaleur pénètre mal.

250 g (8 oz) de morue, d'aiglefin ou de flétan, en darnes
     de 2,5 cm (1 po) d'épaisseur

250 g (8 oz) de pétoncles de mer

Marinade :

  ¼ tasse de jus d'orange

  2 c. à soupe d'huile d'olive

  1 c. à soupe de jus de lime, ou de jus de citron

  2 gousses d'ail, émincées

Enrobage :

  ½ tasse de chapelure

  1 c. à thé de thym séché

  ¼ c. à thé de sel

  ⅛ c. à thé de poivre noir

Légumes :

  8 petits champignons

  ½ gros poivron vert, en carrés de 2,5 cm (1 po)

  ½ gros poivron rouge, en carrés de 2,5 cm (1 po)

  1 orange moyenne

1 Retirez la peau du poisson. Détaillez-le en morceaux de 5 cm (2 po). Coupez en deux les gros pétoncles. Mettez tous les ingrédients de la marinade dans un bocal fermant bien. Agitez énergiquement. Versez la marinade dans un grand sac de plastique robuste, avec le poisson et les pétoncles. Fermez le sac et réfrigérez-le de 6 à 8 heures en le retournant de temps à autre.

2 Mettez tous les ingrédients de l'enrobage dans un bol peu profond.

3 Pour préparer les légumes, versez de l'eau bouillante sur les champignons et les carrés de poivron. Attendez 2 minutes ; déposez-les sur des feuilles d'essuie-tout. Pelez l'orange ; détaillez-la en huit quartiers et coupez chacun en deux transversalement.

4 Allumez le gril. Égouttez les pétoncles et le poisson (jetez la marinade) et roulez-les dans les ingrédients secs. Prenez huit longues brochettes de métal ; enfilez en les alternant les pétoncles, le poisson, les carrés de poivron, les champignons et les quartiers d'orange. Disposez les brochettes sur la grille graissée d'une lèchefrite.

5 Faites griller les brochettes de 10 à 12 minutes à 12 cm (5 po) de l'élément en les retournant une fois. Donne 4 portions.

Préparation : 25 minutes Réfrigération : 6 heures
Cuisson : 10 minutes

Par portion : Calories 206. Gras total 7 g. Gras saturé 1 g. Protéines 18 g. Hydrates de carbone 20 g. Fibres 2 g. Sodium 482 mg. Cholestérol 32 mg.

Pétoncles frits

Pour obtenir une friture croustillante sans que les pétoncles s'imprègnent d'huile, il faut surveiller la température du bain d'huile.

Sauce coquetel épicée (recette ci-contre), ou sauce tartare

500 g (1 lb) de gros pétoncles de mer

⅓ tasse de farine

⅛ c. à thé de poivre noir

2 gros blancs d'œufs

⅓ tasse de chapelure, de craquelins pulvérisés, ou de farine de maïs

Huile

1 Préparez la sauce coquetel épicée. Couvrez et réfrigérez au moins 2 heures.

2 Coupez les gros pétoncles en deux. Mélangez la farine et le poivre sur une feuille de papier ciré. Dans un petit bol, fouettez légèrement les blancs d'œufs. Roulez les pétoncles dans la farine ; secouez-les pour faire tomber l'excédent. Passez-les ensuite dans les blancs d'œufs et enfin dans la chapelure.

3 Préchauffez le four à 150 °C (300 °F). Dans une friteuse ou une casserole moyenne, mettez 5 cm (2 po) d'huile et portez-la à 190 °C (375 °F). (À défaut de thermomètre, servez-vous d'un petit cube de pain : il doit rôtir en 30 secondes.) Faites frire quelques pétoncles à la fois, au maximum 2 minutes ; tournez-les une fois. Recueillez-les avec une écumoire et épongez-les sur des feuilles d'essuie-tout. Mettez-les dans un plat peu profond et gardez-les au chaud dans le four pendant que vous terminez la friture. Servez avec la Sauce coquetel épicée et des pointes de citron. Donne 4 portions.

Préparation : 15 minutes Réfrigération : 2 heures
Cuisson : 20 minutes

Par portion : Calories 350. Gras total 18 g. Gras saturé 2 g. Protéines 22 g. Hydrates de carbone 26 g. Fibres 1 g. Sodium 771 mg. Cholestérol 34 mg.

Sauce coquetel épicée

Dans une petite casserole, réunissez **¼ tasse d'eau, 2 c. à soupe d'oignon haché fin** et **1 gousse d'ail, émincée.** Couvrez et laissez cuire 5 minutes. Égouttez. Remettez les oignons et l'ail dans la casserole ; ajoutez **½ tasse de sauce chili, ½ tasse de ketchup allégé, 1 c. à soupe de raifort préparé, égoutté, 2 c. à thé de jus de citron, 2 c. à thé de sauce Worcestershire hyposodique, ½ c. à thé de moutarde sèche** et **⅛ c. à thé de cayenne.** Amenez à ébullition et laissez mijoter à petit feu 2 minutes sans couvrir. Versez la sauce dans un petit bol. Laissez tiédir, couvrez et réfrigérez pendant 2 heures (1 semaine au maximum). Donne 1 tasse de sauce, ou 8 portions de 2 c. à soupe.

Par portion : Calories 39. Gras total 0 g. Gras saturé 0 g. Protéines 1 g. Hydrates de carbone 9 g. Fibres 1 g. Sodium 247 mg. Cholestérol 0 mg.

Galettes de palourdes océanes

Galettes de palourdes océanes

C'est une de ces friandises salées qu'on aime à déguster au bord de la mer, en Nouvelle-Angleterre.
Autrefois, il fallait se donner du mal pour ouvrir les palourdes, les faire cuire et les hacher. C'était sans aucun doute
meilleur, mais aujourd'hui, on peut tout simplement ouvrir une boîte de conserve et se régaler plus souvent.

2 gros blancs d'œufs, légèrement battus

²/₃ tasse de chapelure assaisonnée

2 c. à soupe de ciboulette ciselée, ou de tiges d'oignon vert hachées fin

2 c. à thé de moutarde de Dijon

1 c. à thé de sauce Worcestershire hyposodique

2 tasses de palourdes en boîte, égouttées et hachées

1 c. à soupe de beurre fondu, ou de margarine

1 Préchauffez le four à 230 °C (450 °F). Dans un bol moyen, mélangez les blancs d'œufs, ¹/₃ tasse de chapelure, la ciboulette, la moutarde et la sauce Worcestershire. Ajoutez les palourdes. Couvrez et réfrigérez 20 minutes. Dans un plat à four peu profond, mélangez le reste de la chapelure avec le beurre fondu.

2 Avec la préparation aux palourdes, façonnez quatre galettes de 8 cm (3 po) de diamètre. Enrobez-les de chapelure beurrée. Déposez-les sur une plaque graissée. Faites-les dorer au four 10 à 12 minutes. Servez avec des pointes de citron. Donne 4 portions.

Préparation : 15 minutes Refroidissement : 20 minutes
Cuisson : 10 minutes

Par portion : Calories 205. Gras total 5 g. Gras saturé 2 g.
Protéines 21 g. Hydrates de carbone 18 g. Fibres 0 g.
Sodium 721 mg. Cholestérol 51 mg.

Galettes de homard Suivez la même recette, mais remplacez les palourdes par 1³/₄ **tasse de chair de homard en boîte.**

Par portion : Calories 195. Gras total 4 g. Gras saturé 2 g.
Protéines 22 g. Hydrates de carbone 16 g. Fibres 0 g.
Sodium 973 mg. Cholestérol 69 mg.

Hachis de palourdes

Quand on vit sur la côte, le fameux hachis de bœuf se transforme facilement en hachis de fruits de mer.

625 g (1¼ lb) de pommes de terre

2 tasses de palourdes en boîte, égouttées et hachées

2 tranches de bacon maigre, hachées

1 gros oignon, haché

2 c. à soupe de beurre, ou de margarine

¼ tasse de lait écrémé à 1 p. 100

1 c. à thé de moutarde sèche

½ c. à thé de sel

¼ c. à thé de poivre noir (ou à volonté)

1 Faites cuire les pommes de terre à l'eau bouillante. Égouttez-les. Une fois tièdes, pelez-les et hachez-les en petits dés. Dans un grand bol, mélangez-les aux palourdes.

2 Dans une grande sauteuse antiadhésive, faites cuire le bacon à feu modéré pour qu'il soit croustillant. Épongez-le sur une feuille d'essuie-tout. Jetez l'oignon dans le gras chaud du bacon et faites-le cuire 5 minutes à feu modéré. Ajoutez-le aux pommes de terre ainsi que le bacon. Mélangez délicatement.

3 Essuyez la sauteuse et faites-y fondre le beurre à feu modéré. Hors du feu, mettez-y le hachis et aplatissez-le avec une spatule : allouez cependant un espace libre de 1,5 cm (½ po) tout autour. Faites cuire à feu modéré 10 minutes environ pour que le dessous soit doré. Découpez le hachis en quatre pointes ; retournez-les. Dans un petit bol, mélangez le lait, la moutarde sèche, le sel et le poivre ; versez sur le hachis pour l'imprégner. Laissez cuire de 10 à 15 minutes à feu doux jusqu'à ce que le dessous soit doré. Servez avec des tomates en tranches. Donne 4 portions.

Préparation : 15 minutes Cuisson : 50 minutes

Par portion : Calories 330. Gras total 12 g. Gras saturé 6 g. Protéines 16 g. Hydrates de carbone 39 g. Fibres 4 g. Sodium 536 mg. Cholestérol 50 mg.

Hachis de poisson à l'écarlate Suivez la même recette, mais remplacez les palourdes par **1 tasse de poisson cuit et effeuillé** et **1 tasse de betteraves égouttées et hachées**.

Par portion : Calories 320. Gras total 12 g. Gras saturé 6 g. Protéines 13 g. Hydrates de carbone 42 g. Fibres 6 g. Sodium 591 mg. Cholestérol 40 mg.

Gratin d'huîtres

Les huîtres occupaient autrefois une place de choix dans les dîners de Noël ou du Jour de l'an. C'est qu'elles étaient rares et chères. Il fallait une grande occasion pour s'en offrir. Aujourd'hui, on les achète déjà décoquillées. Dans ce dernier cas, assurez-vous qu'elles ont une odeur franche et que leur eau est limpide.

1 tasse de craquelins hyposodiques écrasés

1 tasse de mie de pain émiettée (2 tranches)

2 c. à soupe de beurre fondu, ou de margarine

2 tasses d'huîtres décoquillées, avec leur eau

¼ tasse de lait écrémé à 1 p. 100

1 c. à thé de sauce Worcestershire hyposodique

¼ c. à thé de sel

¼ c. à thé de poivre noir (ou davantage, au goût)

2 c. à soupe de beurre, ou de margarine

1 gros oignon, haché

1 poivron vert moyen, haché

¼ tasse de farine

1 Préchauffez le four à 220 °C (425 °F). Dans un bol moyen, mélangez les craquelins et la mie de pain émiettée ; ajoutez 2 c. à soupe de beurre fondu et remuez. Mettez ¼ tasse de ce mélange dans le fond d'un plat à gratin de 6 tasses, préalablement graissé. Réservez le reste. Égouttez les huîtres ; réservez ¼ tasse de leur eau (complétez au besoin avec du lait). Mélangez les huîtres, l'eau réservée, le lait, la sauce Worcestershire, le sel et le poivre.

2 Dans une casserole moyenne, mettez à fondre 2 c. à soupe de beurre à feu modéré. Faites-y attendrir l'oignon et le poivron 5 minutes environ. Ajoutez la farine, puis les huîtres. Amenez au point d'ébullition.

3 Étalez la moitié de cette préparation dans le plat à gratin. Saupoudrez avec la moitié de la chapelure réservée. Terminez avec le reste des huîtres et le reste de la chapelure. Enfournez et réchauffez à fond 25 minutes. Donne 8 portions en entrée, ou 3 portions en plat principal.

Préparation : 15 minutes Cuisson : 35 minutes

Par portion en entrée : Calories 156. Gras total 8 g. Gras saturé 4 g. Protéines 5 g. Hydrates de carbone 16 g. Fibres 1 g. Sodium 295 mg. Cholestérol 32 mg.

Ragoût de thon garni

On peut remplacer le thon en boîte par une quantité identique de saumon en boîte, paré, égoutté et effeuillé.

1 paquet (340 g/12 oz) de pâte réfrigérée à biscuits au lait

2 c. à soupe de beurre, ou de margarine

1 gros oignon jaune, haché

1 poivron vert ou rouge moyen, haché

2 côtes de céleri, tranchées

1 tasse de bouillon de poulet hyposodique (p. 67)

1½ c. à thé de thym séché

¼ c. à thé de sel

¼ c. à thé de poivre noir (ou davantage)

1½ tasse de lait écrémé à 1 p. 100

½ tasse de farine

2 boîtes de 184 g (6½ oz) de thon dans l'eau, égoutté et effeuillé, ou l'équivalent de saumon

1 Préchauffez le four à 200 °C (400 °F). Coupez les biscuits en deux transversalement.

2 Dans une grande casserole, mettez le beurre à fondre à feu modéré. Faites-y attendrir l'oignon, le poivron et le céleri 5 minutes environ. Ajoutez le bouillon, le thym, le sel et le poivre. Dans un petit bol, fouettez ensemble le lait et la farine et versez-les dans la casserole. Laissez cuire 8 minutes en remuant constamment. Incorporez le thon.

3 Déposez immédiatement cet appareil dans un plat à gratin et déposez les biscuits en surface. Enfournez et faites cuire 12 minutes ou jusqu'à ce que les biscuits soient à point. Attendez 5 minutes avant de servir. Donne 6 portions.

Préparation : 15 minutes Cuisson : 26 minutes
Repos : 5 minutes

Par portion : Calories 225. Gras total 6 g. Gras saturé 3 g. Protéines 18 g. Hydrates de carbone 25 g. Fibres 1 g. Sodium 527 mg. Cholestérol 28 mg.

Pâté de saumon

Utilisez pour cette recette du saumon rose ou du saumon kéta, moins coûteux mais qui s'effeuille mieux, et gardez le saumon rouge et le quinnat, plus prisés, pour les salades ou les plats cuisinés.

1 boîte (environ 400 g/14 oz) de saumon rose, égoutté

1 c. à soupe de jus de citron

¼ tasse d'eau

4 gros oignons verts, hachés fin

1 c. à thé d'aneth séché

1 c. à thé de moutarde sèche

¼ c. à thé de sel

⅛ c. à thé de poivre noir

1 gros œuf, légèrement battu

½ tasse de lait écrémé à 1 p. 100

1 tasse de mie de pain émiettée (2 tranches)

1 Préchauffez le four à 180 °C (350 °F). Avec une fourchette, effeuillez le saumon en jetant la peau et les arêtes (ci-dessous). Aspergez-le de jus de citron.

2 Dans une petite casserole, mettez l'eau et les oignons verts ; couvrez et laissez cuire 5 minutes. Égouttez ; ajoutez l'aneth, la moutarde sèche, le sel et le poivre.

3 Dans un bol moyen, fouettez l'œuf avec le lait. Ajoutez les oignons cuits et la mie de pain émiettée, puis le saumon. Mélangez bien. Déposez cet appareil dans un moule à pain graissé. Enfournez et faites cuire de 35 à 40 minutes pour que le centre soit ferme. Attendez 5 minutes avant de démouler. Servez avec du yogourt ou de la crème sure allégée. Donne 4 portions.

Préparation : 15 minutes Cuisson : 40 minutes
Repos : 5 minutes

Par portion : Calories 147. Gras total 6 g. Gras saturé 2 g. Protéines 14 g. Hydrates de carbone 8 g. Fibres 1 g. Sodium 491 mg. Cholestérol 77 mg.

POUR PARER
LE SAUMON EN BOÎTE

Les arêtes du saumon en boîte sont comestibles : vous pouvez les laisser ou les enlever, à votre goût. Dans la recette ci-dessus, le pâté aura une texture plus lisse si vous retirez les arêtes. Par contre, elles ont une teneur élevée en calcium ; vous pouvez donc, pour cette raison, décider de les garder.

Petites gâteries

Croissants aux crevettes

Préparez-les au thon pour varier : c'est excellent.

125 g (4 oz) de petites crevettes

¼ tasse de poivron vert finement haché

¼ tasse de carotte râpée

¼ tasse de mayonnaise allégée

2 c. à thé de moutarde de Dijon

2 croissants, fendus

4 fines tranches de concombre

1. Dans un bol moyen, mettez les crevettes, le poivron et la carotte. Ajoutez la mayonnaise et la moutarde ; mélangez. Couvrez et réfrigérez 20 minutes.

2. Garnissez deux demi-croissants de laitue. Étalez la garniture par-dessus. Terminez avec les tranches de concombre. Fermez les croissants. Donne 2 portions.

Hamburgers au saumon

Dans ce hamburger, le bœuf cède la place au saumon.

1 petite boîte de saumon rose, égoutté

1 gros blanc d'œuf, légèrement battu

¼ tasse de lait écrémé à 1 p. 100

½ tasse de craquelins sans sel, écrasés

½ c. à thé de moutarde sèche

½ c. à thé de paprika

4 pains à hamburger, ouverts et grillés

1. Effeuillez le saumon à la fourchette et parez-le à votre gré (voir p. 212). Dans un bol moyen, mélangez le blanc d'œuf, le lait, les craquelins, la moutarde et le paprika. Ajoutez le saumon. Réfrigérez 20 minutes. Façonnez quatre galettes de 8 cm (3 po) de diamètre en forme de petits poissons.

2. Allumez le gril. Déposez les galettes sur la grille bien graissée d'une lèchefrite. Faites-les griller, à 12 cm (5 po)

de l'élément, 6 minutes d'un côté et 3 de l'autre. Dressez-les dans les pains à hamburgers avec des feuilles de laitue et des tranches de tomate. Donne 4 portions.

Télescopes de marin

Les gourmands n'en croiront pas leurs yeux !

1 boîte (184 g/6½ oz) de thon dans l'eau, égoutté et effeuillé

125 g (4 oz) de fromage à la crème fouetté allégé

⅓ tasse de céleri haché

8 tranches de pain

1. Mélangez le thon, le fromage à la crème et le céleri.

2. Ôtez les croûtes du pain. Aplatissez un peu les tranches avec un rouleau à pâtisserie.

3. Étalez 2 c. à soupe de thon sur chacune d'elles. Enroulez-les. Donne 4 portions.

Bâtonnets de poisson à la mexicaine

Vos marmots crieront « ¡ Olé ! » devant un tel régal.

500 g (1 lb) de bâtonnets de poisson surgelés

½ tasse de salsa à gros morceaux

1 tasse de trempette à la purée de haricots (facultatif)

¼ tasse de monterey jack râpé (60 g/2 oz)

1. Faites cuire les bâtonnets de poisson selon les directives.

2. Dans une petite casserole, réchauffez la salsa, avec la trempette aux haricots s'il y a lieu. Nappez-en les bâtonnets de poisson. Saupoudrez de monterey jack râpé. Donne 4 portions.

FÉCULENTS RÉCONFORTANTS

Céréales chaudes, légumineuses et pâtes alimentaires constituent ce qu'on appelle les féculents — en langage scientifique, les hydrates de carbone. On les a boudés pendant un certain temps car on prétendait qu'ils étaient « lourds » et « grossissants ». Mais oyez la bonne nouvelle ! Non seulement leurs sucres lents sont-ils la source d'énergie la plus appréciable qui soit, mais les féculents auraient aussi des vertus apaisantes ! Sachant cela, hâtez-vous donc de renouer avec le porridge matinal, les fèves au lard et les macaronis au fromage ! Et pourquoi n'essaieriez-vous pas aussi le kasha aux nouilles polonaise, le riz à la charleston et le gratin d'orge aux pacanes ?

Haricots de Lima au jambon (page 227)
Lasagnes à la bolognaise (page 236)
Polenta italienne (page 224)

215

Riz sauvage aux pommes

Le riz sauvage n'est pas à proprement parler du riz, mais bien plutôt une céréale rare qui pousse à l'état naturel dans la région des Grands Lacs, au centre du continent. On lui a donné le nom de riz parce que ses racines sont immergées sous l'eau.

1 **tasse de riz sauvage cru**
2 **tasses de bouillon de poulet hyposodique (p. 67)**
1 **c. à soupe d'huile d'olive**
1 **gros oignon, haché**
1 **côte de céleri, tranchée mince**
1 **pomme acide moyenne, hachée**
¼ **tasse de persil haché**
¼ **tasse de pacanes**
    ou de noix hachées et rôties
1 **c. à thé de marjolaine séchée**
¼ **c. à thé de sel**
¼ **c. à thé de poivre**

1 Déposez le riz dans une passoire et rincez-le à l'eau courante en le remuant avec les doigts.

2 Dans une casserole moyenne, amenez le bouillon à ébullition à feu vif. Incorporez le riz sauvage. Quand l'ébullition a repris, couvrez et laissez mijoter 40 minutes à petit feu, ou jusqu'à ce qu'il ait absorbé presque tout le liquide. Égouttez.

3 Dans une grande casserole, réchauffez l'huile à feu modéré. Faites-y cuire l'oignon et le céleri 5 minutes environ. Ajoutez la pomme, le persil, les pacanes, la marjolaine, le sel et le poivre. Laissez cuire 2 minutes en remuant souvent.

4 Ajoutez le riz sauvage cuit. Réchauffez 2 ou 3 minutes. Donne 6 petites portions.

Préparation : 15 minutes Cuisson : 42 minutes

Par portion : Calories 186. Gras total 6 g. Gras saturé 1 g. Protéines 5 g. Hydrates de carbone 30 g. Fibres 3 g. Sodium 100 mg. Cholestérol 0 mg.

Riz Charleston

Ce plat tire son nom d'une anecdote. On raconte que le riz fit son entrée en Amérique du Nord grâce à un navire malgache qui échoua à Charleston, en Caroline du Sud. En reconnaissance de l'aide apportée par les habitants, le capitaine leur fit cadeau d'un sac de riz.

½ **tasse de riz blanc cru à longs grains**
3 **tranches de bacon maigre, hachées**
1 **gros oignon, haché**
1 **gros poivron rouge, haché**
1¾ **tasse de tomates fraîches, concassées, ou de tomates hyposodiques en boîte, concassées dans leur jus**
1 **c. à thé de sucre**

1 Dans une casserole moyenne, faites cuire le riz selon les directives de l'emballage, en omettant le beurre.

2 Dans une grande casserole, faites cuire le bacon à feu modéré pour le rendre croustillant. Laissez 2 c. à soupe de gras dans la casserole. Épongez le bacon sur une feuille d'essuie-tout. Faites cuire l'oignon et le poivron 5 minutes dans le gras de bacon.

3 Ajoutez le riz cuit, les tomates et le sucre. Ramenez l'ébullition, couvrez et laissez mijoter à petit feu environ 10 minutes, le temps de réchauffer le tout à fond. Incorporez le bacon. Servez avec une viande ou une volaille rôties. Donne 6 petites portions.

Préparation : 15 minutes Cuisson : 35 minutes

Par portion : Calories 145. Gras total 7 g. Gras saturé 3 g. Protéines 3 g. Hydrates de carbone 19 g. Fibres 1 g. Sodium 260 mg. Cholestérol 7 mg.

POUR RÉUSSIR LE RIZ

◆ Pour vérifier l'à-point de la cuisson du riz blanc ou brun, pressez un grain entre vos doigts. Vous ne devez sentir aucune particule dure. Les grains doivent être entiers et non éclatés.

◆ Laissez cuire le riz sauvage jusqu'à ce qu'il ait absorbé presque tout le liquide. Ensuite, croquez un grain : il doit être légèrement ferme.

Riz frit à la chinoise

Riz frit à la chinoise

Pour réussir ce riz, il faut le réfrigérer avant de le faire frire.
La réfrigération a pour effet de l'assécher un peu, ce qui va lui permettre de mieux frire.

  8 **champignons chinois séchés**
¼ **tasse de bouillon de poulet hyposodique (p. 67)**
  3 **c. à soupe de sauce soja hyposodique**
  1 **gros œuf, légèrement battu**
½ **c. à thé de gingembre moulu**
¼ **c. à thé de poivre noir**
  2 **c. à soupe d'huile**
  1 **oignon moyen, coupé en deux et tranché mince**
  2 **côtes de céleri, tranchées en diagonale**
  2 **gousses d'ail, émincées**
  4 **tasses de riz blanc cuit, bien réfrigéré**
½ **tasse d'arachides**

1 Couvrez les champignons d'eau tiède et laissez-les tremper 30 minutes. Essorez-les. Retirez les pieds et hachez le reste. Dans un petit bol, fouettez ensemble le bouillon, la sauce soja, l'œuf, le gingembre et le poivre.

2 Dans une grande sauteuse ou un wok, réchauffez l'huile à feu assez vif. Faites-y cuire l'oignon, le céleri et l'ail 3 ou 4 minutes en remuant constamment. Ajoutez les champignons et laissez cuire 1 minute en remuant. Incorporez le riz. Tout en remuant, aspergez-le de bouillon condimenté. Prolongez la cuisson de 5 à 7 minutes en remuant souvent. Éparpillez les arachides sur le dessus. Donne 4 portions.

Préparation : 15 minutes Trempage : 30 minutes
Cuisson : 10 minutes

Par portion : Calories 419. Gras total 18 g. Gras saturé 2 g.
Protéines 13 g. Hydrates de carbone 53 g. Fibres 4 g.
Sodium 891 mg. Cholestérol 53 mg.

✳

Riz frit au porc Suivez la même recette, en ajoutant **2 tasses de porc cuit haché, ou de poulet,** en même temps que le riz cuit. Donne 6 portions.

Par portion : Calories 377. Gras total 16 g. Gras saturé 3 g.
Protéines 25 g. Hydrates de carbone 35 g. Fibres 2 g.
Sodium 630 mg. Cholestérol 76 mg.

Pilaf de riz au cari

*Faites revenir le riz cru dans du beurre ;
cela lui donne un délicieux goût de noisette.*

1 c. à soupe de beurre, ou de margarine
¾ tasse de riz blanc cru à longs grains
1 c. à soupe d'huile d'olive
1 oignon moyen, haché fin
1 côte de céleri, tranchée mince
1½ c. à thé de poudre de cari
1¾ tasse de bouillon de poulet hyposodique (p. 67)
½ c. à thé de sel
⅛ c. à thé de poivre noir
½ tasse de raisins secs
⅓ tasse de pacanes, grillées et hachées

1 Dans une grande casserole, faites fondre le beurre à feu modéré. Ajoutez le riz et faites-le revenir 5 minutes pour dorer les grains. Retirez-le.

2 Dans la même casserole, réchauffez l'huile à feu modéré et faites-y cuire l'oignon et le céleri avec la poudre de cari, 5 minutes environ.

3 Incorporez le riz. Versez le bouillon, salez et poivrez. Quand l'ébullition est prise, couvrez et laissez mijoter 20 minutes ou jusqu'à ce que le riz ait absorbé tout le liquide. Incorporez les raisins secs et les pacanes délicatement à la pointe de la fourchette. Prolongez la cuisson de 3 ou 4 minutes à découvert pour tout réchauffer. (Ne brassez pas le riz.) Donne 6 petites portions.

Préparation : 10 minutes Cuisson : 40 minutes

Par portion : Calories 225. Gras total 9 g. Gras saturé 2 g.
Protéines 3 g. Hydrates de carbone 34 g. Fibres 2 g.
Sodium 206 mg. Cholestérol 5 mg.

✳

Pilaf de riz aux champignons Suivez la même recette, mais remplacez la poudre de cari par **1 c. à thé de thym séché** ; supprimez les raisins secs et ajoutez **1 tasse de champignons tranchés,** que vous ferez cuire en même temps que l'oignon et le céleri à l'étape 2.

Par portion : Calories 184. Gras total 9 g. Gras saturé 2 g.
Protéines 3 g. Hydrates de carbone 24 g. Fibres 1 g.
Sodium 204 mg. Cholestérol 5 mg.

Pilaf aux pistaches et aux pignons

*Vous pouvez utiliser uniquement des pistaches
ou des pignons, si vous préférez.*

1½ tasse de bouillon de poulet hyposodique (p. 67)
3 c. à thé de beurre, ou de margarine
½ c. à thé de sel
¼ c. à thé de macis, ou de piment de la Jamaïque
⅔ tasse de riz blanc cru à longs grains
¼ tasse de pistaches, ou de pacanes hachées
¼ tasse de pignons, ou d'amandes effilées

1 Dans une casserole moyenne, amenez le bouillon à ébullition à feu vif avec 1 c. à thé de beurre, le sel et le macis. Ajoutez le riz. Remuez, couvrez et laissez mijoter 20 minutes à petit feu, ou jusqu'à absorption du liquide. Dressez le riz dans un plat de service chaud.

2 Dans une petite casserole, faites fondre le reste du beurre à feu modéré. Ajoutez les pistaches et les pignons et faites-les griller 1 ou 2 minutes en remuant. Quand les noix sont dorées, répartissez-les sur le riz. Servez avec du porc ou du poulet rôtis. Donne 4 petites portions.

Préparation : 5 minutes Cuisson : 25 minutes

Par portion : Calories 219. Gras total 9 g. Gras saturé 3 g.
Protéines 5 g. Hydrates de carbone 30 g. Fibres 2 g.
Sodium 299 mg. Cholestérol 8 mg.

POUR CONGELER LE RIZ CUIT

Ayez toujours du riz cuit au congélateur pour accélérer la préparation des repas.

◆ Faites cuire le riz comme à l'accoutumée et congelez-le dans un plat ou un sac de plastique fermant hermétiquement. Il se garde six mois.

◆ Au moment de vous en servir, déposez-le dans une casserole avec 2 c. à soupe d'eau pour chaque tasse de riz. Couvrez et réchauffez 5 minutes à feu assez vif.

Pilaf à la turque

Pilaf à la turque

*Autrefois, le pilaf à la turque se composait seulement de riz
et de tomates pochées dans leur jus. Au fil des ans, le plat s'est enrichi
de raisins de Corinthe, de noix et d'épices.*

- **1 c. à soupe de beurre, ou de margarine**
- **¾ tasse de riz blanc cru à longs grains**
- **1 c. à soupe d'huile d'olive**
- **1 gros oignon, haché fin**
- **1¾ tasse de bouillon de bœuf hyposodique (p. 67)**
- **½ c. à thé de sel**
- **¼ c. à thé de cannelle**
- **¼ c. à thé de piment de la Jamaïque, ou de macis**
- **1¾ tasse de tomates fraîches, concassées, ou de tomates hyposodiques en boîte, concassées dans leur jus**
- **⅓ tasse de raisins de Corinthe, ou d'autres raisins secs**
- **⅓ tasse d'amandes effilées, ou de pignons, grillés**

1 Dans une grande casserole, faites fondre le beurre à feu modéré. Ajoutez le riz et faites-le revenir 5 minutes. Retirez-le. Dans la même casserole, réchauffez l'huile à feu modéré et faites-y cuire l'oignon 5 minutes environ pour l'attendrir.

2 Ajoutez le riz rissolé, le bouillon, le sel, la cannelle et le piment de la Jamaïque. Quand l'ébullition est prise, couvrez et laissez mijoter 20 minutes pour que le riz absorbe tout le liquide. Incorporez les tomates, les raisins et les amandes. Posez un couvercle et réchauffez 2 ou 3 minutes. Donne 6 petites portions.

Préparation : 15 minutes Cuisson : 42 minutes

Par portion : Calories 217. Gras total 9 g. Gras saturé 2 g.
Protéines 5 g. Hydrates de carbone 32 g. Fibres 3 g.
Sodium 208 mg. Cholestérol 5 mg.

Pilaf aux crevettes Suivez la même recette, mais ajoutez **375 g (12 oz) de crevettes cuites et décortiquées** aux raisins et aux amandes. Donne 6 portions.

Par portion : Calories 273. Gras total 9 g. Gras saturé 2 g.
Protéines 16 g. Hydrates de carbone 32 g. Fibres 3 g.
Sodium 334 mg. Cholestérol 116 mg.

Galettes de riz, sauce aux champignons et aux noix

Galettes de riz,
sauce aux champignons et aux noix

Voici une bonne recette pour apprêter des restes de riz, de viande ou de légumes.
Servez ces galettes avec du poulet, du bœuf ou du poisson rôtis. En plat principal,
accompagnez-les de légumes cuits et d'une petite salade verte.

Galettes de riz :

½ tasse de riz blanc cru à longs grains

¼ tasse d'oignon finement haché

¼ tasse de poivron vert, rouge
ou jaune, finement haché

¼ tasse de chapelure assaisonnée

1 gros œuf, légèrement battu

⅛ c. à thé de cayenne

2 c. à soupe d'huile

Sauce :

1 c. à soupe de beurre, ou de margarine

1 tasse de champignons tranchés

¼ tasse d'oignons verts finement hachés

2 c. à soupe de farine

¼ c. à thé de sel

⅛ c. à thé de poivre noir

1 tasse de bouillon de bœuf hyposodique (p. 67)

¼ tasse de noix, grillées et hachées

1 Dans une casserole moyenne, faites cuire le riz selon les directives de l'emballage, en omettant le beurre. Quand il est cuit, ajoutez-y l'oignon, le poivron, la chapelure, l'œuf et le cayenne. Formez quatre galettes avec ½ tasse de riz chacune. Couvrez et réfrigérez 1 heure.

2 Dans une grande sauteuse antiadhésive, réchauffez l'huile à feu modéré et faites-y revenir les galettes 3 minutes de chaque côté en les retournant délicatement avec une spatule. Gardez-les au chaud.

3 Entre-temps, confectionnez la sauce. Mettez le beurre à fondre dans une casserole moyenne à feu modéré. Faites-y revenir les champignons et les oignons verts 3 minutes. Incorporez la farine, le sel et le poivre, et faites cuire 1 minute. Mouillez avec le bouillon et laissez épaissir 5 minutes en remuant constamment. Incorporez les noix. Nappez les galettes de sauce. Donne 4 petites portions, ou 2 portions en plat principal.

Préparation : 25 minutes Réfrigération : 1 heure
Cuisson : 30 minutes

Par petite portion : Calories 301. Gras total 16 g. Gras saturé 3 g. Protéines 7 g. Hydrates de carbone 32 g. Fibres 2 g. Sodium 649 mg. Cholestérol 61 mg.

Riz aux foies de poulet

Quoique le foie donne une vilaine couleur foncée au riz, ce plat est absolument délicieux.

1¼ tasse de bouillon de bœuf hyposodique (p. 67)
¼ c. à thé de sel
2 feuilles de laurier
½ tasse de riz blanc cru à longs grains
3 c. à soupe d'huile
3 c. à soupe de farine
1 gros oignon, haché fin
1 poivron vert moyen, haché fin
1 côte de céleri, tranchée mince
2 gousses d'ail, émincées
250 g (8 oz) de foies de poulet, taillés en tout petits dés
1 c. à thé de thym séché, ou d'origan
⅛ c. à thé de cayenne
¼ tasse de persil haché

1 Dans une casserole moyenne, amenez le bouillon, le sel et le laurier à ébullition. Ajoutez le riz. Remuez, couvrez et laissez mijoter à petit feu 20 minutes ou jusqu'à ce que le riz ait absorbé tout le liquide. Jetez le laurier. Dégagez les grains de riz à la fourchette.

2 Dans un faitout, faites cuire la farine dans l'huile à feu modéré en remuant. Au bout de 5 à 7 minutes, vous obtiendrez un roux bien brun ; ajoutez l'oignon, le poivron, le céleri et l'ail et prolongez la cuisson de 8 à 10 minutes. Ajoutez les foies de poulet, le thym et le cayenne. Couvrez et laissez étuver 6 à 8 minutes à feu assez doux : le foie doit rester rose. Remuez souvent.

3 Incorporez le riz et le persil ; réchauffez 1 ou 2 minutes. Donne 6 petites portions, ou 3 en plat principal.

Préparation : 20 minutes Cuisson : 25 minutes

Par petite portion : Calories 177. Gras total 8 g. Gras saturé 1 g. Protéines 6 g. Hydrates de carbone 20 g. Fibres 1 g. Sodium 108 mg. Cholestérol 98 mg.

Pilaf de blé boulgour

Le boulgour est fait de grains de blé entiers, bouillis puis passés au four avant d'être éclatés. Vous en trouverez dans les magasins d'alimentation naturelle.

1 c. à soupe de beurre, ou de margarine
1 poivron rouge ou vert moyen, haché
6 oignons verts, tranchés
2 gousses d'ail, émincées
¾ tasse de boulgour
1¾ tasse de bouillon de poulet hyposodique (p. 67)
1 c. à thé de thym séché
¼ c. à thé de sel
¼ c. à thé de poivre noir

1 Dans une grande casserole, mettez le beurre à fondre à feu modéré. Faites-y revenir le poivron, les oignons verts et l'ail 5 minutes. Ajoutez le boulgour et remuez ; incorporez le bouillon, le thym, le sel et le poivre. Quand l'ébullition est prise, couvrez et laissez mijoter à petit feu 15 minutes, ou jusqu'à ce que le boulgour ait absorbé le liquide. Donne 4 petites portions.

Préparation : 10 minutes Cuisson : 25 minutes

Par portion : Calories 131. Gras total 3 g. Gras saturé 2 g. Protéines 3 g. Hydrates de carbone 23 g. Fibres 5 g. Sodium 169 mg. Cholestérol 8 mg.

Pilaf de boulgour au poulet Suivez la même recette en ajoutant au boulgour cuit **2 tasses de poulet cuit haché, ou de dinde hachée, et ¼ tasse d'amandes effilées, grillées.** Réchauffez bien. Donne 4 portions.

Par portion : Calories 298. Gras total 12 g. Gras saturé 4 g. Protéines 25 g. Hydrates de carbone 25 g. Fibres 6 g. Sodium 230 mg. Cholestérol 70 mg.

Gratin d'orge aux pacanes

L'orge est la céréale cultivée la plus ancienne. L'orge mondé, ou débarrassé de ses pellicules, et l'orge perlé, réduit en petits grains ronds et polis entre deux meules, se vendent au naturel ou précuits pour une cuisson rapide.

- 1 **c. à soupe de beurre, ou de margarine**
- 1 **c. à soupe d'huile d'olive**
- ¾ **tasse d'orge à cuisson rapide**
- 1 **oignon moyen, haché**
- 2 **tasses de champignons tranchés**
- 2 **tasses de bouillon de bœuf hyposodique (p. 67)**
- ½ **tasse de noix de cajou hachées, ou d'arachides**
- ½ **c. à thé de sel**
- ¼ **c. à thé de poivre noir**
- ¼ **tasse de persil haché**

1 Préchauffez le four à 180 °C (350 °F). Dans une grande casserole, réchauffez le beurre et l'huile à feu modéré. Ajoutez l'orge et l'oignon, et laissez cuire pendant 5 minutes. Mettez les champignons et prolongez la cuisson de 2 minutes.

2 Ajoutez le bouillon, les noix de cajou, le sel et le poivre. Quand l'ébullition est prise, couvrez et laissez mijoter 45 minutes à petit feu en remuant une ou deux fois. Incorporez le persil. Donne 4 petites portions.

Préparation : 10 minutes Cuisson : 1 heure

Par portion : Calories 255. Gras total 15 g. Gras saturé 4 g.
Protéines 7 g. Hydrates de carbone 30 g. Fibres 4 g.
Sodium 406 mg. Cholestérol 8 mg.

Porridge d'avoine aux raisins

Sous le nom de soupane, nos grand-mères servaient, par les soirs torrides de canicule, du porridge d'avoine froid, arrosé de crème et de sirop d'érable.

- 1½ **tasse de flocons d'avoine roulés à l'ancienne**
- 1 **tasse de raisins secs, de raisins de Corinthe, ou de fruits confits mélangés et hachés menu**
- ¼ **tasse de cassonade dorée bien tassée**
- 1 **c. à thé de cannelle**
- ½ **c. à thé de sel**
- 3 **tasses d'eau**

1 Préchauffez le four à 180 °C (350 °F). Étalez les flocons d'avoine dans un moule à four peu profond. Enfournez et laissez rôtir de 15 à 20 minutes en remuant de temps à autre.

2 Dans un petit bol, mélangez les flocons d'avoine, les raisins secs, la cassonade, la cannelle et le sel. Dans une casserole moyenne, amenez l'eau à ébullition. Ajoutez progressivement les flocons d'avoine ; baissez le feu et laissez mijoter de 5 à 7 minutes à découvert. Remuez souvent. Retirez du feu, couvrez et laissez reposer 3 minutes. Servez avec du lait. Donne 4 petites portions.

Préparation : 5 minutes Cuisson : 25 minutes
Repos : 3 minutes

Par portion : Calories 276. Gras total 2 g. Gras saturé 0 g.
Protéines 6 g. Hydrates de carbone 62 g. Fibres 5 g.
Sodium 276 mg. Cholestérol 0 mg.

Grits à l'américaine

Dans le sud des États-Unis, on donne le nom de grits *à la semoule de* hominy – *celui-ci n'étant rien d'autre que le maïs lessivé des Acadiens.*

- 2 **tasses d'eau**
- ¼ **c. à thé de sel**
- ½ **tasse de semoule de *hominy* à cuisson rapide**
- 1 **c. à soupe de beurre, ou de margarine**
- 2 **c. à soupe de lait écrémé à 1 p. 100**
- 1 **gros œuf, légèrement battu**
- ⅓ **tasse de farine**
- 2 **c. à soupe d'huile**

1 Dans une casserole moyenne, amenez l'eau et le sel à ébullition. Ajoutez doucement la semoule de maïs en remuant. Laissez cuire de 5 à 7 minutes à petit feu sans couvrir. Remuez souvent. Incorporez le beurre.

2 Étalez cette bouillie dans un moule à pain graissé. Laissez refroidir environ 1 heure. Couvrez et réfrigérez au moins 6 heures (1 jour au maximum). Démoulez la bouillie sur une planche. Détaillez-la en huit tranches ; coupez chacune en deux diagonalement.

3 Dans un plat peu profond, fouettez le lait et l'œuf. Mettez la farine sur une feuille de papier ciré. Trempez les tranches dans l'œuf battu, puis dans la farine.

4 Dans une grande sauteuse antiadhésive, réchauffez l'huile à feu modéré. Faites cuire les *grits* de 3 à 5 minutes de chaque côté en les retournant avec une spatule large. Épongez sur des feuilles d'essuie-tout. Servez avec du sirop d'érable. Donne 8 petites portions.

Préparation : 15 minutes Cuisson : 17 minutes
Refroidissement : 1 heure Réfrigération : 6 heures

Par portion : Calories 112. Gras total 6 g. Gras saturé 1 g.
Protéines 2 g. Hydrates de carbone 13 g. Fibres 1 g.
Sodium 91 mg. Cholestérol 31 mg.

Grits à l'américaine

Johnnycakes

Ces petites crêpes se seraient d'abord appelées journey cakes *parce qu'on les emportait en voyage pour se sustenter. Mais on dit aussi que, sous le nom de* Johnny cakes, *elles auraient été apportées par des pirates britanniques dans les Antilles françaises où elles portent le nom créole de* danquite, *légende qui ne contredit pas la première.*

1 tasse de farine de maïs blanche
1 c. à thé de sucre (facultatif)
½ c. à thé de sel
1¼ tasse d'eau bouillante
½ tasse de lait écrémé à 1 p. 100
2 c. à soupe d'huile

1 Mélangez la farine, le sucre, s'il y a lieu, et le sel. Délayez avec l'eau bouillante versée en filet : la pâte sera très épaisse. Ajoutez le lait pour l'éclaircir.

2 Réchauffez à feu modéré un gaufrier ou une sauteuse antiadhésive ; badigeonnez d'huile. Versez ¼ tasse de pâte par crêpe pour former un cercle de 12 cm (5 po). Laissez cuire 2 minutes de chaque côté : le pourtour doit devenir doré et croustillant. (Si les crêpes ne cuisent pas assez vite, montez le feu d'un cran.) Servez avec du beurre et du sirop d'érable. Donne 8 petites portions.

Préparation : 10 minutes Cuisson : 17 minutes

Par portion : Calories 100. Gras total 4 g. Gras saturé 0 g. Protéines 2 g. Hydrates de carbone 14 g. Fibres 1 g. Sodium 141 mg. Cholestérol 1 mg.

Porridge de maïs

Servez ce porridge au petit déjeuner avec de la cassonade, de la mélasse ou du sirop d'érable.

1 tasse de farine de maïs
1 tasse d'eau froide
½ c. à thé de sel
2½ tasses d'eau bouillante
6 c. à thé de beurre, ou de margarine

1 Dans un petit bol, mélangez la farine, l'eau froide et le sel. Introduisez lentement ce mélange dans l'eau bouillante en remuant constamment pour éviter la formation de grumeaux. Faites reprendre l'ébullition en remuant. Couvrez et laissez mijoter à petit feu de 10 à 15 minutes : la bouillie deviendra très épaisse ; remuez de temps à autre. Versez le pouding dans six bols. Déposez 1 c. à thé de beurre sur chaque portion. Saupoudrez

d'un peu de muscade, à votre gré. Servez avec de la crème claire ou du lait. Donne 6 petites portions.

Préparation : 5 minutes Cuisson : 20 minutes

Par portion : Calories 118. Gras total 4 g. Gras saturé 2 g. Protéines 2 g. Hydrates de carbone 18 g. Fibres 2 g. Sodium 222 mg. Cholestérol 10 mg.

Fritots de maïs Enchaînez sur la recette précédente. Versez la préparation dans un moule à pain. Couvrez et réfrigérez au moins 6 heures (1 jour au maximum). Démoulez sur une planche. Découpez des tranches de 1,5 cm (½ po) d'épaisseur. Dans une grande sauteuse antiadhésive, faites fondre la moitié du beurre ou de la margarine à feu modéré. Faites-y cuire la moitié des tranches de 12 à 15 minutes de chaque côté. Recommencez l'opération avec le reste du beurre et de la pâte. Servez avec du miel ou du sirop d'érable.

Par portion : Calories 101. Gras total 2 g. Gras saturé 1 g. Protéines 2 g. Hydrates de carbone 18 g. Fibres 2 g. Sodium 202 mg. Cholestérol 5 mg.

Polenta italienne

C'est en quelque sorte un porridge de maïs, additionné de fromage râpé.

1 tasse de farine de maïs
1 tasse d'eau froide
½ c. à thé de sel
2½ tasses d'eau bouillante
¼ tasse de parmesan râpé

1 Dans un petit bol, mélangez la farine, l'eau froide et le sel. Introduisez lentement ce mélange dans l'eau bouillante en remuant constamment pour éviter la formation de grumeaux. Faites reprendre l'ébullition en remuant. Couvrez et laissez mijoter à petit feu de 10 à 15 minutes : la bouillie deviendra très épaisse ; remuez de temps à autre. Incorporez le parmesan. Versez l'appareil dans un moule à tarte. Couvrez et réfrigérez au moins 2 heures (1 jour au maximum).

2 Préchauffez le four à 180 °C (350 °F). Enfournez et faites cuire 20 minutes sans couvrir. Vous pouvez servir avec une sauce à spaghetti chaude. Donne 6 petites portions.

Préparation : 5 minutes Cuisson sur l'élément : 20 minutes
Réfrigération : 2 heures Cuisson au four : 20 minutes

Par portion : Calories 103. Gras total 2 g. Gras saturé 1 g. Protéines 4 g. Hydrates de carbone 18 g. Fibres 2 g. Sodium 256 mg. Cholestérol 3 mg.

Gnocchis aux épinards

Gnocchis aux épinards

Les gnocchis se font traditionnellement avec des pommes de terre.
Mais on les prépare aussi avec de la farine de maïs ou de la semoule.
Vous pouvez servir les gnocchis nature ou avec une sauce à spaghetti.

1	**paquet de 300 g (10 oz) d'épinards hachés surgelés**
¼	**tasse d'oignon haché fin**
2	**tasses de lait écrémé à 1 p. 100**
½	**tasse de semoule de blé**
1	**c. à thé de basilic séché**
2	**gousses d'ail, émincées**
2	**c. à soupe de beurre, ou de margarine**
2	**gros œufs, légèrement battus**
⅔	**tasse de parmesan râpé**

1 Faites cuire les épinards selon les directives de l'emballage, en leur ajoutant les oignons. Essorez-les en pressant pour bien les assécher.

2 Mélangez dans un bol ¾ tasse de lait, la semoule, le basilic et l'ail. Dans une casserole moyenne, amenez le reste du lait et le beurre à ébullition à feu assez vif. Ajoutez peu à peu la semoule délayée en remuant constamment. Laissez cuire de 3 à 5 minutes sans couvrir : la pâte deviendra très épaisse.

3 Retirez du feu. Versez 1 tasse du mélange sur les œufs battus pour les réchauffer ; versez le tout dans la casserole. Ajoutez les épinards cuits et ⅓ tasse de parmesan. Graissez un moule à four carré de 20 cm (8 po). Étalez-y la pâte. Couvrez et réfrigérez au moins 4 heures (1 jour au maximum).

4 Préchauffez le four à 220 °C (425 °F). Démoulez la pâte sur une planche à découper. Découpez-la en losanges. Saupoudrez avec le reste du parmesan. Déposez les gnocchis sur une plaque graissée. Enfournez-les et faites-les cuire de 20 à 25 minutes pour qu'ils soient bien dorés. Donne 8 petites portions, ou 4 portions en plat principal.

Préparation : 15 minutes Cuisson sur l'élément : 10 minutes
Réfrigération : 4 heures Cuisson au four : 20 minutes

Par petite portion : Calories 156. Gras total 8 g. Gras saturé 4 g.
Protéines 9 g. Hydrates de carbone 13 g. Fibres 2 g.
Sodium 252 mg. Cholestérol 70 mg.

Kacha et nouilles

Kacha et nouilles

Le kacha désigne un gruau fait de grains concassés de sarrasin
et fort employé dans la cuisine juive de Russie et de Pologne. Il accompagne
souvent le poulet rôti ou les boulettes de viande.

180 g (6 oz) de nouilles aux œufs

2 c. à soupe d'huile d'olive

1 gros oignon, haché

2 tasses de champignons tranchés mince

¾ tasse de gruau de sarrasin grillé (kacha)

1 gros œuf, légèrement battu

1¾ tasse de bouillon de poulet hyposodique (p. 67)

½ c. à thé de sel

¼ c. à thé de poivre (ou davantage, au goût)

1 Faites cuire les nouilles selon les directives. Rincez et égouttez ; gardez-les au chaud dans un bol.

2 Réchauffez l'huile à feu modéré dans une grande casserole ; mettez-y l'oignon et les champignons et faites cuire 5 minutes. Dans un petit bol, mélangez le kacha et l'œuf pour enrober chaque grain.

3 Poussez les légumes sur un côté de la casserole et déposez le kacha de l'autre côté. En remuant sans arrêt, faites cuire à feu assez vif 3 ou 4 minutes, jusqu'à ce que les grains de kacha se séparent les uns des autres. Incorporez le bouillon, le sel et le poivre.

4 Dès que l'ébullition est prise, couvrez et laissez mijoter à petit feu de 12 à 15 minutes. Quand le kacha est tendre, ajoutez-y les nouilles et réchauffez bien. Donne 8 petites portions.

Préparation : 10 minutes Cuisson : 30 minutes

Par portion : Calories 174. Gras total 5 g. Gras saturé 1 g.
Protéines 6 g. Hydrates de carbone 27 g. Fibres 3 g.
Sodium 146 mg. Cholestérol 44 mg.

Fèves au lard à l'érable

Dans cette version tout à fait savoureuse, le bacon remplace le lard et le sirop d'érable, la mélasse.

- **6** tasses d'eau
- **1½** tasse de petits haricots blancs, mis à tremper (ci-dessous, à droite)
- **1** gros oignon, haché
- **2** tranches de bacon maigre, hachées et cuites
- **¼** tasse de cassonade dorée bien tassée
- **¼** tasse de sirop d'érable
- **1** c. à soupe de moutarde sèche
- **¼** c. à thé de sel
- **¼** c. à thé de poivre noir

1 Dans une grande casserole, mettez l'eau et les haricots. Amenez à ébullition, couvrez et laissez mijoter à petit feu de 1 h 30 à 2 heures jusqu'à ce que les haricots soient bien tendres. Égouttez en réservant 1 tasse de liquide.

2 Préchauffez le four à 150 °C (300 °F). Dans une cocotte ou une marmite en grès, mettez les haricots, le reste des ingrédients et ½ tasse du liquide réservé. Couvrez, enfournez et faites cuire pendant 2 heures ou plus pour bien attendrir les haricots. Remuez de temps à autre ; ajoutez du liquide au besoin. Donne 6 petites portions.

Préparation : 10 minutes, plus temps de trempage
Cuisson sur l'élément : 1 h 40 Cuisson au four : 2 heures

Par portion : Calories 239. Gras total 2 g. Gras saturé 1 g.
Protéines 11 g. Hydrates de carbone 46 g. Fibres 10 g.
Sodium 128 mg. Cholestérol 2 mg.

✳

Fèves au lard de chez nous Suivez la même recette, mais remplacez le sirop d'érable par ¼ tasse de **mélasse**.

Par portion : Calories 240. Gras total 2 g. Gras saturé 1 g.
Protéines 11 g. Hydrates de carbone 46 g. Fibres 10 g.
Sodium 132 mg. Cholestérol 2 mg.

✳

Fèves au lard vite faites Suivez la même recette, mais remplacez les haricots secs par 5½ **tasses de haricots blancs en boîte, non égouttés,** et supprimez le liquide réservé. La cuisson ne sera alors que de 1 heure à 1 h 30. Donne 8 petites portions.

Par portion : Calories 209. Gras total 2 g. Gras saturé 0 g.
Protéines 10 g. Hydrates de carbone 40 g. Fibres 9 g.
Sodium 296 mg. Cholestérol 1 mg.

Haricots de Lima au jambon

- **6** tasses d'eau
- **1½** tasse de haricots de Lima secs, mis à tremper (ci-dessous)
- **1** gros oignon, haché
- **½** tasse de petits dés de jambon cuit (facultatif)
- **⅓** tasse de mélasse
- **⅓** tasse de sauce chili
- **1** c. à soupe de vinaigre
- **1** c. à thé de moutarde sèche
- **⅛** c. à thé de cayenne

1 Dans une grande casserole, mettez l'eau et les haricots de Lima prétrempés. Amenez à ébullition, couvrez et laissez mijoter à petit feu pendant 1 heure à 1 h 15. Égouttez en réservant 1 tasse de liquide.

2 Préchauffez le four à 150 °C (300 °F). Dans une cocotte ou une marmite de grès, mélangez les haricots de Lima, le liquide réservé et le reste des ingrédients. Couvrez, enfournez et faites cuire d'abord 1 heure ; remuez de temps à autre. Retirez le couvercle et faites cuire 1 heure de plus. Donne 6 petites portions.

Préparation : 10 minutes, plus temps de trempage
Cuisson sur l'élément : 1 h 10 Cuisson au four : 2 heures

Par portion : Calories 233. Gras total 1 g. Gras saturé 0 g.
Protéines 11 g. Hydrates de carbone 48 g. Fibres 10 g.
Sodium 214 mg. Cholestérol 0 mg.

TREMPAGE DES HARICOTS SECS

On peut, comme autrefois, faire tremper les haricots secs pendant la nuit. Mais il y a aussi moyen d'accélérer ce procédé. Dans les deux cas, commencez par trier les haricots : jetez ceux qui sont ridés ou moisis. Lavez-les et égouttez-les.

◆ Méthode lente : Placez les haricots secs dans une grande casserole et couvrez-les d'eau froide. Mettez un couvercle et faites tremper 8 heures ou toute la nuit à la température ambiante. Rincez les haricots à l'eau claire et égouttez-les.

◆ Méthode rapide : Placez les haricots secs dans une grande casserole et couvrez-les d'eau froide. Lancez l'ébullition. Quand elle est prise, laissez mijoter à petit feu 2 minutes sans couvrir. Retirez du feu, couvrez et laissez reposer pendant 1 heure. Rincez les haricots à l'eau claire et égouttez-les.

Haricots bruns à la suédoise

Haricots bruns à la suédoise

*Ces haricots bruns accompagnent à merveille
les côtelettes de porc ou d'agneau. Vous pouvez aussi
les servir avec du fromage et des craquelins
en guise de repas léger.*

- 4 **tasses d'eau**
- 1½ **tasse de haricots bruns secs, ou de haricots pinto, mis à tremper (p. 227)**
- ¼ **tasse de sirop de maïs**
- ¼ **tasse de vinaigre blanc**
- 1 **c. à soupe de cassonade dorée bien tassée**
- ½ **c. à thé de sel**
- ¼ **c. à thé de cannelle (facultatif)**

1 Dans une grande casserole, mettez l'eau et les haricots. Amenez à ébullition, couvrez et laissez mijoter doucement pendant 1 h 30 à 2 heures pour attendrir les haricots. Égouttez en réservant 1 tasse de liquide.

2 Préchauffez le four à 150 °C (300 °F). Dans un plat à gratin ou une terrine, mettez les haricots, ½ tasse du liquide réservé, le sirop de maïs, le vinaigre, la cassonade, le sel et la cannelle, s'il y a lieu. Couvrez, enfournez et laissez cuire pendant 1 h 30 à 2 heures, jusqu'à la consistance désirée. Remuez de temps à autre et ajoutez du liquide réservé au besoin. Donne 6 petites portions.

Préparation : 5 minutes, plus temps de trempage
Cuisson sur l'élément : 1 h 40 Cuisson au four : 1 h 30

Par portion : Calories 206. Gras total 1 g. Gras saturé 0 g.
Protéines 10 g. Hydrates de carbone 42 g. Fibres 10 g.
Sodium 202 mg. Cholestérol 0 mg.

Haricots sautés

*Pour ce plat de la cuisine tex-mex,
il faut d'abord faire mijoter les haricots sur le feu,
puis les défaire en purée.*

- 1½ **tasse de haricots blancs, ou de haricots rouges, ou de haricots pinto, triés et lavés**
- 4 **tasses d'eau**
- 1 **gros oignon, haché**
- 3 **gousses d'ail, émincées**
- 1 **tasse de salsa**
- ¾ **c. à thé de sel**

1 Mettez les haricots dans une grande casserole avec l'eau, l'oignon et l'ail. Amenez à ébullition, couvrez et faites-les mijoter 2 heures à 2 h 30 pour les attendrir. Laissez tiédir sans égoutter.

2 Au robot ou au mélangeur, réduisez les haricots en purée dans leur cuisson, la moitié à la fois. Remettez-les dans la casserole. Ajoutez la salsa et le sel. Sans les couvrir, laissez-les cuire à feu modéré 5 minutes environ en remuant sans arrêt. Servez avec de la crème sure allégée et du cheddar râpé allégé. Donne 6 petites portions, ou 3 portions normales.

Préparation : 15 minutes Cuisson : 2 h 15

Par petite portion : Calories 183. Gras total 1 g. Gras saturé 0 g.
Protéines 10 g. Hydrates de carbone 35 g. Fibres 10 g.
Sodium 526 mg. Cholestérol 0 mg.

Haricots blancs et jambon

*Voici une excellente façon d'utiliser
les restes de jambon. Servez ce plat avec du pain
de maïs : c'est excellent !*

- 4 **tasses d'eau**
- 1½ **tasse de petits haricots blancs, ou de haricots Great Northern, mis à tremper (p. 227)**
- 1 **tasse de jambon cuit hyposodique, en bouchées**
- 1 **gros oignon, haché**
- 2 **côtes de céleri, tranchées**
- 3 **feuilles de laurier**
- ¼ **c. à thé de sel**
- ¼ **c. à thé de poivre noir**
- ⅛ **c. à thé de clou de girofle moulu (facultatif)**

1 Dans un faitout, mettez l'eau et les haricots. Amenez à ébullition, couvrez et laissez mijoter à petit feu 1 heure à 1 h 15. Égouttez en réservant 1½ tasse de liquide. Retirez 2 tasses de haricots ; écrasez-les à la fourchette. Remettez cette purée dans le faitout.

2 Incorporez le liquide réservé, le jambon, l'oignon, le céleri, le laurier, le sel, le poivre et le clou de girofle, s'il y a lieu. Ramenez l'ébullition, couvrez et laissez mijoter à petit feu 30 minutes environ pour attendrir les légumes, en remuant de temps à autre. Retirez le laurier. Donne 8 petites portions, ou 4 portions normales.

Préparation : 15 minutes, plus temps de trempage
Cuisson : 1 h 45

Par petite portion : Calories 152. Gras total 2 g. Gras saturé 1 g.
Protéines 11 g. Hydrates de carbone 23 g. Fibres 8 g.
Sodium 248 mg. Cholestérol 10 mg.

Hopping John

Dans le sud des États-Unis, ce plat est censé porter chance si on le sert au Jour de l'an. Ce serait là, pense-t-on, la survivance d'une coutume africaine voulant qu'on offre des plats de haricots secs aux dieux les jours de fête.

2½ tasses d'eau
1 tasse de doliques à œil noir, triés et lavés
½ tasse de riz blanc cru à longs grains
¼ c. à thé de sel
3 tranches de bacon, hachées
1 gros oignon, haché
2 gousses d'ail, émincées
⅛ c. à thé de sauce Tabasco (ou davantage, au goût)

1 Dans une grande casserole, amenez l'eau et les doliques à ébullition à feu assez vif. Couvrez et laissez mijoter de 40 à 45 minutes à petit feu. Égouttez.

2 Dans une casserole moyenne, faites cuire le riz selon les directives de l'emballage, en utilisant ¼ c. à thé de sel et en omettant le beurre. Dans une grande sauteuse, faites revenir le bacon à feu modéré pour qu'il devienne croustillant ; épongez-le sur une feuille d'essuie-tout.

3 Dans le gras de bacon, faites revenir l'oignon et l'ail. Quand ils sont tendres, ajoutez les doliques, le riz et la sauce Tabasco. Réchauffez 2 ou 3 minutes. Émiettez le bacon par-dessus et servez le Hopping John avec du porc rôti ou du jambon. Donne 6 petites portions.

Préparation : 10 minutes Cuisson : 55 minutes

Par portion : Calories 216. Gras total 6 g. Gras saturé 2 g.
Protéines 9 g. Hydrates de carbone 33 g. Fibres 4 g.
Sodium 165 mg. Cholestérol 6 mg.

❋

Hopping John vite fait Suivez la même recette, mais remplacez les doliques secs par **2 tasses de doliques, ou autres haricots en boîte, rincés et égouttés.**

Par portion : Calories 200. Gras total 6 g. Gras saturé 2 g.
Protéines 8 g. Hydrates de carbone 29 g. Fibres 7 g.
Sodium 311 mg. Cholestérol 6 mg.

Haricots noirs au riz

On peut, dans la cuisine latino-américaine, inclure ou non du jambon dans ce plat. De toute façon, servez-le avec de la crème sure, des oignons verts en rondelles et des quartiers d'orange ou de lime.

2 tasses de bouillon de bœuf hyposodique (p. 67)
1⅓ tasse de haricots noirs, mis à tremper (p. 227)
½ tasse d'eau
2 feuilles de laurier
1 gros oignon, haché
1 gros poivron vert, haché
½ tasse de jambon cuit hyposodique, en bouchées
2 gousses d'ail, hachées
1 c. à soupe de vinaigre, ou de jus de citron
¼ c. à thé de poivre noir
¼ c. à thé de sauce Tabasco
1 tasse de riz blanc cru à longs grains

1 Dans un faitout, mettez le bouillon, les haricots, l'eau et le laurier. Amenez à ébullition, couvrez et laissez mijoter à petit feu de 1 h 45 à 2 heures pour bien attendrir les haricots. Retirez le laurier.

2 Ajoutez l'oignon, le poivron vert, le jambon, l'ail, le vinaigre, le poivre et la sauce Tabasco. Quand l'ébullition est prise, couvrez et laissez mijoter à petit feu 15 minutes de plus.

3 Faites cuire le riz selon les directives de l'emballage, en supprimant le beurre et le sel. Dressez les haricots sur le riz. Servez-les en offrant de la sauce Tabasco à ceux qui les aiment plus épicés. Donne 4 portions.

Préparation : 10 minutes, plus trempage Cuisson : 2 h 15

Par portion : Calories 471. Gras total 3 g. Gras saturé 1 g.
Protéines 24 g. Hydrates de carbone 87 g. Fibres 16 g.
Sodium 218 mg. Cholestérol 12 mg.

COMBIEN DE HARICOTS SECS ?

Dans l'incertitude, rappelez-vous que 250 g (8 oz) de haricots secs équivalent plus ou moins à 1¼ tasse ; cette quantité donne de 3 à 3½ tasses de haricots cuits. Les boîtes de haricots en conserve ont une contenance d'à peu près 560 ml (19 oz), soit environ 2½ tasses.

Haricots rouges au riz

Ce plat robuste n'a besoin d'aucun accompagnement.
Bien qu'économique à réaliser, il est riche en
protéines complètes.

- 4 **tasses d'eau**
- 1¼ **tasse de haricots rouges, mis à tremper (p. 227)**
- 1 **jarret de jambon peu charnu (500 à 750 g/1 à 1½ lb)**
- 1 **gros oignon, haché**
- 2 **côtes de céleri, hachées**
- 2 **feuilles de laurier**
- 2 **gousses d'ail, émincées**
- 1½ **c. à thé de thym séché**
- ¼ **c. à thé de sel**
- ¼ **c. à thé de poivre noir (ou davantage, au goût)**
- 1 **tasse de riz blanc cru à longs grains**
- ¼ **tasse de persil haché**

1 Dans un faitout, mettez l'eau, les haricots et le jarret de jambon. Amenez à ébullition, couvrez et laissez mijoter à petit feu pendant 1 heure à 1 h 30. Égouttez en réservant 2 tasses de liquide. Prenez 2 tasses de haricots et réduisez-les en purée à la fourchette. Remettez la purée dans le faitout. Retirez le jambon. Une fois tiède, dégagez la viande de l'os, détaillez-la en bouchées et remettez-la dans le faitout. Débarrassez-vous de l'os.

2 Ajoutez le liquide réservé, l'oignon, le céleri, le laurier, l'ail, le thym, le sel et le poivre. Dès que l'ébullition est prise, couvrez et laissez mijoter 30 minutes à petit feu. Retirez le laurier. Par ailleurs, faites cuire le riz selon les directives, mais en supprimant le beurre et le sel. Dressez les haricots sur le riz. Saupoudrez de persil. Servez avec du pain de maïs. Donne 6 portions.

Haricots rouges au riz

Préparation : 20 minutes, plus temps de trempage
Cuisson : 1 h 40

Par portion : Calories 433. Gras total 12 g. Gras saturé 4 g.
Protéines 25 g. Hydrates de carbone 55 g. Fibres 9 g.
Sodium 262 mg. Cholestérol 53 mg.

Haricots rouges au riz vite faits Suivez la même recette, mais remplacez les haricots secs par **4 tasses de haricots rouges en boîte, rincés et égouttés**, le jarret de jambon par **½ tasse de jambon cuit hyposodique, détaillé en bouchées**, et le fond de cuisson réservé par **1½ tasse d'eau.**

Par portion : Calories 315. Gras total 2 g. Gras saturé 1 g.
Protéines 15 g. Hydrates de carbone 58 g. Fibres 12 g.
Sodium 241 mg. Cholestérol 8 mg.

POUR HACHER DU PERSIL

Un petit truc : mettez une touffe de persil dans une tasse à mesurer et ciselez-le dans la tasse avec des ciseaux. Cela vous permettra en même temps de mesurer la quantité voulue.

Saucisses aux lentilles

Saucisses aux lentilles

Si vous ne trouvez pas de saucisse de dinde fumée,
prenez un autre type de saucisse fumée peu grasse, ou du jambon hyposodique.

2½	tasses de bouillon de bœuf hyposodique (p. 67)
1	tasse de lentilles sèches, triées et rincées
180	g (6 oz) de saucisses de dinde fumées, tranchées
1	grosse pomme de terre, épluchée et détaillée en dés
1	gros oignon, haché
2	gousses d'ail, émincées
1	c. à thé de basilic séché
½	c. à thé de sel
¼	c. à thé de poivre noir

1 Dans une grande casserole, amenez le bouillon à ébullition à feu vif. Ajoutez les lentilles. Couvrez et laissez mijoter à petit feu 20 minutes.

2 Ajoutez les saucisses, la pommes de terre, l'oignon, l'ail, le basilic, le sel et le poivre. Quand l'ébullition a repris, couvrez et laissez mijoter à petit feu 20 minutes environ pour attendrir les légumes. Donne 4 portions.

Préparation : 15 minutes Cuisson : 50 minutes

Par portion : Calories 284. Gras total 7 g. Gras saturé 2 g.
Protéines 20 g. Hydrates de carbone 38 g. Fibres 7 g.
Sodium 606 mg. Cholestérol 28 mg.

Ragoût de lentilles

1¾ tasse de bouillon de poulet hyposodique (p. 67)

2 feuilles de laurier

1 tasse de lentilles, triées et rincées,
   ou de pois cassés secs

1 c. à soupe d'huile

1 gros oignon, haché

1 grosse carotte, hachée fin

2 gousses d'ail, émincées

¼ tasse de ketchup hyposodique

2 c. à soupe de cassonade dorée bien tassée

1 c. à thé de moutarde sèche

1 c. à thé d'origan séché

1 Dans une casserole moyenne, amenez le bouillon et le laurier à ébullition à feu vif. Ajoutez les lentilles. Couvrez et laissez mijoter à petit feu pendant 20 minutes. Retirez le laurier.

2 Préchauffez le four à 180 °C (350 °F). Dans une sauteuse moyenne, réchauffez l'huile à feu modéré et faites-y revenir l'oignon, la carotte et l'ail 5 minutes environ pour attendrir les légumes. Incorporez le ketchup, la cassonade, la moutarde sèche et l'origan.

3 Dans un plat à gratin, mélangez les lentilles et les légumes. Couvrez, enfournez et faites cuire pendant 25 minutes. Donne 6 petites portions.

Préparation : 15 minutes Cuisson sur l'élément : 25 minutes
Cuisson au four : 25 minutes

Par portion : Calories 159. Gras total 3 g. Gras saturé 0 g.
Protéines 8 g. Hydrates de carbone 27 g. Fibres 5 g.
Sodium 11 mg. Cholestérol 0 mg.

CUISSON DES LENTILLES

♦ On trouve sur le marché les fameuses lentilles vertes du Puy, les plus fines au goût, mais aussi des lentilles blondes et des lentilles orangées, parfois appelées lentilles d'Égypte, qui mettent de la couleur dans les soupes, les ragoûts et les plats gratinés.

♦ Avant de les cuisiner, triez-les et rejetez les sujets ridés, ratatinés ou tachetés. Ne gardez que les lentilles dodues. Rincez-les avant de les faire cuire. On ne fait pas tremper les lentilles.

Macaronis au fromage

Qui n'a pas gardé le souvenir, dans son enfance, d'un plat de macaronis à la sauce onctueuse. En voici une version modernisée, non moins attrayante.

1 c. à soupe de chapelure

250 g (8 oz) de macaronis en coudes

1 gros oignon, haché

2½ tasses de cheddar extra-fort râpé (300 g/10 oz)

1 tasse de lait écrémé à 1 p. 100

2 gros œufs

1 gros blanc d'œuf

¼ c. à thé de poivre noir

1 tasse d'oignon frit en anneaux (facultatif)

1 Préchauffez le four à 180 °C (350 °F). Graissez le fond et les côtés d'un plat à gratin de 8 tasses ; chemisez-le de chapelure.

2 Dans une grande casserole, amenez 12 tasses d'eau à ébullition. Jetez-y les macaronis et l'oignon et laissez cuire 5 ou 6 minutes, de manière à garder les pâtes légèrement fermes. Rincez et égouttez.

3 Disposez le tiers des macaronis dans le plat à gratin. Étalez par-dessus 1 tasse de cheddar râpé. Répétez l'opération et terminez avec le dernier tiers des macaronis. Dans un bol moyen, fouettez le lait avec les œufs, le blanc d'œuf et le poivre. Versez sur les macaronis.

4 Couvrez, enfournez et faites cuire 30 minutes environ. Retirez du four ; éparpillez le reste du fromage sur le plat et déposez les anneaux d'oignon en périphérie (s'il y a lieu). Remettez au four 5 minutes environ. Donne 6 portions.

Préparation : 20 minutes Cuisson sur l'élément : 20 minutes
Cuisson au four : 35 minutes

Par portion : Calories 387. Gras total 19 g. Gras saturé 11 g.
Protéines 21 g. Hydrates de carbone 33 g. Fibres 1 g.
Sodium 355 mg. Cholestérol 122 mg.

Pasticcio macaronia

Pasticcio macaronia

Fait avec de l'agneau et des macaronis, le pasticcio vient
tout droit de la Grèce par l'intermédiaire de nouveaux arrivants. Servez-le
avec une fraîche salade verte et du pain croûté ou des gressins.

180 g (6 oz) de macaronis en coudes

2 gros œufs

½ tasse (60 g/2 oz) de feta, détaillé en dés,
ou ⅓ tasse de parmesan râpé

¼ tasse de lait écrémé à 1 p. 100

Garniture à la viande :

375 g (12 oz) d'agneau maigre haché, ou de bœuf haché

1 gros oignon, haché

1¾ tasse de tomates fraîches, concassées, ou de tomates
hyposodiques en boîte, concassées dans leur jus

1 c. à thé d'origan séché

¼ c. à thé de cannelle

⅛ c. à thé de sel

⅛ c. à thé de poivre noir

⅔ tasse de parmesan râpé

Sauce :

1½ tasse de lait écrémé à 1 p. 100

2 c. à soupe de farine

¼ c. à thé de sel

¼ c. à thé de poivre noir (ou davantage, au goût)

¼ tasse de parmesan râpé

1 Préchauffez le four à 180 °C (350 °F). Faites cuire les macaronis selon les directives de l'emballage. Rincez, égouttez et mettez dans un bol chaud. Séparez les œufs. Dans un petit bol, battez les jaunes. Réservez-les. Mélangez les blancs d'œufs, le feta et ¼ tasse de lait au fouet ; incorporez aux macaronis. Réservez.

2 Pour préparer la garniture, faites rissoler l'agneau et l'oignon dans une grande sauteuse à feu assez vif. Égouttez le gras. Ajoutez les tomates, l'origan, la cannelle, le sel et le poivre. Quand l'ébullition est prise, couvrez et laissez mijoter 5 minutes à petit feu. Hors du feu, incorporez ⅔ tasse de parmesan. Graissez légèrement un plat à four carré de 20 cm (8 po). Déposez-y la moitié des macaronis, la garniture d'agneau, puis le reste des macaronis.

3 Pour la sauce, utilisez une casserole moyenne. Fouettez-y 1½ tasse de lait avec la farine, ¼ c. à thé de sel et autant de poivre. Faites cuire à feu modéré 8 minutes. Incorporez 1 tasse de sauce dans les jaunes d'œufs et reversez le tout dans la casserole. Prolongez la cuisson

de 3 minutes : la sauce sera épaisse. Ne faites pas bouillir. Incorporez ¼ tasse de parmesan.

4 Versez la sauce dans le plat. Enfournez et faites cuire de 30 à 35 minutes. Laissez reposer 10 minutes avant de servir. Donne 6 portions.

Préparation : 20 minutes Cuisson sur l'élément : 30 minutes
Cuisson au four : 30 minutes Repos : 10 minutes

Par portion : Calories 422. Gras total 20 g. Gras saturé 10 g.
Protéines 28 g. Hydrates de carbone 32 g. Fibres 2 g.
Sodium 742 mg. Cholestérol 142 mg.

Nouilles gratinées au saumon

Voici un plat qui, presque à lui seul, peut tenir lieu de repas léger. Vous pouvez, à votre gré, remplacer le saumon par du thon ou du poulet.

125 g (4 oz) de nouilles moyennement larges
  1 c. à soupe d'huile d'olive
  1 oignon moyen, haché
  1 poivron vert moyen, haché
  1 côte de céleri, tranchée
  ⅓ tasse de farine
  ⅛ c. à thé de poivre noir
3½ tasses de lait écrémé à 1 p. 100
  ½ tasse (60 g/2 oz) de gruyère râpé
  1 boîte (418 g/14½ oz) de saumon rose, paré, rincé, égoutté et effeuillé, ou 2 boîtes (184 g/6½ oz chacune) de thon dans l'eau, rincé, égoutté et effeuillé, ou 2 tasses de poulet cuit
  ⅓ tasse de parmesan râpé

1 Préchauffez le four à 180 °C (350 °F). Faites cuire les nouilles selon les directives de l'emballage. Rincez, égouttez, remettez dans la casserole et couvrez.

2 Dans une grande casserole, réchauffez l'huile à feu modéré. Faites-y revenir l'oignon, le poivron et le céleri pendant 5 minutes. Ajoutez la farine et le poivre. Mouillez avec le lait. Laissez cuire 10 minutes en remuant sans arrêt. Quand cette béchamel a épaissi, incorporez le gruyère et remuez jusqu'à ce qu'il soit fondu. Ajoutez les nouilles et mélangez bien. Incorporez délicatement le saumon.

3 Graissez légèrement un moule carré de 20 cm (8 po). Dressez-y la préparation de nouilles. Recouvrez de parmesan. Enfournez et faites cuire 25 minutes pour que le plat soit bien chaud. Donne 4 portions.

Préparation : 20 minutes Cuisson : 42 minutes

Par portion : Calories 432. Gras total 16 g. Gras saturé 6 g.
Protéines 32 g. Hydrates de carbone 40 g. Fibres 2 g.
Sodium 665 mg. Cholestérol 50 mg.

Nouilles Romanov

Originaire de l'Europe de l'Est, cette recette inclut de la crème sure et des graines de pavot. Les nouilles Romanov remplacent les pommes de terre pour accompagner le porc rôti, le poulet grillé ou le poisson poché.

125 g (4 oz) de nouilles aux œufs, plates ou ondulées
  1 c. à soupe d'huile d'olive
  1 gros oignon, haché
  2 gousses d'ail, émincées
375 g (12 oz) de fromage Cottage allégé
  1 tasse de crème sure allégée
  2 c. à thé de graines de pavot
  ¼ c. à thé de sel
  ⅛ c. à thé de sauce Tabasco
  ¼ tasse de chapelure
  1 c. à soupe de beurre fondu, ou de margarine

1 Préchauffez le four à 180 °C (350 °F). Faites cuire les nouilles selon les directives de l'emballage. Rincez, égouttez et mettez dans un grand bol chaud.

2 Dans une sauteuse moyenne, réchauffez l'huile à feu modéré. Faites-y cuire l'oignon et l'ail 5 minutes environ. Ajoutez-les aux nouilles. Incorporez le fromage Cottage, la crème sure, les graines de pavot, le sel et la sauce Tabasco.

3 Graissez légèrement un plat à four carré de 20 cm (8 po). Dans un petit bol, mélangez la chapelure et le beurre fondu ; étalez cet apprêt sur les nouilles. Enfournez et laissez cuire 25 minutes pour que tout soit bien chaud. Donne 6 portions.

Préparation : 15 minutes Cuisson : 40 minutes

Par portion : Calories 224. Gras total 11 g. Gras saturé 5 g.
Protéines 11 g. Hydrates de carbone 20 g. Fibres 1 g.
Sodium 396 mg. Cholestérol 38 mg.

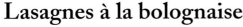
Lasagnes à la bolognaise

Autrefois, la sauce exigeait beaucoup de temps. Aujourd'hui,
on a souvent recours à une sauce à spaghetti commerciale ;
on peut toutefois lui donner une touche maison en y ajoutant
de la saucisse, de l'oignon et un peu d'ail.

Sauce bolognaise :

- **250 g (8 oz) de chair de saucisse italienne, ou de bœuf maigre haché**
- **1 gros oignon, haché**
- **2 gousses d'ail, émincées**
- **4 tasses de sauce à spaghetti**

Garniture à la ricotta :

- **1½ tasse de ricotta allégée, ou de fromage Cottage allégé, égoutté**
- **⅓ tasse de parmesan râpé, ou de romano râpé**
- **¼ tasse de persil haché**
- **1 gros blanc d'œuf, légèrement battu**

Lasagnes :

- **9 lasagnes sans cuisson à l'eau**
- **2 tasses de mozzarella allégée râpée, ou de provolone râpé (250 g/8 oz)**

1 Préchauffez le four à 180 °C (350 °F). Pour la sauce bolognaise, faites cuire la chair de saucisse avec l'oignon et l'ail dans une grande casserole à feu assez vif. Quand la viande est à point, retirez-la. Essuyez la casserole et remettez-y la viande après l'avoir bien égouttée ; ajoutez la sauce à spaghetti. Amenez à ébullition, couvrez et laissez mijoter 5 minutes en remuant de temps à autre.

2 Pour la garniture, mélangez la ricotta, le parmesan, le persil et le blanc d'œuf.

3 Versez 2 tasses de sauce bolognaise dans le fond d'un plat à four de 33 × 22 × 5 cm (13 × 9 × 2 po). Étalez 3 lasagnes sèches côte à côte sans qu'elles se chevauchent. Dressez par-dessus la moitié de la garniture, puis 1½ tasse de sauce bolognaise. Saupoudrez le tiers de la mozzarella râpée. Recommencez toutes ces opérations : lasagnes, ricotta, sauce bolognaise et mozzarella. Terminez avec le reste des nouilles, de la sauce et de la mozzarella en couches successives.

4 Couvrez, enfournez et laissez cuire 35 à 40 minutes pour attendrir les nouilles. Faites dorer 5 minutes à découvert. Laissez reposer 10 minutes. Donne 8 portions.

Préparation : 20 minutes Cuisson sur l'élément : 15 minutes
Cuisson au four : 40 minutes Repos : 10 minutes

Par portion : Calories 386. Gras total 18 g. Gras saturé 9 g.
Protéines 26 g. Hydrates de carbone 28 g. Fibres 3 g.
Sodium 964 mg. Cholestérol 55 mg.

POUR RÉUSSIR LES LASAGNES

Pour bien distribuer la sauce bolognaise, mettez-en quelques cuillerées sur la garniture à la ricotta. Étalez-la ensuite avec une spatule ou le dos d'une cuiller.

Coquilles de pâte aux épinards, sauce aux champignons

- **8 coquilles géantes, ou 4 manicottis**

Farce aux épinards :

- **1 paquet de 300 g (10 oz) d'épinards hachés surgelés**
- **2 gros oignons verts, hachés fin**
- **⅔ tasse de ricotta allégée**
- **⅓ tasse de parmesan râpé**
- **1 gros œuf, légèrement battu**

Sauce aux champignons :

- **1 c. à soupe d'huile d'olive**
- **2 tasses de champignons tranchés**
- **3 c. à soupe de farine**
- **¼ c. à thé de sel**
- **¼ c. à thé de poivre noir**
- **⅛ c. à thé de muscade**
- **1¼ tasse de lait écrémé à 1 p. 100**
- **½ tasse de crème sure allégée**

1 Faites cuire les pâtes selon les directives de l'emballage. Rincez-les, égouttez-les et déposez les coquilles à l'envers sur du papier d'aluminium.

2 Préchauffez le four à 180 °C (350 °F). Faites cuire les épinards selon les directives de l'emballage, en y ajoutant les oignons verts. Essorez-les en les pressant pour bien les assécher. Mélangez-les avec la ricotta, le parmesan et l'œuf. Introduisez 2 c. à soupe de garniture dans chaque coquille (ou ¼ tasse dans chaque manicotti). Graissez légèrement un plat à four carré de 20 cm (8 po). Déposez-y les coquilles. Couvrez, enfournez et faites cuire 15 minutes.

3 Pendant ce temps, préparez la sauce. Réchauffez l'huile à feu modéré dans une casserole moyenne ; faites-y revenir les champignons 2 minutes. Dans un petit bol, assaisonnez 2 c. à soupe de farine avec le sel, le poivre et la muscade avant de l'incorporer aux champignons ; laissez cuire 1 minute. Mouillez avec le lait. Faites cuire 8 minutes en remuant constamment : la sauce doit devenir épaisse.

4 Dans un petit bol, incorporez le reste de la farine dans la crème sure. Versez-y la moitié de la sauce chaude ; reversez le tout dans la casserole. Réchauffez sans laisser bouillir.

5 Versez la sauce sur les coquilles farcies. Enfournez et faites cuire 15 minutes à découvert pour que le plat soit bien chaud. Donne 4 portions.

Préparation : 25 minutes Cuisson : 1 heure

Par portion : Calories 375. Gras total 16 g. Gras saturé 7 g. Protéines 20 g. Hydrates de carbone 39 g. Fibres 3 g. Sodium 447 mg. Cholestérol 87 mg.

Fettucines aux trois fromages

Il y a autant de recettes de fettucines qu'il y a de régions en Italie. Celle-ci est typique du Nord, tandis qu'apprêtée à la sauce tomate, elle se révélerait originaire de la Campanie.

2 tasses de fleurons de brocoli

2 tasses de carottes tranchées mince

1 c. à soupe d'huile d'olive

1 tasse de poireau tranché mince, ou 8 gros oignons verts, tranchés mince

2 gousses d'ail, émincées

¼ tasse de farine

1 c. à thé de marjolaine séchée, ou d'origan

¼ c. à thé de poivre noir (ou davantage, au goût)

2½ tasses de lait écrémé à 1 p. 100

¾ tasse de gouda râpé, ou de fontina râpé

¾ tasse (100 g/3 oz) de gruyère râpé

½ tasse de parmesan râpé

375 g (12 oz) de fettucines, ou de linguines

1 Dans une grande casserole, amenez 1,5 cm (½ po) d'eau à ébullition à feu vif. Ajoutez le brocoli et les carottes. Amenez à ébullition ; baissez le feu, couvrez et laissez cuire 8 à 10 minutes pour que les légumes soient cuits mais encore croquants. Égouttez.

Fettucines aux trois fromages

2 Dans une grande casserole, réchauffez l'huile à feu modéré. Ajoutez le poireau et l'ail. Quand le poireau est attendri, incorporez la farine, la marjolaine et le poivre, et laissez cuire 1 minute. Mouillez avec le lait et faites cuire en remuant sans arrêt. Quand la sauce a épaissi, ajoutez le gouda, le gruyère et ¼ tasse de parmesan. Incorporez délicatement le brocoli et les carottes. Couvrez et gardez au chaud.

3 Dans un faitout, faites cuire les fettucines selon les directives de l'emballage. Égouttez-les et remettez-les dans le faitout. Versez doucement la sauce aux trois fromages sur les pâtes. Mélangez bien. Saupoudrez le reste du parmesan. Donne 6 portions.

Préparation : 20 minutes Cuisson : 20 minutes

Par portion : Calories 480. Gras total 16 g. Gras saturé 8 g. Protéines 24 g. Hydrates de carbone 61 g. Fibres 4 g. Sodium 425 mg. Cholestérol 54 mg.

Spaghettis du dimanche soir

*Un peu de carotte dans la sauce à spaghetti :
voilà un petit secret de la cuisine italienne.
Le goût sucré de ce légume atténue l'acidité des tomates
tout en accentuant la saveur de la sauce.*

375 g (12 oz) de chair à saucisse italienne,
  ou à saucisse de porc
375 g (12 oz) de bœuf haché
  2 tasses de champignons tranchés
  1 gros oignon, haché
  1 carotte moyenne, râpée
  1 côte de céleri, tranchée mince
  3 gousses d'ail, émincées
3½ tasses de tomates hyposodiques en boîte,
  concassées dans leur jus
  1 boîte (156 ml/5½ oz) de concentré de tomate
  hyposodique
  ½ tasse de vin rouge,
  ou de bouillon de bœuf hyposodique (p. 67)
  ¼ tasse de persil haché
  1 c. à thé de basilic séché
  1 c. à thé d'origan séché
  ½ c. à thé de sel
  ¼ c. à thé de poivre noir
375 g (12 oz) de spaghettis, ou de spaghettinis

1 Dans un faitout, faites cuire la chair de saucisse et le bœuf haché à feu assez vif. Retirez la viande avec une cuiller à trous ; égouttez-la. Dans le gras qu'elle a rendu, faites revenir les champignons, l'oignon, la carotte, le céleri et l'ail 5 minutes ; retirez et égouttez.

2 Essuyez le faitout. Remettez-y la viande et les légumes. Ajoutez les tomates, le concentré de tomate, le vin, le persil, le basilic, l'origan, le sel et le poivre. Amenez à ébullition, couvrez et laissez mijoter à petit feu pendant 30 à 45 minutes en remuant souvent.

3 Faites cuire les spaghettis selon les directives. Rincez-les et égouttez-les ; mettez-les dans un bol chaud et nappez-les de sauce. Donne 6 portions.

Préparation : 20 minutes Cuisson : 50 minutes

Par portion : Calories 502. Gras total 15 g. Gras saturé 5 g.
Protéines 27 g. Hydrates de carbone 61 g. Fibres 7 g.
Sodium 527 mg. Cholestérol 58 mg.

Plat de pâtes aux haricots

*Accompagnez ce plat très substantiel de
fromage et de pain : vous aurez un repas complet vite fait.
Tous les types de haricots secs lui conviennent.*

125 g (4 oz) de macaronis en coudes
  1 c. à soupe d'huile d'olive
  1 gros oignon, coupé en deux et tranché mince
  1 poivron vert moyen, haché
  1 grosse carotte, râpée
  2 gousses d'ail, émincées
1¾ tasse de tomates fraîches, concassées, ou de tomates
  hyposodiques en boîte, concassées dans leur jus
  1 c. à thé d'origan séché
  1 c. à thé de basilic séché
  ½ c. à thé de sel
  ¼ c. à thé de poivre noir
  1 boîte de haricots blancs, ou de cannellinis, rincés
  et égouttés

1 Faites cuire les macaronis selon les directives de l'emballage. Rincez-les, égouttez-les et remettez-les dans la casserole.

2 Dans un faitout, réchauffez l'huile à feu modéré ; faites-y cuire l'oignon, le poivron, la carotte et l'ail 5 minutes environ pour les attendrir. Ajoutez les tomates, l'origan, le basilic, le sel et le poivre noir. Quand l'ébullition est prise, couvrez et laissez mijoter à petit feu 10 minutes environ.

3 Ajoutez les macaronis et les haricots. Couvrez et prolongez la cuisson de 5 minutes pour bien les réchauffer. Servez avec du parmesan râpé et du persil haché. Donne 4 portions.

Préparation : 20 minutes Cuisson : 25 minutes

Par portion : Calories 358. Gras total 6 g. Gras saturé 0 g.
Protéines 12 g. Hydrates de carbone 64 g. Fibres 4 g.
Sodium 560 mg. Cholestérol 0 mg.

Petites gâteries

Porridge matinal

De quoi partir du bon pied à l'école ou en vacances.

1½ tasse de lait écrémé à 1 p. 100

2 c. à soupe de beurre, ou de margarine

⅓ tasse de dattes hachées, ou de raisins secs

3 c. à soupe de sucre

¼ c. à thé de sel

¼ c. à thé de cardamome, ou de cannelle

⅛ c. à thé de muscade

⅓ tasse de céréales d'avoine à cuisson rapide

1. Dans une casserole moyenne, amenez le lait et le beurre à ébullition à feu assez vif. Ajoutez les dattes, le sucre, le sel, la cardamome et la muscade.

2. Versez les céréales en pluie ; remuez sans arrêt. Laissez cuire 30 secondes. Retirez du feu et laissez reposer 1 minute avant de servir avec du lait. Donne 2 portions.

Tacos

Le plaisir des tacos, c'est la variété des garnitures que peuvent y introduire eux-mêmes les enfants.

8 coquilles de tacos

1 boîte de 398 ml (14 oz) de haricots sautés

½ tasse de salsa

1 tasse de laitue déchiquetée

1 tasse de cheddar allégé râpé, ou de monterey jack

1 grosse tomate, hachée fin

1. Préchauffez le four à 150 °C (300 °F). Déposez les tacos dans un plat à four peu profond et faites-les cuire 8 à 10 minutes.

2. Dans une petite casserole, mélangez les haricots sautés et la salsa. Laissez cuire 2 ou 3 minutes à feu modéré. Remuez souvent.

3. Garnissez les tacos de haricots sautés, de laitue, de fromage et de tomate. Donne 4 portions.

Croque-bambins

Un croisement entre le croque-monsieur, les fèves au lard et le chien chaud.

4 tranches de pain complet

2 tasses de fèves au lard

2 saucisses de Francfort, tranchées

4 tranches de gruyère, ou de cheddar allégé

1. Préchauffez le four à 225 °C (425 °F). Déposez les tranches de pain sur une plaque non graissée.

2. Dans un petit bol, mélangez les fèves au lard et les saucisses. Garnissez parfaitement chaque tranche de ce mélange en formant un petit monticule au centre.

3. Enfournez et laissez cuire 10 minutes. Déposez une tranche de fromage sur chaque tranche de pain ; prolongez la cuisson de 2 ou 3 minutes pour faire fondre le fromage. Donne 4 portions.

Riz tout rouge

L'accompagnement parfait des hambourgeois ou du poulet.

1¾ tasse de tomates en boîte, concassées dans leur jus

½ tasse d'eau

½ c. à thé d'assaisonnement au chile

¼ c. à thé d'ail en poudre

½ tasse de riz blanc cru à longs grains

½ tasse de cheddar allégé râpé

1. Dans une casserole moyenne, mettez les tomates, l'eau, l'assaisonnement au chile et la poudre d'ail.

2. Quand l'ébullition est prise, ajoutez le riz. Couvrez et laissez mijoter à petit feu 20 minutes.

3. Couronnez de cheddar. Donne de 3 à 4 portions.

MERVEILLES DU POTAGER

Le secret de la réussite dans la cuisson des légumes tient avant toute chose à leur fraîcheur. Autrefois, cela signifiait aller les cueillir au potager ou se rendre de bonne heure au marché. Les plats variaient donc avec les saisons.

Les asperges célébraient l'arrivée du printemps, tandis que l'automne ramenait le maïs, les courges et les citrouilles. Aujourd'hui, quand nos potagers dorment sous la neige, ce sont les pays du sud – depuis les États-Unis jusqu'à l'Amérique du Sud – qui nous ravitaillent, grâce aux progrès réalisés dans le domaine du transport et de la réfrigération. C'est ainsi que nous pouvons, à longueur d'année, célébrer les merveilles du potager.

Asperges au romarin

Après les avoir cassées à la base, faites cuire les asperges dans très peu d'eau pour leur conserver leur belle couleur verte. Servez-les tièdes avec du beurre et du jus de citron, ou avec de la tomate comme ici.

    Enduit antiadhésif
500 g (1 lb) d'asperges, en tronçons de 5 cm (2 po)
 ⅓ tasse d'eau
  1 grosse tomate, épépinée et hachée
  2 c. à thé de jus de citron
 ½ c. à thé de romarin séché, ou de basilic
 ⅛ c. à thé de sel
    Pincée de poivre noir

1 Vaporisez une sauteuse moyenne d'enduit antiadhésif. Réchauffez-la à feu assez vif avant d'y faire revenir les asperges 3 minutes, en remuant. Ajoutez l'eau. Faites cuire 3 ou 4 minutes en remuant : les asperges seront encore croquantes et l'eau se sera complètement évaporée. Baissez le feu.

2 Ajoutez la tomate, le jus de citron, le romarin, le sel et le poivre ; laissez cuire 1 minute en remuant un peu. Donne 4 portions.

Préparation : 15 minutes Cuisson : 8 minutes

Par portion : Calories 43. Gras total 1 g. Gras saturé 0 g.
Protéines 3 g. Hydrates de carbone 8 g. Fibres 3 g.
Sodium 83 mg. Cholestérol 0 mg.

Asperges poulardière

Cette recette date des années 1900. On servait alors ce plat avec le bifteck grillé.

500 g (1 lb) d'asperges, fraîches ou surgelées
  1 c. à soupe de beurre, ou de margarine
  1 c. à soupe de farine
  1 c. à thé de zeste de citron râpé
 ⅛ c. à thé de sel
 ⅛ c. à thé de poivre noir
 ¾ tasse de lait écrémé à 1 p. 100
  3 gros blancs d'œufs
  2 gros jaunes d'œufs
 ⅛ c. à thé de sel
 ⅛ c. à thé de piment de la Jamaïque

1 Dans une grande casserole, amenez 1,5 cm (½ po) d'eau à ébullition. Couchez-y les asperges. Couvrez et laissez mijoter doucement de 4 à 8 minutes. (Faites cuire les asperges surgelées selon les directives de l'emballage.) Égouttez-les et déposez-les dans un plat allant au four ou dans un moule à tarte.

2 Préchauffez le four à 180 °C (350 °F). Dans la casserole précédente, faites fondre le beurre à feu modéré. Au fouet, incorporez la farine, le zeste, ⅛ c. à thé de sel et le poivre ; laissez cuire 1 minute. Mouillez avec le lait. Remuez jusqu'à épaississement. Comptez alors 2 minutes de cuisson, toujours en remuant. Nappez les asperges de cette béchamel.

3 Au batteur électrique et dans un grand bol, fouettez les blancs d'œufs à grande vitesse jusqu'à formation de pics fermes. Dans un petit bol, fouettez de la même façon les jaunes d'œufs, ⅛ c. à thé de sel et le piment de la Jamaïque pendant 3 minutes, pour qu'ils deviennent très jaunes et épais. Incorporez-les aux blancs d'œufs. Étalez cet apprêt sur la béchamel. Enfournez et faites cuire 15 minutes. Donne 4 portions.

Préparation : 20 minutes Cuisson : 30 minutes

Par portion : Calories 120. Gras total 6 g. Gras saturé 3 g.
Protéines 9 g. Hydrates de carbone 9 g. Fibres 2 g.
Sodium 242 mg. Cholestérol 116 mg.

Haricots verts à l'oignon

Les haricots verts sont également appelés haricots mange-tout parce qu'on les mange en entier, c'est-à-dire graines et cosses, à la différence des haricots secs, qui constituent la graine du légume.

500 g (1 lb) de haricots verts, frais ou surgelés
  1 c. à soupe d'huile d'olive
  1 oignon moyen, tranché
 ½ c. à thé de marjolaine séchée
 ½ c. à thé d'origan séché
 ¼ c. à thé de sel
 ⅛ c. à thé de cayenne

1 Dans une grande casserole, amenez 1,5 cm (½ po) d'eau à ébullition. Mettez-y les haricots verts, couvrez et laissez mijoter doucement pendant 15 à 20 minutes. (Faites cuire les haricots surgelés selon les directives de l'emballage.) Égouttez-les.

2 Dans la même casserole, réchauffez l'huile à feu modéré et faites-y rissoler l'oignon 8 à 10 minutes. Incorporez les haricots, la marjolaine, l'origan, le sel et le cayenne et réchauffez. Donne 6 portions.

Préparation : 5 minutes Cuisson : 30 minutes

Par portion : Calories 50. Gras total 2 g. Gras saturé 0 g.
Protéines 2 g. Hydrates de carbone 7 g. Fibres 3 g.
Sodium 91 mg. Cholestérol 0 mg.

Haricots verts à l'espagnole

Haricots verts à l'espagnole

*Cette ancienne combinaison de haricots verts et de tomate est excellente,
surtout si les haricots sont frais. Tronçonnez-les avec les doigts : c'est facile et apaisant si vous
adoptez un certain rythme. Mais si les haricots plient, prenez des ciseaux.*

375 **g (12 oz) de haricots verts frais, en tronçons de 2,5 cm
(1 po), ou 3 tasses de haricots verts coupés, surgelés**

1 **c. à soupe d'huile d'olive**

1 **oignon moyen, haché**

½ **tasse de poivron vert haché**

1 **gousse d'ail, hachée**

1 **tasse de tomates en dés, ou de tomates en boîte
concassées, avec leur jus**

½ **c. à thé d'origan séché**

¼ **c. à thé de romarin séché**

⅛ **c. à thé de sel**

⅛ **c. à thé de poivre noir**

2 **c. à thé de fécule de maïs**

1 Dans une casserole moyenne, amenez 1,5 cm (½ po) d'eau à ébullition. Mettez-y les haricots frais, couvrez et laissez mijoter doucement pendant 15 à 20 minutes. (Si vous utilisez des haricots surgelés, faites-les cuire selon les directives de l'emballage.) Égouttez-les.

2 Dans la même casserole, réchauffez l'huile à feu modéré. Ajoutez l'oignon, le poivron vert et l'ail ; laissez cuire 5 minutes environ pour les attendrir.

3 Égouttez les tomates en réservant le jus. Ajoutez-les aux oignons cuits, ainsi que les haricots, l'origan, le romarin, le sel et le poivre noir.

4 Délayez la fécule dans le jus des tomates et versez sur les haricots. Faites prendre l'ébullition à feu modéré en remuant sans arrêt. Prolongez la cuisson de 2 minutes toujours en remuant. Servez avec du poulet grillé. Donne 4 portions.

Préparation : 15 minutes Cuisson : 33 minutes

Par portion : Calories 92. Gras total 4 g. Gras saturé 1 g.
Protéines 3 g. Hydrates de carbone 14 g. Fibres 4 g.
Sodium 308 mg. Cholestérol 0 mg.

Betteraves à l'orange et Brocoli à la polonaise

Betteraves à l'orange

*Il faut faire cuire la betterave avec la peau et la tige
si l'on ne veut pas qu'elle se décolore.*

**625 g (1¼ lb) de betteraves fraîches, ou 2 boîtes
de 398 ml (14 oz) de betteraves en cubes, égouttées**

⅓ tasse de marmelade à calories réduites

1 c. à soupe de fécule de maïs

1 c. à soupe de miel

1 c. à soupe de vinaigre de cidre

⅛ c. à thé de cannelle

Pincée de piment de la Jamaïque

1 Laissez aux betteraves 1,5 cm (½ po) de tige. Mettez-les dans une grande casserole avec de l'eau légèrement salée pour les couvrir. Amenez à ébullition, couvrez et laissez mijoter doucement pendant 40 à 45 minutes. Égouttez-les et laissez-les tiédir. Ôtez la peau et coupez-les en dés de 1,5 cm (½ po).

2 Dans la même casserole, mélangez la marmelade, la fécule de maïs, le miel, le vinaigre, la cannelle et le piment de la Jamaïque. Amenez à ébullition à feu modéré en remuant constamment.

3 Ajoutez les betteraves et prolongez la cuisson de 3 ou 4 minutes, en remuant, pour les réchauffer et les enrober de sirop. Donne 4 portions.

Préparation : 20 minutes Cuisson : 55 minutes

Par portion : Calories 114. Gras total 0 g. Gras saturé 0 g.
Protéines 2 g. Hydrates de carbone 27 g. Fibres 2 g.
Sodium 101 mg. Cholestérol 0 mg.

Brocoli à la polonaise

*La garniture de chapelure additionnée de beurre noisette,
de persil et d'œuf dur, dite à la polonaise, convient au brocoli,
au chou-fleur et aux asperges vapeur.*

500 g (1 lb) de brocoli, frais ou surgelé

1 c. à soupe de beurre, ou de margarine

⅓ tasse de chapelure assaisonnée

2 c. à soupe de persil haché

½ c. à thé de zeste de citron râpé

⅛ c. à thé de cayenne

1 œuf dur, haché fin

1 Dans une grande casserole, amenez 1,5 cm (½ po) d'eau à ébullition. Mettez-y le brocoli, couvrez et laissez mijoter pendant 8 à 10 minutes. (Faites cuire le brocoli surgelé selon les directives de l'emballage.) Égouttez-le et dressez-le dans un plat de service.

2 Dans une petite casserole, faites cuire le beurre à feu modéré jusqu'à ce qu'il soit couleur noisette. Ajoutez la chapelure, le persil, le zeste de citron, le cayenne et l'œuf dur. Décorez-en le brocoli. Donne 4 portions.

Préparation : 10 minutes Cuisson : 13 minutes

Par portion : Calories 110. Gras total 5 g. Gras saturé 2 g.
Protéines 6 g. Hydrates de carbone 12 g. Fibres 4 g.
Sodium 147 mg. Cholestérol 61 mg.

Brocoli aux olives et aux anchois

*À l'achat, recherchez les sujets à tiges tendres
et à têtes vertes ou vert-mauve portant
des bouquetons bien fermés.*

500 g (1 lb) de brocoli, frais ou surgelé

6 oignons verts moyens, tranchés minces

2 gousses d'ail, hachées

2 c. à soupe de filets d'anchois hachés

¼ c. à thé de poivre noir

2 c. à soupe d'olives noires dénoyautées et tranchées

1 c. à soupe d'huile d'olive

1 Dégagez les bouquetons des tiges ; coupez celles-ci en tronçons de 2,5 cm (1 po). Dans une grande casserole, amenez 1,5 cm (½ po) d'eau à ébullition. Mettez-y le brocoli, les oignons verts, l'ail, les anchois et le poivre. Couvrez et laissez mijoter doucement pendant 8 à 10 minutes. (Si vous utilisez du brocoli surgelé, faites-le cuire selon les instructions en y ajoutant les oignons verts, l'ail, les anchois et le poivre.) Égouttez.

2 Ajoutez les olives et l'huile ; remuez pour mélanger le tout. Donne 6 portions.

Préparation : 15 minutes Cuisson : 13 minutes

Par portion : Calories 50. Gras total 3 g. Gras saturé 1 g.
Protéines 3 g. Hydrates de carbone 5 g. Fibres 3 g.
Sodium 78 mg. Cholestérol 0 mg.

Chou rouge à l'allemande

Pour que le chou rouge ne se décolore pas à la cuisson, il faut mettre un produit acide – jus de citron ou vinaigre – dans l'eau. La recette qui suit se sert bien avec des côtelettes de porc grillées.

1 c. à soupe d'huile d'olive

5 tasses de chou rouge déchiqueté

¼ tasse de gelée de pomme, ou de gelée de cassis

¼ tasse de vin rouge, ou de bouillon de poulet hyposodique (p. 67)

4 c. à thé de vinaigre de cidre

⅛ c. à thé de sel

⅛ c. à thé de poivre noir

⅛ c. à thé de clou de girofle

2 pommes moyennes, parées et détaillées en morceaux de 2,5 cm (1 po)

1 c. à soupe de farine

1 Dans une grande sauteuse, réchauffez l'huile à feu modéré. Ajoutez le chou et faites-le cuire 5 minutes. Incorporez la gelée de pomme, 2 c. à soupe de vin rouge, le vinaigre, le sel, le poivre et le clou de girofle. Ajoutez les pommes. Quand l'ébullition est prise, couvrez et laissez mijoter à petit feu pendant 10 minutes en remuant souvent.

2 Dans un petit bol, délayez la farine dans 2 c. à soupe de vin rouge et versez sur le chou. Faites cuire à feu modéré en remuant sans arrêt. Quand la sauce a épaissi, prolongez la cuisson de 2 minutes. Donne 4 portions.

Préparation : 15 minutes Cuisson : 25 minutes

Par portion : Calories 156. Gras total 4 g. Gras saturé 1 g.
Protéines 1 g. Hydrates de carbone 29 g. Fibres 4 g.
Sodium 81 mg. Cholestérol 0 mg.

Carottes à l'orange

8 carottes moyennes, tranchées

⅓ tasse de raisins secs

⅓ tasse de jus d'orange

1 c. à soupe de cassonade dorée bien tassée

1 c. à thé de fécule de maïs

½ c. à thé de zeste d'orange râpé

¼ c. à thé de gingembre

1 Dans une grande casserole, amenez 1,5 cm (½ po) d'eau à ébullition. Mettez-y les carottes, couvrez et laissez mijoter doucement pendant 7 à 9 minutes pour les attendrir, sans plus. Égouttez.

2 Dans une petite casserole, mélangez les raisins secs, le jus d'orange, la cassonade, la fécule de maïs, le zeste d'orange et le gingembre. Amenez à ébullition à feu modéré en remuant constamment, puis laissez cuire encore 2 minutes, ou jusqu'à épaississement.

3 Ajoutez les carottes et remuez. Servez cet accompagnement avec de la viande grillée. Donne 4 portions.

Préparation : 15 minutes Cuisson : 12 minutes

Par portion : Calories 120. Gras total 0 g. Gras saturé 0 g.
Protéines 2 g. Hydrates de carbone 30 g. Fibres 4 g.
Sodium 89 mg. Cholestérol 0 mg.

Carottes en vert et rouge

Présentez ce joli ragoût fait de carottes, de poivrons rouges et d'olives vertes avec du poulet, du bifteck ou du poisson grillés.

1 c. à soupe de beurre, ou de margarine

1 gros oignon, tranché

1 poivron rouge ou vert moyen, haché

6 carottes moyennes, tranchées

½ tasse de jus de pomme

1 c. à thé de basilic séché

¼ c. à thé de sel

⅛ c. à thé de poivre noir

1 c. à thé de fécule de maïs

2 c. à soupe d'olives vertes farcies au piment, tranchées

1 c. à soupe de persil haché

1 Dans une grande casserole, mettez le beurre à fondre à feu modéré. Ajoutez l'oignon et le poivron rouge ; faites-les attendrir 5 minutes environ. Ajoutez les carottes, ¼ tasse de jus de pomme, le basilic, le sel et le poivre.

2 Quand l'ébullition est prise, couvrez et laissez mijoter à petit feu de 7 à 9 minutes.

3 Dans un petit bol, délayez la fécule de maïs dans le reste du jus de pomme et versez-la sur les carottes. Laissez cuire 2 minutes ou jusqu'à épaississement. Hors du feu, ajoutez les olives et saupoudrez de persil. Donne 4 portions.

Préparation : 15 minutes Cuisson : 20 minutes

Par portion : Calories 109. Gras total 3 g. Gras saturé 2 g.
Protéines 2 g. Hydrates de carbone 19 g. Fibres 3 g.
Sodium 271 mg. Cholestérol 8 mg.

Chou-fleur en sauce aigre-douce

Chou-fleur en sauce aigre-douce

*Le chou-fleur, l'un des membres les plus raffinés de la
grande famille des choux, se prête à un bel éventail de présentations.
Il est apprêté ici dans une sauce piquante, pleine d'éléments gustatifs.*

1 **petit chou-fleur, ou 3 tasses de chou-fleur surgelé**

1 **c. à soupe d'huile d'olive**

1 **côte de céleri, tranchée mince**

2 **c. à soupe de vinaigre de cidre**

2 **c. à soupe de bouillon de poulet hyposodique (p. 67),
ou d'eau**

1 **c. à soupe de piment doux rôti, haché**

1 **c. à thé de sucre**

¼ **c. à thé de thym séché**

⅛ **c. à thé de poivre noir**

1 Détaillez le chou-fleur en petits bouquets. Dans une grande casserole, amenez à ébullition 1,5 cm (½ po) d'eau légèrement salée. Plongez-y le chou-fleur, couvrez et laissez mijoter doucement pendant 8 à 10 minutes. (Si vous utilisez du chou-fleur surgelé, faites-le cuire selon les directives de l'emballage.) Égouttez et dressez dans un plat de service.

2 Dans une petite casserole, réchauffez l'huile à feu modéré ; faites-y revenir le céleri 5 minutes. Ajoutez le vinaigre, le bouillon, le piment doux rôti, le sucre, le thym et le poivre. Versez cette sauce sur le chou-fleur. Donne 4 portions.

Préparation : 10 minutes Cuisson : 13 minutes

Par portion : Calories 58. Gras total 4 g. Gras saturé 1 g.
Protéines 2 g. Hydrates de carbone 6 g. Fibres 2 g.
Sodium 22 mg. Cholestérol 0 mg.

Pommes de terre et petits pois en béchamel, pour accompagner la dinde rôtie

Céleri en béchamel

Quand le céleri devient mou, faites-le tremper
10 minutes dans l'eau glacée : il retrouvera toute sa vigueur.

8 côtes de céleri, en tranches de 2 cm (¾ po)

1 gros oignon, en petits quartiers

**1 tasse de lait écrémé évaporé,
ou de lait écrémé à 1 p. 100**

1 c. à soupe de farine

¼ c. à thé de sel

⅛ c. à thé de muscade

Pincée de poivre noir

1 Dans une grande casserole, amenez à ébullition 1,5 cm (½ po) d'eau. Plongez-y le céleri et l'oignon, couvrez et laissez mijoter doucement pendant 10 à 12 minutes. Égouttez et dressez dans un bol.

2 Dans une petite casserole, mélangez au fouet le lait évaporé, la farine, le sel, la muscade et le poivre ; faites cuire à feu modéré en fouettant constamment. Quand la sauce a épaissi, prolongez la cuisson de 2 minutes.

3 Versez cette sauce sur le céleri et l'oignon, et mélangez. Donne 4 portions.

Préparation : 10 minutes Cuisson : 15 minutes

Par portion : Calories 87. Gras total 0 g. Gras saturé 0 g.
Protéines 6 g. Hydrates de carbone 15 g. Fibres 2 g.
Sodium 307 mg. Cholestérol 2 mg.

Pommes de terre et petits pois en béchamel Suivez la même recette, mais remplacez le céleri et l'oignon par **500 g (1 lb) de pommes de terre nouvelles** et **1 paquet de 350 g (12 oz) de petits pois surgelés**. Coupez les pommes de terre en deux si elles sont grosses. Faites-les cuire 10 minutes, puis ajoutez les petits pois surgelés et prolongez la cuisson de 5 minutes. Terminez le plat comme aux étapes 2 et 3.

Par portion : Calories 222. Gras total 0 g. Gras saturé 0 g.
Protéines 11 g. Hydrates de carbone 44 g. Fibres 6 g.
Sodium 273 mg. Cholestérol 2 mg.

Gratin de maïs

Apprêter un légume au gratin, c'est le faire cuire d'abord dans de la crème ou du lait, puis le recouvrir de chapelure ou de craquelins écrasés avec un peu de corps gras pour le faire gratiner au four.

- 1 c. à soupe de beurre, ou de margarine
- 1 gros oignon, haché
- 1 côte de céleri, hachée fin
- 1 gros œuf, légèrement battu
- 1 gros blanc d'œuf
- ¾ tasse de craquelins hyposodiques écrasés
- ¾ tasse de lait écrémé à 1 p. 100
- 2 c. à soupe de piment doux rôti, haché (facultatif)
- 1 c. à thé de moutarde sèche
- ¼ c. à thé de sel
- ⅛ c. à thé de cayenne (ou à volonté)
- 1 boîte (341 ml/12 oz) de maïs en crème sans sel ajouté, non égoutté
- 1 tasse de maïs en grains sans sel ajouté, égoutté
- 2 c. à thé de beurre fondu, ou de margarine

1 Préchauffez le four à 180 °C (350 °F). Dans une petite casserole, faites fondre 1 c. à soupe de beurre à feu modéré. Ajoutez l'oignon et le céleri et laissez attendrir 5 minutes environ.

2 Dans un bol moyen, mélangez l'œuf, le blanc d'œuf, ½ tasse de craquelins écrasés, le lait, le piment doux rôti, s'il y a lieu, la moutarde, le sel et le cayenne. Ajoutez le contenu de la casserole, le maïs en crème et le maïs en grains. Versez le tout dans un plat à four.

3 Dans un petit bol, mélangez le reste des craquelins et les 2 c. à thé de beurre fondu ; étalez-les sur le plat. Enfournez et faites cuire environ 1 heure, jusqu'à ce qu'un couteau inséré près du centre en ressorte propre. Donne 5 portions.

Préparation : 15 minutes Cuisson : 1 h 6 min

Par portion : Calories 208. Gras total 7 g. Gras saturé 3 g. Protéines 7 g. Hydrates de carbone 33 g. Fibres 6 g. Sodium 263 mg. Cholestérol 54 mg.

✳

Gratin de maïs aux champignons Suivez la même recette, mais faites cuire **1 tasse de champignons tranchés** en même temps que l'oignon et le céleri.

Par portion : Calories 211. Gras total 7 g. Gras saturé 3 g. Protéines 7 g. Hydrates de carbone 33 g. Fibres 6 g. Sodium 263 mg. Cholestérol 54 mg.

Maïs aux œufs soufflés

Pour tirer des épis de maïs le plus de saveur possible, grattez-les avec un couteau après avoir enlevé les grains de façon à extraire la plus grande partie du jus.

- 3 épis de maïs moyens, ou 1½ tasse de maïs en grains surgelé
- 1 c. à soupe de beurre, ou de margarine
- 1 petit oignon, haché
- 4 gros blancs d'œufs
- 2 gros jaunes d'œufs
- 1 c. à soupe de sucre
- 1 c. à soupe de farine
- ¼ c. à thé de sel
- ⅛ c. à thé de muscade
- ⅛ c. à thé de cayenne
- 1½ tasse de lait écrémé à 1 p. 100

1 Préchauffez le four à 180 °C (350 °F). Dégagez les grains de maïs des épis (page 251) : vous devriez en avoir 1½ tasse.

2 Dans une petite casserole, amenez à ébullition 1,5 cm (½ po) d'eau. Plongez-y le maïs frais ou surgelé. Couvrez, baissez le feu et laissez attendrir 5 minutes environ. Égouttez.

3 Dans la même casserole, faites fondre le beurre à feu modéré. Ajoutez l'oignon et laissez-le cuire 5 minutes environ.

4 Au batteur électrique, fouettez les blancs d'œufs à grande vitesse jusqu'à formation de pics fermes. Fouettez ensuite les jaunes d'œufs 3 minutes à grande vitesse ou jusqu'à ce qu'ils soient clairs et épais. Ajoutez le maïs, l'oignon cuit, le sucre, la farine, le sel, la muscade et le cayenne. Mouillez avec le lait. Incorporez les blancs d'œufs en neige.

5 Versez dans un plat à four. Enfournez et faites cuire de 35 à 40 minutes, jusqu'à ce qu'un couteau inséré près du centre en ressorte propre. Donne 6 portions.

Préparation : 20 minutes Cuisson sur l'élément : 16 minutes
Cuisson au four : 35 minutes

Par portion : Calories 131. Gras total 5 g. Gras saturé 2 g. Protéines 7 g. Hydrates de carbone 17 g. Fibres 1 g. Sodium 185 mg. Cholestérol 79 mg.

Maïs frit au bacon

Maïs frit au bacon

*Autrefois, cette recette se faisait avec de la crème ;
aujourd'hui, pour la rendre plus légère et plus saine,
on remplace la crème par du lait évaporé.*

**6 épis de maïs moyens, ou 3 tasses de maïs en grains
surgelé**

2 tranches de bacon maigre, hachées

1 oignon moyen, haché

½ tasse de poivron rouge ou vert, haché

1 c. à thé de farine

¼ c. à thé de sel

⅛ c. à thé de poivre noir

**½ tasse de lait écrémé évaporé,
ou de lait écrémé à 1 p. 100**

1 Dégagez les grains des épis (voir p. 251) : il vous en faut 3 tasses.

2 Dans une sauteuse antiadhésive moyenne, faites cuire le bacon à feu modéré pour le rendre croustillant. Épongez-le sur des feuilles d'essuie-tout.

3 Gardez le gras de bacon dans la sauteuse ; ajoutez-y le maïs, l'oignon et le poivron. Faites cuire 8 minutes à feu modéré en remuant constamment : le maïs doit dorer légèrement.

4 Ajoutez la farine, le sel et le poivre. Mouillez avec le lait. Faites épaissir en remuant constamment et prolongez la cuisson de 2 minutes. Saupoudrez de bacon haché. Servez avec du poulet grillé. Donne 4 portions.

Préparation : 15 minutes Cuisson : 18 minutes

Par portion : Calories 211. Gras total 7 g. Gras saturé 2 g.
Protéines 8 g. Hydrates de carbone 35 g. Fibres 4 g.
Sodium 260 mg. Cholestérol 7 mg.

POUR DÉGAGER LE MAÏS DE L'ÉPI

1. Tenez l'épi debout et légèrement incliné dans un plat peu profond. Raclez-le de haut en bas avec un couteau bien coupant.

2. Raclez de nouveau l'épi en vous servant cette fois du dos de la lame. Cela fera sortir un jus laiteux plein de saveur.

Aubergine farcie au jambon

L'aubergine aurait, selon les Anciens, des propriétés diurétiques et somnifères tout en étant facile à digérer.

- 1 **grosse aubergine de 750 g (1½ lb)**
- 1 **c. à soupe d'huile d'olive**
- 2 **tasses de champignons tranchés**
- 1 **oignon moyen, haché**
- 1 **gousse d'ail, émincée**
- 1 **petite tomate, hachée**
- ⅓ **tasse de jambon cuit hyposodique, haché**
- 1½ **c. à thé de basilic séché**
- ¼ **c. à thé de sel**
- ⅛ **c. à thé de poivre noir**
- ¾ **tasse de craquelins hyposodiques écrasés**
- 1 **c. à soupe de romano râpé**

1 Préchauffez le four à 190 °C (375 °F). Enlevez une mince tranche d'un côté de l'aubergine ; jetez-la. Évidez le légume de manière à obtenir une coquille de 1,5 cm (½ po) d'épaisseur. Hachez la chair ; mesurez-en 1½ tasse. Dans une grande casserole, amenez à ébullition 1,5 cm (½ po) d'eau. Ajoutez la chair d'aubergine, couvrez et laissez attendrir 5 à 8 minutes. Égouttez et réservez.

2 Dans la même casserole, réchauffez l'huile à feu modéré. Ajoutez les champignons, l'oignon et l'ail ; faites-les revenir 5 minutes. Incorporez la tomate, le jambon, le basilic, le sel, le poivre et la chair cuite d'aubergine. Réservez 1 c. à soupe de chapelure de craquelins ; versez le reste dans la casserole.

3 Farcissez de cette préparation les coquilles vides d'aubergine. Éparpillez sur le dessus le reste des craquelins écrasés et tout le fromage râpé. Déposez l'aubergine dans un plat à four peu profond et versez 1,5 cm (½ po) d'eau chaude tout autour. Enfournez et faites cuire 45 minutes. Donne 4 portions.

Préparation : 25 minutes Cuisson sur l'élément : 16 minutes
Cuisson au four : 45 minutes

Par portion : Calories 146. Gras total 7 g. Gras saturé 1 g.
Protéines 6 g. Hydrates de carbone 16 g. Fibres 2 g.
Sodium 374 mg. Cholestérol 10 mg.

Feuilles vertes revenues à l'huile

Cette recette convient à tous les légumes à feuilles vertes coriaces – romaine, épinards, pissenlits, etc. – parce qu'elle permet de les attendrir sans vraiment les faire cuire.

- 1 **c. à soupe d'huile d'olive**
- 8 **oignons verts moyens, tranchés mince**
- 3 **c. à soupe de cassonade bien tassée**
- 1 **c. à thé de farine**
- ⅛ **c. à thé de sel**
  Pincée de cayenne
- 3 **c. à soupe de vinaigre de vin rouge, ou de vinaigre de cidre**
- 2 **c. à soupe d'eau**
- 6 **tasses de romaine déchiquetée**
- 6 **tasses d'épinards déchiquetés**

1 Dans une grande sauteuse, réchauffez l'huile à feu modéré ; faites-y revenir les oignons verts 3 minutes.

2 Ajoutez la cassonade, la farine, le sel, le cayenne, le vinaigre et l'eau. Laissez cuire en remuant jusqu'à épaississement, puis prolongez la cuisson de 2 minutes.

3 Hors du feu, ajoutez la romaine et les épinards. Remuez pendant 30 à 60 secondes, le temps que les feuilles flétrissent. Servez avec du veau ou du porc rôtis. Donne 4 portions.

Préparation : 20 minutes Cuisson : 8 minutes

Par portion : Calories 95. Gras total 4 g. Gras saturé 1 g.
Protéines 4 g. Hydrates de carbone 13 g. Fibres 4 g.
Sodium 148 mg. Cholestérol 0 mg.

Crêpes de maïs lessivé

Crêpes de maïs lessivé

*Cette recette vient des shakers, surnom
donné aux membre d'un groupe religieux américain
fondé en 1774 à cause de leurs danses rituelles.*

**1 boîte de 398 ml (14 oz) de *hominy* (maïs lessivé),
     égoutté (voir p. 222)**

1¼ tasse de farine

2 c. à thé de levure chimique

1 c. à thé de sucre

½ c. à thé de sel

1 gros œuf, légèrement battu

1¼ tasse de lait écrémé à 1 p. 100

2 c. à soupe d'huile

1 Dans un grand bol, écrasez le *hominy* à l'aide d'un mélangeur à pâte ou d'un presse-purée, de façon qu'il soit de la grosseur d'un petit pois. Dans un autre grand bol, mélangez la farine, la levure chimique, le sucre et le sel. Mélangez l'œuf, le lait et l'huile dans un bol moyen ; incorporez le *hominy* écrasé.

2 Versez cette préparation d'un trait dans les ingrédients secs et mélangez sans insister.

3 Réchauffez un gaufrier antiadhésif ou une sauteuse antiadhésive à feu modéré ; badigeonnez d'un peu d'huile. Versez ¼ tasse de pâte pour chaque crêpe. Laissez cuire 3 minutes, ou jusqu'à ce que la crêpe se couvre de petites bulles. Retournez et faites cuire 2 minutes de plus. Servir au petit déjeuner, ou comme légume d'accompagnement. Donne 12 crêpes.

Préparation : 10 minutes Cuisson : 16 minutes

Par crêpe : Calories 111. Gras total 3 g. Gras saturé 1 g.
Protéines 3 g. Hydrates de carbone 17 g. Fibres 1 g.
Sodium 260 mg. Cholestérol 19 mg.

Champignons au paprika

*Les amateurs de champignons sauvages préparent
cette recette avec les fruits de leur cueillette. Mais il faut
bien s'y connaître ; sinon, gare aux intoxications !*

1 c. à soupe d'huile d'olive

8 tasses de champignons tranchés

1 gros oignon, tranché

⅔ tasse de crème sure allégée

⅔ tasse de lait écrémé à 1 p. 100

4 c. à thé de farine

½ c. à thé de paprika

¼ c. à thé de sel

⅛ c. à thé de cayenne

1 Dans une grande sauteuse, réchauffez l'huile à feu assez vif. Faites-y revenir les champignons et l'oignon 3 minutes.

2 Dans un petit bol, mélangez la crème sure, le lait, la farine, le paprika, le sel et le cayenne. Versez sur les champignons. Faites cuire à feu modéré en remuant constamment. Quand la préparation a épaissi, accordez 2 minutes de plus de cuisson. Donne 6 portions.

Préparation : 15 minutes Cuisson : 10 minutes

Par portion : Calories 99. Gras total 6 g. Gras saturé 3 g.
Protéines 4 g. Hydrates de carbone 9 g. Fibres 2 g.
Sodium 115 mg. Cholestérol 11 mg.

Champignons à l'aneth Suivez la même recette, mais remplacez le paprika par ½ c. à thé d'aneth séché.

Par portion : Calories 99. Gras total 6 g. Gras saturé 3 g.
Protéines 4 g. Hydrates de carbone 9 g. Fibres 2 g.
Sodium 115 mg. Cholestérol 11 mg.

Okra au maïs et aux tomates

Un plat d'accompagnement inusité, facile à faire.
L'okra y apporte un goût d'asperge
et une consistance onctueuse.

1 **paquet (350 g/12 oz) de maïs en grains surgelé**
2 **tasses d'okra, frais ou congelé**
2 **tomates moyennes, hachées**
1 **oignon moyen, haché**
1 **côte de céleri, tranchée mince**
¼ **tasse de jambon cuit hyposodique, haché (facultatif)**
¼ **tasse d'eau**
1 **c. à thé d'origan séché**
¼ **c. à thé de sel**
¼ **c. à thé de cayenne**

1 Rassemblez tous les ingrédients dans une sauteuse moyenne. Lancez l'ébullition à feu vif.

2 Baissez le feu, couvrez et laissez mijoter pendant 10 minutes ; remuez de temps à autre. Découvrez la sauteuse et prolongez la cuisson de 5 minutes environ : le liquide doit s'évaporer presque complètement. Donne 6 portions.

Préparation : 10 minutes Cuisson : 20 minutes

Par portion : Calories 75. Gras total 0 g. Gras saturé 0 g.
Protéines 3 g. Hydrates de carbone 18 g. Fibres 4 g.
Sodium 105 mg. Cholestérol 0 mg.

CONSERVATION DES LÉGUMES

◆ Rangez les légumes dans des sacs de plastique ou de papier ouverts ou aérés, et non fermés, pour qu'ils puissent respirer. Lavez-les et coupez-les uniquement au moment de vous en servir.

◆ Gardez les légumes périssables, comme les tomates, les concombres, les poivrons, le brocoli, le chou-fleur, les carottes, les betteraves, les courgettes et les oignons verts, dans le bac à légumes du réfrigérateur.

◆ Gardez les légumes plus résistants, comme les pommes de terre, les patates douces, les oignons et les courges d'hiver, dans un endroit sec, frais et bien aéré.

Oignons glacés

En Occident comme en Orient, l'oignon est
un ingrédient de base en cuisine. Le voici réduit à
sa plus simple expression, c'est-à-dire glacé en
solitaire dans un sirop condimenté.

3 **gros oignons, tranchés et divisés en anneaux**
2 **c. à soupe de beurre, ou de margarine**
2 **c. à soupe de sucre**
¼ **c. à thé de gingembre**
  Pincée de sel

1 Dans une grande casserole, amenez 1,5 cm (½ po) d'eau à ébullition. Ajoutez les oignons, couvrez et laissez étuver 10 minutes à feu doux. Égouttez.

2 Dans une sauteuse moyenne, faites fondre le beurre à feu modéré. Ajoutez le sucre, le gingembre et le sel. Quand le sucre est fondu, ajoutez les oignons et laissez cuire à découvert 2 ou 3 minutes : le sirop en s'évaporant enrobera l'oignon. Remuez souvent. Donne 4 portions.

Préparation : 10 minutes Cuisson : 17 minutes

Par portion : Calories 104. Gras total 6 g. Gras saturé 4 g.
Protéines 1 g. Hydrates de carbone 13 g. Fibres 1 g.
Sodium 93 mg. Cholestérol 16 mg.

✳

Carottes glacées Suivez la même recette, mais remplacez les oignons par **8 carottes moyennes, tranchées,** et le gingembre par **¼ c. à thé de menthe séchée.** Faites cuire les carottes 7 à 9 minutes dans l'eau. Passez ensuite à l'étape 2.

Par portion : Calories 134. Gras total 6 g. Gras saturé 4 g.
Protéines 2 g. Hydrates de carbone 20 g. Fibres 3 g.
Sodium 177 mg. Cholestérol 16 mg.

✳

Panais glacés Suivez la même recette, mais remplacez les oignons par **6 panais moyens, tranchés,** et le sucre par **2 c. à soupe de cassonade dorée bien tassée.** Faites cuire le panais 7 à 9 minutes dans l'eau. Passez ensuite à l'étape 2.

Par portion : Calories 181. Gras total 6 g. Gras saturé 4 g.
Protéines 2 g. Hydrates de carbone 32 g. Fibres 6 g.
Sodium 106 mg. Cholestérol 16 mg.

Oignons farcis et Poivrons farcis

Oignons farcis

Les oignons d'Espagne blancs et les oignons vidalia conviennent bien à cette recette parce qu'ils sont doux et parfumés. Farcis de parmesan et de chapelure, ils accompagnent à merveille le rosbif ou le gigot d'agneau.

- **4 oignons moyens**
- **1 c. à soupe d'huile d'olive**
- **1 tasse de carottes râpées**
- **¾ tasse de mie de pain grillé émiettée (1½ tranche)**
- **2 c. à soupe de parmesan râpé**
- **1 c. à soupe de persil haché**
- **½ c. à thé de thym séché**
- **⅛ c. à thé de sel**
- **Pincée de poivre noir**
- **1 à 2 c. à soupe d'eau**

1 Préchauffez le four à 180 °C (350 °F). Évidez les oignons (à droite, ci-dessus) ; gardez la chair. Dans une grande casserole, amenez 1,5 cm (½ po) d'eau à ébullition. Mettez-y les oignons évidés et laissez-les étuver pendant 5 minutes. Égouttez-les et déposez-les à l'envers sur des feuilles d'essuie-tout. Hachez la chair réservée : vous devriez en avoir ½ tasse.

2 Dans la même casserole, réchauffez l'huile à feu modéré. Ajoutez la chair d'oignon et les carottes râpées ; faites-les attendrir 5 minutes environ. Retirez du feu, incorporez la mie de pain émiettée, le parmesan, le persil, le thym, le sel et le poivre. Aspergez d'eau pour humidifier un peu la préparation.

3 Farcissez les oignons et déposez-les dans un plat à four. Couvrez d'un papier aluminium, enfournez et faites cuire de 20 à 25 minutes. Donne 4 portions.

Préparation : 20 minutes Cuisson : 35 minutes

Par portion : Calories 126. Gras total 5 g. Gras saturé 1 g. Protéines 4 g. Hydrates de carbone 18 g. Fibres 2 g. Sodium 191 mg. Cholestérol 3 mg.

✳

Poivrons farcis Suivez la même recette, mais remplacez les oignons par **2 petits poivrons**, coupés en deux et parés, et la chair d'oignon par du **poivron haché**.

Par portion : Calories 89. Gras total 5 g. Gras saturé 1 g. Protéines 3 g. Hydrates de carbone 10 g. Fibres 2 g. Sodium 178 mg. Cholestérol 3 mg.

POUR ÉVIDER LES OIGNONS

Découpez une mince tranche sur le dessus. Tenez l'oignon légèrement à l'oblique. Avec une petite cuiller, retirez la chair pour laisser une coquille de 1,5 cm (⅜ po).

Petits pois braisés à la laitue

Ce n'est pas pour la saveur de la laitue qu'on en met dans les petits pois, mais bien pour leur communiquer une partie de l'humidité nécessaire à leur cuisson. Si vous utilisez des pois frais, ajoutez qulques cosses pour la cuisson : cela les empêchera de se décolorer.

- **3 feuilles de laitue non pommée**
- **2 paquets (350 g/12 oz) de petits pois surgelés, ou 4 tasses de petits pois frais, écossés**
- **8 oignons verts moyens, tranchés mince**
- **1 feuille de laurier**
- **1 c. à soupe d'eau**
- **1 c. à thé de sucre**
- **⅛ c. à thé de sel**
- **⅛ c. à thé de poivre noir**
- **2 c. à soupe de persil haché**
- **1 c. à soupe de beurre, ou de margarine**

1 Mettez les feuilles de laitue dans le fond d'une sauteuse moyenne. Disposez par-dessus les petits pois, les oignons verts et le laurier. Ajoutez l'eau, le sucre, le sel et le poivre.

2 Lancez l'ébullition à feu vif. Baissez le feu, couvrez et laissez mijoter de 10 à 15 minutes.

3 Égouttez les petits pois. Retirez la laitue et le laurier. Ajoutez le persil et le beurre. Donne 4 portions.

Préparation : 10 minutes Cuisson : 12 minutes

Par portion : Calories 138. Gras total 3 g. Gras saturé 2 g. Protéines 7 g. Hydrates de carbone 21 g. Fibres 8 g. Sodium 214 mg. Cholestérol 8 mg.

GRIGNOTINES

La dessiccation des légumes et des fruits était autrefois un moyen de les conserver. On les coupait en petits morceaux et on les enfilait sur des ficelles qu'on suspendait près du foyer pour accélérer le séchage. Ensuite, on les emmagasinait dans un lieu frais et sec.

Utilisez les recettes qui suivent pour initier vos jeunes à cette technique vieille comme le monde. Ils s'amuseront ensuite à composer leurs propres recettes de grignotines.

POMMES JEAN BONHOMME

2 tasses de pommes séchées maison (ci-dessous), coupées en quatre, ou de pommes séchées du commerce

1 tasse de pêches séchées, ou d'abricots séchés, en bouchées de 1,5 cm (½ po)

2 tasses de céréales en bouchées (blé, riz, maïs ou son)

1 tasse de céréales de maïs soufflé, ou de guimauves miniatures

1 tasse de noix de coco râpée

1 tasse d'amandes effilées, grillées (facultatif)

Dans un grand sac en plastique robuste, réunissez tous les ingrédients. Fermez et agitez énergiquement. Donne de 8 à 9 tasses.

POMMES SÉCHÉES MAISON

1 Parez **4 pommes sures moyennes.** Pelez-les si vous le désirez. Tranchez-les en anneaux de 6 mm (¼ po) d'épaisseur.

2 Pour les empêcher de brunir, mettez-les 5 minutes dans un grand bol avec **2 tasses d'eau froide et 2 c. à soupe de jus de citron.** Égouttez et épongez sur des feuilles d'essuie-tout.

3 Préchauffez le four à 150 °C (300 °F). Enduisez deux grilles d'**enduit antiadhésif.** Disposez les anneaux de pomme côte à côte sans qu'ils se touchent. Placez les grilles sur des plaques à biscuits. Enfournez et faites cuire 30 minutes. Inversez les plaques à mi-temps, pour que celle du dessous se retrouve dessus et vice versa. La cuisson finie, achevez de sécher les pommes en les laissant 3 heures dans le four éteint.

4 Pour les conserver, gardez les anneaux de pomme dans un grand sac de plastique robuste, bien fermé. Donne 4 tasses environ.

Amuse-gueule aux graines de citrouille

    4   **tasses de maïs soufflé**

        **Graines de citrouille grillées (ci-dessous),
ou 3 tasses de graines de tournesol écalées**

    2   **tasses de céréales de biscuits graham sucrées au miel,
ou de céréales au son sucrées, ou de céréales d'avoine grillées rondes**

1½   **tasse de noix mélangées rôties à sec et peu salées, ou d'arachides**

1½   **tasse de maïs cristallisé, ou de jujubes**

1½   **tasse de raisins secs**

1. Mélangez tous les ingrédients dans un grand bol.

2. Conservez-les dans un contenant bien fermé.
Donne environ 12 tasses.

Graines de citrouille grillées

1 Retirez les graines de la citrouille en les dégageant le plus possible des filaments. Placez-les au fur et à mesure dans un grand bol d'eau pour que la chair qui adhère ne sèche pas.

2 Mettez-les ensuite dans une passoire et lavez-les sous le robinet d'eau froide ; frottez les graines du bout des doigts pour enlever la chair et les filaments. Égouttez.

3 Préchauffez le four à 150 °C (300 °F). Mélangez **3 tasses de graines de citrouille, 2 c. à soupe d'huile** et **1 c. à thé de sel**. Remuez. Étalez ce mélange sur une plaque. Enfournez et laissez cuire de 65 à 70 minutes en remuant de temps à autre pour que les graines rôtissent uniformément. Laissez tiédir à la température ambiante. (Vous pouvez aussi saler les graines et les offrir telles quelles.) Les graines de citrouille séchées se gardent 1 semaine dans un contenant bien fermé. Donne 3 tasses.

4 Mettez la moitié de la préparation en quatre monticules dans la sauteuse ; aplatissez-les. Laissez cuire 4 ou 5 minutes de chaque côté. (Attention en retournant les crêpes car elles sont fragiles !) Couvrez et gardez au chaud pendant que vous faites cuire le reste. Ajoutez de l'huile au besoin. Donne 4 portions.

Préparation : 15 minutes Réfrigération : 1 heure
Cuisson : 47 minutes

Par portion : Calories 247. Gras total 7 g. Gras saturé 2 g. Protéines 6 g. Hydrates de carbone 42 g. Fibres 3 g. Sodium 342 mg. Cholestérol 8 mg.

Pommes de terre à la lyonnaise

Les apprêts à la lyonnaise comportent généralement de l'oignon. Cette recette-ci ne fait pas exception.

 3 **pommes de terre moyennes (500 g/1 lb), tranchées mince**
 1 **oignon, tranché mince et séparé en anneaux**
 1 **c. à soupe d'huile d'olive**
 ½ **c. à thé de sel**
 ¼ **c. à thé de poivre noir (ou à volonté)**
 2 **c. à soupe de persil haché**

1 Préchauffez le four à 220 °C (425 °F). Déposez les tranches de pommes de terre dans une casserole moyenne et couvrez-les d'eau. Amenez à ébullition à feu vif. Mettez un couvercle, baissez le feu et laissez mijoter pendant 12 à 15 minutes. Égouttez et épongez sur des feuilles d'essuie-tout.

2 Étalez les pommes de terre et l'oignon dans un plat à four rectangulaire, graissé. Aspergez d'huile, salez, poivrez et couvrez d'un papier d'aluminium. Enfournez et faites cuire 15 minutes. Enlevez le papier et laissez dorer 15 à 20 minutes de plus. Saupoudrez de persil. Donne 3 portions.

Préparation : 15 minutes Cuisson : 52 minutes

Par portion : Calories 183. Gras total 5 g. Gras saturé 1 g. Protéines 3 g. Hydrates de carbone 33 g. Fibres 4 g. Sodium 367 mg. Cholestérol 0 mg.

✳

Pommes de terre aux fines herbes Suivez la même recette, mais au moment de saler et de poivrer les pommes de terre et l'oignon, condimentez-les avec ½ **c. à thé d'origan séché**, ¼ **c. à thé de romarin séché** et **1 gousse d'ail, hachée.**

Par portion : Calories 185. Gras total 5 g. Gras saturé 1 g. Protéines 3 g. Hydrates de carbone 34 g. Fibres 4 g. Sodium 367 mg. Cholestérol 0 mg.

CHOIX DES POMMES DE TERRE

◆ **En purée** Choisissez des pommes de terre rouges, rondes, à chair blanche ou jaune : elles donnent une purée légère et goûteuse.

◆ **Au four** Prenez des pommes de terre rouges à chair jaune, des idahos ou des pommes de terre de l'Île-du-Prince-Édouard.

◆ **En salade** La plupart des pommes de terre conviennent, sauf celles qui vont au four.

◆ **Bouillies** Les pommes de terre rouges ou les variétés allongées à pelure brune gardent bien leur forme.

◆ **Frites** Fiez-vous aux pommes de terre rouges à chair blanche.

Crêpes de pommes de terre

Quand vous préparez des pommes de terre en purée, faites-en plus que ce qu'il vous faut et gardez le reste pour apprêter le lendemain ces délicieuses crêpes. Servez-les pour accompagner la saucisse rôtie.

 6 **pommes de terre moyennes (1 kg/2 lb)**
 ¼ **tasse de lait écrémé à 1 p. 100**
 1 **c. à soupe de beurre, ou de margarine**
 ½ **c. à thé de sel**
 ¼ **c. à thé de paprika**
 ¼ **c. à thé de poivre noir**
 4 **oignons verts moyens, hachés fin**
 2 **gros blancs d'œufs, légèrement battus**
   Enduit antiadhésif
 1 **c. à soupe d'huile**

1 Épluchez les pommes de terre et coupez-les en quatre. Mettez-les dans une grande casserole et couvrez-les d'eau. Amenez à ébullition à feu vif. Mettez un couvercle, baissez le feu et laissez mijoter pendant 20 à 25 minutes. Égouttez.

2 Réduisez-les en purée à vitesse moyenne au batteur électrique. Ajoutez le lait, le beurre, le sel, le paprika et le poivre. Continuez à fouetter jusqu'à ce que la purée soit légère. Couvrez et réfrigérez au moins 1 heure.

3 Ajoutez les oignons verts et les blancs d'œufs. Enduisez une sauteuse d'enduit antiadhésif. Réchauffez l'huile à feu modéré.

Gratin de pommes de terre

Gratin de pommes de terre

Nappées de sauce crémeuse et couronnées de fromage, ces pommes de terre
font merveille avec toutes les viandes rôties ou grillées.

4 **pommes de terre moyennes (625 g/1¼ lb),**
  épluchées et tranchées mince

1 **oignon moyen, haché**

¼ **tasse d'eau**

¼ **c. à thé de sel**

¼ **c. à thé de poivre noir**

¼ **c. à thé de graines de céleri (facultatif)**

1½ **tasse de lait écrémé à 1 p. 100**

3 **c. à soupe de farine**

2 **c. à soupe de persil haché**

½ **tasse (60 g/2 oz) de cheddar allégé râpé**

1 Déposez les pommes de terre dans une casserole moyenne et couvrez-les d'eau. Amenez à ébullition à feu vif. Baissez le feu, mettez un couvercle et laissez mijoter de 12 à 15 minutes à feu doux. Égouttez.

2 Préchauffez le four à 180 °C (350 °F). Dans une petite casserole, mettez l'oignon et ¼ tasse d'eau. Quand l'ébullition est prise, couvrez et laissez mijoter à petit feu 5 minutes. Égouttez. Ajoutez le sel, le poivre et les graines de céleri, s'il y a lieu. Dans un petit bol, mélangez au fouet le lait et la farine ; ajoutez-les à l'oignon. Faites cuire à feu modéré en remuant. Quand la sauce a épaissi, accordez encore 2 minutes de cuisson, sans cesser de remuer. Ajoutez le persil.

3 Graissez un plat à gratin de 6 tasses ; mettez-y les pommes de terre. Couvrez avec la moitié de la sauce. Ajoutez le reste des pommes de terre, puis le reste de la sauce. Réchauffez 20 minutes au four. Recouvrez de cheddar. Donne 4 portions.

Préparation : 20 minutes Cuisson : 42 minutes

Par portion : Calories 228. Gras total 4 g. Gras saturé 2 g.
Protéines 10 g. Hydrates de carbone 38 g. Fibres 2 g.
Sodium 288 mg. Cholestérol 14 mg.

Colcannon

Colcannon

La pomme de terre n'a pas de secret pour les Irlandais. Dans ce plat typique de leur cuisine,
elle se marie agréablement au chou dont elle adoucit le goût.

4 **pommes de terre moyennes (625 g/1¼ lb)**
3 **tasses de chou haché**
8 **oignons verts moyens, tranchés fin**
2 **à 3 c. à soupe de lait écrémé à 1 p. 100**
1 **c. à soupe de beurre, ou de margarine**
½ **c. à thé de sel**
¼ **c. à thé de poivre noir**
2 **c. à soupe de persil haché**

1 Épluchez les pommes de terre ; coupez-les en quatre. Déposez-les dans une grande casserole et couvrez-les d'eau. Amenez à ébullition à feu vif. Mettez un couvercle, baissez le feu et laissez mijoter pendant 20 à 25 minutes. Égouttez.

2 Dans une casserole moyenne, amenez 1,5 cm (½ po) d'eau à ébullition. Mettez-y le chou et les oignons verts. Couvrez et laissez mijoter doucement pendant 8 à 10 minutes. Égouttez.

3 Fouettez les pommes de terre au batteur électrique à basse vitesse. Ajoutez le lait, le beurre et le sel. Battez encore un peu pour rendre la purée très légère. Incorporez le chou et le persil. Donne 4 portions.

Préparation : 20 minutes Cuisson : 30 minutes

Par portion : Calories 163. Gras total 3 g. Gras saturé 2 g.
Protéines 4 g. Hydrates de carbone 31 g. Fibres 3 g.
Sodium 319 mg. Cholestérol 8 mg.

Quenelles de pommes de terre

Autrefois, les cuisinières jetaient un peu de pâte dans l'eau bouillante et regardaient le résultat ; si l'appareil se défaisait, elles ajoutaient de la farine.

- 3 **pommes de terre moyennes (500 g/1 lb en tout)**
- 1 **oignon moyen, haché**
- 2 **c. à thé de beurre, ou de margarine**
- ½ **tasse de mie de pain émiettée (1 tranche)**
- 4 **tranches de bacon maigre, hachées**
- 2 **tranches de pain blanc, en dés de 1,5 cm (½ po)**
- 1 **gros œuf**
- ¼ **c. à thé de sel**
- ¼ **c. à thé de muscade**
- ⅛ **c. à thé de poivre**
- 2 **tasses de farine**

1 Épluchez les pommes de terre et coupez-les en quatre. Déposez-les avec l'oignon dans une grande casserole et couvrez-les d'eau. Amenez à ébullition à feu vif. Mettez un couvercle, baissez le feu et laissez mijoter pendant 20 à 25 minutes. Égouttez.

2 Dans une sauteuse moyenne, faites fondre le beurre à feu modéré. Ajoutez la mie de pain émiettée et faites-la rissoler pendant 3 à 5 minutes en remuant régulièrement. Réservez. Dans la même sauteuse, faites revenir le bacon pour qu'il devienne croustillant. Épongez-le sur des feuilles d'essuie-tout ; laissez 1 c. à soupe de gras dans la sauteuse. Mettez-y les dés de pain et faites-les dorer 2 ou 3 minutes en remuant souvent.

3 Défaites les pommes de terre et l'oignon en purée à basse vitesse au batteur électrique. Ajoutez l'œuf, le sel, la muscade et le poivre. Battez encore un peu pour obtenir une purée légère. Incorporez la farine à la cuiller de bois et remuez jusqu'à ce que la pâte soit homogène.

4 Après vous être fariné les doigts, formez des boules de 2,5 cm (1 po) de diamètre. Faites un trou au centre et introduisez un peu de bacon et un dé de pain. Refermez la boule. Remplissez à moitié un faitout d'eau et amenez-la à ébullition. Déposez la moitié des quenelles dans l'eau bouillante et faites cuire 15 minutes. Retirez-les et épongez-les sur des feuilles d'essuie-tout. Gardez-les au chaud dans un plat couvert. Faites cuire le reste des quenelles. Garnissez de mie de pain dorée. Servez avec un ragoût de viande. Donne 8 portions.

Préparation : 25 minutes Cuisson : 1 heure

Par portion : Calories 239. Gras total 6 g. Gras saturé 2 g.
Protéines 7 g. Hydrates de carbone 40 g. Fibres 2 g.
Sodium 198 mg. Cholestérol 34 mg.

Gratin de patates douces aux pacanes

Prenez des patates douces à la chair et à la pelure jaune orange : elles se mettent bien en purée. Les patates à peau havane et chair jaune sont plus fermes : il convient de les réserver pour la cuisson au four.

- 4 **patates douces moyennes (1 kg/2 lb au total)**
- 2 **gros blancs d'œufs**
- 2 **c. à soupe de miel, ou de cassonade dorée bien tassée**
- 1 **c. à soupe de beurre, ou de margarine**
- ¼ **c. à thé de sel**
- ⅛ **c. à thé de muscade**
- 2 **c. à soupe de pacanes hachées fin**

1 Épluchez les patates et coupez-les en quatre. Déposez-les dans une grande casserole et couvrez-les d'eau. Amenez à ébullition à feu vif. Mettez le couvercle, baissez le feu et laissez mijoter pendant 20 à 25 minutes. Égouttez.

2 Préchauffez le four à 180 °C (350 °F). Défaites les patates en purée à basse vitesse au batteur électrique. Ajoutez les blancs d'œufs, le miel, le beurre, le sel et la muscade. Battez encore un peu pour obtenir une purée légère.

3 Dressez cet appareil dans un plat à four rond de 20 cm (8 po). Saupoudrez les pacanes par-dessus. Enfournez et réchauffez pendant 25 minutes. Donne 4 portions.

Préparation : 15 minutes Cuisson : 55 minutes

Par portion : Calories 332. Gras total 6 g. Gras saturé 2 g.
Protéines 6 g. Hydrates de carbone 65 g. Fibres 5 g.
Sodium 220 mg. Cholestérol 8 mg.

Gratin de patates douces à l'américaine Suivez la même recette, mais remplacez les pacanes par ½ **tasse de guimauves miniatures**. Disposez-les sur les patates 15 minutes avant la fin de la cuisson.

Par portion : Calories 325. Gras total 4 g. Gras saturé 2 g.
Protéines 6 g. Hydrates de carbone 69 g. Fibres 5 g.
Sodium 223 mg. Cholestérol 8 mg.

Ignames aux pommes

Si vous ne trouvez pas d'ignames,
utilisez des patates douces à chair jaune orange.

- 3 **patates douces moyennes (750 g/1½ lb)**
  ou 2 boîtes de patates douces, égouttées et découpées
  en quartiers
- 2 **pommes sures moyennes, parées et tranchées**
- ⅓ **tasse de cassonade dorée bien tassée**
- 2 **c. à soupe de jus de pomme**
- 1 **c. à soupe de beurre, ou de margarine**
- ¼ **c. à thé de piment de la Jamaïque**
- ⅛ **c. à thé de muscade**

1 Épluchez et tranchez les patates douces. Mettez-les dans une grande casserole et couvrez-les d'eau. Amenez à ébullition à feu vif. Mettez un couvercle, baissez le feu et laissez mijoter pendant 8 à 10 minutes. Égouttez. (Sautez cette étape si vous utilisez des patates douces en boîte.)

2 Dans une grande sauteuse, mettez les tranches de pommes, la cassonade, le jus de pomme, le beurre, le piment de la Jamaïque et la muscade. Amenez à ébullition et laissez mijoter à découvert pendant 3 à 5 minutes, jusqu'à ce que les pommes soient presque à point et que le jus ait épaissi. Remuez de temps à autre. Ajoutez délicatement les patates douces.

3 Prolongez la cuisson de 5 à 10 minutes, toujours à découvert, en arrosant les patates de temps à autre avec le fond de cuisson. Donne 6 portions.

Préparation : 10 minutes Cuisson : 23 minutes

Par portion : Calories 197. Gras total 2 g. Gras saturé 1 g.
Protéines 2 g. Hydrates de carbone 43 g. Fibres 4 g.
Sodium 38 mg. Cholestérol 5 mg.

Ignames à l'orange Suivez la même recette, mais supprimez les pommes et remplacez le jus de pomme par **2 c. à soupe de jus d'orange**. Après avoir réchauffé les patates dans le fond de cuisson, ajoutez **2 oranges moyennes, pelées et détaillées en quartiers**.

Par portion : Calories 191. Gras total 2 g. Gras saturé 1 g.
Protéines 2 g. Hydrates de carbone 41 g. Fibres 4 g.
Sodium 38 mg. Cholestérol 5 mg.

Courge d'été à la crème sure

Au moment de l'achat, essayez de percer
la pelure de la courge avec votre ongle.
Si vous y arrivez sans difficulté, c'est qu'elle est mûre.

- 500 **g (1 lb) de courge jaune, tranchée mince,**
  ou de courgettes
- 1 **oignon moyen, coupé en deux et tranché mince**
- ¾ **tasse de crème sure allégée**
- 1 **c. à soupe de farine**
- 2 **c. à soupe de lait écrémé à 1 p. 100**
- ½ **c. à thé d'aneth séché**
- ¼ **c. à thé de sel**
- **Pincée de cayenne**

1 Dans une grande casserole, amenez 1,5 cm (½ po) d'eau à ébullition. Mettez-y la courge et l'oignon. Couvrez et laissez mijoter doucement pendant 3 à 5 minutes. Égouttez.

2 Dans une petite casserole, mélangez la crème sure et la farine. Incorporez le lait, l'aneth séché, le sel et le cayenne. Laissez cuire à feu doux jusqu'à épaississement, sans laisser bouillir. Versez cette sauce sur les légumes ; remuez avec précaution. Donne 4 portions.

Préparation : 10 minutes Cuisson : 8 minutes

Par portion : Calories 96. Gras total 6 g. Gras saturé 3 g.
Protéines 3 g. Hydrates de carbone 9 g. Fibres 2 g.
Sodium 157 mg. Cholestérol 18 mg.

PRÉSENTATION DES LÉGUMES

La meilleure façon de servir les légumes est de les agrémenter de beurre, de sel et de poivre. Voici quand même quelques suggestions pour varier.

- Saupoudrez les carottes, les haricots verts ou les choux de Bruxelles de noix ou de graines de sésame grillées.

- Sur le brocoli ou les asperges cuits à la vapeur, mettez des olives noires hachées.

- Ciselez du basilic frais sur le maïs, les betteraves ou le chou-fleur.

- Faites sauter de l'ail dans un peu d'huile et garnissez-en les courgettes et les pois mange-tout.

Tomates gratinées au fromage

Tomates gratinées au fromage

*On croyait autrefois que les tomates étaient des fruits vénéneux. Voilà pourquoi
elles ne sont jamais mentionnées dans les recettes avant la seconde moitié du XIXᵉ siècle.
Celle-ci est l'une des premières que l'on connaisse.*

1 c. à soupe d'huile d'olive

1 gros oignon, haché

1 gros poivron vert, haché

1 gousse d'ail, hachée

**2 grosses boîtes (796 ml/28 oz) de tomates
    hyposodiques, non égouttées**

2 c. à soupe de farine

2 c. à thé de sucre

1 c. à thé de thym séché

½ c. à thé d'origan séché

¼ c. à thé de sel

⅛ c. à thé de poivre noir

2 tasses de mie de pain grillée (4 tranches)

⅓ tasse (45 g/1½ oz) de cheddar allégé râpé

1 Préchauffez le four à 180 °C (350 °F). Dans une grande casserole, réchauffez l'huile à feu modéré. Faites-y attendrir l'oignon, le poivron et l'ail pendant 5 minutes environ. Égouttez les tomates en réservant leur jus ; concassez-les et mettez-les dans la casserole.

2 Dans un petit bol, mélangez ensemble le jus des tomates et la farine ; versez dans la casserole. Incorporez le sucre, le thym, l'origan, le sel et le poivre. Faites cuire à feu modéré en remuant constamment. Quand la sauce a épaissi, prolongez la cuisson de 2 minutes, toujours en remuant.

3 Versez la moitié de la sauce dans un plat à gratin de 6 tasses. Ajoutez la moitié de la mie de pain émiettée, puis le reste de la sauce et de la mie de pain. Enfournez et laissez cuire 15 minutes. Éparpillez le fromage par-dessus. Prolongez la cuisson de 1 ou 2 minutes pour que le fromage fonde. Servez avec de la viande ou de la volaille. Donne 6 portions.

Préparation : 15 minutes Cuisson : 35 minutes

Par portion : Calories 144. Gras total 5 g. Gras saturé 1 g.
Protéines 5 g. Hydrates de carbone 22 g. Fibres 4 g.
Sodium 247 mg. Cholestérol 5 mg.

Navets blancs en purée

*Le sucre n'a pour but ici que d'attendrir les navets
et non pas de les sucrer. Choisissez des sujets petits et jeunes.
Ils auront une saveur douce, un peu sucrée,
et ils seront tendres et non ligneux.*

625 g (1¼ lb) de navets

  **2 c. à soupe de ciboulette ciselée,
  ou d'oignon vert tranché (facultatif)**

  2 c. à soupe de lait écrémé à 1 p. 100

  1 c. à thé de sucre

¼ c. à thé de sel

  Pincée de poivre

1 Épluchez les navets ; coupez-les en quatre. Déposez-les dans une casserole moyenne ; couvrez-les d'eau. Amenez à ébullition, mettez un couvercle et laissez mijoter pendant 30 à 35 minutes. Égouttez.

2 Défaites les navets en purée à basse vitesse au batteur électrique. Ajoutez la ciboulette, s'il y a lieu, le lait, le sucre, le sel et le poivre. Continuez à fouetter jusqu'à ce que la purée soit légère. Donne 3 portions.

Préparation : 10 minutes Cuisson : 40 minutes

Par portion : Calories 43. Gras total 0 g. Gras saturé 0 g.
Protéines 2 g. Hydrates de carbone 11 g. Fibres 4 g.
Sodium 273 mg. Cholestérol 0 mg.

Hachis de légumes

*Confectionnez ce hachis lorsqu'il vous reste
de bons légumes d'un pot-au-feu.*

  Enduit antiadhésif

  1 c. à soupe de beurre, ou de margarine

  3 tasses de légumes cuits et hachés : carottes, panais, navets ou chou, seuls ou mélangés

  2 tasses de pommes de terre cuites et hachées

  1 oignon moyen, haché

  1 c. à thé de marjolaine séchée

¼ c. à thé de sel

¼ c. à thé de sauge

⅛ c. à thé de poivre noir

⅓ tasse de bouillon de poulet hyposodique (p. 67)

1 Vaporisez une sauteuse moyenne d'enduit antiadhésif. Mettez-y le beurre et faites-le fondre à feu modéré. Ajoutez les légumes, les pommes de terre, l'oignon, la marjolaine, le sel, la sauge et le poivre ; mélangez bien.

2 Laissez cuire 10 minutes environ, en remuant de temps à autre, pour qu'ils soient bien dorés. Incorporez le bouillon. Donne 6 portions.

Préparation : 15 minutes Cuisson : 11 minutes

Par portion : Calories 125. Gras total 2 g. Gras saturé 1 g.
Protéines 2 g. Hydrates de carbone 25 g. Fibres 4 g.
Sodium 118 mg. Cholestérol 5 mg.

Pommes sautées

*Servez ces pommes sautées au petit déjeuner,
ou pour accompagner un rôti de porc.*

  1 c. à soupe de beurre, ou de margarine

  3 pommes sures moyennes, parées et détaillées en petits quartiers

  2 c. à soupe de cassonade dorée bien tassée

¼ c. à thé de muscade, ou de cannelle

1 Dans une sauteuse antiadhésive moyenne, faites fondre le beurre à feu assez vif. Ajoutez les pommes et faites-les cuire 3 minutes en remuant fréquemment.

2 Quand elles sont dorées, ajoutez la cassonade et la muscade. Couvrez et laissez cuire 2 ou 3 minutes à feu assez doux. Donne 4 portions.

Préparation : 10 minutes Cuisson : 6 minutes

Par portion : Calories 104. Gras total 3 g. Gras saturé 2 g.
Protéines 0 g. Hydrates de carbone 20 g. Fibres 2 g.
Sodium 31 mg. Cholestérol 8 mg.

Pommes sautées à l'oignon Suivez la même recette, mais ajoutez aux pommes **1 oignon moyen, tranché mince.**

Par portion : Calories 111. Gras total 3 g. Gras saturé 2 g.
Protéines 0 g. Hydrates de carbone 22 g. Fibres 2 g.
Sodium 32 mg. Cholestérol 8 mg.

Petites gâteries

Petits pois bigarrés

Offrez-les avec le poulet rôti ou le rosbif.

- **1 paquet (350 g/12 oz) de petits pois surgelés**
- **1 petit oignon, en plusieurs quartiers**
- **1 c. à soupe de beurre, ou de margarine**
- **1 c. à soupe de piment doux rôti, haché**
- **¼ c. à thé d'aneth séché**
- **⅛ c. à thé de sel**
- **⅛ c. à thé de poivre noir**

1. Dans une casserole moyenne, amenez 1,5 cm (½ po) d'eau à ébullition. Ajoutez les petits pois et l'oignon. Couvrez et laissez mijoter 5 minutes à

petit feu pour les attendrir. Égouttez.

2. Incorporez le beurre, le piment doux rôti, l'aneth, le sel et le poivre. Remuez pour répartir le beurre. Donne 3 ou 4 portions.

Rondelles de patates douces à la cannelle

Ces rondelles vont très bien avec les hambourgeois.

- **3 patates douces moyennes (750 g/ 1½ lb), épluchées et tranchées mince**
- **2 c. à soupe de beurre fondu, ou de margarine**
- **2 c. à soupe de sucre**
- **¼ c. à thé de cannelle**

1. Préchauffez le four à 220 °C (425 °F). Déposez les patates dans une grande casserole et couvrez-les d'eau. Lancez l'ébullition à feu vif. Mettez un couvercle, baissez le feu et laissez mijoter de 5 à 8 minutes. Égouttez et asséchez sur des feuilles d'essuie-tout.

2. Étalez les rondelles dans un moule à four graissé. Aspergez-les de beurre fondu. Enfournez et faites cuire 10 minutes environ, jusqu'à ce que le beurre mousse.

3. Dans un petit bol, mélangez le sucre et la cannelle ; saupoudrez-en les patates. Prolongez la cuisson de 5 à 10 minutes. Donne 3 ou 4 portions.

Pommes de terre en robe des fêtes

Elles sont ravissantes, nourrissantes et délicieuses.

- **4 pommes de terre moyennes (1 kg/2 lb)**
- **½ tasse de sauce à tacos**
- **½ tasse (60 g/2 oz) de cheddar allégé râpé**
- **1 tasse de laitue déchiquetée**
- **1 petite tomate, hachée**

1. Préchauffez le four à 220 °C (425 °F).

Perforez les pommes de terre avec une fourchette. Enfournez et faites cuire à fond, de 40 à 60 minutes.

2. Faites rouler chaque pomme de terre sous votre main. Pratiquez une incision en croix sur le dessus. Comprimez les côtés pour faire saillir la chair.

3. Dans une petite casserole, réchauffez la sauce. Nappez-en les pommes de terre. Saupoudrez de fromage. Garnissez de tomate et de laitue. Donne 4 portions.

Maïs en pique-épis

Les enfants vous aideront à emballer les épis.

- **2 c. à soupe de beurre ramolli, ou de margarine**
- **1 c. à thé de zeste de citron râpé**
- **¼ c. à thé de sel**
- **¼ c. à thé de poivre noir**
- **4 épis de maïs, coupés en deux**

1. Préchauffez le four à 230 °C (450 °F). Dans un petit bol, mélangez ensemble le beurre, le zeste, le sel et le poivre.

2. Emballez les demi-épis deux par deux dans du papier d'aluminium robuste. Badigeonnez-les de beurre condimenté. Refermez la papillote.

3. Enfournez et laissez cuire 30 minutes. Retirez le papier. Insérez les pique-épis aux deux bouts de chaque demi-épi. Donne 4 portions.

Bread-and-
Butter Pickles
'29

PETITS À-CÔTÉS

Un aspect séduisant de la cuisine d'autrefois, c'est qu'on avait le temps de préparer toutes sortes de condiments et de garnitures pour accompagner les plats. Sauces légères et savoureuses, sauces épaisses et onctueuses, mayonnaises de toutes sortes, beurres maniés, cornichons croquants, achards hauts en saveur, ketchup aux légumes ou aux fruits, autant de petites douceurs qui faisaient la réputation de la maîtresse de maison. Vous retrouverez, dans ce chapitre, de vieilles recettes qui sont toujours d'actualité : Coupes d'orange garnies de canneberges, Vinaigrette chaude au bacon, Sauce au raifort et bien d'autres encore.

Sauce aux oignons sur pâté de viande

Sauce aux oignons

Pour donner à cette sauce son accent spécial, il faut que la farine devienne bien brune sans toutefois brûler.
Servez-la avec de la viande et de la volaille : c'est un régal.

 1   c. à soupe de beurre, ou de margarine
 ¼   tasse d'oignon haché fin
 1   gousse d'ail, émincée
 1   c. à soupe de farine
 ½   c. à thé de thym séché
 ⅛   c. à thé de sel
     Pincée de poivre noir
 ⅔   tasse de bouillon de bœuf hyposodique (p. 67)

1 Dans une petite casserole, faites fondre le beurre à feu modéré. Ajoutez l'oignon et l'ail et faites cuire 5 minutes environ pour attendrir l'oignon.

2 Incorporez la farine, le thym, le sel et le poivre. Laissez cuire 10 minutes en remuant sans arrêt : la farine doit brunir.

3 Mouillez avec le bouillon. Laissez épaissir en remuant constamment, puis prolongez la cuisson de 2 minutes ; remuez sans arrêt. Vous pouvez, à votre goût, passer la sauce pour enlever l'oignon et l'ail, ou la servir telle quelle. Accompagne la viande ou la volaille. Donne environ ⅔ tasse.

Préparation : 5 minutes   Cuisson : 20 minutes

Pour 2 cuillerées à soupe : Calories 31. Gras total 2 g.
Gras saturé 1 g. Protéines 0 g. Hydrates de carbone 2 g. Fibres 0 g.
Sodium 79 mg. Cholestérol 6 mg.

✳

Sauce aux oignons parfumée au xérès   Suivez la même recette, mais réduisez le bouillon de bœuf à ½ tasse et ajoutez **1 c. à soupe de xérès sec, ou de vin rouge**. Donne ½ tasse.

Pour 2 cuillerées à soupe : Calories 41. Gras total 3 g.
Gras saturé 2 g. Protéines 0 g. Hydrates de carbone 3 g. Fibres 0 g.
Sodium 98 mg. Cholestérol 8 mg.

Sauce double moutarde

Voici un accompagnement délicieux avec la morue pochée ou l'aiglefin fumé, mais aussi avec le jambon, la volaille, le poisson, les choux de Bruxelles et les pommes de terre.

- 2 c. à thé de beurre, ou de margarine
- 2 c. à soupe d'oignon finement haché
- 1 c. à thé de cassonade dorée bien tassée
- ¾ c. à thé de moutarde sèche
- ⅛ c. à thé de poivre
- 1 tasse de lait écrémé évaporé
- 1 c. à soupe de farine
- 1 c. à soupe de moutarde de Dijon
- 1 c. à thé de vinaigre

1 Dans une petite casserole, faites fondre le beurre à feu modéré. Ajoutez l'oignon et laissez cuire 5 minutes environ pour l'attendrir.

2 Incorporez la cassonade, la moutarde sèche et le poivre. Dans un petit bol, mélangez le lait écrémé évaporé et la farine. Versez-les dans la casserole. Quand la sauce a épaissi, prolongez la cuisson de 2 minutes, sans cesser de remuer. Retirez du feu.

3 Incorporez la moutarde de Dijon et le vinaigre. Offrez cette sauce avec la viande, la volaille, le poisson et les légumes. Donne 1 tasse.

Préparation : 5 minutes Cuisson : 13 minutes

Pour 2 cuillerées à soupe : Calories 43. Gras total 1 g.
Gras saturé 1 g. Protéines 3 g. Hydrates de carbone 5 g. Fibres 0 g.
Sodium 94 mg. Cholestérol 4 mg.

* * *

Sauce moutardée aux câpres Suivez la même recette, mais ajoutez **1 c. à soupe de câpres égouttées.**

Pour 2 cuillerées à soupe : Calories 44. Gras total 1 g.
Gras saturé 1 g. Protéines 3 g. Hydrates de carbone 5 g. Fibres 0 g.
Sodium 112 mg. Cholestérol 4 mg.

* * *

Sauce moutardée à l'aneth Suivez la même recette, mais ajoutez **¼ c. à thé d'aneth séché.**

Pour 2 cuillerées à soupe : Calories 43. Gras total 1 g.
Gras saturé 1 g. Protéines 3 g. Hydrates de carbone 5 g. Fibres 0 g.
Sodium 94 mg. Cholestérol 4 mg.

Sauce au raifort

Faites comme les Britanniques : relevez votre rosbif de raifort. C'est également bon avec le steak, les hambourgeois ou les côtelettes d'agneau.

- 1 tasse de crème sure allégée
- ½ tasse de mayonnaise allégée
- ¼ tasse de raifort préparé, égoutté
- 1 c. à soupe de vinaigre de cidre
- 1 c. à thé de sucre
- ¼ c. à thé de thym séché (facultatif)
- ⅛ c. à thé de sel
- ⅛ c. à thé de poivre

1 Mélangez tous les ingrédients dans un petit bol.

2 Couvrez et réfrigérez au moins 1 heure (1 semaine au maximum). Cette sauce accompagne la viande ou le poisson. Donne 1¾ tasse.

Préparation : 5 minutes Réfrigération : 1 heure

Pour 2 cuillerées à soupe : Calories 47. Gras total 4 g.
Gras saturé 2 g. Protéines 1 g. Hydrates de carbone 3 g. Fibres 0 g.
Sodium 74 mg. Cholestérol 9 mg.

Sauce simili-hollandaise

Parce que la vraie hollandaise est difficile à réussir et très riche, elle a donné naissance à de nombreuses versions qui lui sont fort différentes, mais néanmoins agréables.

- ½ tasse de crème sure allégée
- ½ tasse de mayonnaise allégée
- 2 c. à soupe de lait écrémé à 1 p. 100
- 2 c. à soupe de jus de citron
- 1 c. à thé de zeste de citron râpé
- 1 c. à thé de moutarde de Dijon
- Pincée de cayenne

1 Mélangez tous les ingrédients dans un petit bol. Servez immédiatement. Ou bien versez le mélange dans une casserole et laissez-la tiédir à feu doux en remuant constamment ; ne faites pas bouillir. Cette sauce accompagne la volaille, le poisson, les œufs, les asperges ou les artichauts. Donne 1¼ tasse.

Préparation : 5 minutes

Pour 2 cuillerées à soupe : Calories 48. Gras total 4 g.
Gras saturé 1 g. Protéines 1 g. Hydrates de carbone 3 g. Fibres 0 g.
Sodium 81 mg. Cholestérol 8 mg.

Sauce Cumberland

Cette sauce aigre-douce de tradition anglaise fait des merveilles avec le jambon, l'agneau, le gibier à plume et à poil. Pour qu'elle ne soit pas âcre, ayez soin d'enlever la membrane blanche autour des quartiers d'orange.

  3 **oranges**
  4 **c. à thé de fécule de maïs**
½ **c. à thé de moutarde sèche**
¼ **c. à thé de gingembre**
½ **tasse de gelée de cassis, ou de gelée de pomme**
  1 **c. à soupe de porto, ou de xérès ou de jus d'orange**
  1 **c. à soupe de jus de citron**
½ **c. à thé de zeste de citron râpé**

1 Râpez ½ c. à thé de zeste d'orange. Pelez deux oranges et détaillez-les en quartiers au-dessus d'un bol pour recueillir le jus. Exprimez le jus de la troisième orange. Mesurez-le. Au besoin, ajoutez de l'eau pour avoir ¾ tasse de liquide.

2 Dans une petite casserole, mélangez la fécule de maïs, la moutarde et le gingembre. Incorporez au fouet le jus d'orange, le zeste d'orange, la gelée de cassis, le porto, le jus de citron et le zeste de citron.

3 Amenez à ébullition à feu modéré en fouettant de temps à autre. Laissez cuire 2 minutes ou jusqu'à épaississement, sans cesser de fouetter. Incorporez les quartiers d'orange. Servez avec de la viande ou de la volaille. Donne 1¾ tasse.

Préparation : 15 minutes Cuisson : 7 minutes

Pour 2 cuillerées à soupe : Calories 46. Gras total 0 g. Gras saturé 0 g. Protéines 0 g. Hydrates de carbone 12 g. Fibres 1 g. Sodium 4 mg. Cholestérol 0 mg.

Coupes d'orange garnies de canneberges

Pour varier, vous pouvez, comme cela se faisait au début de la colonie, sucrer les canneberges au sirop d'érable.

  3 **oranges**
½ **tasse de cassonade dorée bien tassée**
½ **tasse de jus d'orange**
¼ **tasse d'eau**
  1 **c. à soupe de gingembre cristallisé haché fin**
¼ **c. à thé de gingembre**
    Pincée de clou de girofle
  2 **tasses de canneberges**

1 Coupez les oranges en deux ; découpez le bord en zigzag et retirez la chair (ci-dessous). Couvrez et rangez les écorces au réfrigérateur (1 jour au maximum).

2 Dans une grande casserole, mélangez la cassonade, le jus d'orange, l'eau, le gingembre cristallisé, le gingembre moulu et le clou. Amenez à ébullition, puis laissez mijoter à petit feu 3 minutes sans couvrir, en remuant de temps à autre.

3 Ajoutez les canneberges. Faites reprendre l'ébullition à feu vif. Laissez mijoter à feu assez vif 2 ou 3 minutes, le temps que la peau des petits fruits éclate ; remuez de temps à autre.

4 Mettez la garniture dans un contenant couvert et réfrigérez au moins 1 heure avant de servir (1 semaine au maximum). Au moment du service, dressez-la dans les coupes d'orange. Celles-ci accompagnent les viandes ou la volaille. Donne 6 portions.

Préparation : 15 minutes Cuisson : 12 minutes
Réfrigération : 1 heure

Par portion : Calories 76. Gras total 0 g. Gras saturé 0 g. Protéines 0 g. Hydrates de carbone 19 g. Fibres 1 g. Sodium 5 mg. Cholestérol 0 mg.

COUPES D'ORANGE

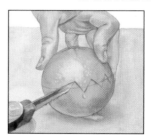 

1. Avec un petit couteau à lame dentée, tracez une ligne au milieu de l'orange. Coupez l'orange en deux en zigzaguant de part et d'autre de la ligne.

2. Découpez la chair de l'orange avec un couteau à pamplemousse. Retirez-la complètement avec une petite cuiller : l'écorce doit être à nu.

Beurre à la lime servi sur du poisson

Beurre à la lime

On avait coutume d'arroser les viandes avec ce beurre pour les empêcher de sécher durant la cuisson ;
on se servait alors d'une petite louche. Aujourd'hui, on utilise de préférence une pipette ou un pinceau.
Le beurre à la lime se marie aux viandes rôties ou grillées, au poisson, aux fruits de mer et à la volaille.

4 c. à thé de beurre, ou de margarine

2 c. à soupe de jus de lime

1 c. à thé de zeste de lime râpé

½ c. à thé de fines herbes séchées : marjolaine, basilic ou origan

½ c. à thé de moutarde sèche

½ c. à thé de sauce Worcestershire hyposodique

⅛ c. à thé de piment rouge écrasé

1 Dans une petite casserole, faites fondre le beurre à feu modéré. Retirez du feu.

2 Incorporez le jus et le zeste de lime, les fines herbes, la moutarde sèche, la sauce Worcestershire et le piment rouge. Cette quantité suffit à arroser 500 g (1 lb) de viande, de poisson, de fruits de mer ou de volaille durant la cuisson. Donne ¼ tasse, soit 4 portions.

Préparation : 5 minutes Cuisson : 1 minute

Par portion : Calories 39. Gras total 4 g. Gras saturé 2 g.
Protéines 0 g. Hydrates de carbone 1 g. Fibres 0 g.
Sodium 42 mg. Cholestérol 10 mg.

De haut en bas : Mayonnaise au cari, Mayonnaise légère et Mayonnaise piquante

Mayonnaise légère

Cette tartinade a l'onctuosité et la douceur de la mayonnaise, mais seulement la moitié de sa teneur en lipides.

- 1 **boîte de 54 g (2 oz) de pectine de fruits en cristaux**
- 1 **c. à thé de moutarde sèche**
- ⅛ **c. à thé de sel**
- ⅛ **c. à thé de cayenne**
- ¾ **tasse de lait écrémé évaporé**
- 1 **gros œuf**
- ⅔ **tasse d'huile**
- 1 **c. à soupe de vinaigre, ou de jus de citron**

1 Dans une petite casserole, mélangez la pectine, la moutarde, le sel et le cayenne. Incorporez lentement le lait évaporé à l'aide d'un fouet, puis l'œuf. Faites cuire à feu modéré en remuant constamment. Quand il se forme des bouillons, versez dans le gobelet du mélangeur et réfrigérez 15 minutes.

2 À basse vitesse, ajoutez l'huile en filet. De temps à autre, arrêtez l'appareil et raclez la paroi du gobelet. Incorporez le vinaigre. Versez la mayonnaise dans un contenant fermé et réfrigérez au moins 1 h 30 avant de servir. Vous obtiendrez une mayonnaise peut-être moins épaisse qu'une mayonnaise commerciale. Elle se garde 1 semaine au réfrigérateur. Donne 1¾ tasse.

Préparation : 8 minutes Cuisson : 5 minutes
Refroidissement : 1 h 45

Par cuillerée à soupe : Calories 61. Gras total 5 g. Gras saturé 0 g. Protéines 1 g. Hydrates de carbone 2 g. Fibres 0 g. Sodium 23 mg. Cholestérol 8 mg.

✳

Mayonnaise au cari Suivez la même recette, mais ajoutez **2 oignons verts tranchés mince, 1½ c. à thé de cari** et ¼ **c. à thé de poudre d'ail.**

Par cuillerée à soupe : Calories 61. Gras total 5 g. Gras saturé 0 g. Protéines 1 g. Hydrates de carbone 3 g. Fibres 0 g. Sodium 23 mg. Cholestérol 8 mg.

✳

Mayonnaise piquante Suivez la même recette, mais ajoutez ⅓ **tasse de sauce chili, 2 c. à soupe de cornichons marinés, aigres ou sucrés,** et **2 c. à soupe de persil haché.** Cette mayonnaise peut aussi servir de sauce à salade. Donne 2¼ tasses.

Par cuillerée à soupe : Calories 51. Gras total 4 g. Gras saturé 0 g. Protéines 1 g. Hydrates de carbone 3 g. Fibres 0 g. Sodium 58 mg. Cholestérol 6 mg.

Sauce au concombre et au babeurre

Cette sauce met en valeur tant les salades vertes que les macédoines de légumes. Garnissez-en les pommes de terre au four ou servez-la en trempette avec des légumes crus.

- ½ **tasse de babeurre écrémé à 1 p. 100, ou de lait aigre (p. 300)**
- ½ **tasse de concombre râpé**
- ¼ **tasse de mayonnaise allégée**
- 2 **oignons verts moyens, tranchés mince**
- 1 **c. à soupe de sucre**
- 1 **c. à soupe de vinaigre de vin blanc**
- ⅛ **c. à thé de sel**
  Pincée de poivre noir

1 Mélangez tous les ingrédients dans un petit bol. Couvrez et réfrigérez au moins 1 heure (1 semaine au maximum). Donne 1¼ tasse, soit 10 portions de 2 cuillerées à soupe.

Préparation : 10 minutes Réfrigération : 1 heure

Pour 2 cuillerées à soupe : Calories 26. Gras total 1 g. Gras saturé 0 g. Protéines 0 g. Hydrates de carbone 3 g. Fibres 0 g. Sodium 71 mg. Cholestérol 2 mg.

Vinaigrette chaude au bacon

Elle est délicieuse en salade liégeoise : haricots verts et pommes de terre tièdes.

- 1 **tranche de bacon maigre, hachée**
- ⅓ **tasse de poireau, ou d'oignon, tranché mince**
- ¼ **tasse de vinaigre de vin rouge**
- 2 **c. à soupe de miel**
- ½ **c. à thé de moutarde sèche**
- ⅛ **c. à thé de poivre noir concassé**

1 Dans une petite casserole, faites cuire le bacon à feu modéré pour le rendre croustillant. Épongez-le sur des feuilles d'essuie-tout.

2 Faites cuire le poireau 3 minutes dans le gras du bacon. Ajoutez le vinaigre, le miel, la moutarde sèche et le poivre. Amenez à ébullition.

3 Versez immédiatement sur la salade ; ajoutez les miettes de bacon. Donne ½ tasse, soit 4 portions de 2 cuillerées à soupe.

Préparation : 10 minutes Cuisson : 10 minutes

Pour 2 cuillerées à soupe : Calories 64. Gras total 3 g. Gras saturé 1 g. Protéines 1 g. Hydrates de carbone 10 g. Fibres 0 g. Sodium 41 mg. Cholestérol 3 mg.

Vinaigrette à la française

*La vinaigrette classique , légèrement
plus relevée qu'à l'accoutumée.*

¼ **tasse d'huile d'olive**

3 **c. à soupe de vinaigre de cidre, ou de vinaigre blanc**

3 **c. à soupe de jus de citron**

4 **c. à thé de sucre (facultatif)**

1 **c. à thé de moutarde de Dijon,
ou ½ c. à thé de moutarde sèche**

1½ **c. à thé de basilic ou d'estragon frais,
ou ½ c. à thé des mêmes herbes, séchées**

½ **c. à thé de paprika**

1 Mettez tous les ingrédients dans un bocal qui ferme hermétiquement. Agitez vigoureusement. Réfrigérez au moins 1 heure (1 semaine au maximum).

2 Au moment de servir, secouez le bocal énergiquement. Servez cette sauce sur les salades de laitue, de légumes ou de fruits. Donne ⅔ tasse, soit 5 portions de 2 cuillerées à soupe.

Préparation : 5 minutes Cuisson : 1 heure

Pour 2 cuillerées à soupe : Calories 115. Gras total 11 g.
Gras saturé 1 g. Protéines 0 g. Hydrates de carbone 5 g. Fibres 0 g.
Sodium 0 mg. Cholestérol 0 mg.

❋

Vinaigrette au miel Suivez la même recette, mais remplacez le sucre par **4 c. à thé de miel**. Cette sauce relève les salades de fruits.

Pour 2 cuillerées à soupe : Calories 119. Gras total 11 g.
Gras saturé 1 g. Protéines 0 g. Hydrates de carbone 6 g. Fibres 0 g.
Sodium 1 mg. Cholestérol 0 mg.

❋

Vinaigrette ravigote Suivez la même recette, mais ajoutez ⅓ **tasse de betteraves cuites, égouttées et hachées, ou de poivron rouge cru**, et **1 gros blanc d'œuf dur, haché**. Donne 1¼ tasse, soit 10 portions de 2 cuillerées à soupe. Accompagne toutes les salades.

Pour 2 cuillerées à soupe : Calories 60. Gras total 5 g.
Gras saturé 1 g. Protéines 0 g. Hydrates de carbone 3 g. Fibres 0 g.
Sodium 22 mg. Cholestérol 0 mg.

❋

Vinaigrette à l'indienne Suivez la même recette, mais ajoutez **1 gros blanc d'œuf dur, haché, 2 c. à soupe de chutney haché** et ½ **c. à thé de poudre de cari**. Donne 1 tasse, soit 8 portions de 2 cuillerées à soupe. Cette sauce accompagne toutes les salades.

Pour 2 cuillerées à soupe : Calories 81. Gras total 7 g.
Gras saturé 1 g. Protéines 1 g. Hydrates de carbone 5 g. Fibres 0 g.
Sodium 23 mg. Cholestérol 0 mg.

Vinaigrette sucrée-salée

L'alliance aigre-douce du citron et du miel convient tout particulièrement aux verdures un peu coriaces, comme la romaine, la scarole, les épinards ou la bette à carde.

½ **tasse de jus de citron**

¼ **tasse de miel**

¼ **tasse d'huile d'olive**

1 **c. à thé de gingembre frais râpé**

½ **c. à thé de zeste de citron râpé**

¼ **c. à thé de paprika**

1 Mettez tous les ingrédients dans un bocal qui ferme hermétiquement. Agitez vigoureusement. Réfrigérez au moins 1 heure (1 semaine au maximum).

2 Au moment de servir, secouez le bocal énergiquement. Servez cette sauce sur les salades de verdures ou de fruits. Donne 1 tasse, soit 8 portions de 2 cuillerées à soupe.

Préparation : 10 minutes Réfrigération : 1 heure

Pour 2 cuillerées à soupe : Calories 96. Gras total 7 g.
Gras saturé 1 g. Protéines 0 g. Hydrates de carbone 10 g.
Fibres 0 g. Sodium 1 mg. Cholestérol 0 mg.

Vinaigrette crémeuse à l'ananas

*Parce qu'elle est légèrement sucrée, elle convient
bien aux salades de fruits.*

1½ **tasse de yogourt nature allégé**

1 **tasse d'ananas broyé, non égoutté**

¼ **tasse de lait écrémé à 1 p. 100**

2 **c. à soupe de cassonade dorée bien tassée**

¼ **c. à thé de piment de la Jamaïque**

1 Mélangez tous les ingrédients dans un petit bol. Couvrez et réfrigérez au moins 1 heure (1 semaine au maximum).

2 Servez cette sauce sur une salade de fruits. Donne 2¼ tasses, soit 18 portions de 2 cuillerées à soupe.

Préparation : 5 minutes Cuisson : 1 heure

Pour 2 cuillerées à soupe : Calories 26. Gras total 0 g.
Gras saturé 0 g. Protéines 1 g. Hydrates de carbone 5 g.
Fibres 0 g. Sodium 17 mg. Cholestérol 1 mg.

Vinaigrette à la menthe fraîche servie sur des fruits frais

Vinaigrette à la menthe fraîche

Préparez cette vinaigrette quelques heures d'avance pour
que la fine saveur de la menthe ait le temps de se développer.
La menthe séchée ne donne pas du tout les mêmes résultats.

⅓ **tasse de vinaigre de vin rouge**

¼ **tasse de cassonade dorée bien tassée**

¼ **tasse d'huile d'olive**

8 **brins de menthe fraîche**

1 **c. à thé de zeste de lime râpé**

½ **c. à thé de graines de pavot**

Pincée de cayenne

1 Mettez tous les ingrédients dans un bocal qui ferme hermétiquement. Agitez vigoureusement. Réfrigérez au moins 8 heures (1 semaine au maximum).

2 Au moment de servir, secouez le bocal énergiquement. Retirez la menthe. Servez cette vinaigrette sur une salade de fruits. Donne ¾ tasse, soit 6 portions de 2 cuillerées à soupe.

Préparation : 5 minutes Réfrigération : 8 heures

Pour 2 cuillerées à soupe : Calories 106. Gras total 9 g.
Gras saturé 1 g. Protéines 0 g. Hydrates de carbone 7 g.
Fibres 0 g. Sodium 8 mg. Cholestérol 0 mg.

Confiture de pêches servie sur des gaufres

Confiture de pêches

Pour que la confiture soit vraiment parfaite, il faut la faire avec des pêches mûres.
Si les vôtres sont encore un peu vertes, gardez-les un jour ou deux à
la température de la pièce dans un sac de papier brun.

5 tasses de sucre

1,5 kg (3 lb) de pêches

2 c. à soupe de jus de lime, ou de jus de citron

1 c. à thé de zeste de lime, ou de zeste de citron, râpé

½ c. à thé de gingembre

⅛ c. à thé de piment de la Jamaïque

1 sachet de 54 g (2 oz) de pectine de fruits en cristaux

½ c. à thé de beurre, ou de margarine

1 Préparez sept bocaux à confiture de 1 tasse chacun et leurs couvercles (p. 278). Mettez le sucre dans un bol. Pelez, dénoyautez et hachez finement l'équivalent de 4 tasses de pêches ; mettez-les dans une marmite ou un faitout. Incorporez le jus et le zeste de lime, le gingembre et le piment de la Jamaïque. Ajoutez la pectine et le beurre.

2 Amenez à ébullition à feu vif en remuant sans arrêt. Incorporez le sucre rapidement. Quand l'ébullition reprend, accordez encore 1 minute de cuisson, sans cesser de remuer. Retirez du feu ; écumez.

3 Remplissez immédiatement les bocaux jusqu'à 3 mm (⅛ po) du bord. Essuyez le filetage, vissez les couvercles et serrez bien. Tournez les bocaux à l'envers pendant 5 minutes. Redressez-les et laissez-les 24 heures à la température ambiante. Vérifiez leur étanchéité (p. 278). Cette confiture se conserve 1 an, dans un endroit frais et sombre. Donne 7 bocaux de 1 tasse.

Préparation : 30 minutes Cuisson : 7 minutes
Repos : 24 heures

Par cuillerée à soupe : Calories 39. Gras total 0 g. Gras saturé 0 g.
Protéines 0 g. Hydrates de carbone 10 g. Fibres 0 g.
Sodium 0 mg. Cholestérol 0 mg.

CONFITURE CONGELÉE

Autrefois, nos grand-mères faisaient bouillir les confitures et les gardaient dans des bocaux, sous une couche de paraffine. Aujourd'hui, grâce au congélateur, on peut faire des confitures sans cuisson. Les recettes de confitures congelées sont spécialement formulées à cette fin. Toutefois, si vous choisissez d'adopter cette technique, ne vous étonnez pas d'avoir des confitures un peu plus claires que celles qui sont fabriquées selon la formule habituelle.

Confiture congelée de framboises et de bleuets

*Autrefois, on écrasait les fruits à la main ;
aujourd'hui, on peut utiliser un robot. Actionnez-le par
petits coups pour ne pas réduire les baies en une purée
uniforme : quelques petits morceaux de fruits épars
donnent du cachet à la confiture.*

1½ **casseau (3 tasses) de framboises, ou de mûres**
1½ **casseau (3 tasses) de bleuets**
3 **c. à soupe de jus de lime**
½ **c. à thé de zeste de lime râpé**
5¼ **tasses de sucre**
1 **sachet de 54 g (2 oz) de pectine de fruits en cristaux**
¾ **tasse d'eau**

1 Préparez les contenants à congélateurs et leurs couvercles (p. 278). Avec un mélangeur à pâte ou un presse-purée (ou au robot), réduisez les baies en purée en travaillant une tasse à la fois : il vous faut 3 tasses de purée. Mettez-la dans un grand bol.

2 Incorporez le jus, le zeste de lime et le sucre. Laissez reposer 10 minutes en remuant de temps à autre.

3 Dans une petite casserole, délayez la pectine dans l'eau (le mélange pourra être grumeleux). Amenez à ébullition à feu vif en remuant sans arrêt ; laissez bouillir 1 minute. Hors du feu, versez la pectine sur les fruits. Continuez à remuer pendant 3 minutes pour que le sucre fonde ; il peut rester quelques cristaux.

4 Versez la confiture dans les contenants en les remplissant jusqu'à 1,5 cm (½ po) du bord. Fermez-les rapidement. Laissez reposer 24 heures à la température ambiante.

5 Cette confiture se conserve 1 an au congélateur, ou 3 semaines au réfrigérateur. Donne 6¾ tasses.

Préparation : 20 minutes Cuisson : 3 minutes
Repos : 10 minutes, puis 24 heures

Par cuillerée à soupe : Calories 41. Gras total 0 g. Gras saturé 0 g.
Protéines 0 g. Hydrates de carbone 11 g. Fibres 0 g.
Sodium 0 mg. Cholestérol 0 mg.

Confiture de rhubarbe

*Comme le retour des hirondelles marque le printemps,
celui de la rhubarbe nous parle de l'été. Servie sur des crêpes
minces, nappées de crème fouettée, cette confiture est un délice !*

5 **tasses de sucre granulé**
1½ **tasse de cassonade dorée bien tassée**
1,25 **kg (2½ lb) de rhubarbe parée, hachée fin**
1 **tasse d'eau**
1 **sachet de 54 g (1¾ oz) de pectine de fruits en cristaux**
1 **c. à thé de zeste de citron râpé**
½ **c. à thé de beurre, ou de margarine**
Quelques gouttes de colorant rouge (facultatif)

1 Préparez sept bocaux de 1 tasse chacun et leurs couvercles (p. 278). Mélangez le sucre et la cassonade dans un bol.

2 Dans une grande casserole, mettez la rhubarbe et l'eau. Amenez à ébullition à feu vif ; baissez le feu, couvrez et laissez mijoter pendant 2 minutes. Mesurez 4½ tasses de rhubarbe ; mettez-les dans une marmite ou un faitout.

3 Incorporez la pectine, le zeste de citron, le beurre et le colorant, s'il y a lieu. Amenez à grande ébullition à feu vif en remuant constamment. Retirez du feu. Écumez.

4 Remplissez immédiatement les bocaux jusqu'à 3 mm (⅛ po) du bord. Essuyez le filetage, vissez les couvercles et serrez bien. Tournez les bocaux à l'envers pendant 5 minutes. Redressez-les et laissez-les 24 heures à la température ambiante. Vérifiez leur étanchéité (p. 278).

5 Cette confiture se garde 1 an, dans un endroit frais et sombre. Donne 7 bocaux de 1 tasse.

Préparation : 25 minutes Cuisson : 14 minutes
Repos : 24 heures

Par cuillerée à soupe : Calories 47. Gras total 0 g. Gras saturé 0 g.
Protéines 0 g. Hydrates de carbone 12 g. Fibres 0 g.
Sodium 3 mg. Cholestérol 0 mg.

CONSERVATION DES CONFITURES

◆ **Choix des bocaux** Employez uniquement les bocaux de verre destinés à la conservation. Assemblez bocaux et couvercles selon les instructions du fabricant. Les bocaux décoratifs (au centre, sur l'illustration ci-contre) ne conviennent pas à une conservation prolongée. Ne les retournez pas à l'envers pendant 5 minutes. Après 24 heures, mettez-les au réfrigérateur : la confiture se gardera 3 semaines.

◆ **Préparation des bocaux et des couvercles** Lavez-les à l'eau savonneuse ; rincez-les. Plongez les couvercles dans l'eau bouillante jusqu'au moment de vous en servir. (Faites la même chose pour les bocaux destinés aux marinades.)

◆ **Vérification de l'étanchéité** Une fois que les bocaux remplis sont bien froids, appuyez un doigt au centre du couvercle. Si le creux qui s'y forme persiste quand vous retirez le doigt, le couvercle est étanche. Si le couvercle reprend sa forme, le bocal n'est pas hermétiquement fermé. Gardez-le au réfrigérateur sans dépasser 3 semaines.

◆ **Contenants à congélation** En plastique ou en verre, lavez-les à l'eau savonneuse et rincez-les. Terminez le rinçage en versant de l'eau bouillante par-dessus.

Tartinade de prunes

Les multiples ingrédients qui entrent dans la fabrication de cette tartinade lui confèrent une saveur sans pareille.

3 **tasses de sucre**

1 **kg (2 lb) de prunes**

1 **orange**

1 **tasse de raisins secs dorés**

1 **sachet de 54 g (2 oz) de pectine de fruits en cristaux**

3 **c. à soupe de gingembre cristallisé finement haché**

½ **c. à thé de graines de coriandre moulues**

½ **c. à thé de beurre, ou de margarine**

½ **tasse de pacanes hachées**

1 Préparez six bocaux de 1 tasse et leurs couvercles (voir ci-dessus). Mettez le sucre dans un bol. Hachez finement les prunes, l'orange non pelée et les raisins secs ; déposez ce hachis dans une marmite ou un faitout. Ajoutez la pectine, le gingembre, la poudre de coriandre et le beurre. Amenez à grande ébullition à feu vif en

remuant sans arrêt. Incorporez rapidement le sucre. Faites bouillir 1 minute de plus sans cesser de remuer. Ajoutez les pacanes. Retirez du feu. Écumez.

2 Remplissez immédiatement les bocaux jusqu'à 3 mm (⅛ po) du bord. Essuyez le filetage, vissez les couvercles et serrez bien. Tournez les bocaux à l'envers pendant 5 minutes. Redressez-les et laissez-les 24 heures à la température ambiante. Vérifiez leur étanchéité (ci-contre). Cette tartinade se garde 1 an, dans un endroit frais et sombre. Donne 6 bocaux de 1 tasse.

Préparation : 25 minutes Cuisson : 7 minutes
Repos : 24 heures

Par cuillerée à soupe : Calories 42. Gras total 1 g. Gras saturé 0 g. Protéines 0 g. Hydrates de carbone 10 g. Fibres 0 g. Sodium 1 mg. Cholestérol 0 mg.

Gelée de raisin

Nos grand-mères comptaient sur la gélatine naturelle des raisins pour donner du corps à la gelée. La pectine du commerce assure un résultat plus constant.

4½ **tasses de sucre**

3 **tasses de jus de raisin non sucré**

1 **tasse de cocktail de canneberges**

3 **c. à soupe de jus de citron**

2 **c. à thé de zeste de citron râpé**

1 **sachet de 54 g (2 oz) de pectine de fruits en cristaux**

½ **c. à thé de beurre, ou de margarine**

1 Préparez six bocaux de 1 tasse et leurs couvercles (à gauche, ci-dessus). Mettez le sucre dans un bol. Mélangez le jus de raisin, le cocktail de canneberges, le jus et le zeste de citron dans une marmite ou un faitout.

2 Incorporez la pectine et le beurre. Faites prendre l'ébullition à feu vif en remuant sans cesse. Ajoutez rapidement le sucre. Faites bouillir 1 minute de plus sans cesser de remuer. Retirez du feu. Écumez.

3 Remplissez immédiatement les bocaux jusqu'à 3 mm (⅛ po) du bord. Essuyez le filetage, vissez les couvercles et serrez bien. Tournez les bocaux à l'envers pendant 5 minutes. Redressez-les et laissez-les 24 heures à la température ambiante. Vérifiez leur étanchéité (à gauche, ci-dessus). La gelée se conserve 1 an dans un endroit frais et obscur. Donne 6 bocaux de 1 tasse.

Préparation : 15 minutes Cuisson : 7 minutes
Repos : 24 heures

Par cuillerée à soupe : Calories 45. Gras total 0 g. Gras saturé 0 g. Protéines 0 g. Hydrates de carbone 11 g. Fibres 0 g. Sodium 1 mg. Cholestérol 0 mg.

Gelée de raisin et Tartinade de prunes sur des muffins anglais

Marmelade de pommes servie sur des céréales chaudes

Marmelade de pommes

Le terme marmelade désignait autrefois, en français,
une confiture faite avec un fruit réduit en purée.

2 kg (4 lb) de pommes, coupées en quatre

4 tasses de jus d'ananas, ou de jus de pomme non sucré

1½ tasse de sucre

½ tasse de miel

1½ c. à thé de cannelle

1 c. à thé de cardamome

½ c. à thé de macis

1 Dans une marmite ou un faitout, mettez les pommes et le jus d'ananas. Amenez à ébullition ; baissez le feu, couvrez et laissez mijoter 30 minutes en remuant de temps à autre. Passez la purée à travers un tamis ; éliminez les peaux et les cœurs. Vous obtiendrez 8 ou 9 tasses de purée. Mettez cette purée dans une marmite, ajoutez le reste des ingrédients et amenez à ébullition.

2 Quand l'ébullition est prise, baissez le feu et laissez mijoter sans couvrir pendant 2 heures à 2 h 30, ou jusqu'à ce que la marmelade soit très épaisse ; remuez fréquemment. Déposez la marmite dans un bassin d'eau glacée ; laissez refroidir en remuant souvent.

3 Préparez contenants et couvercles pour la congélation (p. 278). Remplissez-les jusqu'à 1,5 cm (½ po) du bord. Essuyez et mettez les couvercles.

4 Cette marmelade se conserve 1 an au congélateur, ou 3 semaines au réfrigérateur. Donne 5 tasses.

Préparation : 25 minutes Cuisson : 2 h 45

Par cuillerée à soupe : Calories 39. Gras total 0 g. Gras saturé 0 g. Protéines 0 g. Hydrates de carbone 10 g. Fibres 0 g. Sodium 0 mg. Cholestérol 0 mg.

Beurre d'érable

*Les beurres parfumés de toutes sortes complètent
la touche maison d'une bonne miche de pain.*

½ **tasse de beurre ramolli, ou de margarine**

2 **c. à soupe de sirop d'érable**

1 **c. à thé de zeste de citron râpé**

1 Travaillez les ingrédients ensemble à basse vitesse au mélangeur.

2 Le beurre d'érable se garde 2 semaines au réfrigérateur dans un contenant couvert. Sortez-le 30 minutes avant de le servir. Exquis sur des toasts, des crêpes ou en simples tartines. Donne ½ tasse.

Préparation : 5 minutes

Par cuillerée à thé: Calories 38. Gras total 4 g. Gras saturé 2 g.
Protéines 0 g. Hydrates de carbone 1 g. Fibres 0 g.
Sodium 40 mg. Cholestérol 10 mg.

Beurre de moutarde aux fines herbes Suivez la même recette, mais remplacez le sirop d'érable et le zeste de citron par **1 c. à soupe de moutarde de Dijon** et **½ c. à thé de thym séché**. Parfume agréablement le pain, la viande, la volaille, le poisson et les légumes cuits.

Par cuillerée à thé: Calories 35. Gras total 4 g. Gras saturé 2 g.
Protéines 0 g. Hydrates de carbone 0 g. Fibres 0 g.
Sodium 55 mg. Cholestérol 10 mg.

EMPLOI DU STÉRILISATEUR

Saisissez les bocaux fermés avec une pince et disposez-les dans le panier du stérilisateur plein d'eau bouillante : ils ne doivent pas se toucher. Remettez le couvercle après l'addition de chaque bocal.

La stérilisation terminée, protégez-vous les mains pour retirer le panier du stérilisateur. Retirez ensuite les bocaux et laissez-les refroidir sur une planche ou une serviette.

Cornichons tranchés

*Autrefois, les marinades permettaient de conserver
les légumes du jardin ; aujourd'hui, elles servent
à exciter la gourmandise.*

10 **tasses de concombres moyens tranchés**

5 **oignons moyens, tranchés**

2 **poivrons rouges ou jaunes moyens,
détaillés en anneaux**

⅓ **tasse de sel à mariner**

3 **gousses d'ail, coupées en deux
Glace pilée**

3 **tasses de sucre**

2 **tasses de vinaigre de cidre**

4 **c. à thé de graines de moutarde**

1½ **c. à thé de graines de coriandre**

1½ **c. à thé de grains entiers de poivre noir**

¾ **c. à thé de graines de céleri**

¾ **c. à thé de curcuma**

1 Mettez les concombres dans un grand bol, avec les oignons, les poivrons, le sel à mariner et l'ail. Incorporez une grande quantité de glace pilée. Laissez reposer 3 heures ; égouttez bien. Retirez l'ail.

2 Préparez cinq bocaux de 2 tasses chacun avec leurs couvercles (p. 278). Remplissez à demi d'eau le stérilisateur. Couvrez et lancez l'ébullition à feu vif. Pendant ce temps, faites bouillir de l'eau à part pour l'avoir sous la main à l'étape 4.

3 Dans une marmite ou un faitout, mélangez le sucre, le vinaigre, les graines de moutarde, les graines de coriandre, les grains de poivre, les graines de céleri et le curcuma. Ajoutez les concombres ; amenez à ébullition.

4 Remplissez aussitôt les bocaux jusqu'à 1,5 cm (½ po) du bord. Essuyez le filetage, vissez les couvercles et serrez bien. Déposez les bocaux dans le panier du stérilisateur (ci-contre). Rajoutez de l'eau bouillante au besoin ; il doit y en avoir 2,5 cm (1 po) au-dessus des bocaux. Couvrez et lancez l'ébullition. Maintenez-la pendant 10 minutes (p. 282). Retirez les bocaux ; laissez-les tiédir (ci-contre). Vérifiez leur étanchéité (p. 278).

5 Les cornichons se conservent 1 an dans un endroit frais et sombre. Donne 5 bocaux de 2 tasses.

Préparation : 45 minutes Marinage : 3 heures
Cuisson : 35 minutes

Pour ¼ tasse : Calories 15. Gras total 0 g. Gras saturé 0 g.
Protéines 0 g. Hydrates de carbone 4 g. Fibres 0 g.
Sodium 113 mg. Cholestérol 0 mg.

MARINADES

◆ **Remplissez les bocaux** Mettez dans chaque bocal assez de liquide pour que les éléments solides en soient recouverts. Laissez dans le haut l'espace recommandé.

◆ **Chassez les bulles d'air** Glissez une mince lame de plastique dans les bocaux, le long de la paroi. Ajoutez du liquide au besoin ; fermez les bocaux.

◆ **Stérilisez** Dans le stérilisateur, l'eau doit bouillir doucement ; compensez l'évaporation en rajoutant de l'eau bouillante. Si l'ébullition s'interrompt, arrêtez le chronométrage. Augmentez la chaleur et attendez que l'eau se remette à bouillir pour recommencer à calculer le temps de stérilisation.

Betteraves marinées

Les petites betteraves de l'été sont bien meilleures, sur le ragoût de boulettes, que les marinades en boîte.

½ **tasse de vinaigre de cidre**
⅓ **tasse de sucre**
⅓ **tasse d'eau**
½ **c. à thé de cannelle**
¼ **c. à thé de piment de la Jamaïque**
¼ **c. à thé de graines de carvi**
⅛ **c. à thé de sel**
⅛ **c. à thé de clou de girofle**
2 **boîtes de 398 ml (14 oz) de betteraves en tranches, égouttées**

1 Dans une grande casserole, mélangez le vinaigre, le sucre, l'eau, la cannelle, le piment de la Jamaïque, les graines de carvi, le sel et le clou. Lancez l'ébullition à feu vif en remuant de temps à autre.

2 Ajoutez les betteraves. Quand l'ébullition reprend, couvrez et laissez mijoter à petit feu 5 minutes.

3 Mettez les betteraves dans un contenant couvert et réfrigérez-les au moins 24 heures avant de les mettre en conserve (p. 278), si vous le désirez. Les betteraves marinées se gardent 1 mois au réfrigérateur, ou 1 an en bocaux fermés. Donne 2 tasses.

Préparation : 5 minutes Cuisson : 13 minutes
Réfrigération : 24 heures

Pour ¼ tasse : Calories 17. Gras total 0 g. Gras saturé 0 g.
Protéines 0 g. Hydrates de carbone 4 g. Fibres 1 g.
Sodium 119 mg. Cholestérol 0 mg.

Écorce de pastèque marinée

Cette marinade ne figure pas dans notre cuisine traditionnelle. Avec ses épices et son goût citronné, elle mérite certainement un essai.

2,25 kg (5 lb) d'écorce de pastèque
6 **tasses d'eau**
⅓ **tasse de sel à mariner**
3 **tasses de sucre**
1½ **tasse de vinaigre blanc**
1½ **tasse d'eau**
1 **bâton de cannelle de 7,5 cm (3 po), cassé en petits morceaux**
3 **tranches de 2,5 cm × 3 mm (1 × ⅛ po) de gingembre**
2 **c. à thé de piments de la Jamaïque entiers**
1 **c. à thé de clous de girofle entiers**
1 **petit citron, coupé en deux et tranché mince**

1 Découpez l'écorce de pastèque pour en détacher la pulpe rose et le zeste vert. Ne gardez que la partie blanche. Découpez-la en morceaux de 2,5 cm (1 po) ; vous devriez en avoir 9 tasses. Mettez ces morceaux dans un grand bol. Assaisonnez 6 tasses d'eau avec le sel à mariner ; versez-la sur les morceaux d'écorce. Ajoutez de l'eau au besoin pour les couvrir complètement. Laissez reposer au moins 8 heures, ou jusqu'au lendemain, à la température ambiante. Égouttez et rincez.

2 Mettez les morceaux d'écorce dans un faitout avec suffisamment d'eau pour couvrir. Amenez à ébullition. Baissez le feu, couvrez et laissez mijoter pendant 20 à 25 minutes. Égouttez.

3 Entre-temps, dans une marmite plus grande, ou un faitout, mettez le sucre, le vinaigre, la tasse et demie d'eau, la cannelle, le gingembre, les piments de la Jamaïque et les clous. Amenez à ébullition ; baissez le feu et laissez mijoter 10 minutes à découvert.

4 Ajoutez les morceaux d'écorce et le citron. Quand l'ébullition est prise, couvrez et laissez mijoter à petit feu 25 minutes environ.

5 Préparez trois bocaux de 2 tasses et leurs couvercles (p. 278). Remplissez à demi d'eau le stérilisateur. Couvrez et lancez l'ébullition à feu vif. Pendant ce temps, faites bouillir de l'eau dans un autre récipient pour l'avoir sous la main à l'étape suivante.

Écorce de pastèque marinée

Salade étagée de poivron et de chou

Cette salade n'est pas à proprement parler une conserve. Néanmoins, elle se « conserve » une bonne semaine au réfrigérateur et les épices dont elle est condimentée l'apparentent à une marinade.

1 tasse de sucre
1 tasse de vinaigre blanc
½ tasse d'eau
2 gousses d'ail, émincées
1 c. à soupe de graines d'aneth
2 c. à thé de moutarde sèche
1 c. à thé de thym séché
¼ c. à thé de sel
¼ c. à thé de poivre noir
6 tasses de chou râpé
1 petit oignon, haché
2 gros poivrons rouges ou jaunes, hachés
1 c. à soupe de piment rouge jalapeño en boîte, haché

1 Dans un bol moyen, mélangez le sucre, le vinaigre, l'eau, l'ail, les graines d'aneth, la moutarde sèche, le thym, le sel et le poivre noir.

2 Dans un grand bol, mettez le chou et l'oignon. Ajoutez les deux tiers de la marinade ; remuez. Couvrez et réfrigérez au moins 8 heures.

3 Dans un bol moyen, mélangez les poivrons et le piment jalapeño. Ajoutez le reste de la marinade et remuez. Couvrez et réfrigérez au moins 8 heures.

4 Dans un grand bocal ou un bol, étalez le tiers du chou, la moitié des poivrons, un autre tiers de chou, le reste des poivrons et le reste du chou. Ajoutez ce qui peut rester de marinade dans les bols. Couvrez.

5 Cette salade se garde 1 semaine au réfrigérateur. Servez-la, avec une cuiller à trous, pour accompagner le poulet grillé. Donne 6½ tasses.

Préparation : 30 minutes Réfrigération : 8 heures

Par ¼ tasse : Calories 24. Gras total 0 g. Gras saturé 0 g.
Protéines 0 g. Hydrates de carbone 6 g. Fibres 1 g.
Sodium 18 mg. Cholestérol 0 mg.

6 Remplissez aussitôt les bocaux jusqu'à 1,5 cm (½ po) du bord. Essuyez le filetage, vissez et serrez bien les couvercles. Déposez les bocaux dans le panier du stérilisateur (p. 281). Rajoutez de l'eau bouillante au besoin : il doit y en avoir 2,5 cm (1 po) au-dessus des bocaux. Couvrez et lancez l'ébullition. Maintenez-la pendant 10 minutes (p. 282). Retirez les bocaux ; laissez-les tiédir (p. 281). Vérifiez leur étanchéité (p. 278).

7 L'écorce de pastèque marinée se conserve 1 an, dans un endroit frais et sombre. Donne 6 tasses.

Préparation : 30 minutes Marinage : 8 heures
Cuisson : 1 h 25

Pour ¼ tasse : Calories 45. Gras total 0 g. Gras saturé 0 g.
Protéines 1 g. Hydrates de carbone 10 g. Fibres 0 g.
Sodium 99 mg. Cholestérol 0 mg.

Achard multicolore

Les achards et autres gourmandises du même genre sont toujours très condimentés ; ils ont donc beaucoup de goût. Mais ils ont un autre atout qu'on ne signale pas assez : ils ajoutent beaucoup de couleur. Servez celui-ci avec des hambourgeois ou des côtelettes de porc.

- 1 **bâton de cannelle de 7,5 cm (3 po), coupé en petits morceaux**
- 1 **c. à thé de clous de girofle entiers**
- 1 **c. à thé de piments de la Jamaïque entiers**
- ¼ **c. à thé de piment rouge broyé**
- ½ **tasse de sucre**
- ½ **tasse de vinaigre blanc**
- ¼ **tasse d'eau**
- 2 **gros oignons, hachés**
- 2 **carottes moyennes, hachées**
- ⅓ **tasse de raisins secs**
- 1 **gros poivron vert, haché**
- 3 **c. à soupe de piment doux rôti, en lanières**

1 Mettez la cannelle, le girofle, le piment de la Jamaïque et le piment rouge broyé dans un sachet (ci-contre). Dans une grande casserole, mélangez le sucre, le vinaigre et l'eau. Ajoutez le sachet de condiments, les oignons, les carottes et les raisins secs.

2 Faites prendre l'ébullition à feu vif, puis laissez mijoter à petit feu 5 minutes sans couvrir. Retirez. Ajoutez le poivron vert et le piment doux rôti.

3 Mettez l'achard dans un contenant couvert et réfrigérez au moins 8 heures (1 semaine au maximum). Retirez le sachet d'épices. Servez cet achard avec une cuiller à trous. Donne 4½ tasses.

Préparation : 25 minutes Cuisson : 10 minutes
Réfrigération : 8 heures

Pour ¼ tasse : Calories 32. Gras total 0 g. Gras saturé 0 g. Protéines 0 g. Hydrates de carbone 8 g. Fibres 1 g. Sodium 7 mg. Cholestérol 0 mg.

SACHET D'ÉPICES

Utilisez de l'étamine de coton pur. Découpez-y un carré de 7,5 cm (3 po) de côté. Déposez-y les épices au centre. Relevez les coins et attachez-les avec de la ficelle de cuisine.

Chow-chow

Le chow-chow est le vague descendant d'un condiment à la moutarde que fabriquaient les immigrants chinois à l'époque de la construction du chemin de fer transcontinental.

- 1 **tasse de cassonade dorée bien tassée**
- 1 **tasse de vinaigre**
- ½ **tasse d'eau**
- 2 **c. à thé de moutarde sèche**
- 1 **c. à thé de graines de céleri**
- 1 **c. à thé de piments de la Jamaïque entiers**
- ½ **c. à thé de curcuma**
- 1½ **tasse de chou-fleur en petits fleurons**
- 1 **gros oignon, haché**
- 2 **tasses de chou haché**
- 2 **gros poivrons rouges, jaunes ou verts, hachés**
- 2 **tomates vertes ou rouges moyennes, épépinées et hachées**

1 Dans une grande casserole, mélangez la cassonade, le vinaigre, l'eau, la moutarde, les graines de céleri, les piments de la Jamaïque et le curcuma. Ajoutez le chou-fleur et l'oignon.

2 Faites prendre l'ébullition à feu vif, puis laissez mijoter à petit feu 3 minutes, sans couvrir. Retirez. Ajoutez le chou, les poivrons et les tomates.

3 Mettez le chow-chow dans un contenant couvert et réfrigérez-le au moins 8 heures (1 semaine au maximum). Pour le servir, utilisez une cuiller à trous. Donne 6½ tasses.

Préparation : 25 minutes Cuisson : 8 minutes
Réfrigération : 8 heures

Pour ¼ tasse : Calories 28. Gras total 0 g. Gras saturé 0 g. Protéines 1 g. Hydrates de carbone 7 g. Fibres 1 g. Sodium 6 mg. Cholestérol 0 mg.

Condiment à la choucroute

Condiment à la choucroute

Vous pouvez laver la choucroute sous le robinet d'eau froide
pour lui enlever une partie de son acidité.

¼ **tasse de sucre**

¼ **tasse de vinaigre**

2 **c. à soupe d'eau**

1 **c. à thé de sarriette séchée, ou de basilic séché**

1 **c. à thé de sauce Worcestershire hyposodique**

¼ **c. à thé de piment rouge broyé**

1 **tasse de choucroute hyposodique, égouttée**

1 **tomate moyenne, épépinée et hachée**

¾ **tasse de concombre, épépiné et haché**

2 **oignons verts moyens, tranchés mince**

1 Dans un bol moyen, mélangez le sucre, le vinaigre, l'eau, la sarriette, la sauce Worcestershire et le piment rouge broyé. Ajoutez la choucroute, la tomate, le concombre et les oignons verts.

2 Mettez le condiment dans un contenant couvert et réfrigérez-le au moins 2 heures (1 semaine au maximum). Servez-le avec une cuiller à trous. Donne 3 tasses.

Préparation : 15 minutes Réfrigération : 2 heures

Pour ¼ tasse : Calories 17. Gras total 0 g. Gras saturé 0 g.
Protéines 0 g. Hydrates de carbone 4 g. Fibres 0 g.
Sodium 30 mg. Cholestérol 0 mg.

Achard de poires et poivrons au gingembre, sur une côtelette de porc

Achard de poires et poivrons au gingembre

*Semblable à un chutney, cet achard, relevé de raisins secs
et de gingembre cristallisé, est délicieux avec le porc, le jambon et le poulet.*

²/₃ **tasse de vinaigre de cidre**

½ **tasse de cassonade dorée bien tassée**

⅓ **tasse de raisins de Corinthe, ou d'autres raisins secs**

2 **c. à soupe de gingembre cristallisé haché**

1 **c. à thé de moutarde sèche**

¼ **c. à thé de piment de la Jamaïque**

⅛ **c. à thé de cayenne**

1 **gros oignon, haché**

5 **poires moyennes, parées et hachées**

2 **poivrons moyens, verts, jaunes ou rouges, hachés**

1 Dans une grande casserole, mélangez le vinaigre, la cassonade, les raisins de Corinthe, le gingembre, la moutarde sèche, le piment de la Jamaïque et le cayenne. Ajoutez l'oignon.

2 Faites prendre l'ébullition à feu vif, puis laissez mijoter à petit feu 3 minutes. Retirez. Ajoutez les poires et les poivrons.

3 Mettez l'achard dans un contenant couvert et réfrigérez-le au moins 8 heures (1 semaine au maximum). Servez-le avec une cuiller à trous. Donne 6 tasses.

Préparation : 25 minutes Cuisson : 8 minutes
Réfrigération : 8 heures

Pour ¼ tasse : Calories 35. Gras total 0 g. Gras saturé 0 g.
Protéines 0 g. Hydrates de carbone 9 g. Fibres 1 g.
Sodium 1 mg. Cholestérol 0 mg.

PRÉSENTATION DU CONCOMBRE

Que vous le serviez frais ou en marinade, avec ou sans la pelure, donnez un joli aspect au concombre en vous servant des dents d'une fourchette. Tracez des lignes sur toute la longueur du concombre, 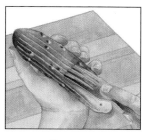 en le retournant dans votre main. Découpez-le dans l'autre sens ; les tranches seront dentelées.

Achard de maïs et concombre

Cet achard très facile à préparer fait des merveilles avec les viandes, le poulet, le poisson grillé et les sandwiches.

2   **paquets de 350 g (12 oz) de maïs en grains surgelé**
3/4   **tasse de sucre**
2/3   **tasse de vinaigre blanc**
2   **c. à soupe d'eau**
1   **c. à thé de marjolaine séchée**
1/4   **c. à thé de sel**
   Trait de sauce Tabasco
2   **petits concombres**
1   **poivron rouge ou vert moyen, haché**
1   **tasse de petits champignons, entiers**

1 Dans une grande casserole, faites cuire le maïs selon les directives de l'emballage. Égouttez-le. Ajoutez le sucre, le vinaigre, l'eau, la marjolaine, le sel et la sauce Tabasco.

2 Faites prendre l'ébullition à feu vif, puis laissez mijoter à petit feu 3 minutes sans couvrir. Retirez.

3 Décorez et tranchez les concombres (ci-dessus). Ajoutez-les au maïs, ainsi que le poivron et les champignons. Mettez l'achard dans un contenant couvert et réfrigérez-le pendant au moins 8 heures (1 semaine au maximum). Servez-le avec une cuiller à trous. Donne 6¾ tasses.

Préparation : 10 minutes Cuisson : 15 minutes
Réfrigération : 8 heures

Pour ¼ tasse : Calories 35. Gras total 0 g. Gras saturé 0 g.
Protéines 1 g. Hydrates de carbone 9 g. Fibres 1 g.
Sodium 15 mg. Cholestérol 0 mg.

Achard à l'ancienne

Autrefois, on le préparait au moment où le temps du maïs battait son plein. Aujourd'hui, grâce à la surgélation, on peut l'apprêter en toute saison.

1   **paquet de 350 g (12 oz) de maïs en grains surgelé**
1   **oignon moyen, haché fin**
1/3   **tasse de sucre**
1   **c. à soupe de fécule de maïs**
1   **c. à thé de graines de céleri**
1   **c. à thé de curcuma**
1/4   **c. à thé de sel**
1/8   **c. à thé de cayenne**
1/2   **tasse de vinaigre**
1/4   **tasse d'eau**
1   **grosse tomate, épépinée et hachée**
1   **gros poivron vert, haché**

1 Dans une grande casserole, faites cuire le maïs selon les directives de l'emballage, en y ajoutant l'oignon. Égouttez et réservez.

2 Dans la même casserole, mettez le sucre, la fécule, les graines de céleri, le curcuma, le sel et le cayenne ; mélangez. Incorporez le vinaigre et l'eau. Ajoutez le maïs, la tomate et le poivron.

3 Faites prendre l'ébullition à feu vif, puis laissez épaissir la préparation à petit feu 2 minutes sans couvrir. Remuez constamment.

4 Mettez cet achard dans un contenant couvert et réfrigérez au moins 2 heures (1 mois au maximum). Servez-le avec les hambourgeois ou le poulet grillé. Donne 4¼ tasses.

Préparation : 15 minutes Cuisson : 15 minutes
Réfrigération : 2 heures

Pour ¼ tasse : Calories 39. Gras total 0 g. Gras saturé 0 g.
Protéines 1 g. Hydrates de carbone 10 g. Fibres 1 g.
Sodium 34 mg. Cholestérol 0 mg.

Achard aux tomates

*Il faut épépiner soigneusement les tomates ;
autrement, leur eau de végétation diluera la préparation.*

½ **tasse de vinaigre de vin rouge**

⅓ **tasse de cassonade dorée bien tassée**

1 **bâton de cannelle de 7,5 cm (3 po), cassé en morceaux**

2 **c. à thé de graines de moutarde**

1 **c. à thé de zeste d'orange râpé**

½ **c. à thé de gingembre moulu**

⅛ **c. à thé de clou de girofle moulu**

2 **pommes sures moyennes, hachées**

1 **gros oignon, haché**

4 **tomates moyennes, épépinées et hachées**

1 Dans une grande casserole, réunissez le vinaigre, la cassonade, la cannelle, les graines de moutarde, le zeste d'orange, le gingembre et le clou de girofle. Ajoutez les pommes et l'oignon.

2 Faites prendre l'ébullition à feu vif, puis laissez mijoter à feu assez vif 3 minutes sans couvrir. Retirez. Ajoutez les tomates.

3 Versez l'achard dans un contenant couvert et réfrigérez au moins 8 heures (1 semaine au maximum). Retirez le bâton de cannelle et servez cet achard avec une cuiller à trous. Il accompagne bien le rôti de porc et les côtelettes de porc grillées. Donne 5½ tasses.

Préparation : 25 minutes Cuisson : 8 minutes
Réfrigération : 8 heures

Pour ¼ tasse : Calories 20. Gras total 0 g. Gras saturé 0 g.
Protéines 0 g. Hydrates de carbone 5 g. Fibres 1 g.
Sodium 4 mg. Cholestérol 0 mg.

Cerises épicées

*Les cerises épicées se sont raffinées avec le temps ;
celles-ci sont relevées de jus d'orange et de brandy.*

½ **tasse de sucre**

½ **tasse de jus d'orange**

2 **c. à soupe de vinaigre**

1 **c. à thé de zeste d'orange râpé**

¼ **c. à thé de cannelle moulue**

⅛ **c. à thé de macis moulu**

1 **kg (2 lb) de cerises noires, dénoyautées**

2 **c. à soupe de brandy, de xérès sec ou de jus d'orange**

1 Dans une grande casserole, mélangez le sucre, le jus d'orange, le vinaigre, le zeste d'orange, la cannelle et le macis. Incorporez les cerises.

2 Lancez l'ébullition à feu vif, puis laissez mijoter à feu assez vif 5 minutes sans couvrir. Hors du feu, ajoutez le brandy.

3 Mettez les cerises dans un contenant couvert et réfrigérez-les au moins 8 heures (1 semaine au maximum). Servez-les avec une cuiller à trous. Elles accompagnent fort bien les rôtis de poulet ou de dinde. Donne 3 tasses.

Préparation : 20 minutes Cuisson : 10 minutes
Réfrigération : 8 heures

Pour ¼ tasse : Calories 64. Gras total 1 g. Gras saturé 0 g.
Protéines 1 g. Hydrates de carbone 14 g. Fibres 1 g.
Sodium 0 mg. Cholestérol 0 mg.

Rondelles de pommes au miel épicé

*Songez à offrir ces rondelles de pommes avec le poulet
ou le porc rôti, mais aussi avec le boudin noir.*

2 **tasses de cocktail de canneberges**

½ **tasse de miel**

½ **c. à thé de cannelle**

¼ **c. à thé de piment de la Jamaïque**

⅛ **c. à thé de clou de girofle moulu**

4 **pommes sures moyennes, parées et détaillées en rondelles de 1,5 cm (½ po)**

1 Dans une sauteuse moyenne, mélangez le cocktail de canneberges, le miel, la cannelle, le piment de la Jamaïque et le clou. Lancez l'ébullition à feu vif, puis laissez mijoter à feu assez vif 5 minutes sans couvrir.

2 Ajoutez les pommes. Quand l'ébullition reprend, couvrez et laissez mijoter à petit feu 8 ou 10 minutes ; arrosez les pommes de sirop de temps à autre. Servez chaud ou glacé.

3 Les rondelles de pommes se conservent 1 mois au réfrigérateur dans un contenant couvert. Servez-les avec une cuiller à trous. Donne 6 portions.

Préparation : 10 minutes Cuisson : 20 minutes

Par portion : Calories 77. Gras total 0 g. Gras saturé 0 g.
Protéines 0 g. Hydrates de carbone 20 g. Fibres 2 g.
Sodium 1 mg. Cholestérol 0 mg.

Petites gâteries

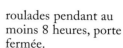

Beurre d'arachide croquant

Montrez aux enfants que le beurre d'arachide ne « pousse » pas dans le bocal. Ajoutez le zeste d'orange pour lui donner une saveur inédite.

- **2 tasses d'arachides rôties à sec et non salées**
- **¼ c. à thé de sel**
- **½ tasse des mêmes arachides, hachées**
- **½ c. à thé de zeste d'orange râpé (facultatif)**

1. Mettez les arachides entières et le sel dans le robot et travaillez-les pendant 5 minutes. Raclez la paroi du bol de temps à autre pour que la texture soit uniforme.

2. Ajoutez les arachides hachées et le zeste d'orange, s'il y a lieu.

3. Mettez dans un contenant couvert et réfrigérez au moins 1 heure (1 mois au maximum). Donne 1¼ tasse.

Beurre aux abricots

Donne un air de fête aux toasts, crêpes, croissants et au gâteau de Savoie.

- **¾ tasse de beurre ramolli, ou de margarine**
- **¼ tasse d'abricots, frais ou séchés, hachés fin**
- **2 c. à soupe de sucre glace**
- **1 c. à thé de jus de citron**
- **½ c. à thé de zeste de citron râpé**

1. Dans un bol moyen, défaites le beurre en crème à basse vitesse au batteur électrique.

2. Ajoutez les abricots, le sucre glace, le jus et le zeste de citron. Mélangez au batteur.

3. Le beurre d'abricot se garde 2 semaines au réfrigérateur dans un contenant couvert. Laissez-le tiédir 30 minutes avant de le servir. Vous pouvez l'étaler sur des toasts ou des crêpes. Donne 1 tasse.

Roulades de fruits

Les enfants adorent planter leurs dents dans cette friandise collante.

- **125 g (4 oz) de pêches séchées**
- **125 g (4 oz) d'abricots séchés**
- **2 tasses d'eau**

- **1 c. à thé de vanille**
- **¼ c. à thé de piment de la Jamaïque**
- **1 c. à thé de sucre (facultatif)**

1. Dans une casserole moyenne, mélangez les pêches et les abricots ; ajoutez l'eau. Amenez à ébullition ; couvrez et laissez mijoter à petit feu 30 minutes ou jusqu'à ce que les fruits soient très tendres. Égouttez et laissez refroidir.

2. Préchauffez le four à 150 °C (300 °F). Mettez les fruits dans le mélangeur et réduisez-les en purée avec la vanille et le piment de la Jamaïque

3. Tapissez une plaque de papier d'aluminium. Étalez-y la préparation. Enfournez et faites cuire 25 minutes. Éteignez le four et laissez sécher les roulades pendant au moins 8 heures, porte fermée.

4. Saupoudrez de sucre, s'il y a lieu. Enroulez la plaque de fruits sur elle-même. Enveloppé de papier d'aluminium, le rouleau se garde 2 mois au réfrigérateur. Pour servir, déroulez-le et déchirez-en des morceaux. Donne 4 ou 6 portions.

Compote de pommes parfumée

- **3 tasses de compote de pommes non sucrée**
- **⅓ tasse de raisins secs**

- **¼ tasse de marmelade d'oranges**
- **¼ c. à thé de cannelle (facultatif)**

1. Dans une grande casserole, mélangez la compote, les raisins, la marmelade et la cannelle, s'il y a lieu.

2. Réchauffez 5 minutes à feu vif en remuant souvent. Servez chaud. Donne 2¾ tasses.

MOISSON DU BOULANGER

L'arôme du bon pain chaud est indissociable de la cuisine d'autrefois. Sans parler du plaisir qu'on prenait à confectionner ses propres muffins, galettes et divers petits gâteaux briochés pour les servir aux invités gourmands. Grâce aux appareils électriques et aux ingrédients modernes, on peut les préparer aujourd'hui en beaucoup moins de temps et d'efforts, tout en utilisant moins de matières grasses par souci de surveiller sa santé. Les farines aux grains entiers, les fruits secs et les noix qu'on y ajoute contribuent aussi au plaisir du palais tout en apportant des éléments nutritifs à ne pas dédaigner.

291

Au premier plan, Pain abricoté aux pacanes ; au second plan, Pain irlandais

Pain irlandais

Ce pain, que les colons irlandais ont apporté avec eux en Amérique, se place à mi-chemin entre une galette et un gâteau brioché. Servez-le tiède, tartiné de confiture.

1⅓ tasse de farine blanche

⅔ tasse de farine de blé complet

2 c. à soupe de cassonade dorée bien tassée

1 c. à thé de levure chimique

1 c. à thé de graines de carvi (facultatif)

½ c. à thé de bicarbonate de soude

¼ c. à thé de sel

3 c. à soupe de beurre, ou de margarine

2 gros blancs d'œufs

¾ tasse de babeurre écrémé à 1 p. 100,
ou de lait aigre (p. 300), et un peu plus
pour la dorure

⅓ tasse de raisins de Corinthe

1½ c. à thé de zeste d'orange râpé

1 Préchauffez le four à 190 °C (375 °F). Dans un grand bol, mélangez les deux farines, la cassonade, la levure chimique, les graines de carvi, s'il y a lieu, le bicarbonate de soude et le sel.

2 Avec un mélangeur à pâte ou deux couteaux, amalgamez le beurre ; le mélange ressemblera à une chapelure grossière.

3 Dans un bol moyen, mélangez les blancs d'œufs, le babeurre, les raisins de Corinthe et le zeste d'orange. Versez d'un trait sur les ingrédients secs et remuez. Pétrissez le pâton 30 secondes sur une surface farinée. Façonnez-le en miche de 15 cm (6 po) de diamètre et déposez-le sur une plaque graissée.

4 Avec un couteau très coupant ou une lame de rasoir, entaillez le dessus en forme de croix et badigeonnez toute la surface de babeurre pour l'aider à dorer.

5 Enfournez et faites cuire 30 minutes, ou jusqu'à ce que le pain soit doré. Laissez-le refroidir sur une grille. Donne 1 pain de 12 portions.

Préparation : 20 minutes Cuisson : 30 minutes

Par portion : Calories 126. Gras total 3 g. Gras saturé 2 g.
Protéines 4 g. Hydrates de carbone 21 g. Fibres 2 g.
Sodium 193 mg. Cholestérol 9 mg.

Pain abricoté aux pacanes

Dans les familles anglaises, on le servait l'après-midi, à l'heure du thé. Si vous ne voulez pas qu'il s'émiette quand vous le tranchez, laissez-le d'abord refroidir complètement.

180 g (6 oz) d'abricots séchés, hachés
Eau bouillante

2 tasses de farine

¾ tasse de sucre

1 c. à soupe de levure chimique

¼ c. à thé de sel

2 gros blancs d'œufs

⅔ tasse de nectar d'abricot, ou de jus d'orange

3 c. à soupe d'huile

2 c. à thé de zeste d'orange râpé

½ tasse de pacanes, ou de noix, finement hachées

3 ou 4 c. à thé de jus d'orange

½ tasse de sucre glace tamisé

1 Préchauffez le four à 180 °C (350 °F). Dans un petit bol, mettez les abricots et suffisamment d'eau bouillante pour couvrir. Laissez tremper 5 minutes. Égouttez et réservez.

2 Dans un grand bol, mélangez la farine, le sucre, la levure chimique et le sel. Dans un bol moyen, mélangez les blancs d'œufs, le nectar d'abricot, l'huile et le zeste d'orange. Versez d'un trait sur les ingrédients secs et mélangez sans insister. Incorporez les abricots et les pacanes.

3 Versez la pâte dans un moule de 20 × 10 × 5 cm (8 × 4 × 2 po), graissé. Enfournez et faites cuire de 50 à 55 minutes, jusqu'à ce qu'un cure-dent inséré au centre du pain en ressorte propre. Laissez refroidir le pain 5 minutes sur une grille avant de le démouler.

4 Dans un petit bol, incorporez peu à peu le jus d'orange au sucre glace. Aspergez-en le pain. Laissez refroidir complètement. Donne 1 pain de 16 portions.

Préparation : 20 minutes Trempage : 5 minutes
Cuisson : 50 minutes

Par portion : Calories 187. Gras total 5 g. Gras saturé 0 g.
Protéines 3 g. Hydrates de carbone 34 g. Fibres 2 g.
Sodium 134 mg. Cholestérol 0 mg.

Pain aux pommes et aux pruneaux

Tartinez-le de fromage à la crème : un pur délice !

2 tasses de farine

½ tasse de sucre

½ tasse de cassonade dorée bien tassée

1½ c. à thé de levure chimique

1 c. à thé de cannelle

½ c. à thé de gingembre

¼ c. à thé de bicarbonate de soude

¼ c. à thé de sel

2 gros blancs d'œufs

1 tasse de pommes pelées et râpées

⅓ tasse de jus de pomme

3 c. à soupe d'huile

1 c. à thé de zeste de citron râpé

½ tasse de pruneaux dénoyautés et hachés

1 Préchauffez le four à 180 °C (350 °F). Dans un grand bol, mélangez la farine, le sucre, la cassonade, la levure chimique, la cannelle, le gingembre, le bicarbonate de soude et le sel.

2 Dans un bol moyen, mélangez les blancs d'œufs, les pommes râpées, le jus de pomme, l'huile et le zeste de citron. Versez d'un trait sur les ingrédients secs et mélangez sans insister. Incorporez les pruneaux.

3 Mettez la pâte dans un moule graissé de 20 × 10 × 5 cm (8 × 4 × 2 po). Enfournez et faites cuire de 55 à 60 minutes, jusqu'à ce qu'un cure-dent inséré au centre du pain en ressorte propre. Laissez reposer 5 minutes sur une grille avant de démouler. Faites refroidir complètement. Donne 1 pain de 16 portions.

Préparation : 20 minutes Cuisson : 55 minutes

Par portion : Calories 143. Gras total 3 g. Gras saturé 0 g. Protéines 2 g. Hydrates de carbone 28 g. Fibres 1 g. Sodium 108 mg. Cholestérol 0 mg.

COMMENT RÉUSSIR LES PAINS BRIOCHÉS

◆ Pour éviter qu'il ne se forme une calotte croûtée sur les muffins et les pains briochés, graissez les moules au fond et jusqu'à mi-hauteur seulement. Ainsi, la pâte adhérera à la paroi du moule durant la cuisson, plutôt que de retomber dans le fond.

◆ Et pour qu'ils aient un dessus plat plutôt que bombé et pour qu'ils ne s'égrènent pas, mélangez à peine les ingrédients secs et les liquides.

◆ Pour couper le pain sans qu'il s'émiette, laissez-le refroidir complètement et tranchez-le avec un couteau à lame dentée.

◆ Pour ranger vos pains briochés et vos muffins, enveloppez-les dans du papier d'aluminium ou enfermez-les dans un sac de plastique ; ils se conserveront trois jours à la température ambiante. Pour les congeler, glissez le tout dans un sac à congélation : de cette façon, ils se conserveront trois mois.

Muffins en pain d'épice

Autrefois, le pain d'épice n'était pas considéré comme une pâte sucrée : ces muffins peuvent se substituer au pain.

1½ tasse de farine

1 tasse de céréales de son entier

⅓ tasse de cassonade dorée bien tassée

2 c. à thé de levure chimique

¾ c. à thé de cannelle moulue

¾ c. à thé de gingembre moulu

½ c. à thé de bicarbonate de soude

⅛ c. à thé de clou de girofle moulu

2 gros blancs d'œufs

1 tasse de lait écrémé à 1 p. 100

¼ tasse de mélasse

3 c. à soupe d'huile

¾ tasse de dattes dénoyautées et hachées

1 Préchauffez le four à 200 °C (400 °F). Graissez ou doublez de cassolettes de papier un moule à muffins.

2 Dans un grand bol, mélangez la farine, les céréales de son, la cassonade, la levure chimique, la cannelle, le gingembre, le bicarbonate de soude et le clou. Dans un bol moyen, mélangez les blancs d'œufs, le lait, la mélasse et l'huile. Versez d'un trait sur les ingrédients secs et mélangez sans insister. Incorporez les dattes.

3 Remplissez aux trois quarts les alvéoles du moule. Enfournez et faites cuire les muffins 16 à 18 minutes pour les dorer. Servez tièdes. Donne 12 muffins.

Préparation : 15 minutes Cuisson : 16 minutes

Par muffin : Calories 178. Gras total 4 g. Gras saturé 0 g. Protéines 4 g. Hydrates de carbone 34 g. Fibres 3 g. Sodium 196 mg. Cholestérol 1 mg.

Muffins berlinois aux bleuets

Muffins berlinois aux bleuets

Ces muffins sont en réalité une sorte de gâteau à la pâte levée,
garni d'un glaçage un peu granuleux. Les bleuets sont un ajout bien de chez nous.

Glaçage :

¼ **tasse de cassonade dorée bien tassée**

2 **c. à soupe de farine**

½ **c. à thé de cannelle**

¼ **c. à thé de piment de la Jamaïque**

1 **c. à soupe de beurre, ou de margarine**

Pâte :

2 **tasses de farine**

½ **tasse de sucre**

1 **c. à soupe de levure chimique**

⅛ **c. à thé de sel**

2 **gros blancs d'œufs**

¾ **tasse de lait écrémé à 1 p. 100**

3 **c. à soupe de beurre fondu**

½ **c. à thé de zeste de lime râpé**

¾ **tasse de bleuets**

1 Préchauffez le four à 200 °C (400 °F). Graissez ou doublez de cassolettes de papier un moule à muffins. Glaçage : dans un bol moyen, mélangez la cassonade, la farine, la cannelle et le piment de la Jamaïque. Amalgamez le beurre avec un mélangeur à pâte ou deux couteaux : la pâte ressemblera à une chapelure grossière.

2 Gâteau : dans un grand bol, mélangez la farine, le sucre, la levure chimique et le sel. Dans un bol moyen, mélangez les blancs d'œufs, le lait, le beurre fondu et le zeste de lime. Versez d'un trait sur les ingrédients secs et mélangez sans insister. Incorporez les bleuets.

3 Remplissez aux trois quarts les alvéoles du moule à muffins. Garnissez de glaçage. Enfournez et faites cuire les muffins de 20 à 22 minutes pour qu'ils soient dorés. Servez-les tièdes. Donne 12 muffins.

Préparation : 20 minutes Cuisson : 20 minutes

Par muffin : Calories 173. Gras total 4 g. Gras saturé 3 g.
Protéines 3 g. Hydrates de carbone 31 g. Fibres 1 g.
Sodium 202 mg. Cholestérol 11 mg.

Gâteau brioché à la cannelle et aux pacanes et Gâteau brioché aux pommes

Gâteau brioché à la cannelle et aux pacanes

Ce gâteau brioché est idéal pour un buffet car il sert beaucoup de convives. Vous pouvez le confectionner la veille ; dans ce cas, gardez-le dans un contenant bien fermé, à la température ambiante.

2½ tasses de farine

1½ tasse de cassonade dorée bien tassée

⅓ tasse de beurre, ou de margarine

¼ tasse de pacanes hachées

2 c. à thé de levure chimique

1 c. à thé de cannelle

½ c. à thé de bicarbonate de soude

½ c. à thé de gingembre

⅛ c. à thé de sel

2 gros blancs d'œufs

1 gros œuf, légèrement battu

1½ tasse de crème sure allégée

1 c. à thé de zeste de citron râpé

1 tasse de figues sèches hachées, ou de raisins secs

Glacis :

1 tasse de sucre glace tamisé

2 c. à thé de jus de citron

1 ou 2 c. à soupe de lait écrémé à 1 p. 100

1 Préchauffez le four à 180 °C (350 °F). Dans un grand bol, mélangez la farine et la cassonade. Avec un mélangeur à pâte ou deux couteaux, amalgamez le beurre. Employez ½ tasse de ce mélange pour fariner les pacanes. Au reste du mélange, incorporez la levure chimique, la cannelle, le bicarbonate de soude, le gingembre et le sel. Dans un bol moyen, mélangez les blancs d'œufs, l'œuf, la crème sure et le zeste de citron. Versez d'un trait sur les ingrédients secs et mélangez sans insister. Incorporez les figues.

2 Mettez la pâte dans un moule graissé de 33 × 22 × 5 cm (13 × 9 × 2 po). Saupoudrez de pacanes. Enfournez et faites cuire de 30 à 35 minutes, jusqu'à ce qu'un cure-dent inséré au centre du gâteau en ressorte propre. Dans un petit bol, mélangez le sucre glace et le jus de citron. Incorporez le lait. Aspergez le gâteau de ce glacis. Servez-le tiède ou froid. Donne 18 portions.

Préparation : 20 minutes Cuisson : 30 minutes

Par portion : Calories 230. Gras total 7 g. Gras saturé 4 g.
Protéines 4 g. Hydrates de carbone 38 g. Fibres 2 g.
Sodium 163 mg. Cholestérol 29 mg.

Gâteau brioché aux canneberges

Le mot canneberge a une origine inconnue en français.
Il pourrait s'agir d'un emprunt de l'anglais, cranberry.
Tiré de la langue indienne, le terme d'atoca était
plus courant autrefois. En France, on désigne
cette petite baie sous le nom d'airelle.

Garniture aux canneberges :

1½	tasse de canneberges hachées
¼	tasse d'eau
⅔	tasse de sucre
2	c. à soupe de fécule de maïs

Garniture croustillante :

¼	tasse de sucre
¼	tasse de farine
1	c. à soupe de beurre, ou de margarine
1	c. à soupe d'amandes effilées (facultatif)

Gâteau brioché :

1½	tasse de farine
½	tasse de sucre
½	c. à thé de levure chimique
¼	c. à thé de bicarbonate de soude
¼	c. à thé de muscade
3	c. à soupe de beurre, ou de margarine
2	gros blancs d'œufs
½	tasse de babeurre écrémé à 1 p. 100, ou de lait aigre (p. 300)
1	c. à thé de vanille

1 Garniture aux canneberges : mettez les canneberges et l'eau dans une petite casserole. Amenez à ébullition, couvrez et laissez mijoter 5 minutes à petit feu. Dans un petit bol, mélangez le sucre et la fécule de maïs ; ajoutez-les aux canneberges. Faites cuire à feu modéré 4 minutes, ou jusqu'à épaississement, en remuant sans arrêt. Retirez du feu. Préchauffez le four à 180 °C (350 °F).

2 Garniture croustillante : mélangez le sucre et la farine. Avec un mélangeur à pâte ou deux couteaux, amalgamez le beurre. Incorporez les amandes, s'il y a lieu, et réservez.

3 Gâteau brioché : dans un grand bol, mélangez la farine, le sucre, la levure chimique, le bicarbonate de soude et la muscade. Avec un mélangeur à pâte ou deux couteaux, amalgamez le beurre : le mélange ressemblera à une chapelure grossière. Dans un petit bol, mélangez les blancs d'œufs, le babeurre et la vanille. Versez d'un trait sur les ingrédients secs et mélangez sans insister.

4 Mettez les deux tiers de la pâte dans un moule rond de 22 cm (9 po), graissé. Étalez la garniture de canneberges. Déposez le reste de la pâte par petits monticules sur la garniture. Égrenez la garniture croustillante sur la surface. Enfournez et faites cuire 35 à 40 minutes pour dorer le gâteau. Servez-le chaud. Donne 9 portions.

Préparation : 20 minutes Cuisson : 45 minutes

Par portion : Calories 282. Gras total 6 g. Gras saturé 3 g.
Protéines 4 g. Hydrates de carbone 55 g. Fibres 1 g.
Sodium 141 mg. Cholestérol 15 mg.

Gâteau brioché aux pommes

Ce petit gâteau se sert à l'heure de la collation.

1	grosse pomme sure, pelée et tranchée mince
1½	tasse de farine
⅔	tasse de sucre
2	c. à thé de levure chimique
⅛	c. à thé de sel
2	gros blancs d'œufs
½	tasse de jus de pomme
3	c. à soupe d'huile
1	c. à thé de zeste de citron râpé
⅓	tasse de cassonade dorée bien tassée
1	c. à soupe de sirop de maïs
2	c. à thé de beurre, ou de margarine
1	c. à thé de jus de citron
½	c. à thé de cannelle moulue

1 Dans une petite casserole, amenez 1,5 cm (½ po) d'eau à ébullition. Ajoutez les tranches de pomme. Couvrez et laissez pocher 2 minutes. Égouttez.

2 Préchauffez le four à 190 °C (375 °F). Dans un grand bol, mélangez la farine, le sucre, la levure chimique et le sel. Dans un bol moyen, mélangez les blancs d'œufs, le jus de pomme, l'huile et le zeste de citron. Versez d'un trait sur les ingrédients secs et remuez.

3 Graissez un moule carré de 22 cm (9 po). Versez-y la pâte. Étalez les tranches de pomme par-dessus. Dans une petite casserole, mélangez la cassonade, le sirop de maïs, le beurre, le jus de citron et la cannelle. Donnez un bouillon. Aspergez les pommes de ce sirop. Enfournez et faites cuire de 25 à 30 minutes, jusqu'à ce qu'un cure-dent inséré au centre du gâteau en ressorte propre. Servez-le chaud. Donne 9 portions.

Préparation : 20 minutes Cuisson : 32 minutes

Par portion : Calories 226. Gras total 6 g. Gras saturé 1 g.
Protéines 3 g. Hydrates de carbone 42 g. Fibres 1 g.
Sodium 165 mg. Cholestérol 2 mg.

Pain de maïs au babeurre

On appelle babeurre, lait de beurre ou petit-lait le résidu de la crème durant le barattage du beurre. Non seulement est-il écrémé, mais il aura subi un début de fermentation lactique qui lui donne un goût légèrement piquant.

- 2 tranches de bacon maigre, hachées
  Huile (facultatif)
- 1⅓ tasse de farine de maïs
- ⅔ tasse de farine de blé
- 2 c. à soupe de sucre (facultatif)
- 1 c. à soupe de levure chimique
- ¼ c. à thé de bicarbonate de soude
  Pincée de sel
- 2 gros blancs d'œufs
- 1 gros œuf, légèrement battu
- 1 tasse de babeurre écrémé à 1 p. 100,
  ou de lait aigre (p. 300)

1 Préchauffez le four à 220 °C (425 °F). Dans une petite casserole, faites cuire le bacon à feu modéré pour le rendre croustillant. Épongez-le sur des feuilles d'essuie-tout. Mesurez le gras qui reste dans la casserole ; au besoin, ajoutez de l'huile pour en avoir 3 c. à soupe en tout. Réservez.

2 Dans un grand bol, mélangez les deux farines, le sucre, s'il y a lieu, la levure chimique, le bicarbonate de soude et le sel.

3 Dans un bol moyen, mélangez les blancs d'œufs, l'œuf, le babeurre, le gras réservé et le bacon émietté. Versez d'un trait sur les ingrédients secs et mélangez sans insister.

FARINES DE MAÏS COLORÉES

On trouve de la farine de maïs blanche ou jaune ; il en existe aussi de la bleue. Elles ont toutes la même saveur et la même texture ; la bleue risque néanmoins de donner à certains plats une couleur peu appétissante. La farine moulue sur meule de pierre ne se garde que deux semaines. On recommande de garder la farine du commerce au réfrigérateur car elle rancit facilement.

---

4 Graissez un moule carré de 20 cm (8 po). Versez-y la pâte. Enfournez et faites cuire le pain 22 à 24 minutes pour le dorer. Servez-le chaud. Donne 9 portions.

Préparation : 15 minutes Cuisson : 27 minutes

Par portion : Calories182. Gras total 7 g. Gras saturé 2 g. Protéines 6 g. Hydrates de carbone 25 g. Fibres 2 g. Sodium 290 mg. Cholestérol 28 mg.

Pain-pouding

La consistance de ce pain s'apparente à celle du pouding. Servez-le à la place des pommes de terre.

- 2¼ tasses de lait écrémé à 1 p. 100
- ¾ tasse de farine de maïs
- 1 c. à soupe de beurre fondu, ou de margarine
- ¾ c. à thé de levure chimique
- ¼ c. à thé de sel
- ⅛ c. à thé de cayenne (facultatif)
- 1 gros jaune d'œuf, légèrement battu
- 3 gros blancs d'œufs

1 Préchauffez le four à 160 °C (325 °F). Dans une grande casserole, mélangez au fouet 1½ tasse de lait et la farine de maïs. Faites prendre l'ébullition à feu vif, baissez le feu et faites cuire 1 ou 2 minutes en fouettant constamment, jusqu'à ce que la préparation devienne très épaisse et se dégage de la casserole. Retirez du feu.

2 Incorporez au fouet le reste du lait (¾ tasse), le beurre, la levure chimique, le sel et le cayenne, s'il y a lieu. Prélevez 1 tasse de cet appareil, mélangez-le avec le jaune d'œuf et versez le tout dans la casserole.

3 Au batteur électrique, fouettez les blancs d'œufs pour les rendre très fermes. Incorporez-les à la pâte.

4 Versez dans un plat à gratin de 6 tasses, graissé. Enfournez et faites cuire de 50 à 60 minutes, jusqu'à ce qu'un couteau inséré au centre du pain en ressorte propre. Servez immédiatement. Donne 6 portions.

Préparation : 10 minutes Cuisson : 56 minutes

Par portion : Calories 137. Gras total 4 g. Gras saturé 2 g. Protéines 7 g. Hydrates de carbone 18 g. Fibres 1 g. Sodium 245 mg. Cholestérol 44 mg.

✳

Pain-pouding au parmesan Suivez la même recette, mais supprimez le sel et ajoutez ¼ **tasse de parmesan râpé** à la fin de l'étape 2.

Par portion : Calories 156. Gras total 5 g. Gras saturé 3 g. Protéines 8 g. Hydrates de carbone 18 g. Fibres 1 g. Sodium 233 mg. Cholestérol 48 mg.

Moufflets au fromage et à la carotte, variante des Moufflets à la crème sure

Moufflets à la crème sure

Ces petites friandises salées, que les Anglais appellent biscuits, sont tendres à l'intérieur,
croustillantes à l'extérieur, gonflées et feuilletées, bref exquises.

1²/₃ **tasse de farine de blé**

¹/₃ **tasse de farine de maïs**

1 **c. à soupe de sucre**

1 **c. à soupe de levure chimique**

1 **c. à thé d'oignon séché, ou d'oignon frais, haché**

¹/₂ **c. à thé de crème de tartre**

¹/₈ **c. à thé de sel**

Pincée de cayenne

¹/₃ **tasse de graisse végétale, de beurre ou de margarine**

¹/₂ **tasse de crème sure allégée**

¹/₂ **tasse de lait écrémé à 1 p. 100**

1 Préchauffez le four à 230 °C (450 °F). Dans un grand bol, mélangez les deux farines, le sucre, la levure chimique, l'oignon, la crème de tartre, le sel et le cayenne. Avec un mélangeur à pâte ou deux couteaux, amalgamez la graisse végétale : le mélange ressemblera à une chapelure grossière. Ajoutez d'un trait la crème sure et le lait, et remuez jusqu'à obtention d'une pâte souple.

2 Sur une surface farinée, pétrissez la pâte 30 secondes, puis abaissez-la à 2 cm (³/₄ po) d'épaisseur. Avec un emporte-pièce de 6 cm (2¹/₂ po), découpez des cercles en utilisant les chutes. Déposez-les sur une plaque graissée. Badigeonnez d'un peu de lait.

3 Faites dorer les moufflets 10 à 12 minutes au four. Servez-les chauds. Donne de 12 à 14 moufflets.

Préparation : 15 minutes Cuisson : 10 minutes

Par moufflet : Calories 150. Gras total 7 g. Gras saturé 2 g.
Protéines 3 g. Hydrates de carbone 19 g. Fibres 1 g.
Sodium 154 mg. Cholestérol 4 mg.

✳

Moufflets au fromage et à la carotte Suivez la même recette, mais supprimez l'oignon et ajoutez ¹/₃ **tasse de cheddar allégé râpé, 2 c. à soupe de carotte râpée** et ¹/₂ **c. à thé de thym séché.**

Par moufflet : Calories 162. Gras total 8 g. Gras saturé 3 g.
Protéines 4 g. Hydrates de carbone 9 g. Fibres 1 g.
Sodium 179 mg. Cholestérol 7 mg.

Moufflets à l'avoine

Si vous n'avez pas d'emporte-pièce, utilisez un verre à eau à bord droit : c'est tout aussi efficace.

1¼ **tasse de farine de blé**

¾ **tasse de flocons d'avoine, à l'ancienne ou à cuisson rapide**

1 **c. à soupe de sucre**

1 **c. à soupe de levure chimique**

½ **c. à thé de crème de tartre**

¼ **c. à thé de bicarbonate de soude**

¼ **c. à thé de cannelle**

⅛ **c. à thé de sel**

⅓ **tasse de beurre, ou de margarine**

¾ **tasse de babeurre écrémé à 1 p. 100, ou de lait aigre (ci-dessous)**

1 Préchauffez le four à 230 °C (450 °F). Dans un grand bol, mélangez la farine, les flocons d'avoine, le sucre, la levure chimique, la crème de tartre, le bicarbonate de soude, la cannelle et le sel. Avec un mélangeur à pâte ou deux couteaux, amalgamez le beurre. Ajoutez d'un trait le babeurre et remuez pour obtenir une pâte souple.

2 Sur une surface farinée, pétrissez la pâte 30 secondes, puis abaissez-la à 2 cm (¾ po) d'épaisseur. Avec un emporte-pièce de 6 cm (2½ po), découpez 12 à 14 cercles en utilisant les chutes.

3 Déposez les cercles sur une plaque graissée. Badigeonnez-les d'un peu de babeurre. Faites dorer 10 à 12 minutes au four. Donne 12 ou 14 moufflets.

Préparation : 15 minutes Cuisson : 10 minutes

Par moufflet : Calories 124. Gras total 6 g. Gras saturé 3 g. Protéines 3 g. Hydrates de carbone 16 g. Fibres 1 g. Sodium 238 mg. Cholestérol 15 mg.

Préparation du lait aigre

Si vous n'avez pas de babeurre sous la main, remplacez-le par du lait aigre.

1. Déposez 1 c. à soupe de jus de citron ou de vinaigre dans une tasse à mesurer en verre ou dans un bol.

2. Ajoutez du lait écrémé à 1 p. 100, en quantité suffisante pour obtenir 1 tasse. Mélangez, puis laissez reposer 5 minutes.

Scones aux raisins de Corinthe

Scones aux raisins de Corinthe

La tradition des scones a été apportée ici par les immigrants d'origine écossaise, anglaise ou galloise. On les préparait autrefois avec de la crème épaisse, remplacée ici par du yogourt allégé.

2 **tasses de farine**

¼ **tasse de sucre**

2 **c. à thé de levure chimique**

½ **c. à thé de bicarbonate de soude Pincée de sel**

3 **c. à soupe de beurre, ou de margarine**

1 **gros blanc d'œuf**

½ **tasse de yogourt allégé à la vanille**

½ **tasse de raisins de Corinthe, ou d'autres raisins secs**

1½ **c. à thé de zeste d'orange râpé Lait écrémé à 1 p. 100**

1 Préchauffez le four à 220 °C (425 °F). Dans un grand bol, mélangez la farine, le sucre, la levure chimique, le bicarbonate de soude et le sel. Avec un mélangeur à pâte ou deux couteaux, incorporez le beurre : le mélange ressemblera à une chapelure grossière. Dans un petit bol, mélangez le blanc d'œuf, le yogourt, les raisins de Corinthe et le zeste d'orange râpé. Versez d'un trait sur les ingrédients secs et remuez jusqu'à obtention d'une pâte souple.

2 Sur une surface farinée, pétrissez la pâte 30 secondes, puis abaissez-la pour former un cercle de 20 cm (8 po). Déposez l'abaisse sur une plaque graissée et délimitez huit parts à la pointe du couteau.

3 Badigeonnez la pâte avec un peu de lait. Faites dorer 18 à 20 minutes au four. Servez les scones chauds. Donne 8 scones.

Préparation : 15 minutes Cuisson : 18 minutes

Par scone : Calories 218. Gras total 5 g. Gras saturé 3 g.
Protéines 5 g. Hydrates de carbone 39 g. Fibres 2 g.
Sodium 280 mg. Cholestérol 12 mg.

Scones au fromage et aux fines herbes

Pour éviter l'apparition de taches jaunes disgracieuses sur les scones, il faut bien incorporer la levure chimique et le bicarbonate de soude à la farine.

- **2 tasses de farine**
- **3 c. à soupe de cassonade dorée bien tassée**
- **2 c. à thé de levure chimique**
- **½ c. à thé de bicarbonate de soude**
- **½ c. à thé de moutarde sèche**
- **½ c. à thé de romarin séché**
- **¼ c. à thé de sauge séchée**
- **⅛ c. à thé de cayenne**
- **Pincée de sel**
- **3 c. à soupe de beurre, ou de margarine**
- **1 gros blanc d'œuf**
- **1 tasse de fromage Cottage en grains**
- **⅓ tasse de lait écrémé à 1 p. 100**

1 Préchauffez le four à 220 °C (425 °F). Dans un grand bol, mélangez la farine, la cassonade, la levure chimique, le bicarbonate de soude, la moutarde sèche, le romarin, la sauge, le cayenne et le sel. Avec un mélangeur à pâte ou deux couteaux, incorporez le beurre : le mélange ressemblera à une chapelure grossière.

2 Dans un bol moyen, mélangez le blanc d'œuf, le fromage Cottage et le lait. Versez d'un trait sur les ingrédients secs et remuez jusqu'à obtention d'une pâte souple.

3 Sur une surface farinée, pétrissez la pâte 30 secondes, puis abaissez-la pour former un cercle de 20 cm (8 po). Déposez l'abaisse sur une plaque graissée et délimitez huit pointes à la pointe du couteau. Badigeonnez avec un peu de lait. Faites dorer 22 à 25 minutes au four. Servez les scones chauds. Donne 8 scones.

Préparation : 15 minutes Cuisson : 22 minutes

Par scone : Calories 188. Gras total 5 g. Gras saturé 3 g.
Protéines 7 g. Hydrates de carbone 29 g. Fibres 1 g.
Sodium 277 mg. Cholestérol 13 mg.

Brioches soufflées

Appelées popovers en anglais, ces brioches se cuisent dans des moules à muffins préchauffés, qu'on remplit en se servant d'un pichet.

- **2 gros blancs d'œufs**
- **1 gros œuf, légèrement battu**
- **1 tasse de lait écrémé à 1 p. 100**
- **1 c. à soupe d'huile d'olive**
- **1 tasse de farine**
- **½ c. à thé de persil séché, ou d'origan**
- **⅛ c. à thé de sel**

1 Préchauffez le four à 200 °C (400 °F). Graissez généreusement un moule à muffins de 12 alvéoles. Réchauffez-le dans le four.

2 Dans un bol moyen, mélangez les blancs d'œufs, l'œuf battu, le lait et l'huile. Ajoutez la farine, le persil et le sel. Au batteur électrique ou au fouet, remuez jusqu'à obtention d'une pâte souple.

3 Remplissez à moitié chaque alvéole. Mettez la grille dans le bas du four, enfournez le moule et laissez cuire 25 minutes environ. La surface doit être croustillante et dorée. Retirez du four et percez immédiatement chaque brioche pour que la vapeur s'en échappe. Servez immédiatement. Donne 12 brioches soufflées.

Préparation : 15 minutes Cuisson : 25 minutes

Par brioche : Calories 65. Gras total 2 g. Gras saturé 0 g.
Protéines 3 g. Hydrates de carbone 9 g. Fibres 0 g.
Sodium 47 mg. Cholestérol 19 mg.

Pain doré à la cannelle, sauce à l'abricot

Pain doré à la cannelle, sauce à l'abricot

Le pain doré porte en France le nom de pain perdu, parce qu'il sert généralement à écouler le pain rassis.
Quoi qu'il en soit, il n'a jamais cessé de faire les délices des enfants, d'une génération à l'autre.

Pain doré :

- 4 **gros blancs d'œufs**
- 2 **gros œufs, légèrement battus**
- 1 **tasse de lait écrémé à 1 p. 100**
- 1 **c. à soupe de cassonade dorée bien tassée**
- 1 **c. à thé de vanille**
- ½ **c. à thé de cannelle**
- ¼ **c. à thé de muscade**
- 8 **tranches de pain croûté de 2,5 cm (1 po) d'épaisseur, ou de pain de mie un peu rassis**
- 1 **c. à soupe de beurre, ou de margarine**

Sauce à l'abricot :

- ⅔ **tasse de nectar d'abricot**
- 2 **c. à thé de fécule de maïs**
- 1 **c. à soupe de cassonade dorée bien tassée**
- 1 **c. à thé de jus de citron**
- ¼ **c. à thé de zeste de citron râpé**

1 Pain doré : dans une assiette creuse, mélangez les blancs d'œufs, les œufs, le lait, la cassonade, la vanille, la cannelle et la muscade. Plongez quatre tranches de pain dans cette dorure et laissez-les s'imbiber pendant 30 secondes de chaque côté. Dans une grande sauteuse, faites fondre la moitié du beurre à feu modéré. Faites cuire les tranches de pain 3 minutes de chaque côté. Répétez l'opération.

2 Sauce à l'abricot : dans une petite casserole, délayez au fouet la fécule de maïs dans le nectar d'abricot. Incorporez la cassonade, le jus et le zeste de citron. Amenez à ébullition à feu modéré en fouettant sans arrêt. Laissez épaissir 2 minutes tout en fouettant. Nappez le pain doré de cette sauce et servez immédiatement. Donne 8 portions.

Préparation : 15 minutes Cuisson : 13 minutes

Par portion : Calories 172. Gras total 4 g. Gras saturé 2 g.
Protéines 8 g. Hydrates de carbone 26 g. Fibres 1 g.
Sodium 288 mg. Cholestérol 58 mg.

Beignets de pomme

Servez-les comme collation ou au dessert.

1¾ **tasse de farine de blé**

⅓ **tasse de farine de maïs**

2 **c. à soupe de sucre**

2 **c. à thé de levure chimique**

⅛ **c. à thé de sel**

2 **gros blancs d'œufs**

1 **grosse pomme sure, hachée fin**

1 **tasse de lait écrémé à 1 p. 100**

½ **tasse (60 g/2 oz) de cheddar allégé râpé**
   Huile

⅓ **tasse de sucre**

½ **c. à thé de muscade**

1 Dans un grand bol, mettez les deux farines, les deux cuillerées de sucre, la levure chimique et le sel. Dans un bol moyen, battez les blancs d'œufs avec la pomme hachée, le lait et le fromage. Versez d'un trait sur les ingrédients secs et mélangez sans insister.

2 Dans une grande sauteuse et à feu assez vif, réchauffez 2,5 cm (1 po) d'huile ; elle est à point quand elle atteint 190 °C (375 °F) ou qu'un cube de pain y rôtit en 30 secondes. Laissez tomber quelques cuillerées à soupe combles de pâte dans l'huile. Faites cuire 3 ou 4 minutes en retournant les beignets une fois. Retirez avec une cuiller à trous et épongez sur des feuilles d'essuie-tout.

3 Mélangez le sucre et la muscade dans un sac. Mettez-y plusieurs beignets à la fois et agitez pour les enrober. Servez chauds. Donne environ 30 beignets.

Préparation : 20 minutes Cuisson : 25 minutes

Par beignet : Calories 80. Gras total 3 g. Gras saturé 0 g. Protéines 2 g. Hydrates de carbone 11 g. Fibres 0 g. Sodium 63 mg. Cholestérol 2 mg.

Crêpes au sarrasin

Quand Donalda en faisait à Séraphin,
elle devait se passer de mélasse.

½ **tasse de farine de sarrasin**

⅓ **tasse de farine de blé**

1 **c. à thé de levure chimique**

½ **c. à thé de bicarbonate de soude**
   Pincée de sel

2 **gros blancs d'œufs**

1 **tasse de babeurre, ou de lait aigre (p. 300)**

2 **c. à soupe d'huile d'olive**

1 **c. à soupe de mélasse**

1 Dans un bol moyen, mettez les deux farines, la levure chimique, le bicarbonate de soude et le sel. Dans un bol moyen, battez les blancs d'œufs avec le babeurre, l'huile et la mélasse. Versez d'un trait sur les ingrédients secs et mélangez sans insister.

2 Réchauffez un gaufrier antiadhésif (ou une grande sauteuse) à feu modéré ; badigeonnez d'un peu d'huile. Versez ¼ tasse de pâte pour chaque crêpe et laissez cuire 3 minutes, ou jusqu'à ce qu'il se forme des bulles. Retournez les crêpes et faites-les cuire 2 minutes de plus. (Si la pâte à crêpe devient trop épaisse, relâchez-la avec un peu de babeurre.) Donne 6 crêpes.

Préparation : 10 minutes Cuisson : 12 minutes

Par crêpe : Calories 126. Gras total 5 g. Gras saturé 1 g. Protéines 4 g. Hydrates de carbone 16 g. Fibres 1 g. Sodium 270 mg. Cholestérol 3 mg.

Gaufres à la farine de maïs

Le secret du succès, c'est la température du gaufrier.
Réchauffez-le au préalable et faites l'essai suivant.
Laissez-y tomber quelques gouttes d'eau : si elles
se mettent à grésiller, le gaufrier est à point.

1 **tasse de farine de blé**

½ **tasse de farine de maïs**

1 **c. à soupe de sucre**

2½ **c. à thé de levure chimique**

¼ **c. à thé de sel**

2 **gros blancs d'œufs**

1¼ **tasse de lait écrémé à 1 p. 100**

½ **tasse de maïs en grains**

2 **c. à soupe d'huile d'olive**

1 Dans un grand bol, mettez les deux farines, le sucre, la levure chimique et le sel. Dans un bol moyen, battez les blancs d'œufs avec le lait, le maïs et l'huile. Versez-les d'un trait sur les ingrédients secs et mélangez sans insister.

2 Réchauffez un gaufrier antiadhésif (ou une grande sauteuse) à feu modéré et badigeonnez d'un peu d'huile. Versez ¼ tasse de pâte pour chaque gaufre et laissez cuire 3 minutes ou jusqu'à ce qu'il se forme des bulles. Tournez les gaufres et faites-les cuire 2 minutes de plus. Donne 8 ou 9 gaufres.

Préparation : 10 minutes Cuisson : 17 minutes

Par gaufre : Calories 153. Gras total 4 g. Gras saturé 1 g. Protéines 5 g. Hydrates de carbone 25 g. Fibres 1 g. Sodium 253 mg. Cholestérol 2 mg.

Gaufres aux bananes

Le gaufrier était autrefois un cadeau de noces obligatoire ;
il arrivait même que la mariée en reçoive deux ou trois.

1¼ tasse de farine blanche
⅔ tasse de farine de blé complet
1 c. à soupe de levure chimique
½ c. à thé de piment de la Jamaïque, ou de cannelle
   Pincée de sel
2 gros blancs d'œufs
1 gros œuf, légèrement battu
2 tasses de lait écrémé à 1 p. 100
½ tasse de purée de bananes
¼ tasse d'huile d'olive
¼ tasse de pacanes, ou de noix, hachées (facultatif)

1 Préchauffez un gaufrier badigeonné avec un peu d'huile. Dans un grand bol, mettez les deux farines, la levure chimique, le piment de la Jamaïque et le sel. Dans un bol moyen, battez les blancs d'œufs avec l'œuf, le lait, la purée de bananes, l'huile et les pacanes, s'il y a lieu. Ajoutez d'un trait aux ingrédients secs et mélangez sans insister.

2 Versez dans le gaufrier 1 à 1¼ tasse de pâte pour chaque gaufre. (Si la pâte à gaufre épaissit, relâchez-la avec un peu de lait.) Rabattez le couvercle rapidement ; ne le relevez pas durant la cuisson. Pour la durée de cuisson, suivez les instructions du fabricant. Dégagez la gaufre avec une fourchette. Donne 14 gaufres carrées de 10 cm (4 po), soit 7 portions.

Préparation : 15 minutes Cuisson : 16 minutes

Par portion : Calories 249. Gras total 10 g. Gras saturé 2 g.
Protéines 8 g. Hydrates de carbone 33 g. Fibres 2 g.
Sodium 289 mg. Cholestérol 33 mg.

GARDEZ LA PREMIÈRE FOURNÉE AU CHAUD

Voici comment garder au chaud les gaufres, les beignets, les crêpes ou le pain doré.

◆ Disposez gaufres et beignets côte à côte sur une plaque et mettez-les dans un four préchauffé à 150 °C (300 °F).

◆ Empilez les crêpes ou le pain doré dans une assiette pouvant supporter la chaleur et mettez-les dans un four préchauffé à 150 °C (300 °F).

Pain de campagne multi-grains

Rien de meilleur qu'un sandwich à la dinde,
au rosbif ou au thon, fait avec ce pain.

2 c. à soupe de beurre, ou de margarine
1 gros oignon, haché fin
½ tasse d'eau tiède (40 à 46 °C/105 à 115 °F)
2 sachets de levure sèche active
¼ tasse de cassonade dorée bien tassée
1¼ tasse de lait écrémé à 1 p. 100
1½ c. à thé de marjolaine séchée
½ c. à thé de sel
1 tasse de farine de blé complet
1 tasse de farine de seigle
3 à 3½ tasses de farine blanche

1 Dans une petite casserole, mettez le beurre à fondre à feu modéré. Faites-y revenir l'oignon 5 minutes. Réservez-le. Dans un grand bol, mélangez l'eau tiède, la levure et 1 c. à soupe de cassonade. Laissez fermenter 10 minutes : il se formera des bouillons. Ajoutez le reste de la cassonade, le lait, la marjolaine et le sel. Avec une cuiller de bois, incorporez les oignons réservés, la farine de blé complet et la farine de seigle ; ensuite, introduisez suffisamment de farine blanche, une tasse à la fois, pour que la pâte se tienne.

2 Sur une surface farinée, pétrissez la pâte 6 à 8 minutes pour la rendre souple et élastique ; ajoutez de la farine au besoin. Mettez le pâton dans un grand bol beurré et faites-le rouler pour en graisser toute la surface. Couvrez avec une serviette et laissez doubler de volume (45 à 75 minutes) dans un endroit chaud.

3 Dégonflez le pâton ; divisez-le en deux. Couvrez et attendez 10 minutes. Façonnez chaque demi-pâton en pain. Déposez-les dans deux moules à pain graissés de 20 × 10 × 5 cm (8 × 4 × 2 po), ou légèrement plus grands. Couvrez et laissez doubler de volume (30 à 45 minutes).

4 Préchauffez le four à 190 °C (375 °F). Enfournez et faites cuire de 35 à 40 minutes : le pain est à point s'il rend un son creux quand on tape le dessous. (S'il brunit trop vite, déposez du papier d'aluminium par-dessus.) Démoulez et laissez refroidir sur des grilles. Poudrez de farine blanche, si vous le désirez. Donne 2 pains, soit 32 portions.

Préparation : 45 minutes Fermentation : 1 h 15
Cuisson : 41 minutes

Par portion : Calories 84. Gras total 1 g. Gras saturé 1 g.
Protéines 3 g. Hydrates de carbone 16 g. Fibres 1 g.
Sodium 47 mg. Cholestérol 2 mg.

Pain tressé aux raisins

Pain tressé aux raisins

Tressez le pain lâchement pour qu'il puisse doubler de volume.

²/₃ **tasse d'eau tiède (40 à 46 °C/105 à 115 °F)**
2 **sachets de levure sèche active**
³/₄ **tasse de sucre**
2 **gros blancs d'œufs**
1 **gros œuf**
²/₃ **tasse de lait écrémé à 1 p. 100**
3 **c. à soupe de beurre fondu**
1 **c. à thé de cardamome**
½ **c. à thé de sel**
¼ **c. à thé de macis**
1½ **tasse de raisins secs**
5¼ **à 5³/₄ tasses de farine**
2 **c. à soupe de miel**
1 **c. à thé de germe de blé grillé (facultatif)**

1 Dans un grand bol, mélangez l'eau tiède, la levure et 1 c. à soupe de sucre. Laissez fermenter 10 minutes : il se formera des bouillons. Ajoutez le reste du sucre, les blancs d'œufs, l'œuf, le lait, le beurre, la cardamome, le sel et le macis. Avec une cuiller de bois, incorporez les raisins secs. Incorporez ensuite assez de farine blanche, une tasse à la fois, pour que la pâte se tienne.

2 Sur une surface farinée, pétrissez la pâte 6 à 8 minutes pour qu'elle devienne souple et élastique ; ajoutez de la farine au besoin. Mettez-la dans un grand bol beurré et faites-la rouler pour graisser toute la surface. Couvrez avec une serviette et laissez doubler de volume (1 heure à 1 h 30) dans un endroit chaud.

3 Dégonflez le pâton ; divisez-le en six parts. Couvrez et laissez reposer 10 minutes. Abaissez chaque part pour former une lisière de 35 × 2,5 cm (14 × 1 po). Mettez trois lisières côte à côte sur une planche farinée. Pincez-les ensemble dans le haut. Tressez-les lâchement ; repliez les extrémités. Refaites cette opération avec les trois autres lisières. Couvrez et laissez doubler de volume (45 à 60 minutes).

4 Préchauffez le four à 180 °C (350 °F). Faites cuire le pain 25 à 30 minutes : il est à point s'il rend un son creux quand on tape le dessous. Badigeonnez de miel et poudrez de germe de blé, si désiré. Démoulez et laissez refroidir sur des grilles. Donne 2 pains, soit 24 portions.

Préparation : 50 minutes Fermentation : 1 h 45
Cuisson : 25 minutes

Par portion : Calories 182. Gras total 2 g. Gras saturé 1 g.
Protéines 4 g. Hydrates de carbone 37 g. Fibres 1 g.
Sodium 72 mg. Cholestérol 13 mg.

Pain roulé aux graines de pavot

Pain roulé aux graines de pavot

*Les graines de pavot donnent une jolie apparence au pain tranché ; elles insèrent aussi
un petit peu de croquant dans la texture tendre de la mie.*

²⁄₃ **tasse d'eau tiède (40 à 46 °C/105 à 115 °F)**

2 **sachets de levure sèche active**

2 **c. à soupe de cassonade dorée bien tassée**

2 **gros blancs d'œufs**

1 **gros œuf**

²⁄₃ **tasse de lait écrémé à 1 p. 100**

3 **c. à soupe de beurre fondu**

¹⁄₂ **c. à thé de sel**

2 **tasses de farine de blé complet**

2¹⁄₂ **à 3 tasses de farine blanche**

1 **tasse de garniture à gâteau aux graines de pavot**

1 Dans un grand bol, mélangez l'eau tiède, la levure et la cassonade. Laissez fermenter 10 minutes : il se formera des bouillons. Ajoutez les blancs d'œufs, l'œuf, le lait, le beurre et le sel. Avec une cuiller de bois, incorporez la farine de blé complet. Incorporez ensuite assez de farine blanche, une tasse à la fois, pour obtenir une pâte qui se tient.

2 Sur une surface farinée, pétrissez la pâte 6 à 8 minutes pour la rendre souple et élastique ; ajoutez de la farine au besoin. Mettez-la dans un grand bol beurré et faites-la rouler pour graisser toute la surface. Couvrez avec une serviette et laissez doubler de volume (45 minutes à 1 h 15) dans un endroit chaud.

3 Dégonflez le pâton ; divisez-le en deux. Couvrez et attendez 10 minutes. Abaissez chaque moitié en un rectangle de 35 × 20 cm (14 × 8 po). Étalez la garniture aux graines de pavot jusqu'à 1,5 cm (½ po) du bord. À partir d'un côté court, enroulez la pâte sur elle-même. Déposez les rouleaux dans deux moules à pain graissés de 20 × 10 × 5 cm (8 × 4 × 2 po), pli par-dessous. Couvrez et laissez doubler de volume (30 à 45 minutes).

4 Préchauffez le four à 190 °C (375 °F). Enfournez et faites cuire de 25 à 30 minutes : le pain est à point s'il rend un son creux quand on tape le dessous. (S'il brunit trop vite, déposez du papier d'aluminium par-dessus.) Démoulez et laissez refroidir sur des grilles. Donne 2 pains, soit 32 portions.

Préparation : 45 minutes Fermentation : 1 h 15
Cuisson : 25 minutes

Par portion : Calories 112. Gras total 2 g. Gras saturé 1 g.
Protéines 3 g. Hydrates de carbone 19 g. Fibres 1 g.
Sodium 59 mg. Cholestérol 10 mg.

Baguette

Croustillant à l'extérieur, tendre à l'intérieur, ce pain
est de ceux dont on ne se lasse pas.

½ **tasse d'eau tiède (40 à 46 °C/105 à 115 °F)**

2 **sachets de levure sèche active**

1 **c. à soupe de sucre**

1⅓ **tasse d'eau froide**

¾ **c. à thé de sel**

4¾ **à 5¼ tasses de farine**

 Farine de maïs

1 **gros blanc d'œuf**

1 **c. à soupe d'eau**

1 Dans un grand bol, mélangez l'eau tiède, la levure et le sucre. Laissez fermenter 10 minutes : il se formera des bouillons. Ajoutez l'eau froide et le sel. Avec une cuiller de bois, incorporez suffisamment de farine blanche, une tasse à la fois, pour que la pâte se tienne.

2 Sur une surface farinée, pétrissez la pâte 8 à 10 minutes pour la rendre souple et élastique ; ajoutez de la farine au besoin. Mettez-la dans un grand bol beurré et faites-la rouler pour graisser toute la surface. Couvrez avec une serviette et laissez doubler de volume (45 minutes à 1 h 15) dans un endroit chaud.

3 Dégonflez le pâton ; divisez-le en trois parts. Couvrez et attendez 10 minutes. Abaissez chaque part pour former un rectangle de 33 × 20 cm (13 × 8 po). À partir d'un côté court, enroulez la pâte sur elle-

même. Effilez-en les deux bouts. Déposez les rouleaux, pli par-dessous, sur trois plaques graissées, saupoudrées d'un peu de farine de maïs. Couvrez et laissez doubler de volume (30 à 45 minutes).

4 Préchauffez le four à 230 °C (450 °F). Déposez un plat d'eau bouillante sur la grille inférieure. Dans un petit bol, mélangez le blanc d'œuf et la cuillerée à soupe d'eau ; badigeonnez les pâtons. Incisez-les (ci-dessous).

5 Déposez un pâton sur la grille, au milieu du four ; faites attendre les autres au réfrigérateur. (Vous pouvez en faire cuire deux à la fois, mais pas plus.) Laissez cuire 16 à 18 minutes : le pain est à point s'il rend un son creux quand on tape le dessous. (S'il brunit trop vite, déposez du papier d'aluminium par-dessus.) Laissez refroidir sur une grille. Donne 3 pains, soit 24 portions.

Préparation : 50 minutes Fermentation : 1 h 15
Cuisson : 32 minutes

Par portion : Calories 95. Gras total 0 g. Gras saturé 0 g.
Protéines 3 g. Hydrates de carbone 20 g. Fibres 1 g.
Sodium 70 mg. Cholestérol 0 mg.

Mini-baguettes Suivez la même recette, mais divisez le pâton en 12 parts et façonnez avec chacune un petit pain de 10 cm (4 po) de longueur, effilé aux extrémités. Faites cuire 12 minutes au four. Donne 12 mini-baguettes, soit 24 portions.

Par portion : Calories 95. Gras total 0 g. Gras saturé 0 g.
Protéines 3 g. Hydrates de carbone 20 g. Fibres 1 g.
Sodium 70 mg. Cholestérol 0 mg.

POUR INCISER LA BAGUETTE

Servez-vous d'un couteau très coupant ou d'une lame de rasoir. Faites un trait de 3 mm (¼ po) de profondeur dans la pâte, avant la cuisson.

Pain d'avoine au miel

Pain d'avoine au miel

« On ne peut pas vivre sans pain », écrivait Victor Hugo. Et une fois qu'on a pris l'habitude de manger du pain fait à la maison, on ne peut plus s'en passer.

½ **tasse d'eau tiède (40 à 46 °C/105 à 115 °F)**

2 **sachets de levure sèche active**

1 **tasse de lait écrémé à 1 p. 100**

¼ **tasse de miel**

3 **c. à soupe de beurre fondu**

½ **c. à thé de sel**

2 **tasses de flocons d'avoine à l'ancienne, ou à cuisson rapide**

3¾ **à 4¼ tasses de farine de blé**

1 **gros blanc d'œuf**

1 **c. à soupe d'eau froide**

1 **c. à soupe de flocons d'avoine pour saupoudrer**

1 Dans un grand bol, mélangez l'eau tiède et la levure. Laissez fermenter 10 minutes : il se formera des bouillons. Ajoutez le lait, le miel, le beurre et le sel. Avec une cuiller de bois, incorporez les flocons d'avoine et assez de farine de blé, une tasse à la fois, pour que la pâte se tienne.

2 Sur une surface farinée, pétrissez la pâte 6 ou 8 minutes pour la rendre souple et élastique ; ajoutez de la farine au besoin. Mettez-la dans un grand bol beurré et faites-la rouler pour en graisser toute la surface. Couvrez avec une serviette et laissez doubler de volume (60 minutes à 1 h 30) dans un endroit chaud.

3 Dégonflez la pâte ; divisez-la en deux pâtons. Couvrez et attendez 10 minutes. Façonnez chaque pâton en pain rond de 15 cm (6 po) de diamètre. Déposez les pains sur une grande plaque graissée. Couvrez et laissez doubler de volume (1 heure à 1 h 15).

4 Préchauffez le four à 190 °C (375 °F). Dans un petit bol, mélangez le blanc d'œuf et la cuillerée d'eau froide ; badigeonnez les pains. Saupoudrez-les de flocons d'avoine. Enfournez et faites cuire 35 minutes : le pain est à point s'il rend un son creux quand on tape le dessous. (S'il brunit trop vite, déposez du papier d'aluminium par-dessus.) Laissez refroidir sur des grilles. Donne 2 pains, soit 32 portions.

Préparation : 40 minutes Fermentation : 2 heures
Cuisson : 35 minutes

Par portion : Calories 96. Gras total 2 g. Gras saturé 1 g.
Protéines 3 g. Hydrates de carbone 17 g. Fibres 1 g.
Sodium 51 mg. Cholestérol 3 mg.

✳

Pain d'avoine à la mélasse Suivez la même recette, mais remplacez le miel par ¼ **tasse de mélasse.**

Par portion : Calories 95. Gras total 2 g. Gras saturé 1 g.
Protéines 3 g. Hydrates de carbone 17 g. Fibres 1 g.
Sodium 52 mg. Cholestérol 3 mg.

Pains au « sésame ouvre-toi »

Ces pains, qui sont plutôt des gâteaux briochés, réservent une belle surprise aux gourmands.

½   **tasse d'eau tiède (40 à 46 °C/105 à 115 °F)**
1   **sachet de levure sèche active**
½   **tasse de sucre**
4   **gros blancs d'œufs**
¾   **tasse de lait écrémé à 1 p. 100**
3   **c. à soupe de beurre fondu**
½   **c. à thé de sel**
3¾ **à 4¼ tasses de farine**
2   **paquets de 250 g (8 oz) de fromage Neufchâtel**
2   **c. à thé de zeste de citron râpé**
1   **c. à thé de vanille**
4   **c. à thé de graines de sésame**

1 Dans un grand bol, mélangez l'eau tiède, la levure et 1 c. à soupe de sucre. Laissez fermenter 10 minutes : il se formera des bouillons. Ajoutez 3 c. à soupe de sucre, 2 des blancs d'œufs, le lait, le beurre et le sel. Avec une cuiller de bois, incorporez assez de farine, une tasse à la fois, pour que la pâte se tienne.

2 Sur une surface farinée, pétrissez la pâte 6 ou 8 minutes pour la rendre souple et élastique ; ajoutez de la farine au besoin. Mettez-la dans un grand bol beurré et faites-la rouler pour en graisser toute la surface. Couvrez avec une serviette et laissez doubler de volume (1 h 30 à 2 heures) dans un endroit chaud.

3 Dégonflez la pâte ; divisez-la en deux pâtons. Couvrez et attendez 10 minutes. Entre-temps, mélangez au batteur électrique, à vitesse moyenne, le reste du sucre, les 2 blancs d'œufs qui restent, le fromage Neufchâtel, le zeste de citron et la vanille. Abaissez les pâtons en rectangles de 30 × 22 cm (12 × 9 po). Déposez-les sur des plaques graissées.

4 Au centre de chaque abaisse, sur la longueur, étalez la moitié du fromage pour former une bande de 7,5 cm (3 po) de largeur, en arrêtant à 1,5 cm (½ po) des bouts. De chaque côté du fromage, entaillez la pâte et rabattez les lisières par-dessus (ci-dessous) ; pincez les extrémités ensemble pour les sceller. Couvrez et laissez doubler de volume (45 à 60 minutes).

5 Préchauffez le four à 180 °C (350 °F). Badigeonnez les pains avec un peu de lait et garnissez-les de graines de sésame. Enfournez-les et faites-les cuire 23 à 25 minutes pour qu'ils soient dorés. (S'ils brunissent trop vite, déposez du papier d'aluminium par-dessus.) Laissez refroidir sur des grilles. Donne 2 pains, soit 24 portions.

Préparation : 50 minutes Fermentation : 2 h 15
Cuisson : 23 minutes

Par portion : Calories 159. Gras total 6 g. Gras saturé 4 g.
Protéines 5 g. Hydrates de carbone 20 g. Fibres 1 g.
Sodium 148 mg. Cholestérol 19 mg.

MONTAGE DES PAINS AU SÉSAME

1. De chaque côté de la bande de fromage, découpez des lisières de 2,5 cm (1 po) de largeur avec un couteau très aiguisé.

2. Rabattez les lisières un peu à l'oblique, par-dessus le fromage, en alternant d'un côté à l'autre. Pincez les extrémités ensemble pour les sceller.

Pain au fromage

²/₃ tasse d'eau tiède (40 à 46 °C/105 à 115 °F)

2 sachets de levure sèche active

2 c. à soupe de sucre

2 gros blancs d'œufs

³/₄ tasse d'eau froide

½ c. à thé de sel

¼ c. à thé de cayenne

1½ tasse (180 g/6 oz) de cheddar allégé râpé

4 à 4½ tasses de farine

1 Dans un grand bol, mélangez l'eau tiède, la levure et le sucre. Laissez fermenter 10 minutes : il se formera des bouillons. Ajoutez les blancs d'œufs, l'eau froide, le sel et le cayenne. Avec une cuiller de bois, incorporez d'abord le fromage, puis suffisamment de farine, une tasse à la fois, pour que la pâte se tienne.

2 Sur une surface farinée, pétrissez la pâte 6 ou 8 minutes pour la rendre souple et élastique ; ajoutez de la farine au besoin. Mettez-la dans un grand bol beurré et faites-la rouler pour graisser toute la surface. Couvrez avec une serviette et laissez doubler de volume (45 minutes à 1 h 15) dans un endroit chaud.

3 Dégonflez la pâte ; divisez-la en deux. Couvrez et attendez 10 minutes. Façonnez chaque pâton en pain (ci-dessous). Disposez les pains, pli dessous, dans deux moules graissés de 20 × 10 × 5 cm (8 × 4 × 2 po). Couvrez et laissez doubler de volume (30 à 45 minutes).

4 Préchauffez le four à 180 °C (350 °F). Enfournez et faites cuire de 35 à 40 minutes. Le pain est à point s'il rend un son creux quand on le tape dessous. (S'il brunit trop vite, déposez du papier d'aluminium par dessus.) Démoulez et laissez refroidir sur des grilles. Donne 2 pains, soit 32 portions.

Préparation : 45 minutes Fermentation : 1 h 15
Cuisson : 35 minutes

Par portion : Calories 79. Gras total 1 g. Gras saturé 1 g. Protéines 4 g. Hydrates de carbone 13 g. Fibres 1 g. Sodium 75 mg. Cholestérol 4 mg.

POUR FORMER LE PAIN AU FROMAGE

◆ **Avec les mains.** Donnez au pâton la forme d'un rectangle et repliez les extrémités par-dessous.

◆ **Avec le rouleau à pâte.** Abaissez le pâton en forme de rectangle. Enroulez-le sur lui-même à partir d'un côté court ; pincez les extrémités.

Brioches du Carême

Également bonnes tous les jours de l'année !

½ tasse d'eau tiède (40 à 46 °C/105 à 115 °F)

2 sachets de levure sèche active

½ tasse de sucre

2 gros blancs d'œufs

1 gros œuf

½ tasse de lait écrémé à 1 p. 100

¼ tasse de beurre fondu

³/₄ c. à thé de cannelle

½ c. à thé de sel

¼ c. à thé de macis, ou de muscade

³/₄ tasse de raisins de Corinthe, ou d'autres raisins secs

4¼ à 4³/₄ tasses de farine

1 tasse de sucre glace tamisé

½ c. à thé de vanille

2 à 3 c. à thé de lait écrémé à 1 p. 100

1 Dans un grand bol, mélangez l'eau, la levure et 1 c. à soupe de sucre. Laissez fermenter 10 minutes : il se formera des bouillons. Ajoutez le reste du sucre, les blancs d'œufs, l'œuf, la demi-tasse de lait, le beurre, la cannelle, le sel et le macis. Avec une cuiller de bois, introduisez les raisins de Corinthe et suffisamment de farine, une tasse à la fois, pour que la pâte se tienne.

2 Sur une surface farinée, pétrissez la pâte 4 à 6 minutes pour la rendre souple et élastique ; ajoutez de la farine au besoin. Mettez-la dans un grand bol beurré et faites-la rouler pour graisser toute la surface. Couvrez avec une serviette et laissez doubler de volume (1 heure à 1 h 30) dans un endroit chaud. Dégonflez la pâte ; divisez-la en 18 parts. Couvrez et attendez 10 minutes. Façonnez chaque part en boule ; déposez les boules sur des plaques graissées. Couvrez et laissez doubler de volume (30 à 45 minutes).

3 Préchauffez le four à 180 °C (350 °F). Badigeonnez les brioches avec un peu de lait et faites une incision en croix. Enfournez et laissez cuire les brioches 14 à 16 minutes pour les dorer. Laissez refroidir 10 minutes sur des grilles. Dans l'intervalle, mélangez le sucre glace et la vanille. Incorporez un peu de lait : le glaçage doit être plutôt liquide. Aspergez-en les brioches. Servez-les tièdes ou froides. Donne 18 brioches.

Préparation : 50 minutes Fermentation : 1 h 30
Cuisson : 14 minutes Refroidissement : 10 minutes

Par brioche : Calories 202. Gras total 3 g. Gras saturé 2 g. Protéines 5 g. Hydrates de carbone 39 g. Fibres 2 g. Sodium 100 mg. Cholestérol 19 mg.

Petits pumpernickels aux raisins secs

Petits pumpernickels aux raisins secs

Le pumpernickel authentique est fait uniquement de farine de seigle ; celui-ci inclut de la farine de blé.
La mélasse sert à lui conserver une couleur noire et une saveur corsée.

½ **tasse d'eau tiède (40 à 46 °C/105 à 115 °F**

2 **sachets de levure sèche active**

1¼ **tasse de lait écrémé à 1 p. 100**

3 **c. à soupe de mélasse**

2 **c. à soupe de beurre fondu, ou de margarine**

2 **c. à thé de zeste d'orange râpé**

1 **c. à thé de graines de fenouil, écrasées**

½ **c. à thé de sel**

2 **tasses de farine de seigle**

¾ **tasse de raisins secs**

2½ **à 3 tasses de farine de blé**

1 Dans un grand bol, mélangez l'eau et la levure. Laissez fermenter 10 minutes. Ajoutez le lait, la mélasse, le beurre, le zeste d'orange, les graines de fenouil et le sel. Avec une cuiller de bois, introduisez la farine de seigle, les raisins secs et suffisamment de farine de blé, une tasse à la fois, pour que la pâte se tienne.

2 Sur une surface farinée, pétrissez la pâte 6 ou 8 minutes pour la rendre souple et élastique ; ajoutez de la farine au besoin. Mettez-la dans un bol beurré et faites-la rouler pour la graisser. Couvrez et laissez doubler de volume (1 heure à 1 h 30) dans un endroit chaud.

3 Dégonflez la pâte ; divisez-la en 24 parts. Couvrez et attendez 10 minutes. Façonnez chaque part en boule. Déposez les boules dans trois moules ronds de 20 cm (8 po) de diamètre, graissés. Couvrez et laissez doubler de volume (30 à 45 minutes). Préchauffez le four à 180 °C (350 °F). Enfournez et laissez cuire les petits pains 16 à 18 minutes pour qu'ils brunissent. Servez tièdes ou froids. Donne 24 petits pumpernickels.

Préparation : 45 minutes Fermentation : 1 h 30
Cuisson : 16 minutes

Par petit pain : Calories 116. Gras total 1 g. Gras saturé 1 g.
Protéines 3 g. Hydrates de carbone 23 g. Fibres 2 g.
Sodium 63 mg. Cholestérol 3 mg.

Croissants aux pacanes

Autrefois, une seule et même pâte servait à une foule d'usages selon la forme qu'on lui donnait : aumonières, trèfles, nœuds, rosettes, triangles et croissants.

½ tasse d'eau tiède (40 à 46 °C/105 à 115 °F)
1 sachet de levure sèche active
¼ tasse de sucre
3 gros blancs d'œufs
1 gros œuf
½ tasse de lait écrémé à 1 p. 100
3 c. à soupe de beurre fondu
½ c. à thé de sel
4¼ à 4¾ tasses de farine
1 c. à soupe d'eau froide
⅓ tasse de pacanes grillées, hachées
1 c. à soupe de sucre (facultatif)

1 Dans un grand bol, mélangez l'eau tiède, la levure et 1 c. à soupe de sucre. Laissez fermenter 10 minutes : il se formera des bouillons. Ajoutez 3 c. à soupe de sucre, 2 des blancs d'œufs, l'œuf, le lait, le beurre et le sel. Avec une cuiller de bois, incorporez assez de farine, une tasse à la fois, pour que la pâte se tienne.

2 Sur une surface farinée, pétrissez la pâte 6 à 8 minutes pour la rendre souple et élastique ; ajoutez de la farine au besoin. Mettez-la dans un grand bol beurré et faites-la rouler pour graisser toute la surface. Couvrez avec une serviette et laissez doubler de volume (1 heure à 1 h 30) dans un endroit chaud.

3 Dégonflez la pâte ; divisez-la en deux pâtons. Couvrez et attendez 10 minutes. Abaissez chaque pâton en cercle de 30 cm (12 po) de diamètre. Dans un petit bol, fouettez le blanc d'œuf qui reste avec la cuillerée d'eau froide ; badigeonnez les deux cercles. Sur chacun, étalez les pacanes sur une moitié, le sucre, s'il y a lieu, sur l'autre. Découpez chaque cercle en 12 pointes ; à partir du côté large, enroulez-les sur elles-mêmes.

4 Déposez les croissants, pointes par-dessous, sur des plaques graissées. Couvrez et laissez doubler de volume (20 à 35 minutes). Préchauffez le four à 190 °C (375 °F). Faites-y dorer les croissants 12 à 15 minutes. Servez-les tièdes ou froids. Donne 24 croissants.

Préparation : 50 minutes Fermentation : 1 h 20
Cuisson : 12 minutes

Par croissant : Calories 120. Gras total 3 g. Gras saturé 1 g.
Protéines 3 g. Hydrates de carbone 20 g. Fibres 1 g.
Sodium 72 mg. Cholestérol 13 mg.

Petits pains sucrés aux pruneaux

Ces petits pains, d'origine tchèque, se nomment kulitschs. Il en existe des versions semblables dans tous les pays de l'Est.

½ tasse d'eau tiède (40 à 46 °C/105 à 115 °F)
2 sachets de levure sèche active
½ tasse de sucre
1 gros œuf
½ tasse de lait écrémé à 1 p. 100
3 c. à soupe de beurre fondu
1½ c. à thé de zeste de citron râpé
½ c. à thé de sel
¾ c. à thé de muscade
3¾ à 4¼ tasses de farine
1½ tasse d'eau froide
1 tasse de pruneaux dénoyautés hachés fin
¼ tasse de noix hachées
2 c. à soupe de cassonade dorée bien tassée
Sucre glace

1 Dans un grand bol, mélangez l'eau tiède, la levure et 1 c. à soupe de sucre. Laissez fermenter 10 minutes : il se formera des bouillons. Ajoutez le reste du sucre, l'œuf, le lait, le beurre, 1 c. à thé de zeste de citron râpé, le sel et ½ c. à thé de muscade. Avec une cuiller de bois, incorporez assez de farine, une tasse à la fois, pour que la pâte se tienne.

2 Sur une surface farinée, pétrissez la pâte 4 ou 6 minutes pour la rendre souple et élastique ; ajoutez de la farine au besoin. Mettez-la dans un grand bol beurré et faites-la rouler pour graisser toute la surface. Couvrez avec une serviette et laissez doubler de volume (1 heure à 1 h 30) dans un endroit chaud.

3 Dans l'intervalle, mettez l'eau froide et les pruneaux dans une casserole moyenne. Amenez à ébullition, couvrez et laissez mijoter doucement 10 minutes environ. Égouttez. Dans un petit bol, mélangez les pruneaux cuits, les noix, la cassonade, le reste du zeste de citron et le reste de la muscade. Réservez.

4 Dégonflez la pâte ; divisez-la en 24 parts. Couvrez et attendez 10 minutes. Façonnez chaque part en boule et aplatissez chacune en cercle de 6 cm (2½ po) de diamètre. Déposez les cercles sur des plaques graissées. Couvrez et laissez doubler de volume (30 à 45 minutes).

Petits pains sucrés aux pruneaux

Petits pains à l'ancienne

Ils sont légers, bien tournés, dorés, parfumés ;
ils conviennent parfaitement pour un buffet qui réunit
beaucoup de convives.

- ½ **tasse d'eau tiède (40 à 46 °C/105 à 115 °F)**
- 1 **sachet de levure sèche active**
- ⅓ **tasse de sucre**
- 1 **gros œuf**
- ¾ **tasse de babeurre écrémé à 1 p. 100,**
  ou de lait aigre (p. 300)
- 3 **c. à soupe de beurre fondu**
- ½ **c. à thé de sel**
- ⅓ **tasse de farine de maïs**
- 4 **à 4½ tasses de farine de blé**
- 1 **c. à soupe de germe de blé grillé, ou de graines de**
  pavot ou de graines de sésame (facultatif)

1 Dans un grand bol, mélangez l'eau, la levure et 1 c. à soupe de sucre. Laissez fermenter 10 minutes : il se formera des bouillons. Ajoutez le reste du sucre, l'œuf, le babeurre, le beurre et le sel. Avec une cuiller de bois, introduisez la farine de maïs et suffisamment de farine de blé, une tasse à la fois, pour que la pâte se tienne.

2 Sur une surface farinée, pétrissez la pâte 6 à 8 minutes pour la rendre souple et élastique ; ajoutez de la farine au besoin. Mettez-la dans un grand bol beurré et faites-la rouler pour graisser toute la surface. Couvrez avec une serviette et laissez doubler de volume (1 h 15 à 1 h 45) dans un endroit chaud.

3 Dégonflez la pâte ; divisez-la en 24 parts. Couvrez et attendez 10 minutes. Façonnez chaque part en boule. Déposez les boules dans trois moules ronds de 22 cm (9 po) de diamètre, graissés. Couvrez et laissez doubler de volume (30 à 45 minutes).

4 Préchauffez le four à 190 °C (375 °F). Badigeonnez les petits pains de babeurre ; saupoudrez-les de germe de blé, ou d'autres grains, à votre goût. Enfournez et laissez-les cuire 10 ou 12 minutes pour les dorer. Servez-les tièdes ou froids. Donne 24 petits pains.

Préparation : 45 minutes Fermentation : 1 h 45
Cuisson : 10 minutes

Par petit pain : Calories 114. Gras total 2 g. Gras saturé 1 g.
Protéines 3 g. Hydrates de carbone 21 g. Fibres 1 g.
Sodium 70 mg. Cholestérol 13 mg.

5 Préchauffez le four à 190 °C (375 °F). Avec le pouce, enfoncez le centre de chaque cercle et mettez-y 2 c. à thé de garniture aux pruneaux. Badigeonnez le pourtour avec un peu de lait. Faites cuire les petits pains au four 10 ou 12 minutes pour les dorer. Laissez-les refroidir sur des grilles. Poudrez-les de sucre glace. Donne 24 petits pains sucrés.

Préparation : 50 minutes Fermentation : 1 h 30
Cuisson : 25 minutes

Par petit pain : Calories 135. Gras total 3 g. Gras saturé 1 g.
Protéines 3 g. Hydrates de carbone 25 g. Fibres 2 g.
Sodium 66 mg. Cholestérol 13 mg.

Petits pains sucrés à la cannelle

½ tasse d'eau tiède (40 à 46 °C/105 à 115 °F)

2 sachets de levure sèche active

1 tasse de sucre

2 gros blancs d'œufs

1 gros œuf

1 tasse de lait écrémé à 1 p. 100

¼ tasse de beurre fondu

¾ c. à thé de sel

5½ à 6 tasses de farine

⅔ tasse de cassonade dorée bien tassée

½ tasse de sirop de maïs

3 c. à soupe de beurre fondu

2 c. à thé de cannelle

2 c. à thé de zeste d'orange râpé

⅔ tasse de raisins secs, ou de noix hachées

Glacis :

1½ tasse de sucre glace tamisé

1½ c. à thé de vanille

3 à 4 c. à thé de jus d'orange

1 Dans un grand bol, mélangez l'eau, la levure et 1 c. à soupe de sucre. Laissez fermenter 10 minutes : il se formera des bouillons. Ajoutez 7 c. à soupe de sucre, les blancs d'œufs, l'œuf, le lait, ¼ tasse de beurre et le sel. Avec une cuiller de bois, incorporez assez de farine, 1 tasse à la fois, pour que la pâte se tienne.

2 Sur une surface farinée, pétrissez la pâte 6 à 8 minutes pour la rendre souple et élastique ; ajoutez de la farine au besoin. Mettez-la dans un grand bol beurré et faites-la rouler pour graisser toute la surface. Couvrez avec une serviette et laissez doubler de volume (1 heure à 1 h 30) dans un endroit chaud. Dans un petit bol, mélangez la cassonade, le sirop de maïs et les 3 c. à soupe de beurre qui restent ; étalez ce caramel dans deux moules rectangulaires de 33 × 22 × 5 cm (13 × 9 × 2 po).

3 Dégonflez la pâte ; divisez-la en deux. Couvrez et attendez 10 minutes. Abaissez les deux pâtons en rectangles de 30 × 22 cm (12 × 9 po). Badigeonnez de lait. Mélangez la demi-tasse de sucre qui reste, la cannelle et le zeste d'orange ; saupoudrez-en les deux abaisses ; ajoutez les raisins secs. Enroulez la pâte sur elle-même à partir du petit côté. Divisez chaque rouleau en 12 tranches ; déposez-les dans les moules. Couvrez et laissez doubler de volume (30 à 45 minutes). Préchauffez

le four à 180 °C (350 °F). Enfournez et faites cuire les petits pains de 16 à 18 minutes pour qu'ils soient dorés.

4 Déposez les moules sur des grilles ; après 1 minute, mettez les petits pains à l'envers sur des plaques. Préparez le glacis en mélangeant le sucre glace et la vanille dans un petit bol ; ajoutez assez de jus d'orange pour que le sirop soit plutôt liquide. Tournez les petits pains à l'endroit et aspergez-les de glacis. Servez-les tièdes. Donne 24 petits pains sucrés.

Préparation : 55 minutes Fermentation : 1 h 30
Cuisson : 16 minutes

Par petit pain : Calories 251. Gras total 4 g. Gras saturé 2 g.
Protéines 4 g. Hydrates de carbone 50 g. Fibres 1 g.
Sodium 125 mg. Cholestérol 18 mg.

Petits pains des anges

La légèreté de ces petits pains justifie bien leur nom.

⅓ tasse d'eau tiède (40 à 46 °C/105 à 115 °F)

1 sachet de levure sèche

1 c. à soupe de cassonade dorée bien tassée

2½ tasses de farine

1½ c. à thé de levure chimique

½ c. à thé de bicarbonate de soude

¼ c. à thé de sel

¼ c. à thé d'aneth séché, ou de sarriette séchée

⅓ tasse de graisse végétale

¾ tasse de babeurre écrémé à 1 p. 100,
    ou de lait aigre (p. 300)

1 Préchauffez le four à 235 °C (450 °F). Dans un petit bol, mélangez l'eau, la levure et la cassonade. Laissez fermenter 10 minutes : il se formera des bouillons. Dans un grand bol, mélangez la farine, la levure chimique, le bicarbonate de soude, le sel et l'aneth. Avec un mélangeur à pâte ou deux couteaux, incorporez la graisse végétale : la pâte ressemblera à une chapelure grossière. Ajoutez d'un trait la levure délayée et le babeurre ; mélangez pour obtenir une pâte qui se tient.

2 Pétrissez la pâte 30 secondes sur une surface légèrement farinée ; abaissez-la à 1,5 cm (½ po). Avec un emporte-pièce de 6 cm (2½ po), découpez 20 à 22 cercles en utilisant les chutes. Déposez-les sur des plaques non graissées. Enfournez et laissez cuire les petits pains 7 à 9 minutes pour les dorer. Servez-les tièdes. Donne de 20 à 22 petits pains.

Préparation : 25 minutes Cuisson : 7 minutes

Par petit pain : Calories 94. Gras total 4 g. Gras saturé 1 g.
Protéines 2 g. Hydrates de carbone 13 g. Fibres 1 g.
Sodium 105 mg. Cholestérol 1 mg.

Petites gâteries

Matefaims aux raisins secs

Donnez à ces galettes des faces de clown.

1¼ tasse de mélange à crêpes

¼ tasse de farine de maïs

1 gros œuf, légèrement battu

1 tasse de jus d'orange

Huile

Noix de coco en filaments

Raisins secs

Cerises au marasquin, coupées en deux

1. Mettez ensemble dans un grand bol, le mélange à crêpes et la farine. Dans un bol moyen, mélangez l'œuf et le jus d'orange. Versez d'un trait dans les ingrédients secs ; remuez sans insister.

2. Réchauffez un gaufrier antiadhésif (ou une sauteuse) à feu modéré ; huilez légèrement. Versez ¼ tasse de pâte pour chaque crêpe. Disposez de la noix de coco par-dessus pour imiter une

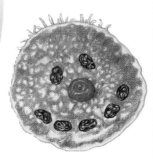

tignasse. Quand il se forme des bulles, tournez la crêpe pour dorer l'autre côté.

3. Sur chaque crêpe, mettez des raisins secs pour simuler les yeux et la bouche, et une cerise à la place du nez. Servez avec du sirop. Donne 8 matefaims.

Croquetendres au maïs

Vos marmots raffoleront de ces petites galettes à la fois croquantes et moelleuses.

1½ tasse de farine de maïs

¼ c. à thé de sel

1½ tasse d'eau bouillante

Huile

1. Dans un bol moyen, mélangez la farine de maïs et le sel. Ajoutez peu à peu l'eau bouillante en remuant.

2. Dans une grande sauteuse, réchauffez 3 mm (⅛ po) d'huile à feu assez vif. Versez la pâte en six monticules ; aplatissez-les un peu mais ne rectifiez pas le contour.

3. Laissez cuire 2 ou 3 minutes de chaque côté. Retirez les galettes avec une spatule à trous et épongez-les sur des feuilles d'essuie-tout. Servez avec du sirop d'érable, du miel ou de la mélasse. Donne 6 portions.

Crêpe soufflée en surprise

Réservez cette friandise aux enfants qui viennent vous rendre visite.

1 c. à soupe de beurre, ou de margarine

2 gros œufs

2 gros blancs d'œufs

⅔ tasse de lait écrémé à 1 p. 100

½ tasse de farine

1 c. à thé de zeste d'orange râpé

¼ c. à thé de cannelle

⅛ c. à thé de sel

Sucre glace

1½ tasse de tranches de pêches

1 tasse de fraises coupées en deux

1. Préchauffez le four à 200 °C (400 °F). Dans une sauteuse moyenne, faites fondre le beurre dans le four.

2. Dans un bol moyen, battez les œufs et les blancs d'œufs au batteur électrique. Incorporez le lait, la farine, le zeste d'orange, la cannelle et le sel.

3. Retirez la sauteuse du four. Répartissez-y le beurre et versez-y la pâte. Enfournez et laissez cuire 25 mi-

nutes. Elles doivent être gonflées et dorées.

4. Poudrez de sucre glace et couronnez de pêches et de fraises. Donne 4 portions.

Mignonnets au fudge

⅓ tasse de sauce au fudge pour crème glacée

1 c. à soupe de beurre fondu

2 c. à soupe d'arachides hachées

1 paquet de 311 g (11 oz) de mini-baguettes italiennes réfrigérées

1. Préchauffez le four à 180 °C (350 °F). Dans un moule rond, mélangez la sauce au fudge et le beurre fondu ; étalez et saupoudrez d'arachides.

2. Séparez les mini-baguettes ; ne déroulez pas la pâte. Disposez-les dans le moule. Enfournez et faites cuire 22 minutes.

3. Déposez le moule 2 ou 3 minutes sur une grille avant de servir les petits pains. Donne 8 mignonnets.

FINALE EN DOUCEURS

Après un bon repas, disent certains gourmands, le dessert est comme le bouquet d'un beau feu d'artifice. D'autres affirment qu'un repas sans dessert est comme une journée sans soleil. Autrefois, on avait plutôt tendance à les multiplier. Sur la table familiale se côtoyaient des gâteaux au glaçage crémeux, des tartes feuilletées, des salades ou des compotes de fruits, des beignes et des croquignoles auxquels on joignait, pour faire bonne mesure, des bonbonnières de caramels ou de chocolats. Voici quelques recettes qui vous rappelleront les beaux jours d'antan.

Gâteau mousseline
à la crème anglaise (page 325)
Sorbet aux fraises et à l'orange (page 346)
Tarte de pêches au cidre (page 331)
Macarons aux noix (page 354)

Gâteau à la confiture de mûres, glaçage au fromage à la crème

Gâteau à la confiture de mûres, glaçage au fromage à la crème

L'élégance de ce gâteau en fait un magnifique centre de table, les jours de fête.

2½ **tasses de farine**

1½ **c. à thé de levure chimique**

1½ **c. à thé de cannelle**

1 **c. à thé de muscade**

½ **c. à thé de bicarbonate de soude**

¼ **c. à thé de sel**

½ **tasse de babeurre écrémé à 1 p. 100,
ou de lait aigre (p. 300)**

1 **c. à thé de vanille**

1½ **tasse de sucre**

½ **tasse de beurre ramolli, ou de margarine**

2 **gros blancs d'œufs**

1 **gros œuf**

1½ **tasse de confiture de mûres, de framboises
ou de fraises sans graines**

Glaçage au fromage à la crème (recette ci-contre)

1 Préchauffez le four à 180 °C (350 °F). Graissez et farinez deux moules à gâteaux ronds de 22 cm (9 po) de diamètre ; doublez le fond de papier ciré. Dans un petit bol, mélangez la farine, la levure chimique, la cannelle, la muscade, le bicarbonate de soude et le sel. Dans une tasse, mélangez le babeurre et la vanille.

2 Dans un grand bol, défaites le beurre en crème avec le sucre, à vitesse moyenne au batteur électrique ; raclez souvent le bol. Toujours en battant, ajoutez les blancs d'œufs, puis l'œuf, et enfin ¾ tasse de confiture de mûres. Avec une cuiller de bois, incorporez dans cette pâte le tiers des ingrédients secs, puis la moitié du babeurre vanillé. Répétez ; terminez avec le reste de la farine.

3 Étalez la pâte également dans les deux moules. Enfournez et laissez cuire de 25 à 30 minutes, jusqu'à ce qu'un cure-dent inséré au centre du gâteau en ressorte propre. Déposez les moules 10 minutes sur des grilles. Avec une spatule en métal, dégagez le pourtour des gâteaux et démoulez-les sur les grilles. Retirez le papier ciré et laissez refroidir. Pendant ce temps, préparez le glaçage.

4 Déposez l'un des deux gâteaux à l'envers dans une assiette de service. Avec une spatule ou un couteau à lame large, étalez rapidement le reste de la confiture de mûres. Mettez le second gâteau à l'endroit sur le premier. Recouvrez le dessus et le pourtour de glaçage. Donne 16 portions.

Préparation : 25 minutes Cuisson : 25 minutes
Refroidissement : 2 h 30

Par portion, avec glaçage : Calories 408. Gras total 8 g.
Gras saturé 5 g. Protéines 4 g. Hydrates de carbone 82 g.
Fibres 1 g. Sodium 238 mg. Cholestérol 34 mg.

Gâteau étagé au fondant au chocolat

Les gâteaux étagés ont toujours eu beaucoup de succès parce qu'ils permettent de donner libre cours à la fantaisie du pâtissier.

2½   tasses de farine
2½   c. à thé de levure chimique
⅛   c. à thé de sel
1½   tasse de lait écrémé à 1 p. 100
1   c. à soupe de vanille
⅛   c. à thé de colorant jaune (facultatif)
½   tasse de beurre ramolli, ou de margarine
1⅔   tasse de sucre
2   gros blancs d'œufs
1   gros œuf
    Fondant au chocolat (recette ci-contre)

1 Préchauffez le four à 180 °C (350 °F). Graissez et farinez deux moules ronds de 20 cm (8 po) ; doublez le fond de papier ciré. Dans un petit bol, mélangez la farine, la levure chimique et le sel. Dans une tasse, mélangez le lait, la vanille et le colorant, s'il y a lieu.

2 Dans un grand bol, défaites le beurre en crème avec le sucre, à vitesse moyenne au batteur électrique. Toujours en battant, ajoutez les blancs d'œufs, puis l'œuf. Avec une cuiller de bois, incorporez le tiers des ingrédients secs, puis la moitié du lait vanillé. Répétez ; terminez avec le reste de la farine.

3 Étalez la pâte dans les deux moules. Enfournez et laissez cuire de 25 à 30 minutes, jusqu'à ce qu'un cure-dent inséré au centre du gâteau en ressorte propre. Posez les moules 10 minutes sur des grilles. Dégagez les gâteaux et démoulez-les sur les grilles. Retirez le papier ciré et laissez refroidir.

4 Une fois les gateaux refroidis, préparez le fondant au chocolat. Déposez l'un des deux gâteaux à l'envers dans une assiette de service. Avec une spatule ou un couteau à lame large, étalez rapidement une partie du glaçage. Mettez le second gâteau à l'endroit sur le premier. Recouvrez le dessus et le pourtour de glaçage. Donne 16 portions.

Préparation : 40 minutes Cuisson : 25 minutes
Refroidissement : 2 h 30

Par portion, avec glaçage : Calories 391. Gras total 10 g.
Gras saturé 4 g. Protéines 5 g. Hydrates de carbone 72 g.
Fibres 2 g. Sodium 182 mg. Cholestérol 30 mg.

Glaçage au fromage à la crème

Dans un grand bol et au batteur électrique, mélangez à vitesse moyenne **125 g (4 oz)** de fromage à la crème Neufchâtel, **4 c. à thé de lait écrémé à 1 p. 100** et **2 c. à thé de vanille**. Ajoutez peu à peu **4½ tasses de sucre glace tamisé**. Donne environ 2 tasses de glaçage, de quoi garnir deux gâteaux ronds de 20 ou 22 cm (8 ou 9 po) ou un gâteau rectangulaire de 33 × 22 × 5 cm (13 × 9 × 2 po).

Pour 2 cuillerées à soupe : Calories 129 g. Gras total 2 g.
Gras saturé 1 g. Protéines 1 g. Hydrates de carbone 29 g.
Fibres 0 g. Sodium 30 mg. Cholestérol 5 mg.

Fondant au chocolat

Dans une casserole moyenne, déposez **2 tasses de guimauves miniatures**, **½ tasse de cacao non sucré**, **½ tasse de lait écrémé à 1 p. 100** et **¼ tasse d'huile**. Faites cuire à feu doux en remuant constamment. Quand les guimauves ont fondu, retirez du feu et versez dans un grand bol. Attendez 5 minutes. En battant à vitesse moyenne, ajoutez peu à peu **4½ tasses de sucre glace tamisé** et **1 c. à soupe de vanille** ; continuez de battre pendant 3 minutes ou jusqu'à ce que le glaçage ait perdu son luisant et atteint la consistance voulue. Utilisez tout de suite. Donne environ 2 tasses de glaçage, de quoi garnir deux gâteaux ronds de 20 ou 22 cm (8 ou 9 po) ou un gâteau rectangulaire de 33 × 22 × 5 cm (13 × 9 × 2 po).

Pour 2 cuillerées à soupe : Calories 170. Gras total 4 g.
Gras saturé 1 g. Protéines 1 g. Hydrates de carbone 35 g.
Fibres 1 g. Sodium 7 mg. Cholestérol 0 mg.

Gâteau au whisky

Gâteau au whisky

Pour confectionner ce gâteau, avec sa pâte humide et dense,
bien chargée de noix et de raisins secs, on recommande d'utiliser un whisky
américain de bonne qualité, le bourbon.

- **2 tasses de raisins secs**
- **2 tasses de noix hachées**
- **2½ tasses de farine**
- **2 c. à thé de cardamome, ou de cannelle, moulue**
- **1 c. à thé de levure chimique**
- **¼ c. à thé de bicarbonate de soude**
- **¼ c. à thé de sel**
- **1⅔ tasse de cassonade dorée bien tassée**
- **¾ tasse de beurre ramolli, ou de margarine**
- **4 gros blancs d'œufs**
- **1 gros œuf**
- **½ tasse de bourbon, de scotch ou de cidre**

1 Graissez un moule carré de 22 cm (9 po) et doublez le fond de papier sulfurisé, ou de papier ciré, légèrement graissé. Dans un bol moyen, mettez les raisins secs et couvrez-les d'eau bouillante. Laissez tremper 30 minutes ; égouttez. Dans un bol moyen, farinez les raisins secs et les noix avec ½ tasse de farine.

2 Préchauffez le four à 160 °C (325 °F). Dans un bol moyen, mélangez les 2 tasses de farine qui restent, la cardamome, la levure chimique, le bicarbonate de soude et le sel. Dans un grand bol, défaites le beurre en crème avec la cassonade, à vitesse moyenne au batteur électrique. Raclez fréquemment le bord du bol. Sans cesser de

battre, ajoutez les blancs d'œufs, puis l'œuf. Avec une cuiller de bois, incorporez le tiers des ingrédients secs, puis la moitié du bourbon. Répétez. Terminez avec le reste de la farine. Incorporez les raisins et les noix.

3 Étalez la pâte dans le moule ; égalisez le dessus. Enfournez et laissez cuire 55 minutes ou jusqu'à ce qu'un cure-dent inséré au centre du gâteau en ressorte propre. Déposez le moule 20 minutes sur une grille. Avec une spatule étroite, dégagez le pourtour du gâteau et démoulez-le sur la grille. Laissez-le refroidir complètement avant de retirer le papier. Donne 20 portions.

Préparation : 25 minutes Trempage des raisins : 30 minutes
Cuisson : 55 minutes Refroidissement : 3 heures

Par portion : Calories 311. Gras total 15 g. Gras saturé 5 g.
Protéines 5 g. Hydrates de carbone 39 g. Fibres 2 g.
Sodium 160 mg. Cholestérol 29 mg.

Gâteau à la compote de pommes, glaçage au caramel

Nos grand-mères faisaient souvent leurs gâteaux de mémoire. Pourtant, à force de pratique, elles les réussissaient toujours. Le four du poêle à bois n'avait pas de thermostat, bien sûr, et, souvent, il était dépourvu de thermomètre. Qu'à cela ne tienne ! Elles se mouillaient le doigt et l'appuyaient sur la grille pour tester la chaleur.

2½   tasses de farine
2   c. à thé de cannelle
1½ c. à thé de levure chimique
½   c. à thé de bicarbonate de soude
¼   c. à thé de sel
½   tasse de beurre ramolli, ou de margarine
1½ tasse de sucre
1   gros œuf
1   gros blanc d'œuf
1½ tasse de compote de pommes non sucrée
½   tasse de raisins de Corinthe, ou d'autres raisins secs
½   tasse de pacanes, ou de noix, grillées et hachées
    Glaçage au caramel (recette ci-contre)

1 Préchauffez le four à 180 °C (350 °F). Graissez et farinez un moule à gâteau de 33 × 22 × 5 cm (13 × 9 × 2 po). Dans un bol moyen, mélangez la farine, la cannelle, la levure chimique, le bicarbonate de soude et le sel.

2 Dans un grand bol, défaites le beurre en crème avec le sucre, à vitesse moyenne au batteur électrique. Raclez souvent le bord du bol. Sans cesser de battre, ajoutez l'œuf, puis le blanc d'œuf. Avec une cuiller de bois, incorporez le tiers des ingrédients secs, puis la moitié de la compote. Répétez. Terminez avec le reste de la farine. Incorporez les raisins et les noix.

3 Étalez la pâte dans le moule. Enfournez et laissez cuire de 30 à 35 minutes, jusqu'à ce qu'un cure-dent inséré au centre du gâteau en ressorte propre. Posez le moule sur une grille. Laissez refroidir pendant 1 h 30.

4 Une fois le gâteau refroidi, préparez le glaçage au caramel. Avec une spatule ou un couteau large, étalez-le rapidement sur le dessus. (Ou remplacez le glaçage par de la crème fouettée.) Donne 20 portions.

Préparation : 25 minutes Cuisson : 30 minutes
Refroidissement : 2 h 30

Par portion, avec glaçage : Calories 290. Gras total 8 g.
Gras saturé 4 g. Protéines 3 g. Hydrates de carbone 53 g.
Fibres 1 g. Sodium 166 mg. Cholestérol 26 mg.

Glaçage au caramel

Dans une casserole moyenne, mélangez ¾ **tasse de cassonade dorée bien tassée, ½ tasse de lait écrémé à 1 p. 100 et 2 c. à soupe de beurre, ou de margarine.** Amenez au point d'ébullition à feu modéré en fouettant constamment. Faites épaissir 2 minutes. Versez dans un grand bol et laissez reposer 1 heure : le mélange doit être tiède. En fouettant au batteur électrique à vitesse moyenne, ajoutez peu à peu **3 tasses de sucre glace tamisé ;** travaillez le glaçage jusqu'à ce qu'il ait la consistance désirée. Utilisez-le tout de suite. Donne environ 1½ tasse de glaçage, de quoi garnir le dessus d'un gâteau de 33 × 22 × 5 cm (13 × 9 × 2 po).

Pour 1 cuillerée à soupe : Calories 92. Gras total 1 g.
Gras saturé 1 g. Protéines 0 g. Hydrates de carbone 21 g.
Fibres 0 g. Sodium 17 mg. Cholestérol 3 mg.

Gâteau du diable, garni de crème au chocolat

On l'appelait autrefois gâteau du diable parce qu'on y mettait tant de bicarbonate de soude que la pâte virait au rouge. La recette a été corrigée et le gâteau est d'un beau brun riche.

2½ tasses de farine

⅔ tasse de cacao non sucré

1½ c. à thé de bicarbonate de soude

⅛ c. à thé de sel

1⅔ tasse de babeurre écrémé à 1 p. 100, ou de lait aigre (p. 300)

2 c. à thé de vanille

½ tasse de beurre ramolli, ou de margarine

1¾ tasse de sucre

2 gros blancs d'œufs

Crème au beurre parfumée au chocolat

1 Préchauffez le four à 180 °C (350 °F). Graissez et farinez deux moules ronds de 22 cm (9 po) ; doublez le fond de papier ciré. Dans un petit bol, mélangez la farine, le cacao, le bicarbonate de soude et le sel. Dans une tasse, mélangez le babeurre et la vanille. Dans un grand bol, défaites le beurre en crème avec le sucre, à vitesse moyenne au batteur électrique. Raclez souvent le bol. Toujours en fouettant, incorporez les blancs d'œufs. Avec une cuiller de bois, incorporez le tiers des ingrédients secs, puis la moitié du babeurre vanillé. Répétez. Terminez avec le reste de la farine.

2 Étalez la pâte dans les moules. Enfournez et laissez cuire de 25 à 30 minutes, jusqu'à ce qu'un cure-dent inséré au centre des gâteaux en ressorte propre. Laissez les moules 10 minutes sur des grilles. Avec une spatule étroite, dégagez le tour des gâteaux et démoulez-les sur les grilles. Retirez le papier. Laissez-les refroidir. Dans l'intervalle, préparez la crème au beurre.

3 Déposez l'un des deux gâteaux à l'envers dans une assiette de service. Avec une spatule ou un couteau à lame large, étalez de la crème au beurre sur le dessus. Mettez le second gâteau à l'endroit sur le premier. Recouvrez le dessus et le tour de crème au beurre. (Pour congeler le gâteau, placez-le au congélateur et attendez qu'il soit ferme pour l'envelopper. Développez-le avant de le décongeler.) Donne 16 portions.

Préparation : 25 minutes Cuisson : 25 minutes
Refroidissement : 2 h 30

Par portion, avec crème au beurre: Calories 383. Gras total 11 g.
Gras saturé 7 g. Protéines 5 g. Hydrates de carbone 70 g.
Fibres 3 g. Sodium 270 mg. Cholestérol 28 mg.

Crème au beurre parfumée au chocolat

Dans un grand bol, défaites en crème ⅓ **tasse de beurre ramolli, ou de margarine**, et ¼ **tasse de cacao non sucré**, à vitesse moyenne au batteur électrique. Ajoutez peu à peu **500 g (16 oz) de sucre glace tamisé (4½ tasses)**, ⅓ **tasse de lait écrémé à 1 p. 100**, ¼ **tasse de cacao non sucré** et **2 c. à thé de vanille**. Battez jusqu'à ce que le glaçage soit lisse et épais. Donne environ 2 tasses, soit de quoi garnir le dessus et le tour de deux gâteaux ronds de 20 ou 22 cm (8 ou 9 po) de diamètre.

Pour 2 cuillerées à soupe : Calories 153. Gras total 4 g.
Gras saturé 3 g. Protéines 1 g. Hydrates de carbone 30 g.
Fibres 1 g. Sodium 42 mg. Cholestérol 11 mg.

Gâteau au pouding au chocolat

Durant la cuisson, les éléments qui composent ce dessert se séparent d'eux-mêmes : le pouding descend dans le fond du moule, le gâteau monte à la surface.

1½ tasse de farine

¾ tasse de sucre

½ tasse de cacao non sucré

2 c. à thé de levure chimique

⅛ c. à thé de sel

¾ tasse de lait écrémé à 1 p. 100

2 c. à soupe d'huile

2 c. à thé de vanille

1 tasse de cassonade dorée bien tassée

1¾ tasse d'eau bouillante

1 Préchauffez le four à 180 °C (350 °F). Graissez un moule carré de 22 cm (9 po) de côté. Mélangez-y la farine, le sucre, la moitié du cacao, la levure chimique et le sel. Ajoutez le lait, l'huile et la vanille. Opérez le mélange, sans plus. Étalez la pâte dans le moule.

2 Saupoudrez la pâte de cassonade et du reste du cacao (¼ tasse). Versez l'eau bouillante par-dessus. Enfournez et faites cuire de 30 à 35 minutes, jusqu'à ce qu'un cure-dent inséré au centre du gâteau en ressorte propre. Servez chaud avec une crème glacée à la vanille ou du yogourt glacé. Donne 10 portions.

Préparation : 10 minutes Cuisson : 30 minutes

Par portion : Calories 225. Gras total 4 g. Gras saturé 1 g.
Protéines 3 g. Hydrates de carbone 47 g. Fibres 2 g.
Sodium 141 mg. Cholestérol 1 mg.

Quatre-quarts praliné

Quatre-quarts praliné

On avait coutume de préparer le quatre-quarts avec un poids égal de beurre, de farine, de sucre et d'œufs.
Depuis lors, les proportions se sont modifiées, mais le nom est resté.

2 gros œufs

1¾ tasse de farine

1 c. à thé de levure chimique

½ c. à thé de bicarbonate de soude

⅔ tasse de lait écrémé à 1 p. 100

2 c. à thé de vanille

¾ tasse de beurre ramolli, ou de margarine

½ tasse de sucre granulé

½ tasse de cassonade dorée bien tassée

1 tasse de pacanes grillées, hachées grossièrement

1 Séparez les œufs; supprimez un des deux jaunes. Préchauffez le four à 160 °C (325 °F). Graissez et farinez un moule à pain de 22 × 12 × 7 cm (9 × 5 × 3 po). Dans un petit bol, mélangez la farine, la levure chimique et le bicarbonate de soude. Dans une tasse, mélangez le lait et la vanille.

2 Dans un grand bol, défaites le beurre en crème avec le sucre et la cassonade, à vitesse moyenne au batteur électrique. Raclez souvent le bol. Toujours en battant, ajoutez les blancs d'œufs, puis le jaune d'œuf. Avec une cuiller de bois, incorporez le tiers des ingrédients secs, puis la moitié du lait vanillé. Répétez. Terminez avec le reste de la farine. Incorporez les pacanes.

3 Étalez la pâte dans le moule. Enfournez et laissez cuire de 55 à 60 minutes, jusqu'à ce qu'un cure-dent inséré au centre du gâteau en ressorte propre. Déposez le moule 10 minutes sur une grille. Dégagez le tour du gâteau et démoulez-le sur la grille. Servez-le bien refroidi, avec des fraises en tranches, une crème glacée à la vanille ou du yogourt glacé. Donne 16 portions.

Préparation : 20 minutes Cuisson : 55 minutes
Refroidissement : 3 heures

Par portion : Calories 232. Gras total 15 g. Gras saturé 6 g.
Protéines 3 g. Hydrates de carbone 23 g. Fibres 1 g.
Sodium 173 mg. Cholestérol 50 mg.

Gâteau mousseline à l'orange, glaçage épicé à l'orange

Gâteau mousseline à l'orange, glaçage épicé à l'orange

Le gâteau mousseline, comme son nom le laisse supposer, est d'une extrême légèreté ;
il le doit à l'introduction, dans une pâte à l'huile, de blancs d'œufs battus en neige ferme.

1	**tasse de gros blancs d'œufs (6 ou 7 gros)**
2	**tasses de farine**
1½	**tasse de sucre**
1	**c. à soupe de levure chimique**
¼	**c. à thé de sel**
¾	**tasse de jus d'orange**
½	**tasse d'huile**
1	**c. à soupe de zeste d'orange râpé**
1	**c. à thé de vanille**
½	**tasse de jaunes d'œufs (6 ou 7 gros)**
½	**c. à thé de crème de tartre**
	Glaçage épicé à l'orange (recette page ci-contre)

1 Déposez les blancs d'œufs dans un grand bol et laissez-les reposer 30 minutes à la température de la pièce. Préchauffez le four à 160 °C (325 °F). Dans un petit bol, mélangez la farine, ¾ tasse de sucre, la levure chimique et le sel. Dans une tasse, mélangez le jus d'orange, l'huile, le zeste d'orange et la vanille.

2 Dans un très grand bol, épaississez les jaunes d'œufs en les fouettant 2 à 4 minutes à grande vitesse au batteur électrique. Toujours en battant, incorporez le jus d'orange vanillé. Réservez.

3 Ajoutez la crème de tartre aux blancs d'œufs ; fouettez-les au batteur électrique à vitesse moyenne ou élevée, avec des fouets bien propres, jusqu'à formation de pics souples. Sans cesser de battre, ajoutez le reste du sucre (¾ tasse), deux grosses cuillerées à la fois ; battez jusqu'à formation de pics fermes.

4 Avec une spatule de caoutchouc, incorporez délicatement le tiers des blancs battus dans les jaunes ; introduisez ensuite tous les ingrédients secs ; terminez avec le reste des blancs d'œufs. Avec une cuiller, déposez la pâte dans un moule à cheminée de 25 cm (10 po) de diamètre, *non graissé*. Enfournez sur la grille la plus basse du four et laissez cuire de 50 à 55 minutes, jusqu'à ce que le gâteau paraisse spongieux au doigt. Renversez immédiatement le moule en le faisant tenir sur ses pattes ou en emboîtant sa cheminée dans le col d'une bouteille. Une fois le gâteau refroidi, dégagez-le avec une spatule étroite, démoulez-le et garnissez-le de glaçage épicé à l'orange. Servez immédiatement, ou couvrez-le pour le réfrigérer. Donne 16 portions.

Préparation : 30 minutes Repos des blancs d'œufs : 30 minutes
Cuisson : 50 minutes Refroidissement : 3 heures

Par portion, avec glaçage : Calories 280. Gras total 11 g.
Gras saturé 3 g. Protéines 4 g. Hydrates de carbone 41 g.
Fibres 1 g. Sodium 149 mg. Cholestérol 80 mg.

Gâteau mousseline à la crème anglaise

Avant l'apparition du batteur électrique, il fallait
– processus ardu – fouetter les blancs d'œufs à la main !

1½ tasse de gros blancs d'œufs (9 ou 10)

1½ tasse de sucre glace tamisé

1 tasse de farine

⅛ c. à thé de sel

2 c. à thé de vanille

1½ c. à thé de crème de tartre

1 tasse de sucre granulé

Crème anglaise (recette ci-contre)

1 Mettez les blancs d'œufs dans un grand bol très propre. Laissez-les reposer 30 minutes. Préchauffez le four à 180 °C (350 °F). Sur du papier ciré, tamisez ensemble trois fois le sucre glace, la farine et le sel.

2 Ajoutez la vanille et la crème de tartre aux blancs d'œufs. Fouettez-les à vitesse moyenne au batteur électrique, jusqu'à formation de pics souples. Toujours en battant, ajoutez le sucre granulé, deux grosses cuillerées à la fois ; battez jusqu'à formation de pics fermes. Tamisez le quart des ingrédients secs sur les blancs ; incorporez-les délicatement avec une spatule de caoutchouc. Répétez cette opération quatre fois. Étalez la pâte dans un moule à cheminée de 25 cm (10 po) de diamètre, *non graissé*. Avec une spatule métallique, coupez la pâte pour en faire sortir les bulles d'air.

3 Enfournez sur la grille la plus basse du four et laissez cuire de 35 à 40 minutes, jusqu'à ce que le gâteau paraisse spongieux au doigt. Renversez immédiatement le moule en le faisant tenir sur ses pattes ou en emboîtant sa cheminée dans le col d'une bouteille. Une fois le gâteau refroidi, dégagez-le avec une spatule étroite et démoulez-le. Pour servir, nappez-le de crème anglaise et accompagnez-le de fruits en tranches et de petits fruits. Donne 16 portions.

Préparation : 25 minutes Repos des blancs d'œufs : 30 minutes
Cuisson : 35 minutes Refroidissement : 3 heures

Par portion, avec crème anglaise : Calories 163. Gras total 2 g.
Gras saturé 1 g. Protéines 4 g. Hydrates de carbone 33 g.
Fibres 0 g. Sodium 63 mg. Cholestérol 54 mg.

Glaçage épicé à l'orange

Dans une petite casserole, fouettez ¾ **tasse de jus d'orange** avec ¼ **tasse de sucre, 1 c. à soupe de fécule de maïs, ¼ c. à thé de cannelle** et ¼ **c. à thé de muscade**. Amenez à ébullition à feu modéré sans cesser de fouetter. Laissez épaissir 2 minutes. Incorporez **1 c. à thé de zeste d'orange râpé**. Appliquez de la pellicule plastique sur la préparation et réfrigérez-la. Quand elle est bien froide, versez-la dans un grand bol. Incorporez **1 contenant de garniture fouettée surgelée, décongelée**. Donne environ 4 tasses.

Pour ¼ tasse : Calories 55. Gras total 2 g. Gras saturé 2 g.
Protéines 0 g. Hydrates de carbone 8 g. Fibres 0 g.
Sodium 0 mg. Cholestérol 0 mg.

Crème anglaise

Fouettez ensemble **4 gros jaunes d'œufs** et ¼ **tasse de sucre**. Dans une casserole moyenne à fond épais, réchauffez à feu modéré 1⅔ **tasse de lait écrémé à 1 p. 100**. Incorporez petit à petit ½ tasse de lait très chaud aux jaunes d'œufs et versez-les dans la casserole. Laissez cuire 10 minutes en remuant souvent. Quand la crème nappe la cuiller, incorporez **1 c. à thé de vanille**. Déposez la casserole dans un bol rempli d'eau glacée et laissez refroidir 1 ou 2 minutes en remuant sans arrêt. Versez la crème dans un petit bol et appliquez directement dessus de la pellicule plastique. Réfrigérez. Donne environ 2 tasses.

Pour 2 cuillerées à soupe : Calories 38. Gras total 2 g.
Gras saturé 1 g. Protéines 2 g. Hydrates de carbone 4 g.
Fibres 0 g. Sodium 15 mg. Cholestérol 54 mg.

Shortcake aux fraises

Shortcake aux fraises

La génoise est une des grandes recettes de base en pâtisserie.
La maîtriser, c'est avoir accès à une belle variété de desserts.
Vous pouvez notamment confectionner un shortcake garni de fraises
ou de pêches, mais aussi de bleuets ou de framboises.

Génoise :

  3 **tasses de farine**

²/₃ **tasse de sucre**

  1 **c. à soupe de levure chimique**

²/₃ **tasse de beurre, ou de margarine**

  1 **tasse de lait écrémé à 1 p. 100**

  2 **gros blancs d'œufs**

  1 **gros œuf**

  6 **tasses de fraises tranchées,**
     ou de pêches pelées et tranchées

¹/₄ **tasse de sucre**

Crème Chantilly :

  2 **tasses de crème à fouetter**

¹/₄ **tasse de sucre**

  1 **c. à thé de vanille**

¹/₂ **c. à thé d'essence d'amande**

1 Préchauffez le four à 230 °C (450 °F). Graissez deux moules en forme de cœur, ou deux moules ronds de 20 cm (8 po) de diamètre.

2Dans un grand bol, mélangez la farine, le sucre et la levure chimique. Avec un mélangeur à pâte ou deux couteaux, incorporez le beurre : la pâte ressemblera à une chapelure grossière. Dans un petit bol, mélangez le lait, les blancs d'œufs et l'œuf. Versez-les d'un trait dans les ingrédients secs et remuez pour opérer le mélange, sans plus.

3Étalez la pâte dans les moules. Enfournez et faites cuire de 14 à 17 minutes, jusqu'à ce qu'un cure-dent inséré au centre des gâteaux en ressorte propre. Déposez les moules sur des grilles. Après 10 minutes, dégagez le pourtour des gâteaux avec une spatule étroite.

4Dans l'intervalle, tournez les fruits dans ¼ tasse de sucre et laissez reposer pour qu'il se forme du jus. Dans l'intervalle, préparez la crème Chantilly : dans un grand bol réfrigéré, mélangez la crème à fouetter, le sucre, la vanille et l'essence d'amande. Au batteur électrique, avec des fouets bien refroidis, fouettez ce mélange à vitesse moyenne jusqu'à formation de pics souples.

5Pour monter le shortcake, mettez une des deux génoises encore tièdes sur une assiette et recouvrez-la de fruits. Déposez par-dessus la seconde génoise ; garnissez-la avec le reste des fruits et servez avec la crème chantilly. Donne 16 portions.

Préparation : 25 minutes Cuisson : 14 minutes

Par portion, avec crème Chantilly : Calories 343. Gras total 20 g. Gras saturé 12 g. Protéines 5 g. Hydrates de carbone 38 g. Fibres 2 g. Sodium 201 mg. Cholestérol 76 mg.

✳

Shortcake glacé au sucre Suivez la même recette, mais n'employez que 2 tasses de fruits et ne les roulez pas dans ¼ tasse de sucre. Supprimez également la crème Chantilly ; préparez plutôt le glaçage suivant. Dans un grand bol, mélangez **500 g (16 oz) de sucre glace tamisé (4½ tasses), ¼ tasse de lait écrémé à 1 p. 100 et 1 c. à thé de vanille. Ajoutez 1 ou 2 c. à soupe de lait,** un tout petit peu à la fois, afin de rendre le glaçage presque liquide. Pour monter le shortcake, faites d'abord refroidir complètement les gâteaux. Déposez-en un sur une assiette ; aspergez-le de la moitié du glaçage avant d'y étaler les fruits. Posez par-dessus l'autre gâteau et aspergez-le avec le reste du glaçage.

Par portion avec glaçage : Calories 318. Gras total 9 g. Gras saturé 5 g. Protéines 4 g. Hydrates de carbone 57 g. Fibres 1 g. Sodium 192 mg. Cholestérol 35 mg.

Clafoutis aux pêches

Le clafoutis est une spécialité du Limousin français qui a pénétré en Amérique sous le nom – et la forme – de gâteau renversé. En France, on le sert directement du moule dans lequel on l'a fait cuire.

1 **tasse de pêches tranchées en sirop léger, ou de demi-abricots**

2 **c. à soupe de sirop de maïs**

1 **c. à soupe de beurre, ou de margarine**

1⅓ **tasse de farine**

2 **c. à thé de levure chimique**

¼ **c. à thé de muscade**

1 **tasse de lait écrémé à 1 p. 100**

1 **c. à thé de vanille**

¼ **tasse de cassonade dorée bien tassée**

⅔ **tasse de sucre**

¼ **tasse de beurre ramolli, ou de margarine**

1 **gros œuf**

1Préchauffez le four à 180 °C (350 °F). Égouttez les pêches en réservant 1 c. à soupe de sirop. Dans un moule rond de 22 cm (9 po) de diamètre, déposez le sirop de pêche réservé, le sirop de maïs et 1 c. à soupe de beurre. Enfournez et réchauffez le moule jusqu'à ce que le beurre fonde. Dans un petit bol, mélangez la farine, la levure chimique et la muscade. Dans une tasse, mélangez le lait et la vanille.

2Retirez le moule du four. Incorporez la cassonade au beurre fondu. Déposez les pêches dans cet apprêt et réservez.

3Dans un grand bol, défaites ¼ tasse de beurre en crème avec le sucre à vitesse moyenne au batteur électrique. Raclez souvent le bol. Toujours en battant, incorporez l'œuf. Avec une cuiller de bois, introduisez le tiers des ingrédients secs, puis la moitié du lait vanillé. Répétez. Terminez avec le reste de la farine.

4Étalez la pâte sur les fruits dans le moule. Enfournez et faites cuire de 35 à 40 minutes, jusqu'à ce qu'un cure-dent inséré au centre du gâteau en ressorte propre. Déposez le moule sur une grille. Au bout de 5 minutes, dégagez le pourtour du gâteau et renversez-le dans une assiette. Servez chaud. Donne 10 portions.

Préparation : 15 minutes Cuisson : 35 minutes
Refroidissement : 5 minutes

Par portion : Calories 217. Gras total 7 g. Gras saturé 4 g. Protéines 3 g. Hydrates de carbone 37 g. Fibres 1 g. Sodium 182 mg. Cholestérol 38 mg.

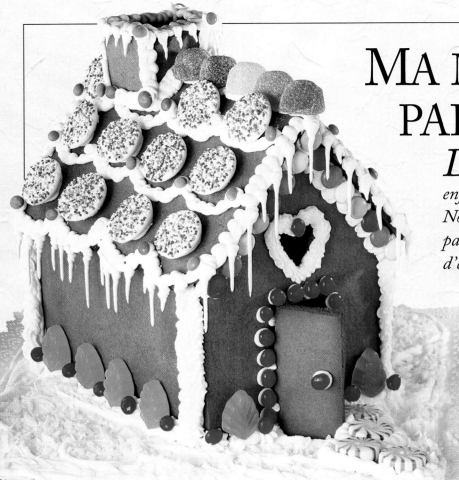

MA MAISON EN PAIN D'ÉPICE

*D*epuis fort longtemps, les enfants ont l'habitude de préparer Noël en fabriquant, avec les parents, une maison en pain d'épice. Celle qui est proposée ici exige plusieurs heures de travail. Pour soutenir l'intérêt des enfants, répartissez les opérations sur plusieurs jours : confection du gâteau, décoration, puis autres activités pendant que le glaçage durcit.

MATÉRIAUX

Plaque à biscuits de 40 × 35 cm (17 × 14 po)

Poche à pâtisserie munie d'une douille ronde de 6 mm (¼ po)

Couteau bien aiguisé

Rouleau à pâtisserie

Maquette en carton (découpée comme sur l'illustration)

2 napperons en dentelle de papier de 35 × 25 cm (14 × 10 po)

1 carton carré de 28 cm (11 po) de côté, d'épaisseur moyenne

Ruban adhésif transparent

Spatule en caoutchouc

Bonbons de formes et de couleurs variées

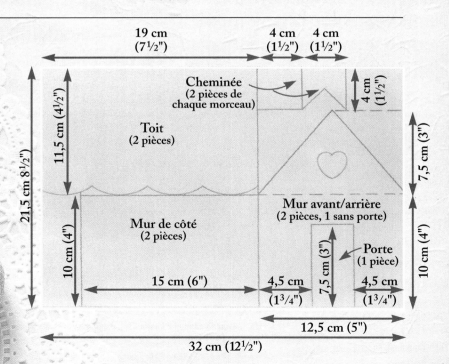

Pain d'épice

1 **tasse de graisse végétale**

1 **tasse de sucre**

1 **tasse de mélasse**

¼ **tasse d'eau**

6 **tasses de farine**

2 **c. à thé de gingembre**

2 **c. à thé de cannelle**

1 **c. à thé de sel**

Glaçage :

3 **gros blancs d'œufs**

¾ **c. à thé de crème de tartre**

500 g **(16 oz) de sucre glace tamisé**
 (4½ tasses)

 Noix de coco en filaments
 (facultatif)

1. Dans un grand bol, fouettez la graisse végétale, le sucre, la mélasse et l'eau à grande vitesse au batteur électrique. Dans un autre bol, mélangez la farine, le gingembre, la cannelle et le sel. Ajoutez les ingrédients secs au premier mélange et remuez : la pâte sera épaisse. Enveloppez-la dans de la pellicule plastique et réfrigérez 1 heure.

2. Préchauffez le four à 180 °C (350 °F). Graissez une plaque de 43 × 35 cm (17 × 14 po). Mettez-y la moitié de la pâte. Avec un rouleau fariné, abaissez-la de façon qu'elle couvre la plaque (posez la plaque sur un linge à vaisselle pour qu'elle ne glisse pas). Déposez les pièces

modèles sur la plaque et faites-en le contour avec un couteau coupant (ci-contre). Retirez les modèles. Enfournez les découpes et faites-les cuire 15 à 20 minutes pour les dorer. Laissez refroidir 10 minutes sur la plaque, ensuite sur une grille. Répétez avec le reste de pâte, mais cette fois découpez un mur sans porte : ce sera le mur arrière.

Assemblage

1 Pour préparer le glaçage, laissez d'abord tiédir les blancs d'œufs 30 minutes dans un bol moyen. Ajoutez la crème de tartre. Fouettez-les à grande vitesse jusqu'à ce qu'ils soient mousseux. Incorporez peu à peu le sucre glace et continuez de battre jusqu'à obtention d'une meringue très ferme. Couvrez et réfrigérez.

2 Recouvrez entièrement la plaque avec les deux napperons décalés ; fixez-les avec du ruban adhésif. À l'aide d'une spatule de caoutchouc, étalez-y la moitié du

glaçage ; renforcez la bordure. Saupoudrez de noix de coco, s'il y a lieu. (Entre les opérations, couvrez le glaçage inutilisé avec un linge mouillé et gardez-le réfrigéré.) Avec la poche à douille, enduisez le mur avant de glaçage et installez-le. Faites de même pour un mur de côté : vous obtiendrez un L (à gauche, ci-dessous). Répétez l'opération pour l'autre mur latéral et le mur arrière. (Consolidez la structure en remettant du glaçage à l'intérieur de la maisonnette, dans l'angle des murs.) Laissez durcir le glaçage 1 heure environ.

3 Enduisez de glaçage la tranche supérieure de tous les murs en insistant dans les angles. Posez la première pièce du toit ; demandez qu'on la soutienne pendant que vous posez la seconde. Consolidez l'arête avec du glaçage. Laissez sécher le tout 5 à 10 minutes.

4 Cheminée : déposez du glaçage sur deux pièces carrées ; joignez-y les pièces profilées de manière à former un bloc carré. Laissez durcir 30 minutes. La cheminée une fois stable, posez-la sur le toit ; renforcez les jointures et remplissez les fissures avec du glaçage. Mettez la porte.

5 Décorez la maison en soulignant de glaçage le toit et les fenêtres. Posez les bonbons à votre guise en les collant avec du glaçage. Simulez des glaçons avec des filaments de glaçage.

Tarte aux cerises « à la mode »

Tarte aux cerises « à la mode »

En règle générale, la tarte à la française comporte une seule croûte, celle du fond ; la tarte à l'américaine
n'en a qu'une aussi, mais c'est celle du dessus ; la tarte de chez nous en comporte deux, fond et dessus.

1	**tasse de sucre**
¼	**tasse de farine**
1	**c. à thé de jus de lime**
¼	**c. à thé de zeste de lime râpé**
4	**tasses de cerises rouges dénoyautées**
1	**abaisse de pâte achetée ou maison (p. 337)**
	Lait écrémé à 1 p. 100

1 Préchauffez le four à 190 °C (375 °F). Dans un grand bol, mélangez le sucre, la farine, le jus et le zeste de lime. Ajoutez les cerises et remuez. (Si les cerises sont surgelées, comptez 15 ou 30 minutes d'attente pour qu'elles décongèlent partiellement ; remuez de temps à autre.) Versez dans un plat à four de 6 tasses.

2 Installez l'abaisse par-dessus. Taillez-la avec une bordure de 2,5 cm (1 po). Repliez cette bordure par-dessous et festonnez-la (p. 332). Pratiquez des fentes pour que la vapeur s'échappe. Badigeonnez d'un peu de lait ; saupoudrez de sucre.

3 Enfournez et faites cuire de 50 à 55 minutes pour dorer la pâte. Laissez-la refroidir 1 heure sur une grille. Servez-la tiède avec du yogourt glacé à la vanille. Donne 8 portions.

Préparation : 20 minutes Cuisson : 50 minutes
Refroidissement : 1 heure

Par portion, sans la garniture : Calories 271. Gras total 8 g.
Gras saturé 8 g. Protéines 2 g. Hydrates de carbone 50 g.
Fibres 1 g. Sodium 108 mg. Cholestérol 0 mg.

Tarte de pommes au cidre

Si vous consultez d'anciens livres de recettes, vous verrez que la préparation de la tarte aux pommes était à peine expliquée : tournez les pommes dans le sucre, écrivait-on, et glissez-les entre deux abaisses. C'était suffisant.

³/₄ **tasse de cidre, ou de jus de pomme**

1 **c. à soupe de fécule de maïs**

¹/₂ **tasse de dattes dénoyautées et hachées,
ou de raisins secs**

¹/₂ **c. à thé de gingembre**

¹/₂ **c. à thé de zeste de citron râpé**

2 **abaisses de pâte achetée ou maison (p. 337)**

¹/₂ **tasse de sucre**

1 **c. à soupe de farine**

5 **tasses de pommes pelées, parées et tranchées mince**

1 Préchauffez le four à 190 °C (375 °F). Dans une petite casserole, délayez la fécule de maïs dans le cidre ; ajoutez les dattes, le gingembre et le zeste de citron. Amenez à ébullition à feu modéré en remuant constamment. Laissez épaissir 2 minutes, toujours en remuant. Retirez du feu.

2 Foncez un moule à tarte avec une abaisse. Taillez-la sans ménager de bordure. Dans un grand bol, mélangez le sucre et la farine. Ajoutez les pommes et remuez. Étalez-les sur l'abaisse. Versez la préparation au cidre par-dessus.

3 Pratiquez des fentes dans la deuxième abaisse ; installez-la sur le moule. Taillez-la avec une bordure de 1,5 cm (¹/₂ po). Rabattez la bordure sous l'autre abaisse, scellez et festonnez (p. 332). Saupoudrez d'un peu de sucre. Enfournez et faites cuire de 40 à 45 minutes : les pommes doivent être à point et la croûte dorée. (Si la bordure brunit trop vite, couvrez-la de papier d'aluminium.) Laissez refroidir 2 heures sur une grille avant de servir. Donne 8 portions.

Préparation : 30 minutes Cuisson : 45 minutes
Refroidissement : 2 heures

Par portion : Calories 377. Gras total 15 g. Gras saturé 15 g.
Protéines 2 g. Hydrates de carbone 59 g. Fibres 2 g.
Sodium 211 mg. Cholestérol 0 mg.

Tarte de pêches au cidre Suivez la même recette, mais remplacez les pommes par **5 tasses de pêches pelées, dénoyautées et tranchées mince** et utilisez **2 c. à soupe de farine** au lieu d'une seule.

Par portion : Calories 387. Gras total 15 g. Gras saturé 15 g.
Protéines 3 g. Hydrates de carbone 62 g. Fibres 3 g.
Sodium 211 mg. Cholestérol 0 mg.

Tarte aux pommes caramélisée

Tarte aux pommes :

¹/₂ **tasse de cassonade dorée bien tassée**

1 **c. à soupe de farine**

³/₄ **c. à thé de cannelle moulue**

¹/₂ **c. à thé de cardamome moulue**

6 **tasses de pommes pelées, parées et tranchées mince**

1 **abaisse de pâte achetée ou maison (p. 337)**

Garniture caramélisée :

²/₃ **tasse de cassonade dorée bien tassée**

¹/₂ **tasse de farine**

¹/₂ **c. à thé de cannelle moulue**

2 **c. à soupe de beurre, ou de margarine**

1 Préchauffez le four à 190 °C (375 °F). Dans un grand bol, mélangez la cassonade, la farine, la cannelle et la cardamome. Ajoutez les pommes ; remuez.

2 Foncez un moule à tarte avec l'abaisse. Taillez-la avec une bordure de 1,5 cm (¹/₂ po). Rabattez la bordure par-dessous et festonnez (p. 332). Étalez les pommes sur la pâte. Garniture : dans un bol moyen, mélangez la cassonade, la farine et la cannelle. Amalgamez le beurre (ci-dessous) ; égrenez ce mélange sur les pommes.

3 Enfournez et faites cuire de 40 à 45 minutes pour cuire les pommes et caraméliser la garniture. Laissez refroidir 2 heures sur une grille. Donne 8 portions.

Préparation : 25 minutes Cuisson : 40 minutes
Refroidissement : 2 heures

Par portion : Calories 306. Gras total 11 g. Gras saturé 9 g.
Protéines 2 g. Hydrates de carbone 52 g. Fibres 2 g.
Sodium 143 mg. Cholestérol 8 mg.

POUR AMALGAMER LE BEURRE

Avec un mélangeur à pâte, écrasez le beurre froid dans la cassonade : le mélange sera grumeleux.

Vous pouvez aussi employer deux couteaux avec un mouvement de cisaille : le résultat sera le même.

Tarte à la rhubarbe et aux fraises

Mettez plus ou moins de farine selon que les fruits sont juteux ou fermes.

- 1 **tasse de sucre**
- 3 **à 4 c. à soupe de farine**
- ½ **c. à thé de zeste de citron râpé**
- ⅛ **c. à thé de muscade**
- 3 **tasses de fraises tranchées**
- 2½ **tasses de rhubarbe tranchée**
- 2 **abaisses de pâte achetée ou maison (p. 337)**

1 Préchauffez le four à 190 °C (375 °F). Dans un grand bol, mélangez le sucre, la farine, le zeste de citron et la muscade. Ajoutez les fruits ; remuez. (Si les fruits sont surgelés, comptez 15 à 30 minutes d'attente pour qu'ils décongèlent partiellement ; remuez-les plusieurs fois.) Foncez un moule à tarte avec une abaisse. Taillez-la à ras du bord. Étalez-y les fruits. Pratiquez des fentes dans la seconde abaisse ; installez-la sur les fruits. Taillez-la avec une bordure de 1,5 cm (½ po). Rabattez la bordure par-dessous et festonnez (ci-dessous).

2 Enfournez et faites cuire de 45 à 50 minutes (70 à 80 minutes si les fruits sont surgelés). Si la bordure brunit trop vite, couvrez-la de papier d'aluminium. Laissez refroidir 2 h 30 sur une grille. Donne 8 portions.

Préparation : 20 minutes Cuisson : 45 minutes
Refroidissement : 2 h 30

Par portion : Calories 374. Gras total 15 g. Gras saturé 15 g. Protéines 3 g. Hydrates de carbone 57 g. Fibres 2 g. Sodium 213 mg. Cholestérol 0 mg.

FESTONNER LA PÂTE

 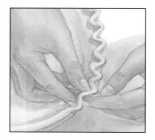

Bordure plate : marquez-la avec les fourches d'une fourchette posée à plat et farinée.

Bordure soulevée : pincez la pâte avec deux doigts sur l'index de l'autre main.

Tarte aux tomates vertes

L'hiver nous arrive sans que toutes les belles tomates du jardin aient eu le temps de mûrir. On peut les utiliser en ketchup ou en achard, mais voici une autre bonne vieille recette pour en profiter.

- 5 **tasses de tomates vertes pelées, parées et tranchées mince (environ 1 kg/2 lb)**
- 1 **tasse de raisins secs**
- ¼ **tasse de jus d'orange**
- 1 **c. à soupe de jus de citron**
- 1 **tasse de sucre, plus quelques pincées pour saupoudrer**
- 3 **c. à soupe de farine**
- 2 **c. à thé de zeste d'orange râpé**
- 1 **c. à thé de cannelle**
- ½ **c. à thé de piment de la Jamaïque**
- 2 **abaisses de pâte achetée ou maison (p. 337)**

1 Préchauffez le four à 190 °C (375 °F). Dans une grande casserole, mettez les tomates vertes, les raisins secs, le jus d'orange et le jus de citron. Amenez à ébullition, couvrez et laissez mijoter 5 minutes à petit feu. Retirez les tomates avec une cuiller à trous ; mettez-les dans un bol et réservez le fond de cuisson.

2 Dans un petit bol, mélangez le sucre, la farine, le zeste d'orange, la cannelle et le piment de la Jamaïque. Incorporez-les au fond de cuisson des tomates et amenez à ébullition à feu modéré en fouettant sans arrêt. Laissez épaissir 2 minutes de plus, sans cesser de remuer. Retirez du feu, incorporez les tomates et laissez refroidir 10 minutes.

3 Foncez un moule à tarte avec une abaisse. Taillez-la à ras du bord. Étalez-y les tomates. Pratiquez des fentes dans la seconde abaisse ; installez-la sur le moule. Taillez-la avec une bordure de 1,5 cm (½ po). Rabattez la bordure par-dessous et festonnez (ci-contre). Saupoudrez d'un peu de sucre.

4 Enfournez et faites cuire de 40 à 45 minutes. Si la bordure brunit trop vite, couvrez-la de papier d'aluminium. Laissez refroidir 1 heure sur une grille avant de servir. Donne 8 portions.

Préparation : 25 minutes Cuisson : 55 minutes
Refroidissement : 1 h 10

Par portion : Calories 443. Gras total 15 g. Gras saturé 15 g. Protéines 4 g. Hydrates de carbone 75 g. Fibres 3 g. Sodium 228 mg. Cholestérol 0 mg.

Tarte à la crème sure et aux raisins secs

Pour que les blancs d'œufs se fouettent bien, il ne doit y avoir aucune trace du jaune. À chaque œuf que vous cassez, glissez le blanc dans une soucoupe et, s'il est impeccable, versez-le dans le bol ; ainsi vous ne gâterez pas l'ensemble des blancs à partir d'une seule maladresse.

1 abaisse de pâte achetée ou maison (p. 337)

Garniture :

- **³/₄ tasse de raisins secs**
- **1 tasse de cassonade dorée bien tassée**
- **½ tasse de farine**
- **³/₄ c. à thé de cannelle**
- **¼ c. à thé de muscade**
- **¹/₃ tasse de lait écrémé à 1 p. 100**
- **1 boîte (385 ml/12 oz) de lait écrémé évaporé**
- **2 gros œufs, blancs et jaunes séparés**
- **1 tasse de crème sure allégée**
- **1 c. à thé de vanille**

Meringue :

- **4 gros blancs d'œufs**
- **½ c. à thé de vanille**
- **½ c. à thé de crème de tartre**
- **½ tasse de sucre**

1 Préchauffez le four à 230 °C (450 °F). Installez l'abaisse de pâte dans un moule à tarte. Taillez-la en laissant une bordure de 1,5 cm (½ po). Rabattez la bordure par-dessous et festonnez (p. 332). Avec une fourchette, perforez le fond et le tour de l'abaisse. Enfournez et faites cuire 10 à 12 minutes pour qu'elle soit dorée ; réservez. Réglez le thermostat du four à 180 °C (350 °F).

2 Garniture : jetez de l'eau bouillante sur les raisins secs et laissez-les s'hydrater 5 minutes. Égouttez et réservez. Dans une grande casserole, mélangez la cassonade, la farine, la cannelle et la muscade. Incorporez au fouet le lait frais et le lait évaporé. Amenez à ébullition à feu assez vif, en fouettant sans arrêt. Laissez mijoter à petit feu 2 minutes pour épaissir, toujours en fouettant. Retirez du feu.

3 Dans un petit bol, battez les jaunes d'œufs. Incorporez-les au lait en fouettant. Amenez jusqu'au point d'ébullition et laissez cuire 2 minutes de plus en remuant. Retirez du feu. Ajoutez la crème sure, la vanille et les raisins réhydratés. Couvrez et réservez.

Tarte à la crème sure et aux raisins secs

4 Meringue : dans un grand bol propre, fouettez à grande vitesse au batteur électrique les blancs d'œufs additionnés de la vanille et de la crème de tartre. Quand apparaissent des pics souples, ajoutez peu à peu le sucre et continuez de battre jusqu'à formation de pics fermes.

5 Versez la garniture chaude dans la croûte de tarte. Recouvrez complètement de meringue. Enfournez et faites dorer 15 minutes. Laissez refroidir la tarte 2 h 30 sur une grille. Servez-la tout de suite ou couvrez-la pour la réfrigérer. Donne 8 portions.

Préparation : 20 minutes Cuisson : 35 minutes
Refroidissement : 2 h 30

Par portion : Calories 416. Gras total 13 g. Gras saturé 10 g.
Protéines 9 g. Hydrates de carbone 68 g. Fibres 1 g.
Sodium 210 mg. Cholestérol 67 mg.

Tarte pâtissière au citron

On avait l'habitude de la servir à l'heure du thé.

1 **abaisse de pâte achetée ou maison (p. 337)**
3 **gros blancs d'œufs**
2 **gros œufs**
1 **tasse de cassonade dorée bien tassée**
⅓ **tasse de lait écrémé à 1 p. 100**
¼ **tasse de sucre**
2 **c. à soupe de jus de citron**
1 **c. à soupe de farine de maïs**
1 **c. à soupe de farine de blé**
1 **c. à soupe de beurre fondu, ou de margarine**
2 **c. à thé de zeste de citron râpé**
2 **c. à thé de vanille**

1 Préchauffez le four à 200 °C (400 °F). Foncez un moule à tarte avec l'abaisse. Taillez-la avec une bordure de 1,5 cm (½ po). Rabattez la bordure par-dessous et festonnez (p. 332). Étendez du papier d'aluminium sur l'abaisse et remplissez-la de haricots secs. Enfournez et faites cuire 15 minutes pour la dorer. Laissez-la refroidir 5 minutes sur une grille. Jetez le papier, mais gardez les haricots pour un même usage. Réglez le four à 180 °C (350 °F).

2 Dans un grand bol, battez les blancs d'œufs et les œufs. Sans cessez de battre, ajoutez la cassonade, le lait, le sucre, le jus de citron, les deux farines, le beurre fondu, le zeste de citron et la vanille. Versez dans la croûte. Enfournez et faites cuire de 40 à 45 minutes, jusqu'à ce qu'un couteau inséré au centre du flan en ressorte propre. Laissez refroidir 1 heure sur une grille. Servez ou réfrigérez. Donne 8 portions.

Préparation : 15 minutes Cuisson : 55 minutes
Refroidissement : 1 heure

Par portion : Calories 265. Gras total 10 g. Gras saturé 9 g. Protéines 4 g. Hydrates de carbone 39 g. Fibres 0 g. Sodium 168 mg. Cholestérol 58 mg.

Tarte pâtissière aux bananes

Choisissez des bananes mûres, mais encore fermes.

1 **abaisse de pâte achetée ou maison (p. 337)**
½ **tasse de sucre**
¼ **tasse de fécule de maïs**
2½ **tasses de lait écrémé à 1 p. 100**
2 **gros jaunes d'œufs**
1 **c. à soupe de vanille**
2 **bananes moyennes, tranchées**

Meringue :

4 **gros blancs d'œufs**
½ **c. à thé de vanille**
½ **c. à thé de crème de tartre**
½ **tasse de sucre**

1 Préchauffez le four à 230 °C (450 °F). Foncez un moule à tarte avec l'abaisse. Taillez-la avec une bordure de 1,5 cm (½ po). Rabattez la bordure par-dessous et festonnez (p. 332). Perforez le fond et le tour avec une fourchette. Enfournez et faites cuire 10 ou 12 minutes pour la dorer. Laissez-la refroidir 5 minutes sur une grille. Réglez le thermostat du four à 180 °C (350 °F).

2 Dans une grande casserole, mélangez la demi-tasse de sucre et la fécule. Incorporez le lait au fouet. Lancez l'ébullition à feu assez vif en remuant sans arrêt. Baissez le feu et laissez épaissir 2 minutes de plus, toujours en remuant. Retirez du feu.

3 Dans un petit bol, fouettez les jaunes d'œufs. Ajoutez un peu du mélange précédent et reversez le tout lentement dans la casserole en battant constamment. Amenez jusqu'au point d'ébullition et laissez cuire 2 minutes de plus en remuant. Hors du feu, ajoutez la vanille. Couvrez et réservez. Disposez les tranches de bananes dans la croûte.

4 Meringue : dans un grand bol propre, fouettez à grande vitesse au batteur électrique les blancs additionnés de vanille et de crème de tartre. Quand apparaissent des pics souples, ajoutez peu à peu le sucre et continuez de battre jusqu'à formation de pics fermes.

5 Versez la crème pâtissière chaude sur les bananes. Couvrez parfaitement de meringue. Enfournez et faites cuire 15 minutes. Laissez refroidir 2 h 30 sur une grille. Servez ou réfrigérez. Donne 8 portions.

Préparation : 25 minutes Cuisson : 25 minutes
Refroidissement : 2 h 30

Par portion : Calories 318. Gras total 10 g. Gras saturé 8 g. Protéines 6 g. Hydrates de carbone 51 g. Fibres 1 g. Sodium 174 mg. Cholestérol 56 mg.

Tarte pâtissière choco-banane Suivez la même recette, mais utilisez ¾ **tasse de sucre** plutôt que ½ tasse et incorporez au fouet ⅓ **tasse de cacao non sucré** à la crème pâtissière.

Par portion : Calories 350. Gras total 10 g. Gras saturé 9 g. Protéines 7 g. Hydrates de carbone 60 g. Fibres 2 g. Sodium 175 mg. Cholestérol 56 mg.

Tarte à l'érable et aux noix

Tarte à l'érable et aux noix

Pour varier, faites-la avec des noisettes, des noix de macadamia, des noix de cajou ou des arachides.

1 abaisse de pâte achetée ou maison (p. 337)
2 gros blancs d'œufs
1 gros œuf
1 tasse de sirop d'érable
½ tasse de cassonade dorée bien tassée
2 c. à soupe de farine
1 c. à soupe de beurre fondu
1½ c. à thé de vanille
½ tasse de noix hachées

1 Préchauffez le four à 200 °C (400 °F). Installez l'abaisse dans le moule et taillez-la avec une bordure de 1,5 cm (½ po). Rabattez la bordure par-dessous et festonnez (p. 332). Étendez du papier d'aluminium dans l'abaisse et remplissez-la de haricots. Enfournez et faites dorer 15 minutes. Laissez refroidir 5 minutes sur une grille. Jetez le papier, mais gardez les haricots pour un même usage. Réglez le four à 180 °C (350 °F).

2 Dans un grand bol, battez les blancs d'œufs et l'œuf. Toujours en battant, incorporez le sirop d'érable, la cassonade, la farine, le beurre fondu et la vanille. Ajoutez les noix.

3 Versez dans la croûte. Enfournez et faites cuire de 40 à 45 minutes, jusqu'à ce qu'un couteau inséré au centre du flan en ressorte propre. (Si la bordure brunit trop vite, couvrez-la de papier d'aluminium.) Laissez refroidir 1 heure sur une grille. Servez avec du yogourt glacé à la vanille ou couvrez et réfrigérez. Donne 8 portions.

Préparation : 15 minutes Cuisson : 55 minutes
Refroidissement : 1 heure

Par portion : Calories 342. Gras total 14 g. Gras saturé 9 g.
Protéines 4 g. Hydrates de carbone 51 g. Fibres 0 g.
Sodium 170 mg. Cholestérol 31 mg.

Tarte mousseline à la citrouille

Tarte mousseline à la citrouille

C'est l'équivalent de la chiffon pie *des Américains qu'il ne faut surtout pas appeler tarte chiffon puisque le terme désigne, non pas cette étoffe légère dénommée mousseline en français, mais bien des morceaux de vieux tissus dont on se sert pour faire le ménage.*

1¼ **tasse de biscuits au gingembre, ou de biscuits graham, pulvérisés**

2 **c. à soupe de sucre**

4 **gros blancs d'œufs**

2 **c. à soupe de beurre fondu**

2 **sachets de gélatine sans saveur (2 c. à thé chacun)**

1¼ **tasse de lait écrémé évaporé**

2 **tasses de citrouille en boîte**

½ **tasse de cassonade dorée bien tassée**

1 **c. à thé de cannelle**

1 **c. à thé de zeste de citron râpé**

¼ **c. à thé de gingembre moulu**

⅛ **c. à thé de clou de girofle moulu**

⅔ **tasse de sucre**

1 Préchauffez le four à 190 °C (375 °F). Dans un petit bol, mélangez les biscuits au gingembre et les 2 c. à soupe de sucre. Dans un autre petit bol, mélangez 1 blanc d'œuf avec le beurre fondu, versez-le sur les biscuits et mélangez. Foncez un moule à tarte avec cette préparation ; pressez du bout des doigts pour qu'elle adhère. Enfournez et faites cuire 4 ou 5 minutes. Quand le bord commence à brunir, retirez ce fond de tarte et faites-le refroidir sur une grille.

2 Dans une casserole moyenne, égrenez la gélatine sur le lait évaporé ; laissez gonfler 1 minute, puis faites cuire 5 minutes à feu doux en remuant sans arrêt. Dès que la gélatine a fondu, retirez la casserole du feu.

3 Dans un grand bol, mélangez la citrouille, la casso-nade, la cannelle, le zeste de citron, le gingembre et le clou. Incorporez la gélatine fondue. Réfrigérez 30 minutes en remuant de temps à autre.

4 Dans une grande casserole très propre et à feu doux, fouettez au batteur électrique à grande vitesse les 3 blancs d'œufs qui restent et les ⅔ tasse de sucre pendant 6 minutes ou jusqu'à formation de pics fermes. Incorporez la meringue à la citrouille. Au besoin, réfrigérez un peu la préparation pour qu'elle acquière de la consistance. Dressez-la dans la croûte, couvrez et réfrigérez au moins 4 heures avant de servir. Donne 8 portions.

Préparation : 30 minutes Cuisson : 10 minutes
Réfrigération : 4 h 30

Par portion : Calories 278. Gras total 5 g. Gras saturé 2 g.
Protéines 8 g. Hydrates de carbone 52 g. Fibres 2 g.
Sodium 227 mg. Cholestérol 9 mg.

Croûte de tarte maison

On peut remplacer le suif ou la graisse végétale des recettes traditionnelles par de l'huile. Il y a deux avantages à cela : l'huile renferme moins de gras saturé et la préparation se fait plus facilement puisqu'il suffit de mélanger les ingrédients.

Tarte à une abaisse :

1¼ **tasse de farine**

⅛ **c. à thé de sel**

¼ **tasse d'huile**

3 **c. à soupe d'eau froide**

Tarte à deux abaisses :

2⅓ **tasses de farine**

¼ **c. à thé de sel**

½ **tasse d'huile**

6 **c. à soupe d'eau froide**

1 Dans un grand bol, mélangez la farine et le sel. Dans un petit bol, versez l'huile et l'eau sans les mélanger. Versez d'un trait dans les ingrédients secs et remuez un peu à la fourchette. On peut ajouter au besoin jusqu'à 1 c. à soupe d'eau par demi-cuillerée à thé à la fois. Tarte à une abaisse : passez à l'étape 2 ; tarte à deux abaisses : sautez à l'étape 3.

2 Tarte à une abaisse : façonnez la pâte en boule et aplatissez-la légèrement. Mettez-la entre deux feuilles de papier ciré. Abaissez-la du centre vers la périphérie pour former un cercle de 30 cm (12 po) de diamètre.

Retirez l'un des papiers cirés. Renversez l'abaisse dans le moule et enlevez l'autre papier. Taillez l'abaisse avec une bordure de 1,5 cm (½ po). Rabattez la bordure par-dessous et festonnez (p. 332). Poursuivez la recette.

3 Tarte à deux abaisses : façonnez la pâte en deux boules et aplatissez-les légèrement. Mettez-les chacune entre deux feuilles de papier ciré. Abaissez-les tour à tour en travaillant du centre vers la périphérie pour former un cercle de 30 cm (12 po) de diamètre. Prenez une abaisse ; retirez l'un des papiers cirés, renversez-la dans un moule et enlevez l'autre papier. Taillez-la à ras du bord. Étalez-y la garniture. Retirez le papier qui recouvre l'autre abaisse ; pratiquez-y des fentes et renversez-la sur la garniture. Enlevez l'autre papier ciré. Taillez-la avec une bordure de 1,5 cm (½ po). Rabattez la bordure par-dessous et festonnez (p. 332). Faites cuire selon la recette. Donne 8 portions.

Préparation : 18 minutes

Pour ⅛ d'une croûte à une abaisse : Calories 131. Gras total 7 g.
Gras saturé 1 g. Protéines 2 g. Hydrates de carbone 15 g.
Fibres 1 g. Sodium 34 mg. Cholestérol 0 mg.

Pour ⅛ d'une croûte à deux abaisses : Calories 253.
Gras total 14 g. Gras saturé 1 g. Protéines 4 g. Hydrates
de carbone 28 g. Fibres 1 g. Sodium 67 mg. Cholestérol 0 mg.

ABAISSES ACHETÉES

Il existe toute une gamme de pâtes à tarte.

• **Mélanges à pâte à tarte** Ils se vendent en deux formats : pour une abaisse ou pour deux abaisses. On les trouve au rayon des produits de pâtisserie. Pour préparer la pâte, il suffit d'y ajouter de l'eau et de l'abaisser.

• **Abaisses réfrigérées** On les trouve au comptoir des produits laitiers. En règle générale, chaque paquet contient 2 abaisses de 30 cm (12 po), soit de quoi préparer deux tartes à une croûte ou une tarte à deux croûtes.

• **Abaisses surgelées** Elles sont plus ou moins profondes. L'abaisse profonde équivaut à une abaisse de tarte maison. L'abaisse moins profonde, destinée aux tartes à la française, n'est pas suffisante pour recevoir les garnitures dont les recettes figurent dans ce livre.

Pouding au pain sans cuisson

Les poudings au pain apparaissent dans toutes les cuisines régionales d'Europe et notamment en Angleterre, en Allemagne et en France. Celui-ci appartient à la cuisine paysanne anglaise, mais l'association du pain et des fruits se retrouve aussi dans la recette allemande.

4 tasses de fraises tranchées

2 tasses de bleuets

1 tasse de sucre

1 tasse de jus d'orange

1 c. à thé de zeste d'orange râpé

3 tasses de rhubarbe en tronçons de 1,5 cm (½ po)

12 tranches de pain, sans la croûte

1½ tasse de garniture fouettée surgelée, décongelée

1 Dans un grand bol, réunissez les fraises, les bleuets et ¼ tasse de sucre ; laissez macérer. Dans l'intervalle, mettez le reste du sucre (¾ tasse) dans une grande casserole avec le jus et le zeste d'orange. Amenez à ébullition à feu plutôt vif en remuant. Ajoutez la rhubarbe. Couvrez et laissez mijoter à petit feu 5 à 7 minutes pour l'attendrir. Retirez du feu et ajoutez les fruits macérés.

2 Coupez les tranches de pain en deux triangles. Prenez un bol (de préférence en verre) de 8 tasses. Taillez et ajustez les triangles pour que le fond soit entièrement tapissé. Faites de même pour recouvrir le tour du bol, en utilisant les chutes de pain au besoin pour combler les interstices.

3 Avec une cuiller à trous, déposez les fruits dans le bol. Couvrez-les complètement avec le reste des triangles de pain en utilisant les chutes au besoin. Versez avec précaution le jus des fruits sur le pain et le long de la paroi. Appliquez du papier ciré ou de la pellicule plastique directement sur le pain.

4 Déposez le bol dans une grande assiette. À l'intérieur du bol, installez, à l'envers, une assiette plate d'un diamètre approprié ; appuyez fermement. Déposez un objet lourd par-dessus et réfrigérez pendant 12 à 24 heures.

5 Pour servir, retirez le poids, l'assiette et le papier ciré. Dégagez le bord du pouding avec une spatule métallique étroite et démoulez-le dans une assiette de service. Garnissez chaque portion de garniture fouettée décongelée. Donne 12 portions.

Préparation : 30 minutes Réfrigération : 12 heures

Par portion : Calories 195. Gras total 2 g. Gras saturé 1 g. Protéines 3 g. Hydrates de carbone 41 g. Fibres 3 g. Sodium 139 mg. Cholestérol 0 mg.

Ambroisie

L'excellence de ce dessert, fait de produits tout simples, lui a valu cette appellation ; on sait, en effet, que l'ambroisie désignait, dans la mythologie grecque, la nourriture des dieux de l'Olympe, source d'immortalité.

4 oranges moyennes

¼ à ½ tasse de jus d'orange

2 petites bananes, tranchées

1½ tasse d'ananas en petits morceaux, frais ou en boîte et égoutté

2 c. à soupe de sucre glace tamisé

1 c. à soupe de brandy, ou de xérès sec (facultatif)

2 c. à soupe de noix de coco râpée

1 Râpez assez de zeste d'orange pour en avoir ½ c. à thé. Pelez et détaillez les oranges en quartiers au-dessus d'un bol pour recueillir le jus. Mesurez ce jus. Ajoutez assez de jus d'orange pour en avoir ¼ tasse en tout. Réservez. Plongez les tranches de bananes dans un peu de jus d'orange.

2 Pour servir, répartissez les oranges, les bananes et l'ananas dans six coupes à dessert.

3 Dans un petit bol, mélangez ¼ tasse de jus d'orange avec le zeste d'orange, le sucre glace et le brandy, s'il y a lieu. Versez ce mélange dans les six coupes. Couvrez et réfrigérez 1 à 2 heures. Saupoudrez de noix de coco et servez. Donne 6 portions.

Préparation : 20 minutes Réfrigération : 1 heure

Par portion : Calories 113. Gras total 1 g. Gras saturé 1 g. Protéines 1 g. Hydrates de carbone 27 g. Fibres 3 g. Sodium 6 mg. Cholestérol 0 mg.

Salade de fruits au melon

Salade de fruits au melon

Ce dessert léger termine agréablement un repas plantureux.

2 **tasses de fraises, coupées en quatre**

¼ **de petit melon brodé, détaillé en boules**

¼ **de petit melon honeydew, détaillé en boules**

2 **petites prunes, dénoyautées et tranchées**

⅔ **tasse de jus de pomme**

3 **c. à soupe de cassonade dorée bien tassée**

2 **c. à thé de jus de citron**

½ **c. à thé de zeste de citron râpé**

¼ **c. à thé de cannelle**

1 Dans un grand bol, réunissez les fraises, les deux melons et les prunes. Dans un petit bol, mélangez le jus de pomme, la cassonade, le jus et le zeste de citron et la cannelle. Versez sur les fruits et remuez avec précaution. Couvrez et réfrigérez au moins 1 heure, en remuant une fois.

2 Pour servir, dressez la salade dans six coupes à dessert. Servez avec des biscuits. Donne 6 portions.

Préparation : 20 minutes   Réfrigération : 1 heure

Par portion : Calories 74. Gras total 0 g. Gras saturé 0 g.
Protéines 1 g. Hydrates de carbone 19 g. Fibres 2 g.
Sodium 9 mg. Cholestérol 0 mg.

✳

Salade d'agrumes aux pommes   Suivez la même recette, mais remplacez tous les fruits par **4 oranges moyennes, pelées et détaillées en quartiers, 3 pommes moyennes, coupées en dés, et 2 pamplemousses moyens, pelés et détaillés en quartiers.**

Par portion : Calories 138. Gras total 0 g. Gras saturé 0 g.
Protéines 2 g. Hydrates de carbone 35 g. Fibres 4 g.
Sodium 3 mg. Cholestérol 0 mg.

Croquant aux pêches

Croquant aux pêches

Sucré mais à la fois un peu acidulé, crémeux mais à la fois un peu croustillant,
le croquant aux pêches – ou aux bleuets – est comme un rayon de soleil sorti du four.

Garniture :

- **1 tasse de nectar de pêche ou d'abricot,
  ou de jus de pomme**
- **⅓ tasse de sucre**
- **4 c. à thé de farine**
- **½ c. à thé de muscade**
- **3 tasses de pêches pelées, parées et tranchées**
- **½ c. à thé de zeste de citron râpé**

Croûte :

- **⅔ tasse de farine**
- **2 c. à soupe de flocons d'avoine**
- **2 c. à soupe de sucre**
- **1 c. à thé de levure chimique**
- **2 c. à soupe de beurre, ou de margarine**
- **2 c. à soupe de lait écrémé à 1 p. 100**
- **1 gros blanc d'œuf**

1 Préchauffez le four à 200 °C (400 °F). Garniture : dans une casserole moyenne, mélangez le nectar de pêche avec le sucre, la farine et ¼ c. à thé de muscade. Faites cuire à feu modéré jusqu'à épaississement en remuant sans arrêt. Prolongez la cuisson de 2 minutes, sans cesser de remuer. Incorporez les pêches et le zeste de citron. Gardez au chaud.

2 Croûte : dans un bol moyen, mélangez la farine, les flocons d'avoine, le sucre, la levure chimique et le reste de la muscade (¼ c. à thé). Avec un mélangeur à pâte ou deux couteaux, amalgamez le beurre ; la préparation ressemblera à une chapelure grossière. Dans un petit bol, mélangez le lait et le blanc d'œuf. Versez sur les ingrédients secs et remuez.

3 Mettez la garniture aux pêches chaude dans un moule rond de 22 cm (9 po) de diamètre. Dressez la pâte en quatre monticules par-dessus. Enfournez et faites cuire le croquant de 18 à 22 minutes, jusqu'à ce qu'un cure-dent inséré au centre d'un monticule en ressorte propre. Servez le croquant chaud avec de la crème fouettée ou de la garniture fouettée surgelée, décongelée. Donne 4 portions.

Préparation : 25 minutes Cuisson : 30 minutes

Par portion : Calories 332. Gras total 6 g. Gras saturé 4 g. Protéines 5 g. Hydrates de carbone 66 g. Fibres 4 g. Sodium 203 mg. Cholestérol 16 mg.

Croquant aux bleuets Suivez la même recette, mais remplacez les pêches par **3 tasses de bleuets**.

Par portion : Calories 338. Gras total 7 g. Gras saturé 4 g. Protéines 5 g. Hydrates de carbone 67 g. Fibres 4 g. Sodium 210 mg. Cholestérol 16 mg.

Pouding au pain et aux pommes

Ce pouding porte en anglais un nom pittoresque ; il s'appelle un Brown Betty. On peut le préparer avec du pain de mie ou des croûtes de pain rassis. Mais il ne faut pas lésiner sur les pommes ni oublier d'y ajouter un soupçon de zeste d'orange et de cannelle.

  4 tasses de pommes pelées et tranchées mince
 ½ tasse de sucre, ou de cassonade bien tassée
  1 c. à soupe de farine
 ½ c. à thé de zeste d'orange râpé
  8 tranches de pain de mie séchées, sans la croûte, détaillées en dés de 1,5 cm (½ po) de côté
  1 c. à soupe de sucre, ou de cassonade bien tassée
 ⅛ c. à thé de cannelle

1 Préchauffez le four à 190 °C (375 °F). Dans un grand bol, mélangez les pommes, la demi-tasse de sucre, la farine et le zeste d'orange. Ajoutez la moitié du pain et remuez. Dressez la préparation dans un moule rond de 22 cm (9 po) de diamètre. Enfournez et faites cuire 15 minutes.

2 Dans un bol moyen, mélangez le reste du pain, la cuillerée à soupe de sucre et la cannelle. Éparpillez cette préparation sur le pouding. Enfournez et laissez dorer 10 à 15 minutes. Servez chaud. Donne 4 portions.

Préparation : 20 minutes Cuisson : 25 minutes

Par portion : Calories 313. Gras total 2 g. Gras saturé 0 g. Protéines 4 g. Hydrates de carbone 71 g. Fibres 3 g. Sodium 270 mg. Cholestérol 1 mg.

Pouding aux trois baies

Le mot pouding est un calque de l'anglais pudding qui pourrait lui-même provenir du mot français « boudin » (en anglais blood pudding) désignant au XVe siècle un apprêt à base de viande cuit dans une enveloppe molle.

  1 tasse d'eau
  1 tasse de bleuets
 ¾ tasse de framboises, ou de fraises
 ¾ tasse de mûres
 ⅓ tasse de cassonade blonde bien tassée
  2 c. à soupe d'eau froide
  1 c. à soupe de fécule de maïs
  1 c. à thé de vanille
 ½ tasse de farine
  2 c. à soupe de cassonade dorée bien tassée
 ½ c. à thé de bicarbonate de soude
 ¼ c. à thé de cardamome, ou de muscade, moulue
  2 c. à soupe de beurre, ou de margarine
 ¼ tasse de babeurre écrémé à 1 p. 100, ou de lait aigre (p. 300)

1 Dans une grande casserole, mélangez la tasse d'eau, les bleuets, les framboises, les mûres et le ⅓ de tasse de cassonade. Quand l'ébullition est prise, couvrez et laissez mijoter à petit feu 5 minutes en remuant de temps à autre.

2 Dans un petit bol, délayez la fécule de maïs dans l'eau froide. Amenez à ébullition à feu modéré en remuant sans arrêt. Incorporez la vanille. Retirez du feu. Couvrez et gardez au chaud.

3 Dans un bol moyen, mélangez la farine, les 2 c. à soupe de cassonade, le bicarbonate de soude et la cardamome. Avec un mélangeur à pâte ou deux couteaux, amalgamez le beurre : la préparation ressemblera à une chapelure grossière. Ajoutez le babeurre et remuez.

4 Dressez la pâte en quatre monticules sur la garniture aux fruits chaude. Couvrez et laissez mijoter 10 minutes, ou jusqu'à ce qu'un cure-dent inséré au centre d'un monticule en ressorte propre. (Ne soulevez pas le couvercle pendant les 10 premières minutes de cuisson.) Donne 4 portions.

Préparation : 15 minutes Cuisson : 20 minutes

Par portion : Calories 233. Gras total 6 g. Gras saturé 4 g. Protéines 3 g. Hydrates de carbone 42 g. Fibres 4 g. Sodium 241 mg. Cholestérol 17 mg.

Pets-de-nonne aux mûres

Pets-de-nonne aux mûres

Cette pâtisserie, dont certains trouvent le nom un peu choquant,
est parfois appelée aussi « soupirs de nonne ».

1 **paquet de 300 g (10 oz) de mélange à pâte à tarte**

2½ **tasses de mûres**

¼ **tasse de sucre**

¼ **tasse de farine**

¼ **c. à thé de muscade**

1 **c. à soupe de lait écrémé à 1 p. 100**
 Sauce à l'orange (recette ci-contre) (facultatif)

1 Préchauffez le four à 200 °C (400 °F). Foncez une plaque à biscuits de papier d'aluminium et graissez-le. Préparez la pâte selon les instructions. Sur une surface farinée, abaissez-la pour former un rectangle de 60 × 30 cm (24 × 12 po) et divisez-le en huit carrés de 15 cm (6 po) de côté.

2 Dans un grand bol, mélangez les mûres et le sucre, la farine et la muscade. Mettez les fruits au centre de chaque carré de pâte.

3 Humectez les bords d'eau. Ramenez les quatre coins au centre et pincez. Déposez les pets-de-nonne sur la plaque. Badigeonnez-les de lait. Enfournez et faites cuire 20 à 25 minutes. Quand ils sont dorés, servez-les tout chauds, avec de la sauce à l'orange si vous le désirez. Donne 8 portions.

Préparation : 25 minutes Cuisson : 20 minutes

Par portion : Calories 265. Gras total 13 g. Gras saturé 3 g.
Protéines 3 g. Hydrates de carbone 35 g. Fibres 3 g.
Sodium 295 mg. Cholestérol 0 mg.

✳

Pets-de-nonne aux pommes Suivez la même recette, mais remplacez les mûres par **2½ tasses de pommes pelées, parées et hachées.**

Par portion : Calories 261. Gras total 12 g. Gras saturé 3 g.
Protéines 3 g. Hydrates de carbone 35 g. Fibres 2 g.
Sodium 295 mg. Cholestérol 0 mg.

Sauce à l'orange

Dans une petite casserole, mélangez **1¼ tasse de jus d'orange, ¼ tasse de sucre, 4 c. à thé de fécule de maïs, ½ c. à thé de zeste d'orange râpé et ¼ c. à thé de muscade.** Amenez à ébullition à feu modéré en remuant sans arrêt. Laissez cuire 2 minutes, ou jusqu'à épaississement, toujours en remuant. Donne environ 1 tasse.

Pour 2 cuillerées à soupe : Calories 47. Gras total 0 g.
Gras saturé 0 g. Protéines 0 g. Hydrates de carbone 12 g.
Fibres 0 g. Sodium 1 mg. Cholestérol 0 mg.

Bananes sautées à l'antillaise

*Servez ce dessert léger mais très parfumé
avec du yogourt glacé à la vanille.*

6 **bananes moyennes**

2 **c. à soupe de beurre, ou de margarine**

½ **tasse de cassonade dorée bien tassée**

¼ **tasse de raisins secs**

2 **c. à soupe de sirop de maïs**

¼ **tasse de jus d'orange**

2 **c. à soupe de rhum, ou de jus d'orange**

1 Pelez les bananes ; coupez-les en deux, dans les deux sens.

2 Dans une grande sauteuse antiadhésive, faites fondre le beurre à feu modéré. Ajoutez la cassonade, les raisins secs et le sirop de maïs. Incorporez peu à peu le jus d'orange. Amenez à ébullition en remuant sans cesse.

3 Déposez les bananes dans la sauteuse. Laissez-les réchauffer 3 ou 4 minutes ; arrosez-les de temps à autre. Incorporez le rhum. Donne 6 portions.

Préparation : 10 minutes Cuisson : 8 minutes

Par portion : Calories 240. Gras total 4 g. Gras saturé 3 g.
Protéines 2 g. Hydrates de carbone 50 g. Fibres 3 g.
Sodium 54 mg. Cholestérol 10 mg.

Pommes au four

*Les anciennes recettes recommandent de découper
une bande autour des pommes pour empêcher
la peau de fendre durant la cuisson.*

4 **pommes moyennes, débarrassées du cœur**

½ **tasse de raisins de Corinthe ou d'autres raisins secs**

2 **c. à soupe de miel**

½ **c. à thé d'épices à tarte aux pommes, ou de cannelle**

½ **c. à thé de zeste de citron râpé**

½ **tasse de jus de pomme**

1 Préchauffez le four à 180 °C (350 °F). Avec un couteau économe, enlevez une lisière de peau tout autour de chaque pomme, près du sommet. Déposez les fruits dans un moule rond de 22 cm (9 po) de diamètre.

2 Dans un petit bol, mélangez les raisins de Corinthe, le miel, les épices et le zeste de citron. Introduisez ce mélange au centre des pommes. Versez le jus de pomme dans le moule.

3 Enfournez et faites cuire de 40 à 45 minutes, jusqu'à ce que les pommes soient tendres ; mouillez-les de temps à autre avec le fond de cuisson. Servez-les tièdes, arrosées de lait écrémé à 1 p. 100 ou de crème glacée à la vanille allégée. Donne 4 portions.

Préparation : 15 minutes Cuisson : 40 minutes

Par portion : Calories 180. Gras total 1 g. Gras saturé 0 g.
Protéines 1 g. Hydrates de carbone 47 g. Fibres 4 g.
Sodium 3 mg. Cholestérol 0 mg.

CRÈME GLACÉE MAISON

Autrefois, on coupait la glace à la main durant l'hiver sur les lacs et les rivières et on la gardait dans de vastes entrepôts sous une couche isolante de bran de scie. La glace était ensuite distribuée de porte en porte, comme le lait et le pain. Pour faire de la crème glacée en été, il fallait aller à la glacière acheter la glace nécessaire. En hiver, c'était plus facile : la nature entière devenait une vaste sorbetière.

Je me rappellerai toujours la crème glacée dégustée un soir de Noël à la ferme de mon grand-père. La veille, il avait réglé son écrémeuse pour obtenir une crème très épaisse ; ma grand-mère l'avait fouettée, vanillée et placée dans des moules de métal que mes cousins étaient allés ensevelir dans la neige, derrière la grange.

CRÈME GLACÉE AUX PÊCHES

- 4 **gros jaunes d'œufs**
- 1 **tasse de sucre**
- 2 **tasses de lait écrémé à 1 p. 100**
- 3 **tasses de pêches pelées et défaites en purée**
- 1 **c. à soupe de vanille**
- ½ **c. à thé de sel**
- 2 **tasses de crème claire**

1. Dans une grande casserole, fouettez les jaunes d'œufs et le sucre. Incorporez le lait au fouet. Faites cuire à feu modéré 8 à 10 minutes en fouettant sans arrêt. Quand la crème nappe la cuiller, retirez la casserole du feu et plongez-la dans un bain d'eau glacée pendant 2 ou 3 minutes ; remuez.

2. Versez la préparation dans un grand bol. Incorporez les pêches, la vanille et le sel. Déposez de la pellicule plastique directement par-dessus et réfrigérez 30 minutes en remuant de temps à autre. Incorporez la crème claire.

ACCESSOIRES

Sorbetière d'une capacité de 16 ou 20 tasses

Glace pilée

Sel à mariner

Congélation de la crème glacée

1 Versez la préparation dans le gobelet de la sorbetière. Mettez le gobelet dans la sorbetière. Introduisez la palette et posez le couvercle. Installez le bloc-moteur ou la manivelle.

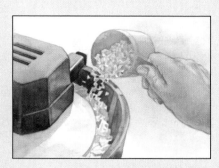

2 Dans le seau isotherme, faites alterner des couches de glace et de sel gemme. Installez la sorbetière là où la glace fondue peut s'évacuer durant la congélation. Faites fonctionner l'appareil selon les directives du fabricant ; rajoutez de la glace et du sel au besoin.

3 Si la sorbetière est électrique, débranchez-la. Videz l'eau en débouchant l'orifice d'évacuation. Retirez le bloc-moteur ou la manivelle. Avant d'ouvrir le gobelet, assurez-vous que ni glace, ni sel ne peuvent y pénétrer. Essuyez le gobelet et son couvercle avec une serviette de papier humide. Laissez le gobelet dans la sorbetière, mais retirez le couvercle et la palette. Raclez la palette avec une spatule de caoutchouc ou une cuiller.

4 Pour faire « mûrir » la crème glacée, couvrez la sorbetière de papier ciré. Avant de fermer le gobelet, bouchez le trou du couvercle avec du papier ciré. Remplissez le seau isotherme de glace et de sel ; il doit y en avoir par-dessus le gobelet (réglez les proportions selon les directives du fabricant). Couvrez le seau de plusieurs épaisseurs de journaux. Laissez reposer 4 heures. Vidangez l'eau et ajoutez de la glace et du sel au besoin. Donne 8 tasses, soit 16 portions de ½ tasse.

Crème glacée aux fraises
Suivez la recette de la crème glacée aux pêches, mais remplacez les pêches par des **fraises ou des framboises**. (Passez les fruits au tamis, après les avoir mis en purée, pour éliminer les graines ; mesurez 3 tasses de purée.) Ajoutez **1 c. à thé de zeste d'orange râpé**. Donne 8 tasses, soit 16 portions de ½ tasse.

Crème glacée aux deux chocolats
Suivez la même recette, mais supprimez les pêches et remplacez le lait écrémé par **2 tasses de lait au chocolat écrémé à 2 p. 100**. Ajoutez **1 tasse de sirop léger aromatisé au chocolat** en même temps que la vanille. Donne 7 tasses, soit 14 portions de ½ tasse.

Sorbet aux fraises et à l'orange

Le dessert idéal des chaudes journées estivales.

2 tasses de sucre

2 tasses de jus d'orange

4 tasses de purée de fraises ou de framboises

1 Dans une casserole moyenne, mélangez le sucre et le jus d'orange. Amenez à ébullition à feu modéré en remuant à la cuiller de bois pour dissoudre le sucre. Retirez du feu. Videz la casserole dans un grand bol. Réfrigérez 30 minutes.

2 Passez la purée de fraises au tamis pour enlever les graines. Jetez-les. Incorporez la purée au sirop.

3 Versez la préparation dans le gobelet de la sorbetière. Mettez le gobelet dans l'appareil. Introduisez la palette et posez le couvercle. Installez le bloc-moteur ou la manivelle. Ajoutez de la glace et du sel (p. 345). Faites congeler selon les directives du fabricant. Donne 8 tasses, soit 16 portions de ½ tasse.

Préparation : 10 minutes Réfrigération : 30 minutes
Congélation : 35 minutes

Par portion : Calories 123. Gras total 0 g. Gras saturé 0 g.
Protéines 0 g. Hydrates de carbone 31 g. Fibres 1 g.
Sodium 1 mg. Cholestérol 0 mg.

Pouding à l'indienne

Il s'agissait autrefois d'une simple bouillie de farine de maïs sucrée à la mélasse. Plus tard, on l'agrémenta de sucre et d'œufs, mais aussi de raisins secs et d'épices.

2 tasses de lait écrémé à 1 p. 100

¼ tasse de mélasse

¼ tasse de farine de maïs

2 gros blancs d'œufs

3 c. à soupe de cassonade dorée bien tassée

1 c. à soupe de beurre fondu

½ c. à thé de cannelle, ou d'épices pour tarte à la citrouille

⅛ c. à thé de sel

¼ tasse de raisins secs

1 c. à soupe de gingembre cristallisé haché (facultatif)

1 Préchauffez le four à 150 °C (300 °F). Dans une casserole moyenne, mélangez le lait et la mélasse. Incorporez la farine de maïs. Faites cuire à feu modéré 5 ou 6 minutes, ou jusqu'à épaississement, tout en remuant. Réservez.

2 Dans un bol moyen, battez les blancs d'œufs avec la cassonade, le beurre, la cannelle et le sel. Incorporez à la préparation précédente. Ajoutez les raisins secs et le gingembre, s'il y a lieu. Mettez cet appareil dans un moule rond de 20 cm (8 po) de diamètre. Enfournez et faites cuire 45 minutes. Donne 4 portions.

Préparation : 10 minutes Cuisson : 50 minutes

Par portion : Calories 228. Gras total 4 g. Gras saturé 3 g.
Protéines 7 g. Hydrates de carbone 42 g. Fibres 1 g.
Sodium 197 mg. Cholestérol 13 mg.

Pouding au riz à la scandinave

L'absence d'œufs distingue ce pouding de son équivalent français ; en outre, il n'est pas cuit au four dans un bain-marie, mais bien plutôt dans une casserole sur un élément, comme du porridge. Pour que le riz reste blanc, on ajoute les raisins secs à la fin seulement.

2½ tasses de lait écrémé à 1 p. 100

⅓ tasse de riz blanc cru à longs grains

¼ tasse de sucre

¼ c. à thé de sel

¼ c. à thé de cannelle

⅓ tasse de raisins secs

1 c. à thé de vanille

1 Dans une casserole moyenne, amenez le lait à ébullition. Jetez-y aussitôt le riz, le sucre, le sel et la cannelle. Quand l'ébullition a repris, couvrez et laissez mijoter à petit feu 45 minutes : le riz doit absorber le lait et devenir crémeux. Remuez de temps à autre.

2 Dans un petit bol, mettez les raisins secs et couvrez-les d'eau bouillante. Laissez-les s'hydrater 10 minutes. Quand ils sont devenus dodus, égouttez-les.

3 Incorporez les raisins et la vanille au riz. Couvrez et laissez reposer 5 minutes sur une grille. Servez chaud. Donne 3 portions.

Préparation : 5 minutes Cuisson : 55 minutes
Repos : 5 minutes

Par portion : Calories 282. Gras total 2 g. Gras saturé 1 g.
Protéines 9 g. Hydrates de carbone 57 g. Fibres 1 g.
Sodium 284 mg. Cholestérol 8 mg.

Pouding aux nouilles à la juive

Pouding aux nouilles à la juive

*D'après la religion orthodoxe, ce pouding devrait être servi avec un repas
sans viande s'il est préparé avec des produits laitiers.*

4	**gros blancs d'œufs**
1	**gros œuf**
1	**tasse de crème sure allégée**
½	**tasse de lait écrémé à 1 p. 100**
¼	**tasse de sucre**
2	**c. à soupe de farine**
1	**c. à thé de vanille**
¼	**c. à thé de cannelle**
⅛	**c. à thé de piment de la Jamaïque**
90	**g (3 oz) de nouilles larges, cuites et égouttées**
½	**tasse de pommes pelées, parées et hachées**
⅓	**tasse de fruits secs mélangés, hachés, ou de raisins secs**
2	**c. à soupe de sucre**
⅛	**c. à thé de cannelle**

1 Préchauffez le four à 180 °C (350 °F). Dans un grand bol, mélangez les blancs d'œufs, l'œuf, la crème sure, le lait, ¼ tasse de sucre, la farine, la vanille, ¼ c. à thé de cannelle et le piment de la Jamaïque. Incorporez les nouilles, les pommes et les fruits secs.

2 Mettez cette préparation dans un plat de 6 tasses graissé. Enfournez et faites cuire 15 minutes.

3 Dans un petit bol, mélangez 2 c. à soupe de sucre et ⅛ c. à thé de cannelle. Remuez le pouding. Saupoudrez-le de sucre à la cannelle et prolongez la cuisson de 12 à 15 minutes : le pouding sera presque coagulé au centre. Retirez du four. Laissez reposer 5 minutes sur une grille. Donne 4 portions.

Préparation : 25 minutes Cuisson : 27 minutes
Repos : 5 minutes

Par portion : Calories 325. Gras total 9 g. Gras saturé 5 g.
Protéines 11 g. Hydrates de carbone 50 g. Fibres 1 g.
Sodium 121 mg. Cholestérol 93 mg.

Plum-pouding, sauce au cidre et au brandy

Plum-pouding, sauce au cidre et au brandy

Dans la tradition anglaise, le plum-pouding couronne le repas de Noël.
Il est beaucoup plus moelleux que le gâteau aux fruits auquel il s'apparente par sa texture dense
et ses saveurs accentuées. Dans cette recette, le beurre remplace le suif de la tradition.

1¼ tasse de farine

  1 c. à thé de zeste d'orange râpé

  1 c. à thé de cannelle

¾ c. à thé de levure chimique

½ c. à thé de gingembre moulu

⅛ c. à thé de clou de girofle moulu

¼ tasse de beurre ramolli, ou de margarine

½ tasse de cassonade dorée bien tassée

  4 gros blancs d'œufs

½ tasse de cidre, ou de jus de pomme

¾ tasse de raisins secs

½ tasse de carottes râpées

⅓ tasse de cerises confites coupées en deux, ou de raisins de Corinthe, ou de raisins secs

⅓ tasse d'ananas confit haché, ou de raisins de Corinthe, ou de raisins secs

⅓ tasse de demi-pacanes

Sauce au cidre et au brandy (recette ci-contre)

1 Graissez un moule à pouding-vapeur ou une cocotte de 6 tasses. Dans un bol moyen, mélangez la farine, le zeste d'orange râpé, la cannelle, la levure chimique, le gingembre et le clou de girofle.

2 Dans un grand bol, défaites le beurre en crème avec la cassonade à vitesse moyenne au batteur électrique ; raclez souvent le bol. Toujours au batteur électrique, ajoutez les blancs d'œufs. Avec une cuiller de bois, incorporez le tiers des ingrédients secs, puis la moitié du cidre. Répétez. Terminez avec le reste de la farine aromatisée. Incorporez les raisins secs, les carottes, les cerises, l'ananas et les pacanes.

3 Versez la pâte dans le moule. Couvrez-le de papier d'aluminium maintenu par une ficelle.

4 Déposez le moule sur une grille dans un faitout et remplissez celui-ci d'eau bouillante jusqu'à mi-hauteur du moule. Couvrez et faites cuire à feu doux de 2 heures à 2 h 30, jusqu'à ce qu'un cure-dent inséré au centre de la pâte en ressorte propre.

5 Déposez le moule 10 minutes à l'endroit sur une grille. Avec une spatule métallique étroite, dégagez le tour du pouding avant de le démouler à l'envers sur une assiette. Servez-le chaud, arrosé de sauce au cidre et au brandy ; accompagnez-le de crème glacée à la vanille si vous le désirez. (Ou couvrez et réfrigérez : il se gardera une semaine. Pour le réchauffer, répétez l'étape 4 en réduisant la cuisson à 1 heure.) Donne 8 portions.

Préparation : 25 minutes Cuisson : 2 heures
Repos : 10 minutes

Par portion : Calories 347. Gras total 10 g. Gras saturé 4 g.
Protéines 5 g. Hydrates de carbone 61 g. Fibres 2 g.
Sodium 148 mg. Cholestérol 17 mg.

Sauce au cidre et au brandy

Dans une petite casserole, mélangez à l'aide d'un fouet **3/4 tasse de cidre, ou de jus de pomme, 1/4 tasse de cassonade dorée bien tassée et 1 c. à soupe de fécule de maïs.** Amenez à ébullition à feu modéré et laissez épaissir 2 minutes, sans cesser de fouetter. Incorporez **2 c. à soupe de brandy, ou de jus de pomme, et 1 c. à thé de beurre, ou de margarine.** Donne 3/4 tasse.

Pour 1½ cuillerée à soupe : Calories 44. Gras total 1 g.
Gras saturé 0 g. Protéines 0 g. Hydrates de carbone 8 g.
Fibres 0 g. Sodium 7 mg. Cholestérol 1 mg.

Pouding au pain et au chocolat

Le pouding au pain a toujours servi à tirer bon parti du pain rassis. Si vous n'en avez pas, prenez du pain frais, coupez-le en dés et laissez-le rassir pendant 8 ou 12 heures à la température ambiante en le couvrant d'une feuille d'essuie-tout.

- 4 **tasses de dés de bon pain de ménage, rassis ou desséché**
- 2 **tasses, ou un peu plus, de lait au chocolat écrémé à 2 p. 100, ou de lait écrémé à 1 p. 100**
- 1 **tasse de sucre**
- 1/3 **tasse de cacao non sucré**
- 1 **c. à thé de cannelle moulue**
- 2 **gros blancs d'œufs**
- 1 **gros œuf**
- 2 **c. à soupe de beurre fondu**
- 1 **c. à soupe de vanille**
- 1/3 **tasse de pacanes hachées (facultatif)**

1 Préchauffez le four à 180 °C (350 °F). Graissez un plat à four carré de 20 cm (8 po) de côté. Dans un grand bol, déposez les dés de pain. Mouillez-les de lait au chocolat ; remuez-les pour qu'ils s'imbibent parfaitement. (Le mélange doit être très humide, mais non réduit en bouillie. Au besoin, ajoutez du lait au chocolat, une cuillerée à soupe à la fois.)

2 Dans un petit bol, mélangez le sucre, le cacao et la cannelle. Dans un bol moyen, mélangez au batteur manuel les blancs d'œufs, l'œuf, le beurre fondu et la vanille. Ajoutez le sucre parfumé et mélangez. Incorporez les pacanes, s'il y a lieu. Enfin, versez cette préparation sur le pain et remuez délicatement.

3 Mettez l'appareil dans le plat préparé. Couvrez, enfournez et faites cuire 30 minutes. Découvrez et prolongez la cuisson de 10 ou 15 minutes : le pouding doit être presque ferme au centre. Laissez-le refroidir 5 minutes sur une grille. Servez avec de la garniture fouettée surgelée, décongelée, ou de la crème glacée à la vanille allégée. Donne 9 portions.

Préparation : 15 minutes Cuisson : 40 minutes
Repos : 5 minutes

Par portion : Calories 223. Gras total 5 g. Gras saturé 3 g.
Protéines 6 g. Hydrates de carbone 40 g. Fibres 2 g.
Sodium 173 mg. Cholestérol 35 mg.

Brownies au double chocolat

*Ces petits fours se situent à mi-chemin entre
la pâtisserie et la confiserie. Pour les démouler
sans problème, tapissez le moule de papier d'aluminium.
Quand le gâteau est froid, sortez-le d'un bloc et
découpez-le en carrés ou en rectangles.*

¾ **tasse de farine**

⅓ **tasse de cacao non sucré**

¼ **c. à thé de levure chimique**

½ **tasse de beurre ramolli, ou de margarine**

1 **tasse de sucre granulé**

2 **gros blancs d'œufs**

1 **gros œuf**

1 **c. à thé de vanille**

½ **tasse de grains de chocolat mi-sucré**

½ **tasse de noix hachées (facultatif)**

Sucre glace

1 Préchauffez le four à 180 °C (350 °F). Dans un bol moyen, mélangez la farine, le cacao et la levure chimique. Dans un grand bol, défaites le beurre en crème avec le sucre au batteur électrique à vitesse moyenne ; raclez souvent le bol. Toujours en battant, ajoutez les blancs d'œufs, l'œuf et la vanille.

2 Avec une cuiller de bois, incorporez les ingrédients secs sans insister. Incorporez les grains de chocolat et les noix, s'il y a lieu.

3 Graissez un moule carré de 20 cm (8 po) de côté. Étalez-y la pâte. Enfournez et faites cuire de 25 à 30 minutes, jusqu'à ce qu'un cure-dent inséré au centre du gâteau en ressorte propre. La pâte doit se détacher du moule. Faites refroidir sur une grille. Poudrez de sucre glace. Donne 16 brownies.

Préparation : 15 minutes Cuisson : 25 minutes

Par brownie : Calories 157. Gras total 8 g. Gras saturé 5 g.
Protéines 2 g. Hydrates de carbone 21 g. Fibres 1 g.
Sodium 78 mg. Cholestérol 29 mg.

LA CUISINE À LA MARGARINE

◆ Pour avoir les meilleurs résultats, employez un produit en bâtonnet étiqueté margarine. Ne prenez pas de margarine molle, allégée, à tartiner ou vendue en tube. Tous ces produits renferment de l'eau et cela nuirait aux recettes.

◆ La margarine à l'huile de maïs convient à la pâtisserie, mais elle donne une pâte plus tendre et plus friable que le beurre. Pour façonner, trancher ou découper la pâte à la margarine, mettez-la d'abord quelques heures au congélateur.

Biscuits de l'ermite

2 **tasses de farine**

1 **c. à thé de bicarbonate de soudre**

1 **c. à thé de cannelle**

¼ **c. à thé de piment de la Jamaïque, ou de muscade**

½ **tasse de beurre ramolli, ou de margarine**

½ **tasse de sucre**

½ **tasse de mélasse**

2 **gros blancs d'œufs**

1 **gros œuf**

½ **tasse de raisins de Corinthe, ou d'autres raisins secs**

⅓ **tasse de noix, ou de pacanes, finement hachées**

1 Préchauffez le four à 190 °C (375 °F). Dans un bol moyen, mélangez la farine, le bicarbonate de soude, la cannelle et le piment de la Jamaïque. Dans un grand bol, défaites le beurre en crème avec le sucre au batteur électrique à vitesse moyenne. Raclez souvent le bol. Toujours en battant, ajoutez la mélasse, les blancs d'œufs et l'œuf. Avec une cuiller de bois, incorporez dans la pâte les ingrédients secs, sans insister. Incorporez ensuite les raisins de Corinthe et les noix.

2 Laissez tomber la pâte par grosses cuillerées sur des plaques à biscuits graissées, en laissant un intervalle de 5 cm (2 po) entre les biscuits. Enfournez et faites cuire 8 ou 9 minutes : le pourtour doit tout juste brunir. Laissez les biscuits refroidir sur des grilles. Poudrez-les de sucre glace, à votre goût. Donne 36 biscuits.

Préparation : 15 minutes Cuisson : 24 minutes

Par biscuit : Calories 87. Gras total 3 g. Gras saturé 2 g.
Protéines 1 g. Hydrates de carbone 13 g. Fibres 0 g.
Sodium 68 mg. Cholestérol 13 mg.

Biscuits aux flocons d'avoine

Biscuits aux flocons d'avoine

Leur popularité ne passe pas ; ils sont bons au goût et bons pour vous.

- **2 tasses de farine**
- **2 c. à thé de cannelle**
- **1 c. à thé de levure chimique**
- **1 c. à thé de bicarbonate de soude**
- **1 tasse de beurre ramolli, ou de margarine**
- **2 tasses de sucre**
- **¼ tasse de lait écrémé à 1 p. 100**
- **2 gros blancs d'œufs**
- **2 gros œufs**
- **2 c. à thé de vanille**
- **3 tasses de flocons d'avoine à l'ancienne ou à cuisson rapide**

1 Préchauffez le four à 190 °C (375 °F). Dans un bol moyen, mélangez la farine, la cannelle, la levure chimique et le bicarbonate de soude. Dans un grand bol, défaites le beurre en crème avec le sucre au batteur électrique à vitesse moyenne. Raclez souvent le bol. Toujours en battant, ajoutez le lait, les blancs d'œufs, les œufs et la vanille. Avec une cuiller de bois, incorporez les ingrédients secs, sans insister. Incorporez les flocons d'avoine.

2 Laissez tomber la pâte par grosses cuillerées sur des plaques à biscuits graissées, en laissant un intervalle de 5 cm (2 po) entre les biscuits. Enfournez et faites cuire 8 à 10 minutes : le pourtour doit tout juste dorer. Faites refroidir sur des grilles. Donne environ 42 biscuits.

Préparation : 15 minutes Cuisson : 32 minutes

Par biscuit : Calories 125. Gras total 5 g. Gras saturé 3 g. Protéines 2 g. Hydrates de carbone 18 g. Fibres 1 g. Sodium 93 mg. Cholestérol 22 mg.

❋

Biscuits aux raisins secs et aux noix Suivez la même recette, mais ajoutez **1½ tasse de raisins secs, ou 1 tasse de dattes dénoyautées hachées**, et **1 tasse de noix hachées** en même temps que les flocons d'avoine. Donne environ 48 biscuits.

Par biscuit : Calories 141. Gras total 6 g. Gras saturé 3 g. Protéines 2 g. Hydrates de carbone 21 g. Fibres 1 g. Sodium 82 mg. Cholestérol 19 mg.

Biscuits au sucre et à la crème sure

Biscuits au sucre et à la crème sure

L'origine du mot « biscuit » est amusante ; il a été créé au Moyen Âge à partir du latin pour désigner un pain cuit deux fois (bis-cuit), puis, plus tard, des galettes minces, également cuites deux fois, dont on faisait provision avant de partir en voyage. Le terme se retrouve également en italien, en espagnol, en portugais et en provençal.

  3 **tasses de farine**
1¼ **c. à thé de levure chimique**
 ½ **c. à thé de bicarbonate de soude**
 ½ **c. à thé de muscade, ou de cannelle (facultatif)**
 ⅛ **c. à thé de sel**
 ½ **tasse de beurre ramolli, ou de margarine**
1½ **tasse de sucre**
  1 **tasse de crème sure allégée**
  1 **gros œuf**
  2 **c. à thé de vanille**
Glacis :
  2 **tasses de sucre glace tamisé**
  3 **c. à soupe de lait écrémé à 1 p. 100**
 ½ **c. à thé de vanille**
    Colorant végétal (facultatif)

1 Dans un bol moyen, mélangez la farine, la levure chimique, le bicarbonate de soude, la muscade, s'il y a lieu, et le sel. Dans un grand bol, défaites le beurre en crème avec le sucre au batteur électrique à vitesse moyenne. Raclez souvent le bol.

2 Toujours au batteur électrique, ajoutez la crème sure, l'œuf et les 2 c. à thé de vanille. Avec une cuiller de bois, incorporez les ingrédients secs sans insister. Divisez la pâte en trois ; enveloppez les pâtons dans de la pellicule plastique et réfrigérez environ 1 heure pour qu'ils se manipulent facilement.

3 Préchauffez le four à 190 °C (375 °F). Sur une surface farinée, abaissez un pâton à 6 mm (¼ po) d'épaisseur et découpez des formes avec un emporte-pièce. Servez-vous d'une spatule pour déposer les biscuits sur des plaques non graissées, en les espaçant de 5 cm (2 po). Enfournez et faites cuire 8 à 10 minutes, jusqu'à ce que le tour soit ferme et le dessous brun. Laissez les biscuits refroidir sur des grilles. Répétez ces opérations avec les deux autres pâtons.

4 Glacis : dans un bol moyen, mélangez le sucre glace, la moitié du lait, la vanille et du colorant végétal, s'il y a lieu. Incorporez peu à peu assez de lait pour obtenir un glacis que vous pouvez étendre sur chacun des biscuits. Laissez-le sécher complètement. Gardez les biscuits dans un contenant bien fermé (ne les congelez pas). Donne environ 36 biscuits.

Préparation : 40 minutes Réfrigération : 1 heure
Cuisson : 24 minutes

Par biscuit : Calories 127. Gras total 4 g. Gras saturé 2 g.
Protéines 2 g. Hydrates de carbone 22 g. Fibres 0 g.
Sodium 73 mg. Cholestérol 15 mg.

Biscuits réfrigérateur au beurre d'arachide

À base de beurre, cette pâte doit obligatoirement séjourner au réfrigérateur pour acquérir de la fermeté. C'est ainsi qu'après l'avoir façonnée en rouleau, on peut la découper en tranches minces qui constituent autant de biscuits.

  2 **tasses de farine**
 ¾ **c. à thé de bicarbonate de soude**
 ½ **tasse de beurre ramolli, ou de margarine**
 ½ **tasse de beurre d'arachide croquant**
 ⅓ **tasse de sucre**
 ⅓ **tasse de cassonade dorée bien tassée**
 ¼ **tasse de lait écrémé à 1 p. 100**
  1 **c. à thé de vanille**

1 Dans un bol moyen, mélangez la farine et le bicarbonate de soude. Dans un grand bol, défaites le beurre et le beurre d'arachide en crème au batteur électrique à vitesse moyenne. Toujours au batteur électrique, ajoutez le sucre et la cassonade. Raclez souvent le bol. De la même façon, ajoutez le lait et la vanille. Avec une cuiller de bois, incorporez les ingrédients secs dans la pâte, sans insister.

2 Façonnez deux rouleaux de 15 cm (6 po) de longueur. Enveloppez-les séparément dans de la pellicule plastique et réfrigérez-les de 4 à 48 heures.

3 Préchauffez le four à 190 °C (375 °F). Découpez les rouleaux en tranches de 6 mm (¼ po) d'épaisseur. Déposez-les sur des plaques non graissées en les espaçant de 2,5 cm (1 po) de tous les côtés. Enfournez et faites cuire 7 ou 8 minutes, jusqu'à ce que le tour des biscuits soit ferme et commence à dorer. Laissez les biscuits refroidir sur des grilles. Donne 36 biscuits.

Préparation : 20 minutes Réfrigération : 4 heures
Cuisson : 21 minutes

Par biscuit : Calories 82. Gras total 4 g. Gras saturé 2 g.
Protéines 2 g. Hydrates de carbone 9 g. Fibres 0 g.
Sodium 71 mg. Cholestérol 7 mg.

Macarons aux noix

*Ces biscuits portent en américain le nom curieux
de* snickerdoodles. *Selon la recette, ceux-ci
peuvent être tendres ou croquants, mais ils sont
toujours roulés dans un mélange de sucre
et de cannelle et leur surface est craquelée.*

- 3 **tasses de farine**
- 1 **c. à thé de bicarbonate de soude**
- ½ **c. à thé de muscade, ou de cannelle (facultatif)**
- ¼ **c. à thé de crème de tartre**
- ½ **tasse de beurre ramolli, ou de margarine**
- 1 **tasse de cassonade dorée bien tassée**
- 2 **gros blancs d'œufs**
- 1 **gros œuf**
- 1 **c. à thé de vanille**
- ⅓ **tasse de raisins de Corinthe**
- ⅓ **tasse de noix hachées**
- 3 **c. à soupe de sucre**
- 1½ **c. à thé de cannelle**

1 Dans un bol moyen, mélangez la farine, le bicarbonate de soude, la muscade, s'il y a lieu, et la crème de tartre. Dans un grand bol, défaites le beurre en crème avec la cassonade à vitesse moyenne au batteur électrique. Raclez souvent le bol.

2 Toujours en battant, ajoutez les blancs d'œufs, l'œuf et la vanille. Avec une cuiller de bois, incorporez les ingrédients secs sans insister. Incorporez ensuite les raisins et les noix. Couvrez et réfrigérez 3 ou 4 heures.

3 Préchauffez le four à 180 °C (350 °F). Dans un petit bol, mélangez le sucre et la cannelle. Façonnez la pâte en boules de 2,5 cm (1 po) de diamètre. Disposez-les une à une sur des plaques graissées, en les espaçant de 5 cm (2 po). Avec le fond d'un verre, aplatissez-les légèrement.

4 Enfournez et faites cuire 8 à 10 minutes, jusqu'à ce que le tour soit ferme et le dessous brun. Retirez les plaques du four et attendez 1 minute avant de mettre les macarons à refroidir sur des grilles Donne environ 48 macarons.

Préparation : 20 minutes Réfrigération : 3 heures
Cuisson : 32 minutes

Par macaron : Calories 71. Gras total 3 g. Gras saturé 1 g.
Protéines 1 g. Hydrates de carbone 11 g. Fibres 0 g.
Sodium 51 mg. Cholestérol 10 mg.

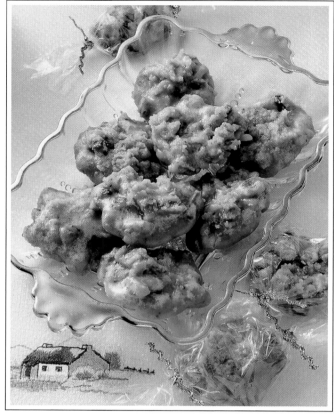

Pralines divines

Pralines divines

*Ces bonbons sont une pure merveille.
Pour les réussir à la perfection, il faut que les noix soient
tièdes (ou encore un peu chaudes si vous venez de les faire
griller) avant de les jeter dans le sirop. Autrement,
celui-ci se refroidira et caramélisera trop rapidement.*

- 1½ **tasse de sucre**
- 1 **tasse de lait écrémé à 1 p. 100**
- ¾ **tasse de cassonade dorée bien tassée**
- 3 **c. à soupe de beurre, ou de margarine**
- 2 **c. à thé de vanille**
- 1 **tasse de pacanes, grillées ou non, hachées**

1 Foncez une plaque à biscuits de papier d'aluminium. Beurrez légèrement le papier. Dans une grande casserole, mettez le sucre, le lait, la cassonade, le beurre et la vanille. Lancez l'ébullition à feu assez vif en remuant avec une cuiller de bois pour aider le sucre à fondre (n'éclaboussez pas la paroi). Laissez bouillir 3 minutes. Si vous avez un thermomètre à bonbon, fixez-le à la casserole de manière qu'il ne touche pas le fond.

2 Faites cuire à feu modéré, en remuant de temps à autre, jusqu'à ce que le thermomètre marque 115 °C (240 °F), au stade de boule molle (15 à 18 minutes). À défaut de thermomètre, laissez tomber une petite cuillerée de sirop dans un bol d'eau très froide, mais non glacée. Dans l'eau, façonnez le sirop en boule. Saisissez-la ; elle devrait s'aplatir et glisser entre vos doigts.

3 Retirez la casserole du feu ; enlevez le thermomètre. Incorporez les pacanes. Remuez vigoureusement à la cuiller de bois jusqu'à ce que le sirop devienne épais et d'apparence un peu brouillée, et que les pacanes y restent en suspens (4 ou 5 minutes).

4 Laissez tomber cet appareil par petites cuillerées sur la plaque en leur donnant 4 cm (1½ po) de diamètre. Si le sirop devient trop épais, relâchez-le en ajoutant quelques gouttes d'eau très chaude à la fois. Laissez refroidir 30 minutes : les pralines deviendront fermes et perdront leur luisant. Pour les conserver, enveloppez-les individuellement dans de la pellicule plastique. Donne 32 pralines.

Préparation : 15 minutes Cuisson : 28 minutes
Refroidissement : 30 minutes

Par praline : Calories 62. Gras total 1 g. Gras saturé 1 g. Protéines 0 g. Hydrates de carbone 13 g. Fibres 0 g. Sodium 16 mg. Cholestérol 3 mg.

Bonbon écossais

Ce bonbon, appelé taffy *en anglais, se confectionne d'après le même principe que la tire : le sucre, une fois cuit, doit être étiré pendant de longs moments. Le degré de cuisson étant plus élevé, le résultat est toutefois beaucoup plus dur. Pour manipuler en temps voulu la quantité prévue dans cette recette, il faut s'y mettre à quatre personnes.*

- **2 tasse de sucre**
- **1 tasse de sirop de maïs brun**
- **1 tasse d'eau**
- **1 c. à thé de sel**
- **2 c. à soupe de beurre, ou de margarine**
- **2 c. à thé de vanille**

1 Beurrez un moule de 38 × 25 × 2,5 cm (15 × 10 × 1 po). Dans une grande casserole à fond épais, mélangez le sucre, le sirop de maïs, l'eau et le sel. Lancez l'ébullition à feu assez vif en remuant avec une cuiller de bois pour aider le sucre à fondre. (N'éclaboussez pas la paroi.) Laissez bouillir 2 minutes. Si vous avez un thermomètre à bonbon, fixez-le à la casserole et immergez-le dans le sirop sans qu'il touche au fond.

2 Faites cuire à feu modéré, en remuant de temps à autre, jusqu'à ce que le thermomètre marque 130 °C (265 °F), au stade de boule dure (15 à 20 minutes). À défaut de thermomètre, laissez tomber une petite cuillerée de sirop dans un bol d'eau très froide. Dans l'eau, façonnez le sirop en boule. Saisissez-la ; elle ne devrait pas s'aplatir, mais néanmoins se déformer à la pression.

3 Retirez la casserole du feu ; enlevez le thermomètre. Incorporez immédiatement le beurre et la vanille. Versez la pâte de sucre dans le moule. Posez celui-ci sur une grille et laissez refroidir 15 à 20 minutes, suffisamment pour manipuler la pâte. Vérifiez prudemment sa température : elle peut être froide sur le dessus, mais brûlante à l'intérieur.

4 Beurrez-vous les mains. Divisez la pâte en quatre parts et façonnez chacune en boule. Avec la collaboration de trois autres personnes, étirez, pliez et torsadez la pâte. Recommencez jusqu'à ce qu'elle devienne très difficile à manipuler (12 à 16 minutes). Beurrez-vous les mains dès que nécessaire.

5 Quand la pâte est assez dure pour que l'extrémité casse sec contre une table (ci-dessous), étirez-la une dernière fois en un cordon de 1,5 cm (½ po) de diamètre et coupez ce cordon en petits bouts avec des ciseaux de cuisine. Laissez durcir 2 heures à la température ambiante.

6 Enveloppez chaque pièce dans de la pellicule plastique pour l'empêcher de se ramollir et de coller. Donne environ 750 g (1½ lb), soit 48 bonbons écossais.

Préparation : 35 minutes Cuisson : 25 minutes
Refroidissement : 15 minutes Durcissement : 2 heures

Par bonbon : Calories 56. Gras total 0 g. Gras saturé 0 g. Protéines 0 g. Hydrates de carbone 14 g. Fibres 0 g. Sodium 60 mg. Cholestérol 1 mg.

BONBONS ÉCOSSAIS

Pour savoir si la pâte est à point, cognez-la contre le comptoir. Si le cordon se casse, il est temps de la couper. Sinon, continuez à l'étirer.

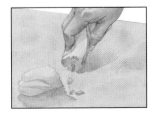

Nougat

Nougat

Le fondant désigne une préparation culinaire également appelée glace de sucre ; on s'en sert en confiserie et en pâtisserie.
Le nougat est un fondant confectionné aux blancs d'œufs et garni de noix ou d'amandes. Chaque pays a sa recette de nougat.
Celle-ci, d'origine américaine, se nomme Divinity en anglais.

2½ **tasses de sucre**

⅔ **tasse de sirop de maïs**

½ **tasse d'eau**

2 **gros blancs d'œufs**

½ **c. à thé de vanille**

⅔ **tasse de pacanes hachées, ou de noix,**
     ou de cerises confites rouges ou vertes (facultatif)

1 Foncez un moule de papier ciré. Dans une grande casserole à fond épais, mélangez le sucre, le sirop de maïs et l'eau. Lancez l'ébullition à feu assez vif en remuant avec une cuiller de bois pour aider le sucre à fondre. (N'éclaboussez pas la paroi.) Laissez bouillir 3 minutes. Si vous avez un thermomètre à bonbon, fixez-le à la casserole et immergez-le dans le sirop sans qu'il touche au fond.

2 Faites cuire à feu modéré, en remuant de temps à autre, jusqu'à ce que le thermomètre marque 125 °C (260 °F), au stade de boule dure (15 à 18 minutes). À défaut de thermomètre, laissez tomber une petite cuillerée de sirop dans un bol d'eau très froide, mais non glacée. Dans l'eau, façonnez le sirop en boule. Saisissez cette boule entre vos doigts ; elle ne devrait pas s'aplatir, mais se déformer à la pression.

3 Retirez la casserole du feu ; enlevez le thermomètre. Dans un grand bol et avec des fouets très propres, fouettez les blancs d'œufs à grande vitesse au batteur électrique jusqu'à formation de pics fermes. Toujours en battant, incorporez le sirop chaud en le versant en filet. Battez 3 minutes ; raclez le bol de temps à autre.

4 Ajoutez la vanille. Continuez à fouetter jusqu'à ce que le fondant perde son lustre et forme des pics souples (5 ou 6 minutes). Raclez le bol de temps à autre. Incorporez les pacanes, s'il y a lieu.

5 Laissez tomber rapidement l'appareil par petites cuillerées sur le papier ciré. S'il devient trop épais, relâchez-le en lui incorporant quelques gouttes d'eau très chaude. Laissez refroidir. Gardez dans un contenant bien fermé. Donne 36 morceaux.

Préparation : 20 minutes Cuisson : 25 minutes

Par morceau : Calories 72. Gras total 0 g. Gras saturé 0 g.
Protéines 0 g. Hydrates de carbone 19 g. Fibres 0 g.
Sodium 11 mg. Cholestérol 0 mg.

PRÉPARATION DU NOUGAT

◆ Choisissez une journée où il fait sec parce que le sucre absorbe l'humidité de l'air. Par temps humide, le nougat ne prendrait pas.

◆ Utilisez des blancs d'œufs à la température ambiante ; ils ne gonfleront pas s'ils sont trop froids.

◆ Servez-vous d'un batteur électrique puissant car le mélange pour le nougat est extrêmement épais. Les mixettes qu'on tient à la main ne sont pas assez fortes ; vous risquez de flamber le moteur.

◆ Suivez la recette scrupuleusement et respectez le chronométrage. Il faut ajouter le sirop lentement et battre la préparation jusqu'à ce qu'elle soit à point : en deçà, elle ne prendrait pas ; au-delà, vous seriez incapable de l'étendre sur la plaque.

Caramel croquant aux arachides

Le secret du caramel croquant, c'est l'addition du bicarbonate de soude. Parce qu'il fermente au contact du sucre caramélisé, il le rend plus poreux, donc plus facile à croquer.

¾	**tasse de sucre**
¾	**tasse de sirop de maïs**
¼	**tasse d'eau**
3	**c. à soupe de beurre ramolli, ou de margarine**
1½	**tasse d'arachides écalées nature, ou de noix de cajou hachées**
2	**c. à thé de vanille**
1	**c. à thé de bicarbonate de soude**

1 Beurrez une plaque à biscuits. Dans une grande casserole à fond épais, mélangez le sucre, le sirop de maïs, l'eau et le beurre. Lancez l'ébullition à feu assez vif en remuant avec une cuiller de bois pour aider le sucre à fondre. (N'éclaboussez pas la paroi.) Laissez bouillir 3 minutes. Si vous avez un thermomètre à bonbon, fixez-le à la casserole pour qu'il ne touche pas au fond.

2 Faites cuire à feu moyen, en remuant de temps à autre, jusqu'à ce que le thermomètre marque 115 °C (240 °F), au stade de boule molle (10 à 12 minutes). À défaut de thermomètre, laissez tomber une petite cuillerée de sirop dans un bol d'eau très froide, mais non glacée. Dans l'eau, façonnez le sirop en boule. Saisissez-la ; elle devrait s'aplatir et glisser entre vos doigts.

3 Ajoutez les arachides. Poursuivez la cuisson à feu modéré et en remuant constamment jusqu'à ce que le thermomètre marque 150 °C (300 °F), au stade de boule dure. Cette fois-ci, le sirop formera des fils durs et cassants. Prenez soin de ne pas le laisser brûler.

4 Retirez la casserole du feu ; enlevez le thermomètre. Incorporez immédiatement la vanille et le bicarbonate de soude et remuez vigoureusement. Versez rapidement la pâte sur la plaque.

5 Avec deux fourchettes, soulevez et étirez le fondant sans le briser de façon à former un rectangle de 35 × 30 cm (14 × 12 po). Laissez refroidir sur une grille. Brisez le caramel croquant en morceaux et rangez-le dans un contenant bien fermé. Donne environ 500 g (1 lb), soit 50 morceaux de caramel croquant.

Préparation : 20 minutes Cuisson : 30 minutes

Par morceau : Calories 57. Gras total 3 g. Gras saturé 1 g.
Protéines 1 g. Hydrates de carbone 7 g. Fibres 0 g.
Sodium 39 mg. Cholestérol 2 mg.

Fondant aux noix et au chocolat

Voici une recette faite pour les passionnés du fondant aux noix et au chocolat – le fameux fudge *des Américains – puisqu'elle en produit 1,5 kg (3½ lb) ou 117 morceaux. Mais il est si crémeux, si tendre, en un mot si fondant qu'il ne vous durera pas longtemps.*

2 paquets de 175 g (6 oz) de grains de chocolat mi-sucré

2 paquets de 175 g (6 oz) de grains de chocolat au lait

1 tasse de guimauve en crème

1½ tasse de noix hachées

2 c. à thé de vanille

4 tasses de sucre

1 boîte de 385 ml (12 oz) de lait écrémé évaporé

2 c. à soupe de beurre, ou de margarine

1 Tapissez de papier d'aluminium un moule de 33 × 22 × 5 cm (13 × 9 × 2 po) en le laissant dépasser de tous les côtés. Beurrez-le. Dans un grand bol, mélangez les grains de chocolat mi-sucré et de chocolat au lait, la guimauve en crème, les noix et la vanille.

2 Dans une grande casserole à fond épais, mélangez le sucre, le lait évaporé et le beurre. Amenez à ébullition à feu modéré en remuant avec une cuiller de bois pour aider le sucre à fondre. (N'éclaboussez pas la paroi de la casserole.) Laissez bouillir 12 minutes à petit feu sans cesser de remuer.

3 Hors du feu, versez le contenu de la casserole sur les grains de chocolat et remuez pour les faire fondre. Dressez rapidement le fondant dans le moule et, pendant qu'il est encore chaud, tracez des carrés de 2,5 cm (1 po) de côté avec la pointe d'un couteau.

4 Quand le fondant s'est raffermi, retirez-le du moule et achevez de le découper (ci-contre, en haut). Gardez-le au réfrigérateur dans un contenant bien fermé. Donne environ 1,5 kg (3½ lb) de fondant, soit 117 carrés.

Préparation : 20 minutes Cuisson : 20 minutes

Par carré : Calories 75. Gras total 3 g. Gras saturé 1 g. Protéines 1 g. Hydrates de carbone 12 g. Fibres 0 g. Sodium 9 mg. Cholestérol 1 mg.

POUR DÉCOUPER LE FUDGE

En tapissant le moule de papier d'aluminium, vous pourrez retirer le fondant sans difficulté.

◆ Quand il est devenu ferme, sortez-le d'un bloc en soulevant le papier.

◆ Retirez le papier et déposez le fondant sur une planche à découper.

◆ Utilisez un couteau à lame dentée, comme un couteau à pain. Appuyez-le sur les incisions que vous aurez déjà pratiquées. Posez une main sur le manche du couteau, l'autre sur le dessus de la lame et appuyez uniformément pour que le couteau pénètre à travers le fondant.

Fondant aux arachides

Ce fondant sera vraiment fondant, à condition que vous pétrissiez bien la pâte.

500 g (1 lb) de sucre glace tamisé (4½ tasses)

⅔ tasse de cacao non sucré

⅔ tasse de beurre d'arachide croquant

2 c. à soupe de beurre ramolli, ou de margarine

½ tasse de lait écrémé à 1 p. 100

1 c. à thé de vanille

½ tasse d'arachides finement hachées (facultatif)

1 Doublez de papier d'aluminium un moule carré de 20 cm (8 po) de côté, en le laissant dépasser de tous les côtés. Beurrez-le. Tamisez le sucre glace avec le cacao dans un bol moyen.

2 Dans un grand bol, défaites le beurre d'arachide et le beurre en crème à vitesse moyenne au batteur électrique. Toujours en battant, ajoutez le cacao sucré en raclant bien le bol, puis le lait et la vanille. Incorporez les arachides, s'il y a lieu.

3 Déposez la préparation sur une surface de travail et pétrissez-la 3 ou 4 minutes.

4 Dressez le fondant dans le moule. Tracez-y des carrés de 2,5 cm (1 po). Quand il s'est raffermi, retirez-le du moule et découpez-le (ci-dessus). Gardez-le au réfrigérateur dans un contenant bien fermé. Donne environ 1 kg (2 lb) de fondant, soit 64 carrés.

Préparation : 25 minutes

Par carré : Calories 49. Gras total 2 g. Gras saturé 1 g. Protéines 1 g. Hydrates de carbone 8 g. Fibres 0 g. Sodium 18 mg. Cholestérol 1 mg.

Petites gâteries

Nougatines au chocolat

À la fois tendres et croquantes, elles ont toujours le plus vif succès.

- **2 paquets de 175 g (6 oz chacun) de grains de chocolat au lait**
- **⅓ tasse d'huile**
- **1 tasse de guimauves miniatures**
- **¾ tasse de noix, ou de pacanes, hachées**

1. Doublez de papier d'aluminium un moule carré de 20 cm (8 po) de côté, en le laissant dépasser de tous les côtés. Beurrez-le.

2. Dans une grande casserole, réchauffez les grains de chocolat et l'huile à feu doux en remuant. Quand les grains sont fondus, retirez la casserole du feu.

3. Incorporez les guimauves et les noix. Étalez cette préparation dans le moule. Couvrez et réfrigérez au moins 4 heures.

4. En saisissant le papier, démoulez les nougatines d'un bloc. Découpez en carrés. Gardez au réfrigérateur. Donne environ 36 nougatines.

Cerises en chemise

- **2½ tasses de garniture de tarte aux cerises allégée**
- **¼ tasse d'amandes hachées**
- **2 c. à thé de jus de citron**
- **½ c. à thé de cannelle**
- **2 abaisses de tarte réfrigérées**

1. Préchauffez le four à 220 °C (425 °F). Dans un petit bol, mélangez la garniture de tarte,

les amandes, le jus de citron et la cannelle.

2. Placez une des deux abaisses sur une plaque à biscuits non graissée. Étalez la moitié de la garniture sur la moitié de l'abaisse ; repliez l'abaisse par-dessus. Pincez le bord avec les dents d'une fourchette. Répétez l'opération.

3. Incisez la pâte, badigeonnez-la d'un peu de lait et saupoudrez de sucre, à votre goût.

4. Enfournez et faites cuire 20 minutes. (Si la bordure brunit trop vite, couvrez-la de papier d'aluminium.) Servez chaud. Donne 8 portions.

Cornets magie rose

La magie, c'est un gâteau au fond du cornet ; magie rose quand la crème glacée est aux fraises.

- **14 cornets à fond plat**
- **1 paquet de mélange à gâteau au chocolat ou au citron**
- **Crème glacée allégée, saveur au choix**

1. Préchauffez le four à 180 °C (350 °F). Déposez les cornets dans un grand plat à four peu profond. Préparez le gâteau selon les directives. Remplissez les cornets de pâte, jusqu'à 2,5 cm (1 po) du bord.

2. Enfournez et faites cuire de 20 à 25 minutes, jusqu'à ce qu'un cure-dent inséré au centre du gâteau en ressorte propre. Laissez refroidir sur des grilles.

3. Déposez une boule de crème glacée sur le gâteau dans le cornet. Donne 14 pièces.

Friands au chocolat

Les enfants en sont toujours friands.

- **3 tasses de flocons d'avoine**
- **1 tasse de noix de coco râpée**
- **½ tasse de pacanes, ou de noix, hachées**
- **1½ tasse de sucre**
- **½ tasse de lait écrémé à 1 p. 100**
- **⅓ tasse de cacao non sucré**
- **¼ tasse de beurre**
- **1 c. à thé de vanille**

1. Doublez une plaque à biscuits de papier d'aluminium. Dans un grand bol, mélangez les flocons d'avoine, la noix de coco et les pacanes.

2. Dans une casserole à fond épais, amenez le lait à ébullition avec le cacao, le beurre et la vanille, en remuant avec une cuiller de bois pour dissoudre le sucre.

3. Versez sur les flocons d'avoine et mélangez. Laissez tomber la préparation par grosses cuillerées sur la plaque. Réfrigérez jusqu'à ce que les friands soient fermes. Gardez au réfrigérateur dans un contenant couvert. Donne environ 36 friands.

Les numéros de page en *italique* réfèrent aux illustrations.

Les numéros de page en *italique* réfèrent aux illustrations.

Les numéros de page en italique *réfèrent aux illustrations.*